林慶彰　總策畫

民國時期稀見期刊彙編

第一輯

哲學科研究年報⑥⑦

臺北帝國大學研究年報

第十二冊

哲學科研究年報

第六輯

臺北帝國大學文政學部

臺北帝國大學文政學部

哲學科研究年報 第六輯

目次

原始母系家族

――パンツァハ族の家族生活――

岡田謙

目次

目次

(一) はしがき

パイワン族の母系家族を論ずるに當つて採つた研究態度はブヌン族の家族を論じた場合(本年報第五輯)と全く同一であつて、現實の家族生活を注意深く觀察し其家族結合の態様、他の集團との相互關係を生ける姿に於て捉へたいと願つた。母系、父系が何等先後關係を示すものでなく其社會の持つ歴史的諸條件に基いて何れともなり得るものであることが明かになつた今日、此の現實の家族生活を究めることによつてこそ母系家族の持つ意味なり特色が相當の程度迄明瞭になることと信ずる。

(二) 社會組織

パシツァハ族は、之を共居住地域及び風俗慣習の相違に基いて、卑南アミ、恒春アミ、海岸アミ、秀姑巒アミ、南勢アミの五群に分けることが出來る。其戶數竝に人口はほゞ第一表の如くである。各群はそれぞれ部族としての共同意識には乏しいが社會組織或は慣習上互に多少の差異を示して居るからかく區分して取扱ふのを便宜とする。

第一表

		大正四年	大正九年	大正一四年	昭和五年	昭和一〇年	昭和一一年
卑南アミ	戸數	七四七	七〇四	六四九	七六二	八三四	八五九
	人口	八、〇六六	八、三二七	八、四三六	八、三三一	九、一七五	九、五四六
恒春アミ	戸數	三二〇	三四一	三六一	三九九	四五〇	四六一
	人口	二、八三八	三、一二〇	三、二九六	三、六九七	四、一八四	四、四〇三
海岸アミ	戸數	八三九	八四九	八六一	九七五	一、〇七五	一、一五九
	人口	七、九〇九	八、二八七	八、八三七	一〇、一九四	一一、三八七	一一、七六〇
秀姑巒アミ	戸數	一、六五三	一、五四〇	一、六三四	一、七六九	一、九〇八	二、〇〇八
	人口	一二、六三九	一一、六七九	一二、二九三	一三、七四四	一五、二八三	一五、八六二
南勢アミ	戸數	一、二二六	一、三〇五	一、五〇〇	一、六四二	一、六五三	一、七一三
	人口	五、三六八	五、七三五	六、六八一	七、一七七	八、三七六	八、四三六
計	戸數	四、七八五	四、七三九	五、〇〇五	五、五四七	五、九二〇	六、二〇〇
	人口	三六、八二〇	三七、一四八	三九、五四三	四三、一四三	四八、四〇五	五〇、〇〇六

備考：臺灣總督府警務局、「蕃社戸口」、同、「高砂族調査書　第一編」及び臺北帝大土俗人種學研究室、「臺灣高砂族系統所屬の研究」を基礎にして算出。但し恒春地方の分を除く。

(1) 氏族集團

本族の社會組織上の特質の一つは共母系氏族組織にある。南勢アミの全部及び秀姑巒アミの一部を除いて卽ち總人口の約七割は六十程の氏族に分れて居る。(註一)氏族は卑南アミ、恒春アミでは Rarungawan (發生地の意)或は Rarumaan (家を一つにする者)と呼ばれ秀姑巒アミ、海岸アミでは Ngasau, Ngasa-ngasau, Ngangasawan (ngasau の意味は明瞭でないが口述者により「集る」意だとも言ひ「大本」の意だとも言ふ)と呼ばれることが多い。(註二) 氏族はそれぞれ固有名詞を持ち、共通の祖先から出て母系によつてたどり得る血緣者の集合と考へられて居る。而して氏族の成員は古くから分散して多數の社に混入して居る場合が普通なのであるから共間の系譜的連絡が明かでない事が多いのであるが、同一氏族名を持つて居れば互に氏族としての親みを感じて居るのである。氏族制度の缺けて居る南勢アミ及び秀姑巒アミの一部では母系をたどつて現實に知り得る血緣者の一團がやはり氏族と同樣の機能を果して居るのである。

氏族若くは親族の共同性は二・三の蕃社に就いて見ても次の樣な事柄に現はれ

て居る。

(一)　蕃社への新移住者は先づ同一氏族の家に入りその家の土地の幾分を分けてもらつて耕作し以て自立を計る(秀姑巒アミ―奇密社、海岸卑南アミ―マラウラウ社)。

(二)　家の建築は蕃社中で手傳ふが、慰勞の宴の飲食物の一部は氏族で持ち寄ることがある(奇密社)。建築自體にも氏族が中心となる(マラウラウ社、南勢アミ―薄々社)。

(三)　家に死者が出れば家族は三日間仕事を休んで喪に服するが氏族員は二日喪に服し氏族の老人は死者の家に行き家族と同じく三日間仕事をしない(奇密社)(マラウラウ社は氏族員も三日間)。

(四)　婚姻の際は兩方の氏族がそれぞれ相談に與り結婚式の手傳をする。例へば嫁の氏族の男子が婿を迎へに行き、其處で或は婿側の氏族の男子が婿と共に嫁の家に來てから一緒に宴を張る(奇密社、マラウラウ社、恒春アミ―池上社)。

(五)　獵の獲物は氏族に分配することが多い(奇密社)。

(六)　死滅した家の所有地は氏族の中の近い者がもらふ(奇密社、マラウラウ社)。

第二表

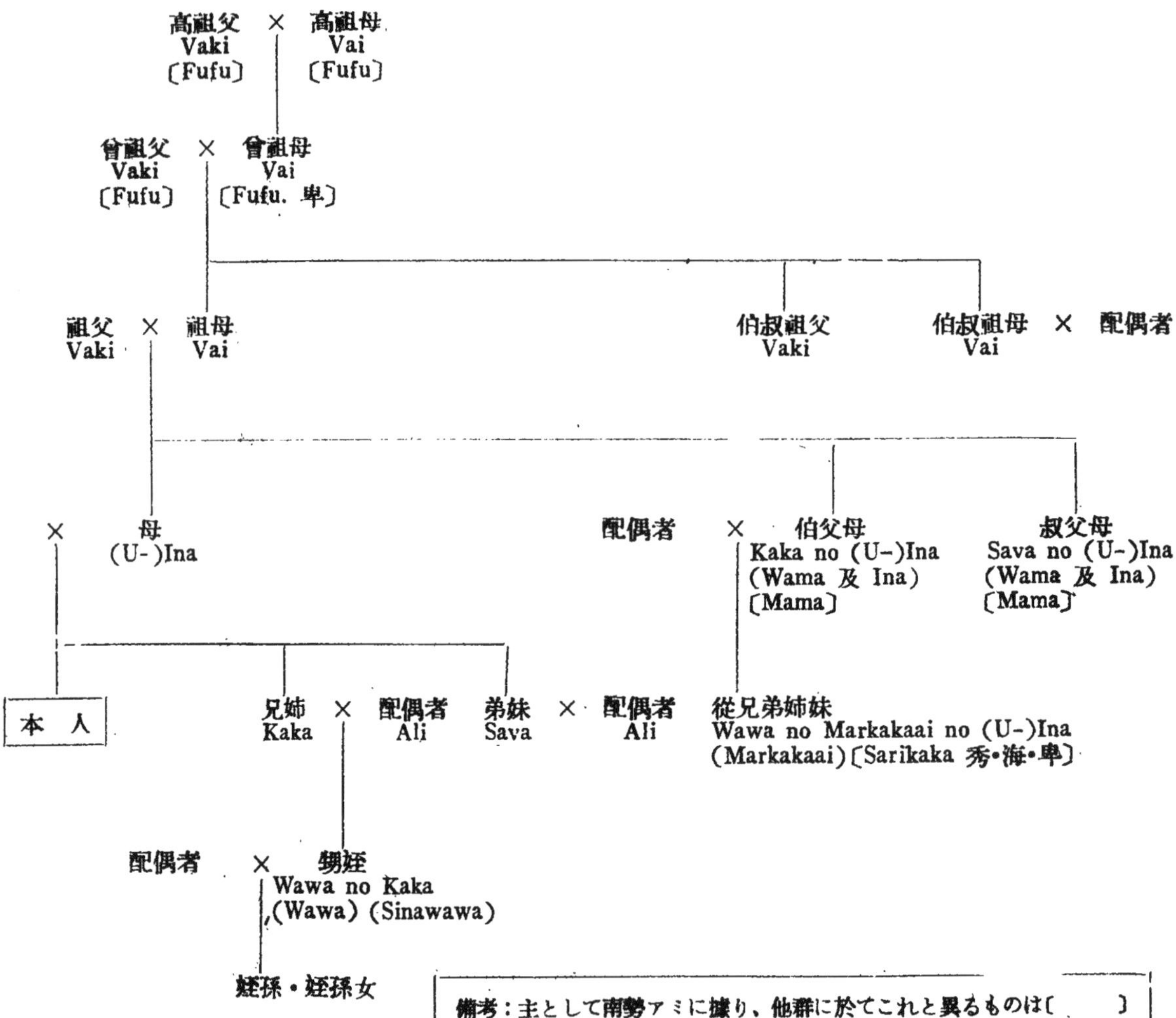

備考：主として南勢アミに據り、他群に於てこれと異るものは〔　　〕を以て附記して置いた。普通(　　)を以て示した樣に呼び特に區別する必要のある時に(　　)無き呼び方をする。血緣者の配偶者は特記せるものを除き血緣者と同樣に呼ぶ。

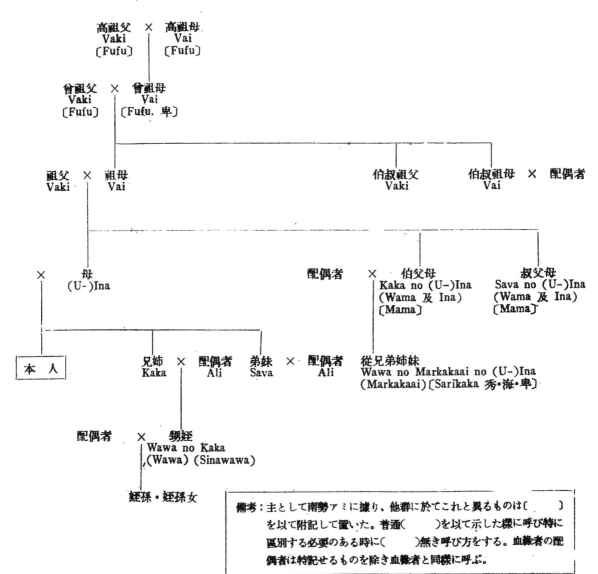

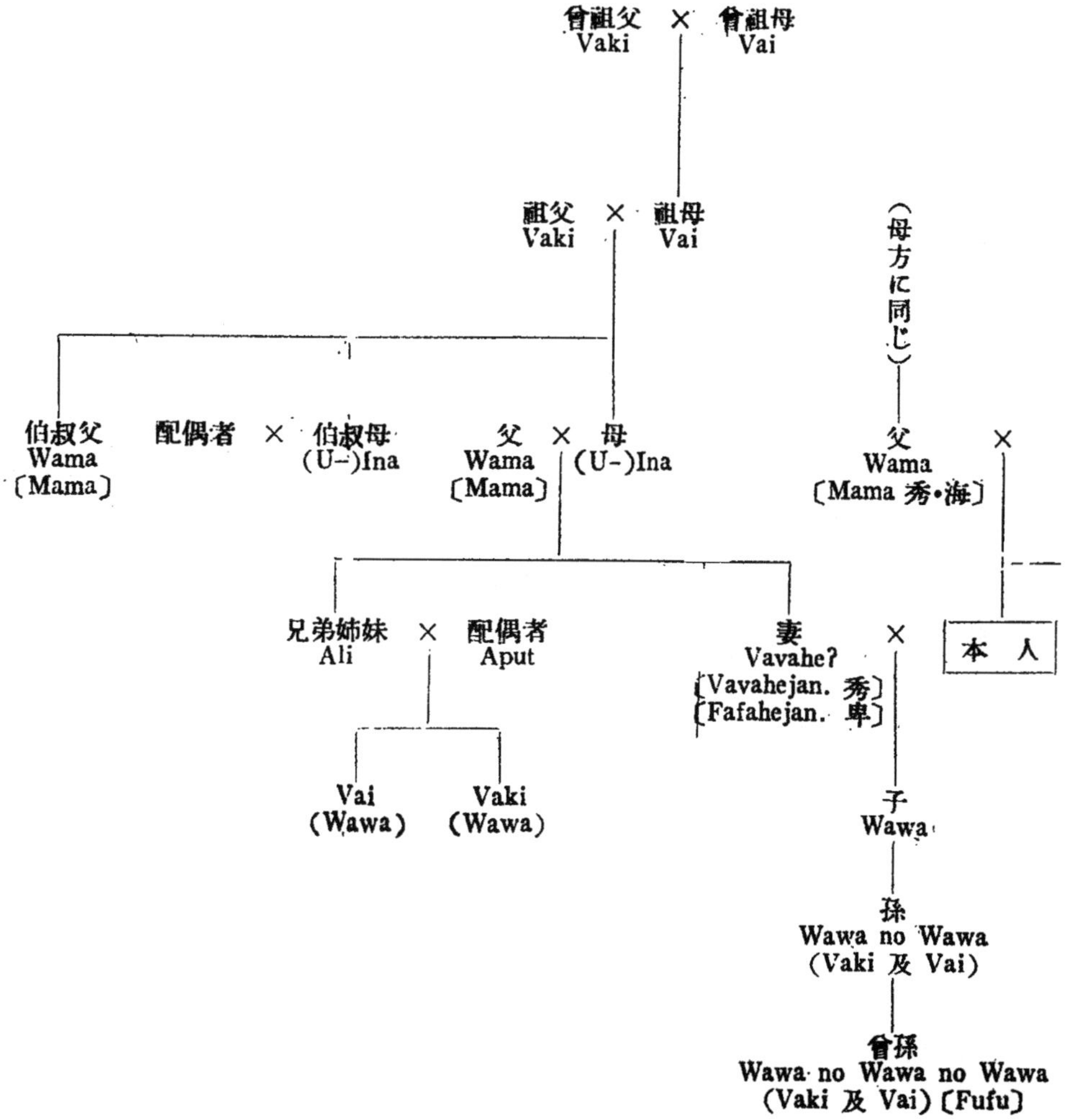
曾祖父 Vaki
曾祖母 Vai
祖父 Vaki
祖母 Vai
(母方に同じ)
伯叔父 Wama 〔Mama〕
配偶者
伯叔母 (U-)Ina
父 Wama 〔Mama〕
母 (U-)Ina
父 Wama 〔Mama 秀・海〕
兄弟姉妹 Ali
配偶者 Aput
妻 Vavahe? 〔Vavahejan. 秀〕 〔Fafahejan. 卑〕
本 人
Vai (Wawa)
Vaki (Wawa)
子 Wawa
孫 Wawa no Wawa (Vaki 及 Vai)
曾孫 Wawa no Wawa no Wawa (Vaki 及 Vai) 〔Fufu〕

(七) 稀に氏族外婚が行はれる(卑南アミ—馬蘭社)。

(八) 女家に於ける婿の利益を擁護するものは實家並に其親族である(南勢アミ—薄々社)。

氏族はかやうに互に強い連帶感を持つて居るのであるが、北ツォウ族やブヌン族の如き整然たる氏族組織を持たず、土地の共同所有體となることもなく、外婚の單位となることも稀である。

次に、本族に於ても母系による氏族關係以外に血緣に據る親緣關係が十分考慮されて居て例へば父親の親族や逆に自家から出婿せる者の子供に對しては連帶感を持ちこれが氏族關係と種々結び附いて現實の生活を規定して居る。母系のみならずすべての血緣關係を總稱して Maninaʔai (秀姑巒アミ) Salauinaina (海岸アミ)〔同じ母から出た者の意〕と呼んで居る。而して親族名稱は第二表に示すが如く父系母系何れに對しても同樣である。

註一 馬淵東一氏の調査に據る。「臺灣高砂族系統所屬の研究」三九一頁。而して同氏の調査せる蕃社五五に就いて見れば一蕃社平均六氏族を包含して居ることになる(同書五四四頁附表)。

註二 馬淵氏に據れば、秀姑巒アミの一部では氏族を Paroj (竈の意) と呼んで居る。(前掲書三九三頁)。

(2) 地域集團

パンツァハ族は極く少數を除いて殆ど全部が平地に居住し第三表に見るが如く一蕃社平均五百人前後の人口を持ち平地居住のパナパナヤン族(プュマ族)と共に高地居住の高砂族に比すれば蕃社人口は非常に多くなつて居る。從つて一蕃社内に互に血緣關係の無い成員を多數包含して居るから氏族關係を超えて共同すべき事項が多くなるのは自然であつて此の爲に地域集團の本族の生活に於て占め

第三表

	社數	戸數	人口
大正四年	六三	七七・一七戸	五七七・七四人
大正九年	七三	六四・九一	五〇八・八七
大正一四年	八五	五八・八八	四六五・二一
昭和五年	九七	五七・一八	四四四・七六
昭和一〇年	八三	七一・三三	五八〇・七八
昭和一二年	*八三	七四・六九	六〇三・四八

備考・・臺灣總督府警務局「蕃社戸口」に據る、*印は、社數の掲載無きため假に昭和一〇年の社數を以てした。

る地位は非常に高いのである。

蕃社(Niaro?)は、

(一) 外敵に備へて居住地域の周圍に濠を廻らし或は垣を結ぶことが尠くない(サギザヤ系歸化社、秀姑巒アミー馬太鞍社、秀姑巒アミー奇密社)。

(二) 土地を共同所有し毎年社民に割替を行つて居たところもある(海岸アミー貓公社)。

(三) 川も蕃社のものとなし魚籐流しの時は蕃社民總出で魚を獲り、各戸の人數を數へて全部に漏れなく當る樣に獲物を分配する(貓公社)。

(四) 蕃社内の男子は一定の年齡階級に所屬し蕃社内に設けられた集會所を中心として種々の機能を營んで居る。

(五) 粟蒔祭、粟收穫祭、狩獵祭、漁撈祭、日乞祭、雨乞祭、驅病祭等の祭祀は蕃社全部で行ふ。

(六) 家の建築に際しては蕃社民が手傳ふ(奇密社、貓公社)。

(七) 竊盜、姦通等の當事者から賠償として取得した家畜は蕃社民が食べる。

(八) 婚姻も蕃社内の者の間に行はれるものが大部分を占めて居る(南勢アミー

薄々社、奇密社、尙これに關しては婚姻の項を參照)。

(九) 嘗て蕃社內の人數の減ることを非常に嫌つて他社に移住した者を追つて水牛を取り上げ社民で食べる慣習を持つて居たところもある(海岸卑南アミーマラウラウ社)。

(十) 蕃社內の共同事項を議する爲に各戶から代表男子が集つて蕃社會議を開く。

以上の樣な密接な連帶關係にある蕃社の統率者としての頭目(卑・秀・海・恒・Kakitaan 南・(Sakakaai no) Papuruai)には才幹ある者が社衆から選ばれる蕃社と、世襲となつて居て頭目家の一定して居る蕃社とある。世襲頭目を持つ蕃社としては例へば太巴塱社奇密社等が擧げられるが前者太巴塱社のカキタアン家は特に有名である(寫眞(1)は其カキタアン家、(2)は其內部の一部)。頭目家の男子が頭目の地位を繼ぐ方法は母系社會特有のもの卽ち伯叔父から甥へと移るのであつて、本族の慣習により頭目家も女兒は家に殘り男兒は普通他家へ出婿して居るのであるが頭目には外に出て居ても男子(普通長男)がなる、併し次の代は其頭目の子供がなるのではなく、家に殘つて居る女子卽ち頭目の姉妹(普通長女)の子供が次の頭目になるのである。こゝに母系社會に屢〻見るところの伯叔父と甥との特殊の關係が生じて來るのである。本族の頭目の特色は蕃社の公祭と密接な關係のあることであつて世襲頭目家は寧ろ司祭家として通つて居る程である。頭目は(一)粟蒔祭、狩獵祭、漁撈祭、粟收穫祭、雨乞祭、驅病祭の司祭者となる外、(二)成年式を司り、(三)他蕃社との折衝に當り、(四)蕃社の慣習・先例・口碑等をよく記憶して置いて新事件に處する材料となし、(五)新移住者に許可を與へ、(六)土地の割替を司る社もある、それは貓公社に於て土地が蕃社の共同所有に屬して居た當時、毎年各戶は前年の耕地を捨てゝ新しい場所を分けてもらふのであるがその割替の際頭目は各戶の代表者を召集し各〻の家族員數に應じて籐竿を以て耕地の一邊の長さを計り(家族員一人に五尋程といふ)各家はその一邊に直角に耕作して行き其長さは各家で決定するのである。勿論地形によつて籐で計る一邊の長さも頭目が豫め加減して置く。

(3) 男子集團、年齡階級

氏族集團、地域集團と竝んで重要な社會機能を營んで居るものに男子集團及びそれに關聯して年齢階級がある。年齢階級組織を持つ種族は本族以外にパナパナヤン族、北ツォウ族、パイワン族の一部があるけれども、母系をとる本族及びパナパナヤン族に於ては特に年齢階級の意義が重大である。

本族の年齢階級の構成に就ては、少年・青壯年・老年と區分されて居るもの(南勢アミ、秀姑巒アミ、海岸アミ)と、少年・青年準備段階・青壯年・老年と區分されて居るもの(卑南アミ、恒春アミ)との二つの型があり、青年階級以上の各組の名前に就いても、一定数の而も一定の名前があつてそれが循環して新しい組に與へられるものと、新しい組が出來る毎に新しい名前が與へられるものと、更にその折衷と見らるべきものとの三種がある。今この組の名の附け方の三種に就いて實例を示すならば、

(一)組の名の循環するものには南勢アミ諸社及び歸化社、秀姑巒アミ―馬太鞍社等があるが南勢アミ―里漏社(薄々、豆蘭、歸化諸社も名前は共通)に於ては、

		組名
幼少年	Wawa Mamisular (スラルに入るべき年頃の意)	
↓		
青年 Kapah	(1)	Maurats
	(2)	Maoai
↓		
老年 Matoʔasai	(3)	Arumut
	(4)	Rarao
	(5)	Aramai
	(6)	Aradewasi
	(7)	Aravangasi
	(8)	Matavok
	(9)	Maora

備考：8年目(其年を含めて)に成年式即ち入社式が行はれ、此次に新しく組が出來れば(9) Maora が新組の名になる。組名は一生變らない。此表は昭和6年7月現在のものであるから其後昭和6年8月、昭和13年8月に成年式があつたから現在の最下の組は Matavok である。

(二) 新しい組が出來る毎に新しい名が與へられるものには卑南アミ、海岸アミ、(註一)恒春アミ及び秀姑巒アミ太巴塱社等があるが、卑南アミ—馬蘭社に於ては

幼少年 Wawa
- Riput 嬰兒
- Kamangai 5—15才
- Papangarong 15—18才

↓

青年準備段階 Pakarongai

↓

青年 Kapah
- (1) Rafonkang 昭和5年8月成立當時軍艦 Fonkang が入港したからそれに因んで組 (Kaput) の名にした、4年目に入社式がある。
- (2) Ratuin 桃園 Tuin に觀光に行つたから。

(三) 社會組識

（３）Rapariau　立派な銃 Pariau が来たから。
（４）Rausing　穴の空いた十錢白銅が出来た。
*（５）Ratsuking　ツキンと呼ぶ本島人名に因んで附けた。
（６）Raimpai　當時巡視中の總督が勳賞 Impai を佩して居た。
（７）Rahongtci　天皇陛下が御即位遊ばされた。
（８）Rasunteng　壯丁團が出来た。
*（９）Rasamai　頭目が Samai（藥草）を採集させたから。
（10）Rakuri　苦力（Kuri）に始めて出る様になつた。
（11）Raripon　日本人が始めて来た。
（12）Ratsikuḷ　此組が Pakarongai のときには使に出しても動かないのでかく附けた。
（13）Ratungso　支那の通事 Tungso が来た。
（14）Raapəng　支那兵（官兵 Koapəng）が来た。
（15）Ratokos　獵があつて川 Tokos に入つたから（此時現在の蕃社に移つた）。
（16）Rasingsing　蕃刀に鈴 Singsing をつけた。
（17）Ratsungya　支那兵の二番目の役が出来たから。
（18）Rasakam　臺南 Sakam に行つた。
（19）Rafafui　山豚 Fafui が澤山獲れた。
（20）Ratumai　熊 Tumai を獲つたから。

老年 ← Maritungai

これより上は 11 程の組名を記憶して居るが現存者は無い。

(三)秀姑巒アミ―奇密社では、四年目四年目に入社式があるが青年級に入つた青年は一定の名前を順次經過して壯年、老蕃に移ると共に他方各組に一生變らない名前が與へられる。そして與へられる名前は入社式當時の事件に因んだ仇名であるが最上の組の老人が一人二人に減じたら始めの名を捨てゝ共老人の組名を貰ふ。從て名は循環する譯である。經過して行く組名は、

幼少年 Wawa	(1)	Wawa	-7才
	(2)	Miparoai	8才-10才
	(3)	Pasimurangai	11才-13才
↓			
青年 Kapah	(1)	Liplip	
	(2)	Tsiopchai	
	(3)	Tokorol	
	(4)	Ialawagai	
	(5)	Tsiparlai	
	(6)	Tsararan	
	(7)	Pahenengai	
	(8)	Ingayangayai	
	(9)	Mikatsawai	
↓			
壯年 Mato?asai	(4組、組名無し)		
↓			
老年 Rovan	(最年長者は Karas と呼ばる)		

一生變らない名は下から擧げれば（昭和十三年現在、尚、名の起りは明瞭で無い。）

Rakaroh（假の名）→ Ratakan → Raorats → Ratikuḷ → Ratsihak → Rasiwa → Rakoau → Raḷamai → Rakoah → Ratomai → Ratorok → Rakorch → Rakatsau → Rasiḷun → Raabch → Ratsapah → Ratsungau → Raoits → Rasanah → 循環

となつて居る。

蕃社の男子はすべて身體が成熟し青年らしくなれば成年式(入社式)を受けて青年階級の新しい組(組のことを南勢アミ、秀姑巒アミでは Suḷar 或は Sudar、卑南アミ、恒春アミでは Kaput、海岸アミ〔全部ではない〕では Uiḷang と言ふ)に編入されるが、成年式(南勢アミ、秀姑巒アミ、海岸アミでは Misuḷar 又は Masasuḷar と言ふが卑南アミ、恒春アミ等 Pakarongai 組のある社ではこれへの入社式を重んじてこれを Pakarun 又は Pakumuḷan と呼ぶ)は或は八年目に、或は五年目に、或は四年目(すべて其年を含めて)といふ風に蕃社によつて異るが、華々しく擧行するのは南勢アミであるから今其行事を里漏社の例によつて述べれば、

八年目毎にそして其年の粟の收穫祭のときに行はれる成年式の一週間前から候補者卽ち Mamesudar は斷食して水のみを少量飲み身體を洗はず晝間は涼しいところに伏して夜になると野原や海岸で踊・跳躍・疾走の練習をする。其際踊(十種

ある)を敎へるのはすぐ上の階級の者である。愈々當日になると早朝家の中で父から祝詞を受けた後、あらかじめ決定して置いた家に一同集合し此處で頭目から父のと同樣の祝詞を受ける。それは酒を神に捧げつゝ「マラタウ及び諸々の神よ、今朝これから青年達が出發します、それは、丁度、豹の樣に山鳥の樣に鹿の樣に鷹の樣に、恰も飛ぶ樣に走つて行きます。何卒我々の出發するとき途中の邪魔物を除き路を明くして下さい」と祈るのであつて一同走つて海岸に着くと先づ海水に足を浸す。併し全員が浸すのは薄々社のみであつて里漏、荳蘭では頭目が青年中の二人を選んで足をつけさせる。選ばれる青年は上古先祖が乘つて來たといふ船に關係のある家の者であつて、選ばれて足をつけると早死するとてその家族は泣くと言ふ。次いで一人の青年を選んで誓をさせる。彼は昔用ひたそして今は禁忌となつて居る槍とデワス(祭器)の二つを持つて「我々は常に蕃刀を手にして離さない。道路の掃除を怠らず蕃社の爲に働く」と言ふ。次いで Sakato-movo といふ踊を踊り、分れて家に歸る。自家で子供のときには垂らして居た髮を卷き、山鳥の羽の羽帽、羽の上衣、刺繡彩色せる腰卷及脚絆、貝の首飾、耳飾、猪牙の腕飾等を着けて卽ち Kapah としての盛裝をなし前の家に集る。このとき

(二) 社會組識

各家では鷄を一羽づゝ持ち寄り、青年階級の調へた酒その他と合して御馳走をする。こゝで踊る踊及び歌の種類は八種類で Marigato (家の外庭での踊と歌)、Saparitomo-to-ravang (客を迎へる踊と歌)、Siapisiaoama-a-radiu (粟祭の踊と歌)、Sapipipi-a-radiu (糯米に關する歌と踊)、Sakakumantokadom (新組が共同耕作して得た穀物を食べる場合の踊と歌)、Marimurak (直ぐ上の組と一緒にする踊、上級が下級をいぢめながら踊る)、Sapiradov (上級が下級に訓戒する意を含めた踊と歌)、Saparikud (客を見送る踊と歌)等をなすのであるが成年式のときには首狩祭の踊や歌は禁忌となつて居る。若しこの踊をすれば神の怒に觸れて穀物の收穫が惡くなるといふ。

成年式を終へて青年となつた者は夜は集會所(南勢アミ、北部海岸アミでは TaroPan 秀姑巒アミ—馬太鞍社、太巴塱社では Sularatan、奇密社では Alawang、卑南アミ、恒春アミ、南部海岸アミでは Suvi [Sufi] と呼ぶ)に寢泊りして、或は老人から蕃社の慣習傳説を敎へ込まれ、或は種々の訓練を受け、或は集會所を中心として警備その他の仕事を課せられる(寫眞(3)は卑南アミ—馬蘭社の集會所の一つ、(4)は其の內部)。パンツァハ族で青年に對する訓練の最も嚴重なのは卑南アミであつて、Kapah の前の段階たる Pakarongai には色々の制限が加へられて居る。

例へば馬蘭社では彼等は毎晩必ず集會所で寢なければならない、而も床の上に寢ることは許されない土間に寢なければならない(床の上には Kapah 以上が寢ることが出來るのであつて向つて右に下級の Kapah が、正面及び左の床にはその上の級の Kapah が寢る)、Kapah より先に寢てはいけない、集會所では上級の走り使をしなければならない、水を汲み薪を拾ひ爐の火を絶やさぬ様にし、夜は歌や踊の練習をしなければならない、娘の家に遊びに行つてはいけない、蕃社會議に口を出してはならぬ、酒と檳榔は禁止、煙草は蔭で飲んでもよいが Kapah の前ではいけない、煙草や檳榔を入れる袋 Arovo をさげることは出來ない等となつて居る。かやうに集會所生活をする樣になつた青年特に初級の者に對しては寛嚴の差はあれ訓練が施されるのであつて訓練を受けた青年は一團となつて種々の社會機能を果して居る。今其主なるものを擧げるならば、(一)敵蕃に對する見張りをする。例へば歸化社に於ては本來の意味の集會所 TaroPan の外に蕃社の四方に見張小屋 Sasuvungan を設け下から第一級及第二級の組がこゝに寢泊りして外敵主としてアタイヤル族の襲來に備へた。この場合第一級の監督のためには第三級の者が二人づゝ中央の集會所に泊つて交代で見張小屋を見て廻つて見張の義務を果して居るか否かを調べる。第二級の見張りする夜は第四級が監督する。馬太鞍社に於ても蕃社の周圍に濠を掘り要所々々には濠の直ぐ內側に集會所を設け蕃社への出入は其前に設けた橋によるのであるが夜になると其橋を引き揚げ集會所內に青年が寢泊りして外敵に備へた。奇密社に於ては蕃社の境界近くの畑には見張小屋を設け青年級の下三組がこれに分宿して不意の敵及び野獸に備へた。併し出草の多くなるのは收穫が終つてからであるから其時には見張小屋を廢して一同蕃社の東の入口(此方面が危險である)にある集會所に集つて警備するのである。(二)共同出草(首狩)。里漏社に於ては、各組 Sudar 毎に出草の相談を爲し木の太鼓を敲いて組の全員を集める(太鼓の敲き方が組毎に異つて居る)。組長から出草の旨を告げ各自餅を搗き軍裝を調へて出發する。(三)共同漁撈、共同狩獵。粟の收穫後或は粟蒔の前に青年級以上の男子は共同漁撈、共同狩獵を行ふ(これには祭祀を伴ふことが多いが祭祀に就いては後に述べる)。尚太巴塱社には各組所有の池があつて時々共同漁撈を行ふ。(四)共同耕作。奇密社に於ては青年級の下から四組の各組は蕃社の周圍に畑を作り粟と糯米を作り、收穫後粟は各人に分配して家に持ち歸らせるが糯米は之を餅に作り別に酒を作つて老蕃(男女)を招き酒宴を行ふ。これを終へると Lajawangai の組は婚姻することが出來る。太巴壟社では成年式後五年目に力試しとて上級四組と共に山の伐採火入を行ふ、收穫物は各人に分ける。薄々社では青年階級の共食の機會が非常に多くその費用は下の二組が出さねばならないので無主地或は休耕地を持主の許を得て共同耕作し共食の費用に當てる。(五)道路の修理は青年級の共同作業になつて居る。(六)蕃社の公祭はすべて男子によつて行はれるが其際青年階級の役割は大きい。今、奇密社及び貓公社の例によつてこれを示せば、(註一)

(一)粟蒔の始まる少し前男子は全部で出獵する、そのとき獲物があれば其年は運が好く、無ければ運が惡いと占ふ。その翌日は餅を作り蕃社內で酒を飲む。各家で年長者が Mivtek (酒を神に捧げる行爲)して粟の豊作を祈る。(貓公社)

粟蒔の三日前に頭目は祖先の Sura と Nakau に Mivtek して「これから粟を蒔きますからうまく發芽する樣に、蟲が入らない樣に、山豚が荒さない樣に、收穫が多い樣にして下さい」と祈る。尙その他の行事があるが未調査。(奇密社)

(二)漁撈祭 Sapivutin。粟の收穫が始まると終るまでは魚を食べたり漁具に觸れたりすることは禁忌であるが收穫が終ると禁忌が解かれ男子全部で魚をとりに行く(Kumuris)。その前日頭目は神に酒を捧げつゝ「蕃社の者が魚を取りに行くから澤山とれる樣に川で流されない樣に怪我をしない樣に!」と祈る。青年階級の下から

(二) 社會組織

五番目卽ち Tsiparlai 以上の組は自由にとるが、Iajawangai 以下の者は Iajawangai の指揮の下に共同して魚籐を流して魚をとり大きい魚は Iajawangai の組に食べさせ、その殘りも組の順に大きい魚から取り其處で食べる。(奇密社)

(三)狩獵祭 Sapiajap 。同じく粟の收穫後に頭目の祈りがあつてその翌日 Iajawangai 以下の青年が其指揮の下に共同狩獵を行ふ。指揮組は小屋で待ち他の組が狩をして獲物が假りに十頭あれば一頭のみを Iajawangai 組に與へ殘りは先づ組順に分け更に組內の個人に分ける。(奇密社)

(四)粟收穫祭 Irisin 。粟收穫後一箇月たつた十五夜を選ぶ。その朝頭目が全社に通知する。午後三・四時頃男子のみ集會所の庭に集合し老蕃を中に坐らせてその廻りを青年が踊る。青年が一人出て老蕃に酒を注ぐ、老蕃は mivtek して「若い者も元氣になる様に、來年は粟が澤山とれる様に、豚もよく成長する様に!」と祈り、それから一同酒を飲み且踊る。この日は一日女子は踊に加ることは禁忌である。第二日目以後は女子も加つて好い。第五日目には女が內側男が外側に各〻環を作つて踊り五日間で終る。祭に費す酒は各戶で一壺づゝ出す。最初の日の朝青年階級の各組は組毎にその成員の家を廻り御馳走になる。最初の日の集會所での食事の肉は各戶から交代で出し其料理は最下の組が引き受ける。(貓公社)

(五)驅病祭 Misarivun-to-Kawas 。蕃社に病人が多數に出る時には病氣の惡靈を追ひ出す祭をする。先づ Iajawangai が下の組の組長 Komoj を集めて祭の日取を決める。祭の前の晩に老蕃の主なる者に明日祭をする旨を傳へ、Iajawangai の組長が大聲で明日は Misarivun だから魚をとるな、着物を作るな、明朝の食事には野菜を食べるな、と叫ぶ。翌朝は午前七時頃集會所に頭目を始め男子が全部 Tsikawasai 祈禱師も集り祈禱師は芭蕉の葉と酒とを頭目は酒のみを持ち、頭目が先祖の Nakau と Sura に祈る「貴方の子孫が病氣に苦んで居るから助けて戴き度い」「今私の代理として祈禱師が悪靈 Kawas を追ひ出すから助けて戴き度い」次いで男子達に向つて「今 Sura と Nakau に祈つたから病氣は無くなるであらう、一緒に Kawas を追ひ出せ！」と言ひそれを合圖に皆は喚聲を擧げて蕃社に入る。其際祈禱師には Kawas は見えるのであるから祈禱師が先頭に立つて「Kawas は其處だ彼處だ」と指圖し他の男子は鈴 Tauiiji を鳴らし茅の葉を投じ稻束に火をつけて投げつける。Kawas を追ひ出してしまつたら蕃社の入口に茅の葉を立て藥を置き祈禱師が門を閉ぢる。最後に頭目と祈禱師と各組の組長が酒を飮んで解散する。（奇密社）

(六)雨乞ひ Sapakaoraj。旱が續いて作物が枯れさうになると Iajawangai の組が下の組の組長を集め相談して雨乞ひをし度い旨頭目に傳へ許を得れば組長達が豚を購ひに蕃社を廻る。その代金としては青年階級が勞働して得た反物や其他の品物を以てする。その豚を頭目の家に持參し、祈禱師達にも來て吳れる樣に願つて置く。翌日、祈禱師達は祈禱師の頭の家に集り服裝を改めて頭目の家に赴く。こゝでは豚を殺し圓燒きにし肉を等分して頭目の分祈禱師の分となし酒及び餅五つと共に兩者の前に置く。頭目は Sura と Nakau に祈り祈禱師達は Maratau と Saraayan とに祈る。次いで頭目一家と祈禱師が肉を食べて後祈禱師が「川（天の川）が詰つて居るのだ、蟹が邪魔して居るのだ」とて組長達をして頭目の家の床へ丸太を差込ませ自らはその丸太の上に乘つて岩や蟹を除くと稱する。すると床が潤ふて來ると言ふ。間も無くチラガサンの山の方の空が曇つて雨が降る。

(二) 社會組織

これが終つて組長達は蕃社の者と宴を張り最後に組長と頭目と祈禱師とが酒を飲んで解散する。(奇密社)
(七)日乞ひ Sapakatsiʃar 。未婚の青年達が蕃社の廻りをぐる〳〵廻つて「もう好い天氣になつた、好い天氣になつた」と叫ぶ。(奇密社)

以上の様に男子集團竝に其年齢階級は軍事的、政治的、宗教的、教育的諸機能を營んで居るのであるが、(註三)このことは自ら女子の家族中心主義と抵觸する面を多分に藏して居ることになる。殊に女系たる本族に於ては一家の女子は互に血緣によつて結び附いて居るから家族中心の感情は一層强められて居る。從て家族の利害と家族外の社會との利害とが一致しない場合、家族と年齢階級との間の爭となる様なことも稀ではない。例へば年齢組の會議の結果共同作業をしようとする場合、家族内の主婦或は女子が反對して其男子が缺席する様なときには共年齢組の者は共家に押掛けて壁を壞したりする(薄々社)。妻が夫を嫌つて追ひ出した後、新しい夫を迎へて此新夫が前夫よりも年齢組が下のときには前夫の組は機會ある毎に新夫竝に新夫の組を虐待する(奇密社)。かやうに女系家族内に於ける女子の優位に對する權衡物としての男子集團、年齢階級といふものは家族研究上特に注意する必要がある。勿論女子の優位と言つても家族生活に於ける重要な事項に關しては出婿せる男子從つて兄弟伯叔父等に相談するのであるが日常生活に於ては父系家族に於けるよりも女子の發言權は遙に大きい。男子集團の機能の增加例へば戰鬪行爲が增加するといふ樣な場合には自ら家族內に於て男子の發言權を大ならしめる結果になることはパナパナヤン族の事例を見ても解るのである。

註一 里漏社竝に馬蘭社の年齡階級に關しては嘗て發表したことがあるが（「年齡階級の社會史的意義」―社會經濟史學第一卷第四號―）、其際馬蘭社の組名で意味不詳としてあつたものを最近發表された古野淸人氏「アミ族の農耕儀禮」（民族學年報第一卷）によつて補つたところが二箇所ある。組名(5)竝に(9)がそれである。

註二 卑南アミー都鑾社の祭祀に關しては古野氏の前揭論文が精しく論じて居るから參照され度い。

註三 前揭論文「年齡階級の社會史的意義」に於て、婚姻制度としての年齡階級を論じたが、其後の調査に於て、此推察は撤回する必要を生じたからこゝに此旨記して置く。

(三) 家族構成

(1) 構成樣式

パンツァハ族の一戸平均人口は第四表の示す如く昭和十二年末に於て八・〇六人

となつて居るが、表に於て特に氣の附くことは卑南アミ、恒春アミ、海岸アミ、が十人前後秀姑巒アミが八人前後の家族員數を持つて居るに反して南勢アミは五人に滿たないことである。これは南勢アミでは娘が婿をとれば親の家を出て別に一戸を構へる傾向があるからであつて、他のパンツァハ族では之に反しかやうな分戸を嫌つて親子の夫婦が同居することが多いのである。今、秀姑巒アミの奇密社と南勢アミの薄々社とを選んで一家族内に含まれる成員の間柄を示せば第五表の如くである。パンツァハ族の母系家族は最近官の勸めにより女戸主を

第四表

	大正四年	大正九年	大正一四年	昭和五年	昭和一〇年	昭和一二年
卑南アミ	一〇・七九	一一・六八	一三・九九	一〇・九三	一一・〇〇	一一・一一
恒春アミ	八・八六	九・四四	九・一三	九・二六	九・二九	九・五五
海岸アミ	九・四三	九・七六	一〇・三六	一〇・四五	一〇・四九	一〇・一四
秀姑巒アミ	七・〇四	七・五八	七・五三	七・七六	八・〇〇	七・八九
(馬太鞍・太巴塱)	(七・二一)	(七・三四)	(七・三六)	(七・三五)	(七・六五)	(七・五七)
南勢アミ	四・三七	四・三九	四・四五	四・三七	五・〇〇	四・九二
平均	七・四八	七・八三	七・九〇	七・七七	八・一四	八・〇六

第五表

	奇密社		薄々社	
	實數	世帯主百に對し	實數	世帯主百に對し
世帯主	四二	一〇〇・〇〇	一三八	一〇〇・〇〇
配偶者	三五	八三・三三	八九	六四・四九
配偶者の血族	二	四・七六	六	四・三四
息	五三	一二六・一九	一三〇	八六・九五
息の配偶者	三	七・一四	三	二・一七
娘	四〇	九五・二三	一二七	九二・〇二
娘の配偶者	九	二一・四二	二七	一九・五六
孫	一四	三三・三三	六八	四九・二七
孫の配偶者	—	—	一	〇・七二
曾孫	—	—	二	一・四四
父	一	二・三八	六	四・三四
母	六	一四・二八	八	五・七九
祖父母	一	二・三八	一	〇・七二
兄弟	二	四・七六	二六	一八・八四

兄弟	二	四・七六	二六	一八・八四
兄弟の配偶者	—	—	三	二・一七
姉妹	一三	三〇・九五	一七	一二・三一
姉妹の配偶者	一四	三三・三三	三	二・一七
兄弟の配偶者の血族	—	—	一	〇・七二
甥姪	四六	一〇九・五二	二四	一七・三八
甥姪の配偶者	三	七・一四	—	—
姪孫・姪孫女	五	一一・九〇	二	一・四四
伯叔父母	四	九・五二	七	五・〇七
伯叔父母の配偶者	一	二・三八	二	一・四四
従兄弟姉妹	八	一九・〇四	五	三・六二
従兄弟姉妹の配偶者	五	一一・九〇	—	—
従姪・従姪女	一二	二八・五七	—	—
従姪・従姪女の配偶者	三	七・一四	—	—
従姪孫・従姪孫女	三	七・一四	—	—
同居人	一三	三〇・九五	二四	一七・三九

備考―奇密社の數字は戸口簿並に戸別調査に據り、薄々社のは戸口簿に據る。同居人とあるは奇密社のは間柄不明の同一氏族員、薄々社のは大部分親族である。

廢して男戸主となし出婿を出嫁に改めつゝあるから、奇密社の現住五五戸中男戸主の家一三戸を除き、薄々社の一六四戸中同じく二六戸を除き、母系を維持して居ると目されるもの即ち奇密社に於ては四二戸、薄々社に於ては一三八戸に就ての間柄を示すものである。(註一)これによつて見ても奇密社の家族は薄々社に

第六表

	奇密社		薄々社		內地東北五縣
	實數	指數	實數	指數	(指數)
世帶主、配偶者及び子	一七〇	一〇〇・〇〇	四七四	一〇〇・〇〇	一〇〇・〇〇
父、母、子の配偶者及び孫	三三	一九・四一	一一二	二三・六二	三一・八七
祖父母、孫の配偶者及び曾孫	一	〇・五八	四	〇・八四	一・三九
世帶主の第一傍系親及其配	八三	四八・八二	六五	一三・七一	六・〇二
世帶主の第二傍系親及其配	三六	二一・一七	一四	二・九五	〇・八四
世帶主の第三傍系親及其配	―	―	―	―	〇・〇四

比べて傍系親の種類も多く數も多くなつて居る。この點を一層明瞭にするために戸田教授の方法(註二)に從つて第六表第七表第八表を作成して見るならば傍系親に關する差の著しいことが解る。かやうに、同じく母系家族を構成するパンツァハ

族も家族の成員數竝に成員の間柄からは二つの型に分けることが出來る。(註三)

第七表

	奇密社 實數	奇密社 指數	薄々社 實數	薄々社 指數	內地東北五縣(指數)
世帶主の配偶者	三五	一〇〇・〇〇	八九	一〇〇・〇〇	一〇〇・〇〇
子の配偶者	一二	三四・二八	三〇	三三・七〇	四〇・五〇
孫の配偶者	—	—	一	一・一二	一・七九
兄弟姉妹の配偶者	一四	三九・九九	六	六・七四	一・四三
伯叔父母の配偶者	一	二・八五	二	二・二四	〇・一八
甥姪の配偶者	一	二・八五	—	—	〇・一八
從兄弟姉妹の配偶者	五	一四・二八	—	—	—
從姪・從姪女の配偶者	三	八・五一	—	—	—

次に家族員數多く間柄も複雜な卽ち大家族生活を營む型のものにあつても成員中主要部分を占めるのは世帶主の直系親及び第一傍系親であつて奇密社の五五家族に就て見ても配偶者を含めて約八割は此種の血族によつて占められて居る。卑南アミ—馬蘭社に於て家族員數の最も多い家族(昭和十二年調査當時五六

第八表

	奇密社		薄々社		内地東北五県（指数）
	實数	指数	實数	指数	
全家族構成員数	三二三	一〇〇・〇〇	六六九	一〇〇・〇〇	一〇〇・〇〇
世帯主の傍系親及其配偶者	一一九	三六・八四	七九	一一・八〇	四・九一
世帯主夫婦及其子以外の直系親及其配偶者	三四	一〇・五二	一一六	一七・三三	二三・六八
世帯主夫婦と其子	一七〇	五二・六三	四七四	七〇・八五	七一・二〇

人)は世帯主の直系親及其配偶者から成り、世帯主一、娘六、息三、娘の配偶者五、孫二七、孫の配偶者四、曾孫一〇であつて老齢な世帯主と豊な經濟生活を中心にして大家族生活を營んで居るのであつて世帯主が死亡すれば分裂するかも知れないと家族員の一人が語つて居た。此例並に其他の多くの例から推しても家族員の複雜になることは相互の不和を起し易く分裂の危險を伴ひ易い。やはり本族に於ても夫婦子供を中心とする小家族的結合が核心的結合であることには變りは無い。(註四)ところが此核心的な小家族的結合がやゝ不安定ではないかと思はれる様な事實がある。それは離婚の相當多いことである。(註五)勿論、一生涯同

(三) 家族構成

三一

一の夫婦關係を持續する者も決して少くはない。また夫が妻の血族と不和を生じたとき夫に從つて家を去り分戶する者もある。併し、離婚の多いといふことは夫婦・親子の愛情が外部的條件のために弱められて居ることを意味するものである。事實、本族に於て夫婦及び母子の愛情に比して父子の愛情が特に弱いといふわけではない。生殖の原理を十分に理解して居る本族では子供は自己の實父を敎へられてよく承知して居る。從て家を去つた父は現在の妻がやかましく言はない限り實子に品物を買つてやつたり獵に連れて行つたりするし、子も亦獵の肉を實父に持つて來たり酒宴に招いたりする(マラウラウ社、奇密社)。更に太巴塱社では夫が死亡した場合實子があれば實家に屍體を移さないが實子が無ければ假令先夫の子があつても實家に移す。では、本來ならばかやうに强い愛情に基いて一體をなすべき夫婦實子の結合を弱める條件は何であらうか。離婚は姦通の場合を除き主として夫が妻の血族特に母親(多くの場合家長)と不和を生じた場合、夫妻間に不和を生じた場合等に起きるが、それが互の節制によつて解體を防ぐといふことにならないのは、一つには、未開社會に特有な、個人の感情を尊重する一面のある結果でもあるが、尚母系家族の特質の中にもその原因を求めることが出來る。卽ち、先づ一般に男子はその活動範圍が女子の如く家族內に限局されず寧ろ家族外の社會生活に向ふ傾向があるから妻家の家族生活に己を沒し去ることを欲しない。然るに女子の活動範圍は家族生活に限られて居るから、かゝる女子が祖母、母、娘と血緣によつて結び附いてそれが一家の主要な構成員となつて居る母系大家族ではともすれば家族の利害を家族外の社會の利害以上に主張し易い傾きがある。こゝに不和の原因が伏在し、加ふるに妻の方は生活の本據は己の側にあり、本族の主要生業(他族以上にさうである)たる農耕には女子の營む役割が大きいから、離婚によつて生活上の不安を感じないし、周圍は常に同居して來た血族のみであるから精神上の變化を感ずることも少い。且女子が常に離れ難く感ずる子供と離婚後も一緒に生活することの出來るのも與つて力があるであらう。

次に一家の財產を管理する、つまり家長に當る者には一家內の最年長の女子がなる。家長は家產に對する責任を持ち家內の各人が得て來た勞銀等の現金を保管するのであるが、獨斷で事を處理することはない。現金を使用する場合にも一同に相談するのであつて家族員も何か欲しい物があれば夕食後一同と爐を圍みながら「家には未だ現金が殘つて居るであらうか、實は自分は之之が欲しいのだが」といふ風に切り出して相談し一同の贊成を得て金をもらふのであつて家長に話すのみでは使用出來ない。更に土地の處分或は家族員の分戶といふ樣な重大な事柄のときには家長の兄弟伯叔父等卽ち他家に出て居る男の親族の參集を願つて彼等との相談によつて事を決定する。こゝにも母系社會特有の伯叔父と甥姪との特殊の關係が見られる。女子の家長權は內部に對するものであつて、外部卽ち蕃社會議に一家を代表する者は一家中で最もよく物の解つた男であつて女子が外部に對して一家を代表することはない。

出婿せる男子と實家との關係は非常に密接であつて、(イ)氏族制度のあるところでは出婿によつても男子は實家の氏族に屬し、(ロ)姦通事件のために賠償を出す場合にも實家が負擔し、(ハ)婚姻後も一定期間の後しばらくの間(蕃社によつては一、二年間)實家に歸つてその仕事を手傳ふ(Masipol)、(ニ)實家の重大事件には常に相談に乘る、(ホ)病氣のときは實家に歸つてそこで養生する、併し妻子は其處へ行つて看病する、(ヘ)死後實家に送り返される、(ト)死後本人の持物は子供が貰ふ以外一部は實家の者(主として甥)が貰ふ、(チ)妻に死別すれば實家に歸る併し時

第一圖

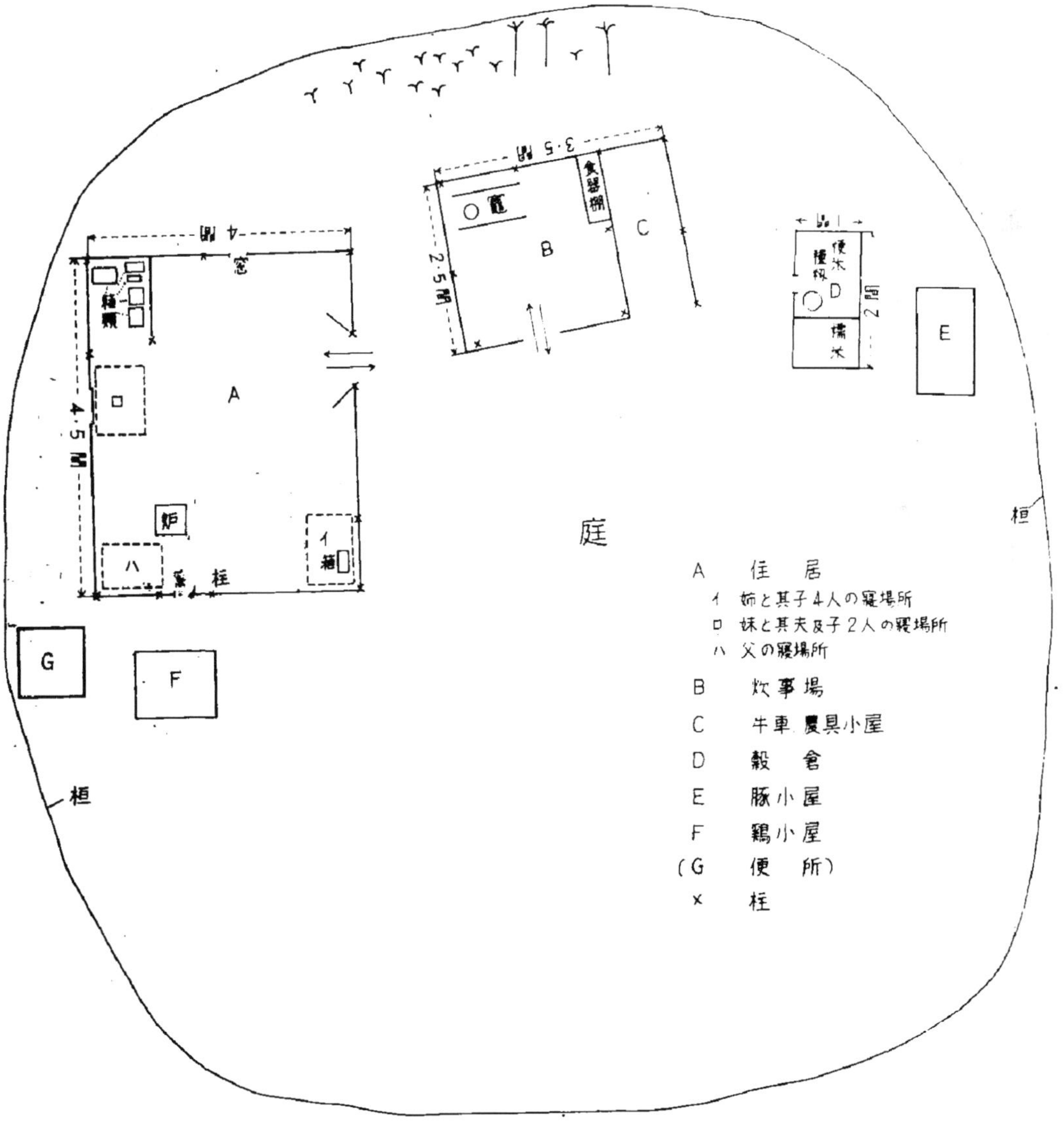

3.5間
食器棚
竈
B
C
2.5間
4間
窓
A
4.5M
爐
柱
庭
D
2間
E
F
G
垣
A 住 居
イ 姉と其子4人の寢場所
ロ 妹と其夫及子2人の寢場所
ハ 父の寢場所
B 炊事場
C 牛車 農具小屋
D 穀 倉
E 豚小屋
F 鷄小屋
(G 便 所)
× 柱

に賓子ある場合妻家に留ることがある、(リ)賓家に死者の出た場合喪に服する、等の習慣がある。司祭家の出婿せる男子が賓家の存續と關係の深い事は前に述べた如くである。

家族の生活場所としての住居は其構造に於て北部、中部、南部とそれぞれ多少の差異を示して居るが、共通に目立つことは(卑南アミの一部を除き)、同じ大家族生活をするブヌン族ツォウ族等(註六)と異つて數組の夫婦が屋内で何等の障壁も設けずに寢て居ることである。(第一圖は秀姑巒アミ、太巴塱社の Kate-Tavon の住居を示すもので寫眞(5)は第一圖のAの外面、(6)は同内部、(7)はB炊事場の外面を示すものである)。これは障壁が何も互の心的距離のみを示すのではなく恐らく高地に居住する種族では睡眠時の寒さを防ぐ意味を多分に持つて居るであらうから、パンツァハ族の樣に平地の暑熱の中に住む種族と直ちに比較することは出來ないのであるが、前述の如く小家族的結合のやゝ不安定なことゝ思ひ合せれば母系によつて結び附いて居る家族員の相互の心的距離の比較的小さいことを暗示する樣に思はれる。併しこれは未だ推察の程度に留つて居るからこれ以上は何事も言ひ得ない。

(三) 家族構成

注一　奇密社並に薄々社の男戸主の家族の成員の間柄を示せばA表の如くである。彼等は官の獎勵により、男戸主を立てる場合にも、長女には婿を取り、次女以下を出嫁せしめ、長男には嫁を取つても次男以下は出婿せしめる。或は女は全部殘すといふ方法を取ることが多いから男戸主の家族は必ずしも男系家族と言ひ得られない。混合形態、時には長男の嫁以外は從來通り全部女系親族並にその配偶者といふ形を示すことも少くない。

A表

	奇密社		薄々社	
	實數	世帯主百に對し	實數	世帯主百に對し
世帯主	一三	一〇〇・〇〇	二六	一〇〇・〇〇
配偶者	七	五三・八四	一三	五〇・〇〇
配偶者の血族	一	七・六九	一三	五〇・〇〇
息	一二	九二・三〇	一八	六九・二三
息の配偶者	四	三〇・七六	―	―
娘	四	三〇・七六	一四	五三・八四
娘の配偶者	三	二三・〇七	四	一五・三八
孫	七	五三・八四	一一	四二・三〇
父	―	―	三	一一・五三
母	五	三八・四六	六	二三・〇七
兄弟	二	一五・三八	一	三・八四
姉妹	九	六九・二三	三	一一・五三
姉妹の配偶者	二	一五・三八	―	―
甥姪	六	四六・一五	二	七・六九
甥姪の配偶者	三	二三・〇七	―	―
姪孫・姪孫女	七	五三・八四	―	―

B表

伯叔母	一	七・六九		
伯叔父母の配偶者	一	七・六九		
従兄弟姉妹	八	六一・五三		
従兄弟姉妹の配偶者	二	一五・三八		
従姪従姪女	二	一五・三八		
伯叔祖父母	一	七・六九		
従伯叔父母	二	一五・三八		
従伯叔父母の配偶者	一	七・六九		
再従兄弟	四	三〇・七六		
同居人	—	—	四	一五・三八

C表

	實數	指數
世帯主、配偶者及び子	二〇六	一〇〇・〇〇
父、母、子の配偶者及び孫	五二	二五・二四
祖父母、孫の配偶者及び曾孫	一	〇・四八
世帯主の第一傍系親及其配	一一二	五四・三六
世帯主の第二傍系親及其配	五〇	二四・二七
世帯主の第三傍系親及其配	八	三・八三

(三) 家族構成

	實數	指數
全家族構成員數	四二九	一〇〇・〇〇
世帯主の傍系親及其配偶者	一七〇	三九・六二
世帯主夫婦及其子以外の直系親及其配偶者	五三	一二・三五
世帯主夫婦と其夫	二〇六	四八・〇一

註二　戸田貞三教授「家族構成」三五六—三六八頁に據る、尙同書から東北五縣の數字(大正九年)を借りて參考に供する。奇密社の女戸主の家族のみでなく全家族の構成員の間柄を本文と同樣にまとめて見るならばB表C表の如く、傍系親の多いことは一層明瞭になる。

註三　大まかに言へば家族員の多い型は氏族制度の明瞭な群卽ち卑南アミ、恆春アミ、海岸アミ、秀姑巒アミに見られ、氏族制度の無い南勢アミは家族員の小數である型に屬すると言ひ得られないこともない。併しながら、秀姑巒アミに屬して居て氏族制度も持たない馬太鞍、太巴塱兩社の家族員數は第四表で見るが如く他の氏族制度を持つ秀姑巒アミと大して違はない。從つて、これは婚姻後の居住樣式の相違によることが明かであつて本族に於て氏族制度を持つものは婚姻後も同居する傾向があることは事實であるから、馬太鞍社、太巴塱社は氏族制度は持たないが居住に關する習慣に於ては氏族制度を持つものに近くなつて居ると解するならば前述の氏族制の有無と家族の二型との關聯は存在すると考へることが出來るであらう。

註四　蕃族慣習調査報告書第二巻二二六頁には夫婦の關係を叙して「本族ノ夫婦關係ハ愛情頗ル密ニシテ形影相伴フ如ク出入共ニ携ヘテ離ルル事ナク獵場ニ露營シ又ハ公共勞役ノ爲メ野外ニ假泊スル場合ノ外、夫ハ妻ト起臥ヲ共ニセサル事ナク朝夕夫妻相見サルカ如キハ利欲ヲ以テ誘フモ彼等ノ肯セサラントスル所ナリ」と言つて居る。

註五　パンツァハ族の離婚率卽ち配偶千に對する率は昭和四年には花蓮港廳ではほゞ一三・八、臺東廳では平地のパイワン族、パナパナヤン族(總數の約三分の一)を含めて二五・一となつて居る。(昭和四年臺灣人口動態統計第三表並に昭和四年度蕃社戸口により算出)他方、本島人(主として漢人系それに平地の高砂族を含む)の平均は六・四となり、前者が遙に高率である。けれども高砂族調査書による他の高砂族の離婚率と比較するならば必ずしも高率とはいへない。卽ち昭和八年に於てはパンツァハ族は花蓮港廳では配偶千に就き一三・二となり臺東廳では他の二族を含んだものが一七・三(昭和八年臺灣人口動態統計第一表及び昭和八年蕃社戸口に據る)となるのに對しブヌン族は一三・〇、ヤミ族は一二・七、パイワン族は二六・〇(高雄州のみでは二六・五)タイヤル族六・九となるからである。併し何れの現地調査者もパンツァハ族の離婚が極めて頻繁に行はれる樣に觀察して居るところから見れば離婚率は更に大きくなるかも知れない。それを裏書きする樣に思はれるものは現地の戸口簿に私生子と記されて居る男女が非常に多いことである。パンツァハ族では純粋の意味での私生子は非常に少くて婚姻後間も無く離婚したために戸口簿上で父親不明となるものであるから或は相當數の離婚が不明のまゝで濟されて居るかも知れない。そこで相當數の離婚が行はれるものとしてその條件が母系家族の内に見出し得られるか否かを問題として見るのである。

註六　拙稿「原始家族―ブヌン族の家族生活―」(本年報第五輯)、同「臺灣北ツォウ族の家族生活」(家族と村落第一輯)を參照。

(2) 婚姻、離婚

パンツァハ族に於ては、極く一部の例(卑南アミ―馬蘭社)を除いては氏族外婚は行はれて居ない。同一氏族の間柄の者の間でも婚姻は行はれて居る。婚姻を禁止されて居る範圍は、(一)同じ家に育つた者、從て血緣關係が無くとも同じ家で育てば相互に婚姻することは出來ない。これに關し奇密社では「同じ家で育つた者は血緣關係は無くともMaporong(一緒といふ意味)と呼ばれ、同じ釜から同じ飯を食べた仲であるから丁度兄弟姉妹と同じである。兄弟姉妹が婚姻するのは禽獸のみだ」と言つて居る。(二)仇敵關係卽ち嘗て何等かの事件で賠償を取つた及び取られた家同志は婚を通じない。(三)血緣關係に從つて父方母方共に一定の範圍迄は婚姻することは出來ない。蕃社によつて禁止されて居る範圍が異るから調

査蕃社に就いて表の形にして見れば第九表の如くになる。此血緣關係から來る

第九表

禁止範圍	調査蕃社	備考
族兄妹まで	南勢アミ―薄々社…… サギザヤ系―歸化社	族兄妹の場合は許すこともある
再從兄妹まで	海岸アミ―貓公社……	曾祖父母在世中は族兄妹も不可
從兄妹まで	秀姑巒アミ―奇密社…… 同　―馬太鞍社…… 卑南アミ―馬蘭社…… 卑南・海岸アミ―マラウラウ社 恒春アミ―池上社……	曾祖父母在世中は再從兄妹も不可 從姪・從姪女と從伯叔父母とは不可 從姪・從姪女と從伯叔父母とは不可 祖父同志兄弟の再從兄妹は可、祖父と祖母と兄妹の再從兄妹も可、祖母同志姉妹の再從兄妹は不可

禁止は、家から來る禁止と組合さつて第九表の池上社の備考欄に見るが如き形をとるのである。今これを說明する爲に池上社の實例に基けば(Riavaの家に就いて)第十表に於て(1)及び(2)は共に再從兄妹の間柄であるが(1)は婚姻出來るが(2)は

第十表

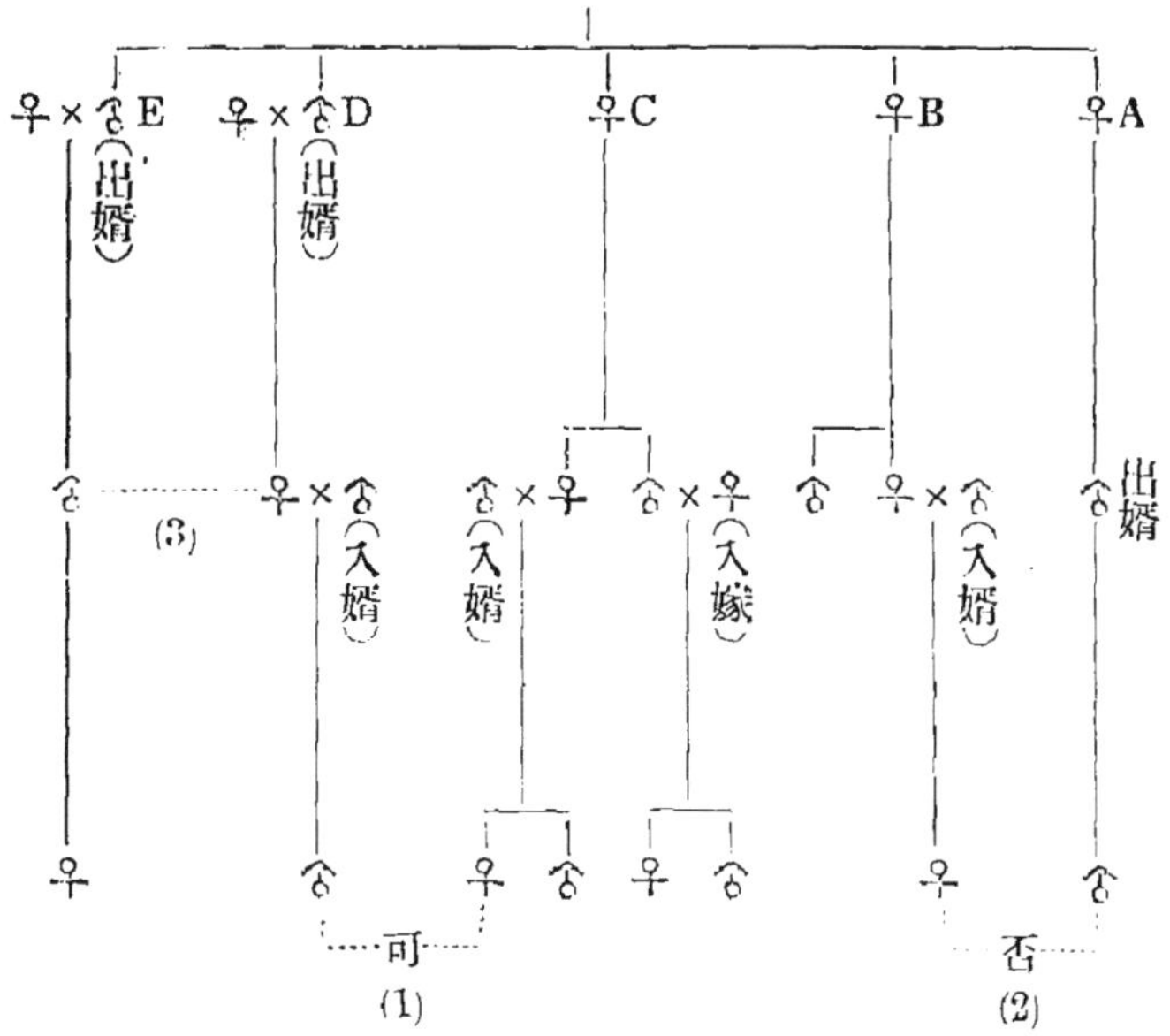

婚姻出來ない。これは(1)の男子の方は祖父に當るDのときに家を出て居るから關係が薄くなつて居る、從てCの孫と婚姻しても良いが、(2)の男女は共に祖母が同居して居るのであつて一方の父の代に家を出たから未だ關係は濃厚である、從つて婚姻は避けねばならない。かやうに家を中心に考へて行くのであるから、(3)の如く從兄妹の間柄であつても、父は兩方とも他家に出て居るのであるからとて、若し當事者がどうしても婚姻し度いと言へば氣持は好くないが許してやると言つて居る。禁止されて居る間柄の者が婚姻すれば身體が膨れて死ぬか或は出來た子供がさうなつて死ぬといふ祉(奇密祉)と、別に兩者に異狀は起きないが離婚した場合近親者が互に氣まづくなるから避けたが好いといふ祉(薄々祉)

(三) 家族構成

と、從來かゝる禁忌を犯した者が無いとのみ言ふ社(マラウラウ社)等あつて區々である。

婚姻し得る年齢は男子にあつては青年階級に入つたら直ぐ許される社と青年階級の始めの一、二段階を濟ませてから許される社とあるが何れにしても相似た年齢で婚姻生活に入る。何となれば青年 Kapah になれば直ちに婚姻することの出來るところでは青年準備段階 Pakarongai があり(卑南アミ、恒春アミ)、此段階の無いところでは直ちに Kapah になるが一年乃至五、六年は婚姻出來ないからである。例へば奇密社では下から第四組 (Lalawangai) の終りの年、太巴塱社、馬太鞍社では下から第二組になる年、貓公社では下から第三組になつたとき、南勢アミの諸社では最初の約一年が過ぎてからといふ風になつて居る。女子は成熟が早く且本族の間でも女は子供を産む爲に早く老人になるから男子よりも年少でなければいけないと言つて居て、女子にも男子に相當する階級及び組を考へれば一組位上の男子と婚姻するのを良いとして居る。從て普通男子は二十乃至二十五、六歳位、女子は十五乃至二十一、二歳で婚姻するのが最も多い。(註一)

夫婦(初婚、再婚を含めて)の年齢の差を奇密社の現在(昭和十三年)夫婦關係に入つ

て居るもの一一六組に就いて見るに平均五・七九歳の差がある。(註二)

婚姻の相手方に關しては、こちらが初婚の場合は相手も初婚であることを望んで居る(奇密社)。殊に寡婦と初婚男子、鰥夫と初婚女子との婚姻は禁忌 Paisin として居る。それは特に寡婦は丁度爐石の樣に三人相手方を殺す(これを Misa-paro」と呼んで居る)からであるとなし(奇密社)、或は寡婦に限らず一般に再婚者と初婚男子と一緒になることは、若しその男子が死んだ場合死者の世界で妻にな

第十一表

配偶者の蕃社	實數	百分比	配偶者の蕃社	實數	百分比
薄々	九三	六五・四九	馬太鞍	一	〇・七〇
里漏	一〇	七・〇四	六階鼻	一	〇・七〇
荳蘭	六	四・二二	貓公	一	〇・七〇
太巴塱	五	三・五二	加禮宛	一	〇・七〇
月眉	四	二・八一	軍威	一	〇・七〇
舞鶴	三	二・一一	加路蘭	一	〇・七〇
水璉尾	三	二・一一	萬里橋	一	〇・七〇
飽干	二	一・四〇	池南	一	〇・七〇
豐田村	二	一・四〇	觀音山	一	〇・七〇
十六股	二	一・四〇	本島人	一	〇・七〇
壽	二	一・四〇	合計	一四二	一〇〇・〇〇

るべき其婦は他の男子に取られて自分は無妻で暮さねばならないからとて避けて居る(秀姑巒アミー芝仔濟社)。或は唯再婚男子の場合女家よりの酒宴の品が三分の一になるのみで、別に初婚再婚をやかましく言はない社もある(マラウラウ社)。

次に婚域に就いてゞあるが、一蕃社の各戸に就いて調査したのは奇密社と薄々社の兩社のみであるが、前者は僅に二件程を除いて殆ど全部奇密社の中で婚を通じて居る。後者薄々社に就いては第十一表の如くであつて入婿、嫁娶を含めて自社内での通婚が約六割五分を占め、極めて近くにある里漏、荳蘭の兩社を合すれば八割近くとなる。第二圖によつて示す様に相當遠方からも來ては居るが、且パンツァハ族の如く現今義務出役や交通の便のよい爲に流動從て他社との接觸が多い樣に思はれる種族に於ても尙婚姻は自社を中心として居ることは注目すべきことである。

婚姻の方法に關しては蕃社によつて多少の差異があるが、池上社に於て、從來の慣習を嚴重に守つて婚姻した男子の口述を聞くを得たからそれに就いて述べることとする。

Irisin (粟收穫祭)の二日目から踊が始まるが、娘は母親の勸めによつて好きな

第　二　圖

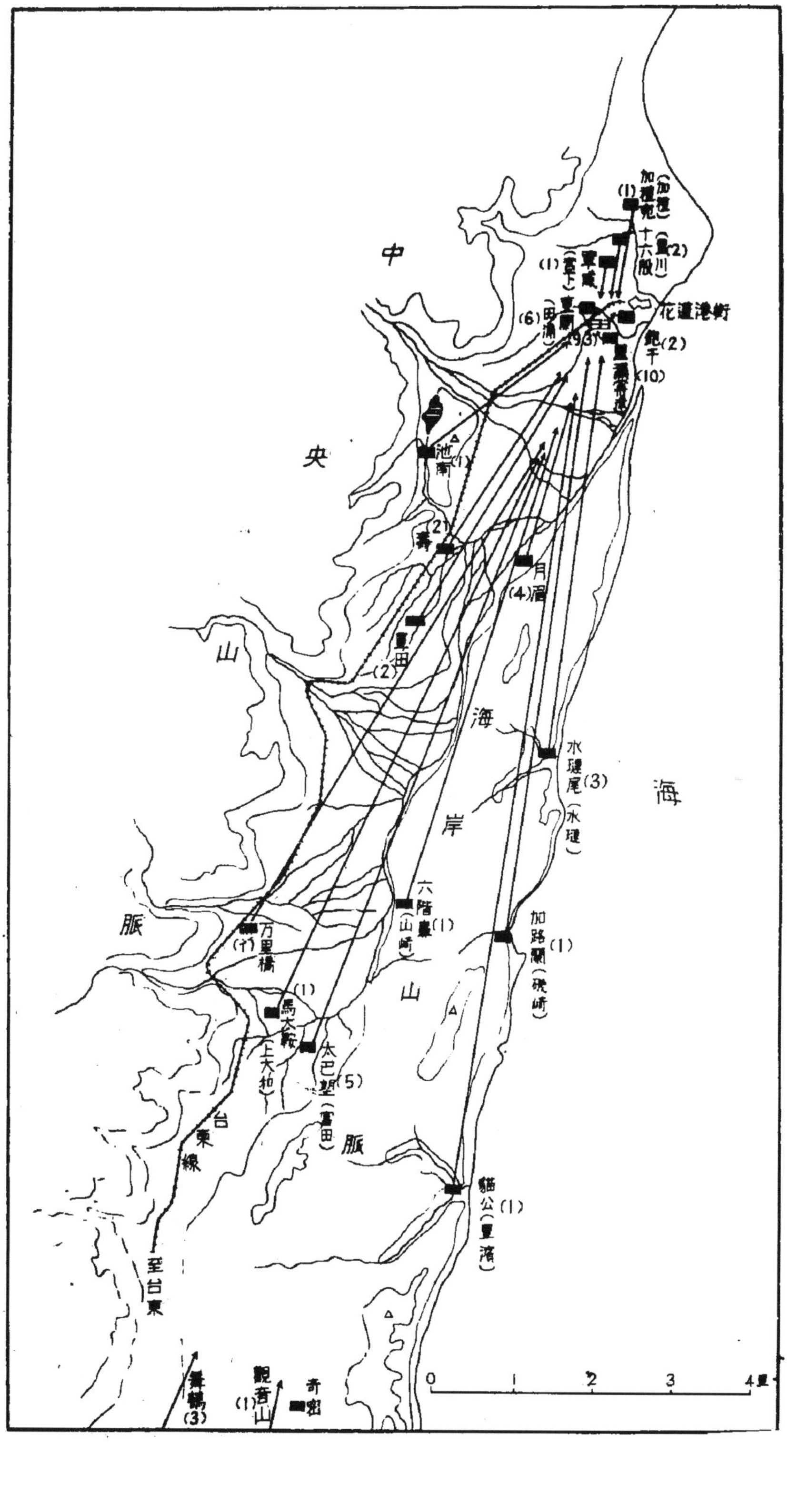

男の隣に入つて踊る。男からはその際娘に檳榔を與へる。夜の七時頃踊が一時休みになつた時に男は女を女家の庭迄見送るが女は男に家に入つて兩親に會つて呉れと願ふ。男がその女を好いて居れば家に入る。家に入るのは祭の八日目－十日目であつて、家に入つても別に込入つた話はしないし家人も亦普通遊びに來た者に對する程度に持成す。併しこれによつて男が娘に氣のあることを悟りぼつぼつ男の家と縁談を進める。祭が濟んで愈〻Mikirokを始める。これは夜の九時乃至十時頃男が友人と二人で女の家に出掛けて門口で男が口琴Ratokを鳴らすと親が娘を起して扉を開けさせる。男は友達と共に中に入り娘は椅子を出し煙草を刻んで男に與へ火を差出すがその時次の文句が交はされ、友達は男が言ひ違へない樣に助言する。卽ち、女「さあ、つまらぬものですが此煙草をお吸ひ下さい」男「いや持つて居ますから結構です」女「でも吸つて下さい、これを吸つても身體が惡くなるといふことはありません、若し惡くなれば私が責任を持ちます」男「責任を持つと言はれるが、これを私に渡してしまつては他日貴女の彼氏が來た時に困るでせう」女「左樣に疑はなくてもよろしい、此煙草は貴方の爲に取つて置いたのです」男「では戴きませう、併し私には責任は無い、後日後悔しても知りませんよ」とて男竝に友達は煙草を吸ふが、此時女は親を呼ぶ。親は待ち構へて居るのであるから直ぐ起きて來て色々世間話をする。其內、母親は「今晩は珍しい晩である、貴方達が來たのは何か事件でも起きて掛合に來たのですか」と切り出す。これらに對する男の答は友達が代つてしてやるのであつて、男「いや、單に遊びに來ただけです」母「今日は朝から晩迄何事も無かつたのに貴方達が來たのは恐らく私の知らない事件が起きたのであらう、それを言つて下さい」男「御承知の樣に何も事件のために來たのではありません、寢ても覺めてもこの家に來たくてたまらないので遂に夢中でこの家に來たのです」母「解りました、併し貴方に誠意があるかどうか分りません」男「この家へ來たのは餘程の考へから來たのです、これも祖先の仕業でありませう、決して間違はありません」母「では私も好いと思ひます、だが明日になつてから知らぬなどと言つてもらつては部落の者に顏向けが出來ません」男「男として刀に誓つて間違はありません、母よ(此頃から母と言ふ言葉を用ひる)、それを見て下さい」母「子よ、矢を持つ男の口から出た話として受取ります、間違ひの無いものとして聞きますが、併し、後にこの話が成立しなかつたらこれを公けごとにして貴方の父母に訴へる積りです」男「家と家との間には川も無く山も無く直ぐ追附かれますから祟のあることを覺悟して居ます、だから間違はありません」といふ風な問答があつて終りとなる。そして仲人 Misiatanokai が、立つて連絡に當る。仲人には多く女の親類がなり、夜、男の家に行き「突然ですが、貴方の子供とこちらの娘とは氣が合つて居る樣だから一緒にしては戴けませんか」と願ふ。これに對して主として男の女親が當るのであるが、親「これは始めてのことを聞きます、自分の子供は何故一言も私達に言はないのであらう」仲人「私は既に使者として來たのです、向ふの親族は非常に喜んで私をこちらへ遣したのですから何も心配に及びません氣安く應じて下さい」親「子供同志も好き合つて居り、貴方達も異存はないさうですが、私の方は少し考へて見度いから餘裕を與へて欲しい」仲人「延して欲しいと言はれるが、私は向ふの切なる望で送られて來て居るのですから延引等は向ふで聞き入れないでありませう」、そこで男家では親族を集めて相談し賛成を得れば承諾の返事を與へる。翌朝から女が男の家に仕事の手傳に來る。これを Mitape といひ、水汲み、炊事等の手傳を一箇月位續ける(寫眞(8)は馬蘭社に於ける Mitape にて籾摺中の女子卽ち向つて左がそれであつて右は男家の娘)。Mitape を終へてから一週間經つて仲人が出掛けて期日を決めて來る。女家では婚姻の前日の夕方、水牛(一股)、豚(一股)、餅(糯米五斗で二つ作る)、を準備し、準備が出來たら、盛裝せる娘が先頭に立つて笊に餅と豚肉とを入れて頭に載せ、近所の者、親族と共に炬火をつけて男の家に屆ける。これらの品物のことを Sapakatim (Pakatim＝結婚)と言ふ。男側の親族や近所の者は集つてその持つて來た肉や餅を食べる。女側は直ちに引き返しその日はこれで終る。翌朝早く女側は男を迎へに行く(Panukai と言ふ)。蕃刀、衣類、茣蓙、夜具、着物入れの箱を受け取り、女が男の蕃刀を腰に下げて男を連れて歸つて來るが共時男側から炬火を渡す。女の家では親族が待つて居て、男が此等の親族に盃を廻しつゝ紹介される。次いで朝食になるが新夫婦のみ別に笊に飯を入れて相對して食べる。食事が濟むと全部(男子)で魚取りに出掛け午後三時頃歸宅して宴會となる。夕方解散して婚姻の儀式は終つたことになるが、その夜の床入の際は一晩中娘の母が看視して居て娘が恥づかしがつて居れば抓つて注意を與へる。婚姻後二、三年經つて男は實家に歸つて家の仕事を二、三年間手傳ふことがある。これを Masipol と言ふ。(註三) 婚姻前の情交はやかましく言ふ社もあるが(池上社)、大體に於て婚姻の障碍にはならない。(註四) 卽ち一男と關係してそれが婚姻に至らずに破約されてもそのことは他の男子との婚姻の妨げにはならない。併し婚姻前に私生子の出來るのは恥とするがその爲に私生子を殺したりする様なことはない。

離婚は前節に於ても述べた様に、姦通、夫妻の不和、夫と妻の血族(特に母)との不和、生れた子供が何人も育たないといふ様な場合に起るのであるが、夫の方が先に嫌氣がさして妻家を出ようとする場合には、共同作業とか蕃社會議の歸りを妻家に行かずに實家に歸るとか或は義務出役に出たとき米を實家から貰つてそのまゝ妻家に歸らないとか、或は夜一寸用事のため外出するとてそのまゝ歸らないとかといふ方法を採る。妻の方では、先づ妻が夫の實家に出掛けて夫に歸つて來る様に願ひ、二、三回續けても效果が無ければ妻の親が出掛けそれでも效果が無ければ實子のある場合その子供が出掛ける。子供は父の家に泊り込んで夜中に父の日常下げて居る袋を持つて歸る。それでも復歸の意志が無ければ愈〻離婚が成立する。女の方が夫を嫌ふ様になつた場合には冷淡に待遇して男の方が出て行かねばならない様に仕向ける。或は喧嘩口論の末、夫の荷物を戸外へ放り出すことによつて夫を離婚することもある。子供が育たない様なときには兩者でよく相談して別れるのである。離婚した場合には男の嘗て持參した品及び衣類は實家に持ち歸るが、それは多く親族の者が取りに行つてやるのである。

姦通に對する制裁は、(一)夫が未婚の女と通じた場合、夫の實家から水牛、娘の家からも水牛(奇密社では男の家よりも小さい家畜で好い)を出させて蕃社の既婚者全部で共食する。未婚者にはかういふことになつては良くないとて賠償の肉は食べさせない。妻は夫を離縁するが、時にはしない場合もある。(二)妻が未婚の男と通じた場合、妻の家からと男の家から水牛(奇密社では男にはやゝ輕い)を出させて蕃社で食べる外、馬蘭社、マラウラウ社では夫も兩者から水牛を一頭づゝ賠償せしめ自分の氏族に食はせ、自分は妻家を出る。(三)夫(甲)が他の者の妻(丁)と通じた場合、甲、丁の實家から水牛一頭づゝ蕃社に出させるが、馬蘭社では丁の夫(丙)も甲、丁から水牛一頭づゝを出させて自分の氏族の者に食べさせる。二組の夫婦は共に婚姻を解消するが、奇密社では甲の妻(乙)は子供のために甲を追出さないこともあるといふ。相姦者の婚姻は賠償を濟せば可能の樣であつて、奇密社の頭目の現在の妻は先夫の出役中に關係が出來て一緒になつたものである。姦通は人の噂位では制裁されない、其現場を押へなければならない。而も被害者たる夫又は妻が現場を見附けなければならないとされて居る(マラウラウ社)。現場を見附ければ後日の證據として頭布とか其他衣服類の一部を奪つて置くのである。

註一　昭和二年臺灣人口動態統計に據れば、同年に於ける行政區域の高砂族の初婚年齡はＤ表の如くである（一方のみ初婚の場合をも含む）。パンツァハ族は行政區域の高砂族の八割近くを占めて居るから、此數字は大體パンツァハ族の事實に近いものと見ることが出來る。これによつて見ても男子は二〇―二四歲、女子は一五―一九歲迄が各〻總數の半を占めて居る。

註二　奇密社の一一六組の夫妻の年齡（數へ年）の組合せはＥ表の如くであつて、年齡の差の平均は五・七九歲であるが、撒布度は、標準偏差 $\sigma = 6.08 \pm$ P.E. 0.26 となつて居る。唯問題は壯年以上の年齡は他の高砂族に於けると同樣に不正確といふことであつて、從つて、大體の傾向を示すものとして揭げて置くに止める。

註三　奇密社に於ける婚姻に就いて述べれば、娘は好きな男の家に出掛けて豚の飼料やお菜になるものを持參し或は水汲み洗濯等を手傳ふ。家に手傳ひに來る娘はいくら多くても構はない、寧ろ多い方を家人は喜ぶ。娘はまた夜も遊びに來る。これらの娘を家へ送り屆け最も好きな娘の家に入つて泊る。或は男に好きな娘があれば途で遭つた時檳榔を與へ娘にも意があれば之を受取りこゝに交渉が成立し娘は手傳に來る。娘の家で夜中男の出入する入口は家の裏壁に空けられた窓樣のもので第一圖で言へば妹の寢場所の側にあるのがそれである。愈〻婚姻しても好いと思へば男が娘に自分は何時出掛けてもよいからと告げそれでは何日にすると相談して決定することもあるし、娘の兩親が娘の兄弟若くは男の親友を仲人に立てゝ「互に年齡も相當になつたから來てはどうか」と尋ね男が諾すれば婚姻の日を決定する。女家では式の一箇月位前から酒を作る、或は其年の始めから作つてあつた酒を用ひることもある。その他鹽漬の豚の後脚、糯米二、三斗分の餅等を用意する。この際魚は

(三)　家族構成

一般の祭のときと同樣に魚が泳ぐ樣に腹がねぢれる樣な病氣になるとて禁忌、鳥類は飛ぶから男がこの樣に早く逃げ出すといけないから禁忌、野菜も神に捧げる例がないからとて禁忌である。式の當日は、夜になつて女の氏族の男子が男を迎へに

D　表

夫の年齢＼妻の年齢	15歳未満	15 — 19	20 — 24	25 — 29	30 — 34	35 — 39	40 — 44	45 — 49	50 — 54	55 — 59	60歳以上	計
20歳未満	7	29	9	3	1					1		50
20 — 24	19	162	38	8	2	3						232
25 — 29	5	76	31	12	1	1						126
30 — 34	1	12	11	5	2		1					32
35 — 39		5	3	2	1	1	1					13
40 — 44		1	1	3	1			1				7
45 — 49				1								1
50 — 54												
55 — 59												
60歳以上						1	1					2
計	32	285	93	34	8	6	3	1		1		463

行きそれと一緒に男側の氏族の男子がついて來て宴會をする。次いで嫁と、嫁の兄と婿と婿の氏族とが再び婿の家に行き、婿と嫁とが五寸四方の肉を與へられる。それを二人が少し食べて、二人と嫁の兄とが婿の荷物と前の肉を持つて嫁の家に歸る。

E 表

夫の年齢 ＼ 妻の年齢	16 — 20	21 — 25	26 — 30	31 — 35	36 — 40	41 — 45	46 — 50	51 — 55	56 — 60	61 — 65	66 — 70	計
21 — 25	1											1
26 — 30	13	8	3									24
31 — 35	2	9	10	4	1							26
36 — 40	1		1	7	2	1				1		13
41 — 45			1	5	5	5	2			1		19
46 — 50					2	7		1				10
51 — 55					1	3	2	2	1			9
56 — 60					1	2	1	3	2	1		10
61 — 65								2				2
66 — 70							1				1	2
計	17	17	15	16	12	18	6	8	3	3	1	116

(三) 家族構成

家でその肉を女家の氏族全部に分ち、足りない時には女家で肉を足して一同宴をなして其日は終る。翌朝婿は川に魚(蝦一、二匹)を取りに行く、若し其時羌の足跡があればつけて行つて取つて來れば女家にとつて非常に御目出度い。取れなければ女家は餘り運が好くないといふ。取つて來た蝦をゆでゝ子供に食べさせて行事は終ることになる。實家に人手のないときは婿入りして二年程經つて一年間程 Masipol のために歸る。その間嫁は一、二週間置きに一週間程手傳ひに男家へ行く。この他粟收穫祭と粟蒔祭のときには嫁側から男家へ直徑二尺程の餅を持つて行き、收穫後粒を一俵持つて行くことがある。

註四　マラウラウ社では女が男の家に手傳ひに來て歸るとき男がそれを送つて行く途中種々甘言を以て誘ひ性的關係を結ぶことがある。そして關係してしまへば嫌な女には「お前は簡單に許したから駄目だ」と言つて家に來ることを斷つてしまふ。併しそれがその女の將來の結婚の妨げにはならない。馬蘭社に於ても甘言を用ひる方法を年長者から集會所で教へられる。太巴塱社に於ては女が男の家に手傳ひに行つて居れば時期を見て女の親が女をして男に家の仕事を手傳ひに來て呉れないかと言はせ、來たら夕食を供し婿になつて欲しいといふ。娘を好かない場合には夕食を斷つて歸る。併し多少氣のあるときはその夜娘と一緒に寢る。それで十分娘を好きになれなかつたら早朝薪を娘の家に置いて再びその家に歸らない。娘の方はそのまゝ泣寢入りになつてしまふ。この例は非常に多いと言ふ。男はそれを自慢にし女の方も別に苦にしない。

(3) 出生・死亡に關する慣習

出生・死亡に關する本族の慣習乃至宗教的儀禮に就いては地方的差異が相當に見られるが、こゝには太巴塱社の事實に基いて記述することにする。

姙娠に關する宗教的觀念に就いては人を作るのは Longe なる神であるといふ

のみで精しいことは末調査であるが、出産は、その前日迄女子は働く。陣痛が起きれば家に歸り(間に合はずして畑で出産した例も多い)、家の裏口に近い床上で生む。側には母親と姉妹のみが居り子供達は戸外に出し夫も家の中には居るが近寄らない。産婦は手を壁に掛け足を屈げてかゞむ。母親や姉妹は芭蕉の葉を一枚持つて振り Longe に向つて「片輪でも何んでも好いから安産する様に」と祈る。かくして出産すれば臍帶は一、二寸殘して竹を薄くして作つた小刀で切る。胎盤は母親若くは姉妹が芋の葉に包んで庭に埋める。生れた子供は冷水で洗ひ襤褸布で包み、一晝夜位經つて乳を與へる。生後四、五日目に家の男が魚を獲つて來て餅を作り家内の者のみで食べて祝ふ。命名は同じく四、五日目に行はれ生母の母親が子供を抱いて「お前の名は……だ」と言ふ。名前は生母が其四、五日の間に夢を見てその中に現はれて來た男女の名前に決める。或は祖母の名や父方の祖父の名をとることもある。其子供が病氣を度々する様であれば名前を變へる。この場合も生母が夢を見るか若くは家内の男がʔLao による占をして新しい名前を得る (Miʔlao)。(註一) 即ち竹を極めて細く削つた一尺位のもの (ʔLao) を、一端に溝をつけた長さ六寸、一寸角位の木 (Tsohak) の溝でこすり「今子供は病氣になつたが名前が合はないのであらう。××（多く生母の兄の名等）といふ名をつけようか」と言ひつゝ竹が切れたら其右手の方の切目に注意する。例へば切れ目の線が三本のとき竹皮の附着して居る面を手前にして右端の線が一番高ければ良、他より低ければ否とするのである。一度で良ければもう一度してそれで良ければ其名にする。一度目良、二度目否の時は三度目を行ひ良ければ其名にする。三度目も否の時は名前を替へて始めから行ふ。

家内に病人が出た時には祈禱師（Sikawasai）を招いて祈禱をして貰ふが、祈禱の種類は四種あつて、最も輕い病人に對しては（一）Pasiloi、その上には（二）Pasael、更に重いのには（三）Pakasaorip、最も重いのには（四）Sakiriwai、を行ふ。この中のどれをしてもらふかは前述の占筮によつて決するのである。今この四種の祈禱に就いて述べれば、

（一）Pasiloi　祈禱師は一人で見習が一人若くは二人附いて行ふ。直徑二、三寸の餅を五つ、糯米を水に漬けてそれを搗き片手で握つたもの（Opru）を五つ、酒を瓶に一本、これらを籠Tapiraに入れて家の中に置き、祈禱師は東方Longeの神に向つて「あなたの作つた人間が今病氣をして居ます、切角人間にして戴いた

のであるから早く病を癒してもとの様にして下さい」と祈つて次いで家の中央で祈禱師と見習とは芭蕉の葉を持つて歌を歌ひながら踊る(寫眞(9)は祈禱師が芭蕉の葉を持つて踊つて居るところ)。踊りが濟んで再び祈つて終る。謝禮としては神に供へた前記の品物を與へるのである。Pasiloi は晝でも夜でも何時行つても好い。この祈禱で效かないときは次の祈禱をしてもらふ。

(二) Pasael 祈禱師四、五人を呼び、祈禱及び踊は前のと同樣であるが、供物が多くなる。即ち、三十斤位の豚を殺し左の前後脚、肺臟及び肝臟の三分の一(他の三分の一は祈禱師の晝食となり、後の三分の一は家の者が食べる)を供へる。祈禱の際、親族や近所の者が見に來るのでこれに飯と肉(右後脚と胴)とを食べさせる。謝禮としては前記の供物と直徑四、五寸の餅を與へる。祈禱師の長は肉も餘分に取り餅も三枚貰ふ(他は一枚づゝ)。本祈禱は晝間行ふ。

(三) Pakasaorip 晝間行ふ。七、八十斤乃至百斤の豚を殺し、前のパサエルと同樣の部分と、徑一尺五寸位の餅一つ、OPru] 五つを籠の上に置き、祈禱師は四、五人で南の方を向き蕃社の嘗ての有力者の靈 Kawas に對して「有力者達よ、天から下りて來て此大きな豚や餅を食べて下さい。そして病人を早く癒して下さい。

貴方達が生きて居た頃には蕃社のために働き他の蕃社に出掛けるときには其雄辯を以て說伏したのですから其精神でこの病人を助けて下さい」と祈り、踊りをなし再び祈る。謝禮は前と同樣である。

(四) Sapiriwai　以上の祈禱をしても癒らぬ場合、又始めから占筮によつてこれに決した時には、此祈禱を行ふ。これは四方を向いて踊るものであつて、祈禱師はやはり四、五人呼ぶ。供物はパサエルのときと同樣にして南に向つて供へ、「お日樣、お月樣、祖先よ！私達が生きて居るのは貴方がたの御蔭です、若しもどなたかゞ病氣にさせたのでしたら何卒早く癒して下さい」と祈り、四方を向いて踊り、最後に祈る。其際、分家した者や、出婿した者及び其子供等が來て居るが、祈禱が濟むと祈禱師は此の中の男子に向つて「貴方達は明日から四、五日は水を一滴も飮まない樣、御飯も食べない樣、女と一緒に寢ない樣に」と命ずる。この四日或は五日が過ぎて祈禱師を呼び豚を殺して前と同樣の祈禱をしてもらふのであるが其前に禁忌を守つた男子達は飯を持ち村の入口で肉と餅とを供へて神に祈り、終つて食事をする。歸つてから祈禱師と一緒に祈り祈禱師が踊をすることは前と同樣である。謝禮はパサエルのときと同樣であるが前後二回貰

ふのである。(註一)

祈禱の效果も無く病人が死んだ場合、息を引取つたら直ちに其場に居た男子は大聲で死者の名を呼び「貴方はもう息が絶えたのであるから祖先の地へ躓かずに行きなさい。決して殘つた子供や家族の方を振返つてはいけません。もう關係は無くなつたのです!」と叫ぶ。死者の靈 Kawas が振向けば子供や家族は病氣をしたり死んだりすると云ふ。次いで家族の者が酒で屍體を拭き(酒は神聖なものだからと言ふ)、衣服を着せ茅で作つた臺(長さ五、六尺、幅二尺、高さ二尺内外)に上向きに橫へて入口のところに置く。親類や近所の者が來て家の中で屍體の廻りで踊る。家族は踊には加はらないで泣き乍ら死者の德を稱へる。埋葬は朝死ねば午後、午後死ねば夜踊つて翌朝にする。埋葬の場所は家の廻りの庭(蕃社によつて異つて居る、奇密社には墓場があり、薄々社では軒下に埋める)であつて、最初に鍬を入れるのはその家生れの男子であつて他家からの婿にはさせない。穴に臺と共に屍體を入れてその右側に辨當として糯米一、二合蒸して袋に入れたものを置く。鐵類を一緒に入れるのは禁忌。次いで土をかけて埋葬は終り、それから四日間は家族及び出婿して居る男子も喪に服する。始め三日の間に男

(三) 家族構成

子は薪をとり女子は米を搗き、四日目に男子は魚を取りに行き女子は餅を作りその夜餅と魚とを食べる。五日目の朝、家内の者が皆集つて穴を掘るに用ひた刀、鍬、及び死者の使つた物を出して東向にし祈禱師が瓢簞に入れた酒又は水を口に含んでその品物に吹きかけ芭蕉の葉を振つて「歯が抜けたとか、頭髪が取れたとかといふ惡夢とはもう緣切りだ」と言ふ。祈禱師は人をも潔めこれで喪は終ることになる。死者が一歳迄の間は大人同様に埋葬するが喪の期間は翌日で終る。

尙病人が入婿せる者のときには、多くの蕃社では實家へ歸つて養生する。併し實家が遠いとか或は實子の居る様な場合には妻家で養生することがある。太巴塱社では實子のある場合には死んでも妻家に葬るのである。但し實子無き場合には死ねば屍體を前述の臺に乘せ毛布を被せて實家へ送り届ける。更に實家で祈禱や祭祀を主となつてやつて居た者は死ねば實家に送り返さなければならない。

註一　Miʔlao に關しては移川教授の『インドネシア方面との密接關係を示す高砂族の占筮「ミハラオ」(Miʔlao)』(南方土俗第五卷第一・二號)に精しく說明があるから參照され度い。

(1)

(2)

(3)

(4)

(7)

(8)

註二　奇密社で言つて居るところによると、人が死ぬのは、變死人の Kawas が自分を祀る者が無く食物が無いために飢えて、誰かを殺せばその死人に供へた食物の一部を Longe から分けてもらへるからとて、病人を Longe のところへ連れて行く。Longe が殺してもよいと許せばその病人は死ぬのである。

(四) 家族機能

經濟生活

(A) 財産

パンツァハ族で認められて居る不動産としては、狩獵地、海上漁區、河沼、耕地、建物及敷地等が主なるものである。狩獵地は蕃社の共同所有となつて居る社と何等狩獵地を蕃社としては所有せず獲物の豐富な山に誰でも出掛けることが出來且他社の蕃人といへども自由に出入出來るとなして居る社と二通りある。海上漁區は海岸に近い蕃社で海上漁撈を行ふところでは其蕃社人の漁撈を行ふ區域はほゞ限られて居て而も家族、氏族によつて區分されないから蕃社有と認むべきであらう。但し漁區に就いての調査は未だ不十分であるから精くは後日の調査の結果に俟ち度い。河川も蕃社有であるが隣接蕃社との境界が漠然として居る場合も多い。更に河川は蕃社のものであると認めて居ても他社の蕃人が漁撈してもよいとして居るところがある（貓公社）。池沼は蕃社の境界内（山地、耕地を含めて）にあるものは蕃社の所有に屬し社人は何人も漁撈その他に利用し得るが池の中には青年階級の諸組の所有に屬して居て其組の者が時々共同漁撈して共食するためのものもある（太巴塱社）。大きな池になれば一蕃社の所有に屬することなく數蕃社の共同利用に供せられて居るところもある。建物及び敷地中、集會所及び其敷地は蕃社のものであり同時に男子集團のものとも言ひ得るものであつて女子の出入は禁忌である。見張小屋も同様に蕃社有である。耕地の中にも前に述べた様に青年階級が共同耕作するための耕地が存在する。家族所有の不動產としては、耕地、家屋（穀倉、畜舍を含む）及び耕作小屋が擧げられる。家屋は其屋根の下に生活して居る一家のものであるが、その家から他家へ出婿せる男子も相當の發言權を持つて居る點が注意すべき事柄に屬する。彼等は病んでは息ふべき場所、死しては歸り葬られるところとして其實家を考へて居るから、實家の生活場所としての家屋に對して强い關心を持つて居る。家屋の敷地は今日では本族の蕃社が行政區域にあるために所有者が一定して居て勝手には出來ないが以前は蕃社内であれば他人の耕地、屋敷内を除いて何處に家を建てゝも構はなかつたのである。併し一旦家が建てば移轉しない限り屋敷内の土地は其家のものと認められる。耕作小屋は自家の耕地内に設けられ當然自家のものである。

耕地に就いては、現在本族は高砂族調査書によつても知り得る様に水田耕作が支配的であり且土地所有が確定してしまつて居るが、水田耕作の入らない以前卽ち燒畑耕作の時代(今日でも一部では行つて居る)には耕地の所有關係は如何樣になつて居たであらうか。土地に餘裕のある蕃社では他家の耕地及び占有の意志を示して居る休耕地を除き領域内の何處を耕作してもよい。自家の耕地にしようとする場合には普通其土地の四隅の茅を縛つて置けばそれが先占の印になるのである。數年耕作した後休耕する場合其休耕地は放棄することもあるが多くは長く其家の所有となる。耕地の境界には石を置くとか或は桑、百日紅、Vakon と稱する草を植えるとかする。(註一)ところが蕃社の中には耕地の各戶占有を許さず毎年耕地の割替を行ふところのあることとそして其方法に關しては前述した如くである。割替を行ふ貓公社のその理由とするところは耕地として適當な箇所は一定して居て其處は敵蕃襲來の恐れがあるから、蕃社民が一緒に開墾栽培を行ふ必要があり且公平を期する爲に割替を行ふのだと言ふ。更に外敵野獸に備へる意味から社の境界近くの耕地は青年階級の共同耕作地にして居る蕃社のあることも前に觸れた。

以上の様に耕地、家屋及び其敷地、耕作小屋は大體に於て家族の所有に屬するのであるが、家族の所有する動產には如何なる種類のものがあるかに關して太巴塱社 Kate-Tavon の家に就いて(第一圖の家と同一家)調査した結果は第十二表の如くである。家族員は十一人卽ち父、姉娘と其子四人、妹娘と夫と子二人、弟一人である。

他の高砂族に於けるが如く、衣服、裝飾品は個人の私有となつて居るが正裝用衣服、裝飾品の着用は近親者で融通し合ふことが多い。此家の耕地は水田二甲、畑四分であつて此他宅地若干がある。

家產は不動產、動產共に一家の共同所有であつて家長は共管理者である。家長は動產中の簡單な品物に就ては獨斷で處分出來るが重要な品物や現金の處分

第十二表　家産

種類	品名	數量
農具	鍬(本島人式)	二
	犂(本島人式)	一
	杷(本島人式)	三
	鐵製地均し(牛にひかせる) Sapikrop	一
	スコップ	二
	唐箕(本島人式)	一
	箕 Satapus	一
	臼	一
	杵	五
	籠 Sisi	一
	稻扱及附屬品(本島人式)	一
	籾ならし	一
	筵(稻扱きの際用ふ)	一
	背負網	一
	苿仔(本島人式)	二
	糞箕(本島人式)	二
	牛車	一
漁撈用具・雜具	投網	五
	簗	五
	四手網	一
	鉈	一
	帚	二
	蓑	一
	鳩入籠	一
家	神棚	一
	臺	一
	柱時計	一
食事道具	米入袋	一〇
	瓶(一升瓶四、四合瓶三)	七
	漬物甕	三
	甕	一
	水甕	二
	バケツ	二
	釜	二
	釜を持ち上げる木の棒 Sapuł	二
	瓢簞	二
	柄杓用瓢簞 Papa	一
	罐	一
	鹽壺	一
	藥罐	一
	辨當籠 Kopeł	一
	箸籠	一
	籠(飯を入れて食す) Tapera	四
	食器入棚	一
	茶碗入	一
	茶碗	一四
	湯呑	九
	盃	七
	丼	三
	皿	一二
	たわし	一
	飯臺	一
	錫製盞	二
	獸肉を切る臺 Tonck	一
食料	白米―一斗	
	粳米(籾)―一ケ年分	

	品名	數量
具	ランプ	一
	籐椅子	一
	木製椅子	一二
	木製長椅子	一
	香爐	一
	金屬製花立	一
品のその他	糯米—若干	
	種籾(粳)—麻袋九	
	石灰—一罐	
	薪—二ヶ月分	
家畜	鷄(雄二、雌一、雛三)	六
	水牛	三

私財

	品名	數量
父	盛裝用衣服上下各	二
	和服	二
	蚊帳	一
	蒲團	一
	毛布	一
	笠	一
姉	衣類箱	三
	盛裝用衣類上下	二
	洋服、	一
	頭飾	一
	蒲團	二
	毛布	一
	蚊帳	一
	臺灣服	六
	改良服(娘の分)	二
	スカート(娘の分)	二
	和服(娘の分)	二
妹	上衣	三
	腰布	一
	袴(本島人式)	四
	脚絆	三
	洋服	一
	蒲團	一

	品名	數量
妹	毛布	三
	衣類箱	二
	蚊帳	一
	檳榔入袋	一
	上衣(夫の分、本島人式)	一
	袴(夫の分、本島人式)	一
	和服(子供の分)	二
	襁褓(子供の分)	二
兄(出嫁)	バリカン道具	一
	靴	一
	帽子	一
	袴(本島人式)	一
	和服	二
	衣類箱	一
弟	和服	五
	上衣(本島人式)	四
	袴(本島人式)	五
	蕃刀	一
	衣類箱	一
	バスケット	二
	大工道具(斧一、鋸一、穴けづり一、錐一)	一

に關しては一家の者と相談しなければならない。殊に不動産の處分に就いては、耕作小屋の如きは問題にはならないが其他に就いては出婿せる男子の參集を求めて決定しなければならない。唯こゝで問題になることは南勢アミの耕地である。南勢アミ以外のパンツァハ族では大家族生活を營むことが多く耕地は家產として個人のものではなく、入婿せる者も衣類裝飾品を持參するのみであるから問題は生じないが、南勢アミでは娘は婚姻と共にしばらくして親或は姉妹の家から幾分の耕地の分與を受けて夫と共に分戶するのであつて、時には夫も親から耕地の分與を受けて妻の分と合して一家の生計を維持することがある。此場合その耕地は夫妻の持寄財產の樣な形であつて、夫は離婚の際には持參した耕地を持ち歸る。從つて子供の代になつて始めて家產としての安定性を得て來るのである。

次に家族の財產の相續竝に分割であるが、家產は大家族生活をするところでは家長が死亡すれば殘つた家族中の最年長の女子が家長となつてその管理に任ずる。小家族に近い生活をするところでは、家長の死亡以前に子供(娘)は生長して分戶して居ることが多いから姉から順に出て行くとすれば最後に殘る妹が家を繼ぐことになるのであつて耕地を全體の約三分の二位と住居を與へられことになる。併し家を繼ぐ者は必ずしも末娘と限つたわけではなく姉が殘ることもある。これは婿と親との折合その他が關係して來る樣である。一家族が全部死滅した時には氏族或は親族の近い順に耕地を取ることが出來る。併し家屋は緣起が惡いとてそれを貰ふ者は無く、またその敷地へ家を建てる者も無い。男のみが家に殘つたときには他へ婿入りするとき家產を妻家へ持つて行くことは無く誰か同一氏族の者を家に入れてそれに家產を與へる、これは病氣のときに歸るべき家を必要とするからだといふ(奇密社)。同一氏族の新來者に耕地を分與することは前に述べたが、それでも不十分な場合やはり同じ氏族の土地を小作する。そのときの租穀は奇密社で收穫の五分の一位である。一家族內で不和を生じ分戶をする場合には奇密社では家を分つのみで土地は分けず唯耕作する場所のみを分けるといふ方法がとられるがマラウラウ社では家も土地も分ける。後者に就いて述べれば、分戶の原因は、家長に對する不滿例へば管理金に對する疑や仕事の上で氣が合はなくなつたといふ樣なことが多いのであつて、かういふ不滿は血緣の薄くなつた者に多い。親子の場合でも稀にある。出て行く側は不滿を持つた方であるが時には家長側が出て行くこともある。不和が昂じて來れば、出婿して居る男子特に家長の兄弟が來て、かやうにごた〳〵して居る樣では分れたがよからうとて土地や道具類の分割を行つてやるのである。土地や道具類は人數(大人も子供も同一資格)によつて分配する。分れて行くべき家はもとの家の者及び氏族の者が手傳つて作る。

私財で相續の對象になるものは正裝用衣服及び首飾、耳飾、腕環、蕃刀、槍、帽子等であるが、死亡者が母親である場合と父親である場合とを分けて考へなければならない。今奇密社の例を取れば、母親が死んだ場合には正裝用衣類、首飾、耳飾、腕環は娘にほゞ公平に分配する。娘の數が多くて品が不足の時には上の娘から取るが分配されなかつた者は時々貸してもらふことが出來る。娘の居ない時には孫その他血緣の濃い順に分配を受け、出婿せる男子に娘があつても即ち孫娘があつてもこれに與へることは無い。男親が死んだ場合、彼が實家から持參した品即ち槍、蕃刀、小刀、仕上砥石、帽子、盛裝用の衣類等を妻が先づ死後三日目に實家へ持參する。實家では死者に子供(實子、繼子を問はず男兒)があれば、遠慮して此等の子供のためとて妻家へ好い品を與へる樣にする。

分配は實家で行はれるのであつて、先づ妻家の家に在る男兒の年長者が帽子看物を取り其他の男兒が順に好きな品を取る。家に男兒の無いときに槍、蕃刀等を他家へ出て居る男兒に與へる。實家では妻家へ返した殘りの品を死者の姉の子次いで妹の子といふ風に順次一つづゝ(一つ以上は取らない)取る。死者と妻との間に男兒(實繼子を問はず)の無いときにも甥の居るときには實家としては其爲に品物の一部を返してやる。一般に父母の品を讓られた遺兒の幼い時には家長が之を保管して置いて使用出來る年配に達した時に與へる。

財產に對する罪卽ち窃盜に對しては蕃社の者が總出で窃盜者の家に押掛け豚や水牛を取り上げて男子が集會所で食べる。その殘りは家へ持つて歸る。さうすれば窃盜者の家人が訓戒を加へて改める樣になると言ふ。再び罪を犯せば何度でも同じ罰を與へるから遂には家人はかゝる者を追ひ出す樣になる。小さい盜の場合には鹽漬の肉を出させるのみで濟ませる(貓公社)。

註一　番族慣習報告書第二卷一三二頁、一三八頁。

(B) 生　業

家族の生業としては農耕、狩獵、漁撈、養畜、勞役、天然物採收、加工品製作等があるが、農業が支配的であるのみでなく農業以外のものを事業とする家族は殆ど無く、領臺後他の職業に就く者も多少現はれては來たが未だ極く少數である。

農業は他の高砂族に於けると同樣家族を單位として營まれる。現在は水田による稻の栽培が盛に行はれて居るが、嘗ては燒畑による粟、陸稻が主要穀物であつたのである。今奇密社を中心に略述すれば先づ開墾地の選定に當つては休耕地であれば其處に生へた草の落葉が腐る頃即ち三、四年休耕した土地を選び、始めて開墾する土地であれば土の色が黑色であるところを最良として居る。併し陸稻には茶褐色の砂質土を良しとし、蔓の多い豆類には石の多い土地を良しとして居る。傾斜も餘りひどくなければどの程度でも構はないと言ひ向きも日蔭でさへなければやかましくは言はない。水田には黑色で沼地で無いところを選ぶ。伐採は喉の赤い鳥 Tsivin が鳴き始めたら行ふのであつて、本族の住地は大木の生えて居るところは少いから小木は茅と共に切り倒し十分枯れた後にこれに火を入れるのである。伐採火入に就ては貓公社では前述の如く蕃社中が同じ方面の土地を耕作するのであるから、火入も共同して行ふ。好天氣の續いた頃各戸から總動員の形で人が集り開墾地の周圍から火を入れる。そして中に居る獸を燒き或は逃れる獸を銃で打つ。この日は蕃社の樂しい日であつて獸の肉は全員に分配し或は共食し或は家に持つて歸る。燃殘りは集めてもう一度燒く。太巴塱社に於ても青年階級の下から五組が山の伐採火入を行ふがこの狩獵の樂みを伴ふもの丶様である。火入後の整地は木の根は別に掘起さず、小石を大石のところに集める程度である。粟蒔は奇密社では火入後一月經つて半月(Terun)が出た頃、貓公社に於ては Rarijuts, Vangas, Warok 等の木の葉が落ちた頃に始めるのであつて大體新曆二月頃である。粟が五寸位に伸びた時一回除草するのみで新曆七月から八月にかけて收穫するが、粟蒔及び粟收穫は共に種々の禁忌を伴ひ且祭祀も行はれ蕃社中がそれによつて統制されて居て規則的に農耕が行はれて居る。粟と共に播き或は植込むものには第十三表の第一年の項に記した様な作物があるが本族にはこれ以外に尙多數のものがある筈である。同表は奇密社に於ける耕種式を示すもので單に一例を掲げたに過ぎない。害獸に對しては不意の敵に備へる意味を兼ねて奇密社では境界に近いところに見張小屋を設ける。

第十三表

第一年	第二年	第三年	第四年
粟(二月)—(七—八月) へちま(二月)—(七—八月) 南瓜(二月)—(七—八月) 甘諸(二月)—(七月—翌年一月) 里芋(二月)—(翌年一月) Tuveh(豆の一種)(二月)—(翌年一月) Osai(二月)—(翌年二月)	陸稲(糯)(二月)—(七—八月) 甘諸(七—八月)—(十一—二月) —(十一月—五月)	陸稲(粳)(七月)—(十一月)	休耕(四年間位)

備考：第二年目は陸稲收穫後甘諸を植え込み、十一月から翌年二月頃迄の間に随時收穫するが、場所によつては五月頃迄に收穫すればよい。

多い時には四十餘もあつたといふ。粟を穗首五、六寸のところを切り一握づゝ束ねて縛りこれを庭で乾燥して穀倉に入れて貯藏し(この際倉に入れるのは女子に限る而も縁起の良い女を各戸で決めて置く)毎日消費するだけを臼で搗いて用

(四) 家族機能

ひることは他の高砂族と同樣である。甘藷も必要量だけを每日畑から掘り取つて來る。

天然物採集即ち野生植物の採集に關しては未調査であるから何事も言へないが、嘗ては野生のものを採つて居たと言ふ檳榔、朱欒、芭蕉、鳳梨等の果樹を宅地或は宅地の周圍に盛に植えて居るのを見る。家畜の主なるものは牛(水牛、黃牛)、鷄、豚であつて其數は山地の高砂族に比して極めて多く、(註一)殊に水牛を水田耕作に用ひ或は車を引かせる等盛に利用して居る點は山地に住む高砂族には餘り見られないところである。加工品製作は臼その他の木製品、網、籠、牛車等が主なるものであつて總て自家用に供する爲であつて、製作の出來ない者は他から購買する。この他鍛冶、機織等も行はれるが多くは本島人から買つて居る。勞役は主として領臺後の現象であつて彼等の間では雇傭勞働は無い。

狩獵は(一)單獨に行く場合(二)仲の好い友人數人で行く場合(三)粟收穫祭の際青年級の各組で行く場合(四)田植後、壯年級 MatoPasai が出掛ける場合(五)火入れの際の如く蕃社全體で行ふもの等狩獵者の範圍は種々である。この他狩獵には罠獵があつてこれは各戶で罠を掛けるのである。

狩獵の方法に關しては同じく奇密社に於けるものに就て述べれば、狩獵の對象は猪、鹿、羗が主なるものであつて、(一)犬を用ひて追ひ出させ犬の啼聲を目標にして周圍から取巻いて行き槍で突き殺したり銃で射殺したりする。但し羗は多く犬に嚙み殺される。(二)追はれて來るところを待伏せして居て射殺する。(三)通路を見附けて置いて其處で待伏せして殺す。(四)羗等は足跡をたどり獲物を見附けて追跡して突き殺したり射殺したりする。罠はすべて獸の通路に仕掛けて置くのであつて(一)木或は竹で棚を作り上に石を載せ獸が下を通るときに石が落下して壓殺するもので主として猪、鹿に對して用ふる(Atuv)。(二)繩を木の枝を曲げたものに縛りつけその一方の端を輪にして獸の脚が輪に入れば木の枝が跳反つて脚を締るもの、これに大小があつて猪には大きいの(Tero)を用ひ、小獸、鳥類には小さいの(Tarakar)を用ふる。(三)同樣の仕掛で獸の頸を締るもの Wael、(四)落穴 Kuvung、(五)猿を捕へる爲の鼠取り式に木を組んだもの Rovo、等がある。

獲物の分配は、單獨獵及び罠獵は勿論其家族の物になるが、數人以上で出掛けた時にはイ)獲物を見附けて追ひ出した犬の持主が前脚を(ロ)最初に傷をつけた者が皮を全部(ハ)同行の最年長者二人が頭部を半分づゝ(ニ)殘りを公平に分配する。

内臓は其場で共食するのであつて腸、胃、肝臓、心臓は煮て(多数で出掛けた際は一番上の組の者に食べさせる)、脾臓は生で(年長者から順に大きいのを取る)食べる。肺は犬に食べさせる。

漁撈は狩獵以上に盛に行はれそれが本族男子の大いなる樂みであることは山地高砂族の男子にとつて狩獵が樂みであるのと同樣である。共に動物質食料の獲得といふ點から重要であるのみでなく假令獲物の量に於ては農産物に比して遙に少いとしても男子の日常生活に於ては非常に大きい役割を果して居ることは否めない。本族の男子は間暇さへあれば川や海に走つて漁獲に從ふのを樂みとなし、殊に卑南アミの集會所では常に漁撈用の網の製作に夢中になつて居る男子を見受けるのである。漁撈には海上漁撈と河川池沼漁撈とがあつて前者は海岸アミ、卑南アミに多く行はれ後者は南勢アミ、秀姑巒アミ、恒春アミに多く行はれる。これは住地の關係によるものであるが海岸に沿つて住んで居ても適當な漁場の無い關係上河川漁撈を行つて居る蕃社もある。漁撈に出る人數も狩獵の場合と同樣に單獨、友人數人、靑年階級、蕃社全體といふ風に種々の場合があるが、獲物の分配は年齡階級の順を考慮に入れる他は成員に公平に分配する。河川漁撈に於ては手網、張網、投網、伏籠、魚簗等を用ひ或は掻掘りによつたりするが、海上漁撈に於ては、張網、曳網、投網、釣等の方法に據る。(註一)

勞働には分業と協働の二種の見られることは他の高砂族に於けると同様である。性による分化としては

男の仕事―狩獵、漁撈、開墾、出草、籠・網の製作、水田耕起、稻扱、

女の仕事―機織、絲紡ぎ、米搗き、粟搗き、餅搗き(男も)、土器の製作、栽培、水稻の挿秧・除草・收穫(男も行ふ)、豚・鷄の飼育、炊事、

等となつて居て、現在では男子も農耕に熱心に從事して居るが嘗ては開墾等の力の要る仕事には男が主となつて働くが栽培は殆どすべて女の仕事となつて居たと言ふ。女子は畑仕事には極めて熱心であつて、女の子供を伴つて實物敎育を自然に行ひつゝ農耕に從つて居るのは何れの蕃社でも普通であるが(寫眞一〇)男は嬰兒、女兒を伴ひ畑へ向ふ途中峠で休憩せる猫公社の女子を撮つたもの)、男子殊に青年は現在でも尙農耕に對しては漁撈狩獵に對する程の熱を示して居ない様に見受ける。(註三)女の仕事として掲げたものゝ中にも男の手傳ひ得るものが多少あるが、互に絕體に禁忌となつて居て分化の明瞭になつて居るものは、男に

とつては苧麻を刈ること、機織、絲紡ぎ、絲掛(以上の禁忌を犯せば敵に出遭つた時に茫然としてしまつて首を取られる)は絶體に爲し得ないことであり、女子にとつては漁撈(粟が魚の滑るが如く手からこぼれ落ちて消失してしまふ)、銃、槍、弓矢に觸れること(此等が女になつて獲物がとれなくなる)は禁忌である。從て女子は狩獵、出草は行はない。年齢による分化は子供に水牛の番をさせる位で明瞭なものは無く、職業的分化も司祭、祈禱師、頭目等は專業ではない。

協働の例としては粟搗き、開墾、狩獵、漁撈、建築、出草等多數擧げることが出來るが、こゝでは建築に就いて一例を擧げるに止める(貓公社の事例)。家屋の建築は蕃社中で手傳ふのであつて、材料殊に材木は準備する。即ち小さい材木は家の者がぼつぼつ集め、大きい材木は一年程前から準備する。大きい材木は二、三十名の男子の助力を得て山から伐り出して來て一年間程貯藏し十分枯らすのである。大材木の伐り出しは一、二日で終るが其際家では鹽漬の豚、水牛の肉、酒を用意して助力者に振舞ふ。愈〻建築に取り掛る時は蕃社中から男女が出て來て、先づ男子は材木を削り(一、二日を要する)、次いで柱を建て屋根を作り、女子は茅や石を運搬して來る。大きい家になると二日位かゝると言ふ。この間家では酒、肉、餅を供するが完成した時には蕃社の各戸から酒餅を持寄り全社の酒宴となるのである。

協働は仕事の種類及び參加者の種類によつて、(一) Marapariwai ― 收穫のとき等に隣近所で勞働を交換し合ふもの(二) Misasrarai ― 多忙の際氏族員が助け合ふ、酒を飲ませる(三) Mipajan ― 個人的な手傳、酒を飲ませる(四) Mirivnai ― 貧乏人が他家に行き手傳ひをなし籾を分けてもらふもの等がマラウラウ社に於て存在し、貓公社に於ても次のものがある、(一) Marara kuvinauran ― 蕃社全體の協働(二) Marara 酋の uijang ― 其組全體の協働(三) Mapapariu ― 女子が友人數名で組を作り粟搗除草の手傳ひを交換するもの、男子も友人數名で薪や籐を採りに行く際の手傳ひを交換するがそれも Mapapariu と呼ぶ。(註四)

食事は貓公社では朝夕の二回である。(註五) 併し畑仕事の忙しい時は三回の事もある。朝食は仕事の前に濟すことも仕事を少ししてから食べることもあると言ふから六時前後であらう。夕食は太陽が山に落ち様とする頃である。食物は粟(現在は米)が主食でそれにおかずとして甘藷の葉、或は Samah といふ草、或は Tatkum といふ草を沸騰した湯に入れて下ろしてから鹽を少量加へたものを用ひる。豆のある時は同樣に汁にしたものを用ひる。辨當を持つて行く樣な場合には檳榔の皮に粟飯を包んで持つて行つたり或は畑等では甘藷を食べることもある。以上で知り得る樣に日常の食事には肉類は殆ど取らないのである。從て狩獵漁撈によつて獲た肉を食べ、或は祭や祝事に家畜を殺してその肉を食べるのは彼等の大きい樂みになつて居るのである。

男女による食事上の禁忌としては男子は狩に行く時は野菜、へちま、里芋の莖、豆類を禁忌とするが日常は禁忌でない。女子にとつては鰻(栗がずんずん減る)、鼈(食物が手に入らない樣になる)等が禁忌である。祭祀の際の食事上の禁忌に就いては前に述べた。子供に對する禁忌は別に存在しない。

註一　高砂族授産年報昭和十二年版に據つて算出すれば昭和十一年度の花蓮港平地居住の高砂族即ちパンツァハ族の一戸所有主要家畜の平均頭數は牛(水牛、黃牛その他)三・一頭、豚二・一頭、鷄七・三羽であるのに對して山地居住の高砂族のそれは牛〇・六頭、豚一・八頭、鷄四・六羽となる。

註二　漁撈殊に海上漁撈に就いては詳しくは調査して居ないから、方法、魚の種類に關しては今後の調査に俟ち度いと思ふ。番族慣習調査報告書第二卷(四四—四八)、一八四—一八六)は河川漁撈の方法を七種、海上漁撈の方法を四種、而して魚、貝の蕃名を多數擧げて居る。

註三　里漏社で調査せる際集會所に集つて居た青年達は「今の老人が青年の頃には、畑仕事は女がすべてして吳れたので青年は道路の掃除さへすればよかつた、集會所に集つて、魚を取りに行つたりして樂みが多かつたが今の青年は水田の仕事が忙しくてつまりません」と語つて居た。

註四　古野清人氏も前掲論文「アミ族の農耕儀禮」（民族學年報第一卷九八頁）に於て、都蠻社の共同作業として古くから行はれて居るもの三つ Mapapariairiuai（隣家同志のもの）、Misapangurai（友人同志のもの）、Paurapai（建築、材料運搬の手間借り）と比較的新しいもの三つ、Pasongangai（各戸一人宛出て手傳ふもの）Misa-hosia-ai（Mapapariairiuai より數の多い時）を擧げて居る。

註五　奇密社では嘗ては食事は四度であつたと言ふ。即ち早朝道がほんのりと明い頃家で食し、午前十時と午後二時には畑で濟まし、夕食は家に歸つて暗くなつた頃に食べる。畑へは粟を搗いて持つて行き釜は畑に置いてあるから其處で炊ぐ。分量は両手で一掬が大人二回分に當り子供は其半分。甘藷を持つて行くことが最も多く蒸して食べる。家での炊事は女子が數名居る場合別に順番を決めて行ふのでは無く、手の明いて居る者が行ふ。

（五）概　括

パンツァハ族の家族生活に關して不十分ながら其輪郭を示すことに努めて來た。今其特徴的と見られる事實に就いて概括して見るならば、

（一）パンツァハ族の家族はそれに附隨する地位財産の繼承に關して母方をたどり、婚姻に於て婿入婚を行ふ所謂母系母居制をとつて居るが、其家族成員數竝に間柄から見て大家族生活を營むものと、小家族に近い生活を營むものとの二つの

型を分けることが出來る。大體に於て前者は氏族制度を有し婚姻後の別居を避ける習慣を持つ卑南アミ、恆春アミ、海岸アミ、秀姑巒アミの家族に該當し、後者は氏族制度を所有せず婚姻後の分戸を認める南勢アミの家族に當る。

(二)大家族生活にあつては、直系、傍系の母系血族從つて血緣によつて繫る女子を中心として强固な結合を形作り、家を共にし、生計を共同にし、禁忌の效果に關し、成員の犯罪の責任に關しても連帶である。

(三)かくの如き家共同體の强固な結合は自ら家を同じくする者の間の婚姻禁止となり血緣關係は無くとも同じ釜の飯を食べた者は互に婚姻することは出來ない。從て血緣關係から來る婚姻禁止と家から來る禁止と組合されて血緣的には同じ親等の者の間にでも婚姻出來る者と出來ない者とを生じて來るのである。

(四)他家へ出婿せる男子と實家との密接な關係は本族の家族生活の一特色である。それらの男子は實家をいはゞ魂の憩ひ場所と考へて居る樣であつて、幾多の連帶關係を通じて密接な繫りを持つて居る。從て母系社會に屢ゝ見る伯叔父と甥姪との特殊の關係が生じて來るのである。

(五)本族に於ても夫婦・親子より成る小家族的結合が家族の核心的結合であるこ

とには變りはない。夫婦・親子のみの生活をなす傾向のある南勢アミに於ては勿論大家族生活をなす他群に於ても夫婦・親子の愛情は最も强い。ところが離婚の相當多いことは此小家族的結合を弱める條件の存在を物語つて居るわけであつて、其條件の中には母系家族の特質から生じて來るものが存する。卽ち家族内に於ける女子の地位の比較的高いこと、それは生活の經濟的基礎が女家にあり且一家内に於て女子は互に血緣的紐帶によつて結び附いて居るといふことから來るのであるが、かく家族内に於ける女子の發言權の强いこと、それと共に女子の家族中心主義ともいふべきものと男子の對外的志向性との不調和等が離婚の增加に與つて力がある樣に思はれる。

(六)女子は家長と雖も外部に對して家を代表することは無く家族外の活動には全く參加せず家族内の活動に專念して居る。且母系であるが爲に彼女達の家族的利害を强調する家族中心主義は强化されて居る。男子の家族外的社會活動を代表するものは男子集團・年齡階級であるから兩者は對立物としての意味を持つことがある。これは母系社會の動きを理解する上に看過し得ない事象である。

(一九三九・四・二七)

朱子の徳論

後藤俊瑞

目次

第一章　徳の概念

「徳之爲言得也行道而有得於心也」とは論語爲政篇の朱註に云ふ所、「徳謂得於己者」とは周易繋辭上傳本義にあり、「徳得也」とは語類卷三四の一一枚及一四枚に見えて居る。此等は朱子が徳を解して得と爲す一例である。然るに禮記樂記には「禮樂皆得謂之有徳徳者得也」と見え、鄕飮酒義には「徳也者得於身也」とある。朱子が徳を解して得と爲すは實に禮記の此等の語に倣へるもの、唯だ禮記の身の字を改めて心の字に作つたまでである。（註一）

凡そ徳の字を訓じて得と爲すは支那古來の一般的傾向なること言ふまでもない。許愼の說文は悳を以つて道徳の徳とし、「悳外得於人內得於己也」と說き、劉熙の釋名は「徳得也得事宜也」（釋言語）と斷ずる。かゝる例は他にも甚だ多い。我國に於いても物徂徠は「徳得也（中略）或得諸性或得諸學云々」（辨名）といつて居る。陳北溪の如きは「大概徳者得也不能離一箇得字」（北溪字義徳下條）とさへ論じて居るのである。然らば謂ふ所の得とは先天的稟受の意か將た後天的獲得の意か。伊藤仁齋の如きは禮記に謂ふ所の「德者得也」とは猶ほ仁は人なり、義は宜なり、天は顚なり、地は示なりと謂ふの類で、皆音の近き者を假つて其の義を發するもので決して正訓ではない。若し德を以つて得の義と爲さば德は修爲を待つて後始めて有るものとなる。かくては本然の德は說明し得られぬとの旨を主張して居る。(註一)之は得の字を專ら後天的獲得の義と解する所から起る非難である。しかし謂はゆる得の字に唯だ後天的獲得の義のみありと爲し、先天的稟受の義は有たぬとなすは如何なものであらうか。古來德を得と爲す學者の多くは得の字を寧ろ先天的稟受の義に用ひて、德の先天性を主張するのである。賈誼が新書に「所得以生謂之德」(道德)といひ、莊子が天地篇に「物得以生謂之德」といふ類は是である。しかし謂ふ所の得は又後天的獲得の義にも使用せられて、德を後天的のものと爲す場合もないのではない。されば かの陳北溪は德は得の字を離るゝ能はざる旨を論じ、且つ「古經書雖是多就做工夫實有得上說然亦有就本原來歷上論」(北溪字義)と云つて居り、徐鍇は說文に謂ふ所の內得を「天之性」後得を「人之佐」と解して、內得を先天的、後得を後天的と爲したのも亦その爲めである。(註二)得に先天・後天の兩義あること此くの如くであつて見れば、謂ふ所の德も亦先天・後天の兩方面から考へられて來たことは自然である。但、儒教に於いてはその主とする所は先天的稟受に在ることは一般學者の認める所である。朱子の如きも勿論先天・後天の兩方面から德を考へたのである。語類卷一三七に「問足乎己無待於外之謂德曰此是說行道而有得於身者非是說自然得之於天者」(一〇)とある。道を行うて身に得るとは後天的の意を含み、自然に天に得るとは先天的のものを指す。之は一文の中に於いて德の兩方面あるを同時に併せ述べた例であるが、若し二方面を各個獨立に明かにした例に至つては其の數が極めて多い。大學章句に「明德者人之所得乎天而虛靈不昧以具衆理而應萬事者也」といふを始め、凡そ經の明德・達德・峻德・天德等を解するものは言ふを俟たず、更には性の理を德といふ場合は皆德の先天性を主張するものである。論語爲政篇の集註を始め凡そ德を道を行ひて心(己又は身の字を用ひた例も多い)に得るものといふは皆德の後天性を示すものである。吳程が「按德者得也凡得之稟受與進修者皆得也」(註四)といひ、饒雙峰が先天・後天兩方面を合せて始めて德の字の義を盡し得ると言へるは亦朱子の意を汲めるものである。しかし朱子に在つては後天的に得る德も、固と全然我に具はらざるものを獲得し來るといふのではなく、我が既に先天的に稟受せる本具のものを、唯だ其の表面の曇りを排拭して其の本來の姿を實にしたまでのものに過ぎないのであるから、此の二方面の中共の主とする所はやはり先天的禀受の方面に在つたことは疑ひなき所である。

孟子盡心上篇の朱註に云ふ「仁義禮智性之四德也」と。答張欽夫書に云ふ「蓋人生而靜四德具焉曰仁曰義曰禮曰智皆根於心而未發所謂理也性之德也」(朱子集卷三四)と。更に語類卷一四には「明德是我得之於天而方寸中光明底物事統而言之仁義禮智以其發見而言之如惻隱羞惡之類以其見於實用言之如事親從兄是也」(枚一四)と見えて居る。是れ性の理たる仁・義・禮・智を以つて德と爲すものである。然るに仁・義・禮・智は萬理の大綱であつて、四者を擧ぐれば萬理亦自ら之に從ふものである。此の四者の外別に性中に萬理があるわけでもなく、此の萬理の外別に四者があるわけでもない。故に、萬理も亦之を德といふべきである。語類卷一四には「問德是心中之理否曰便是心中許多道理光明鑒照毫髮不差」(枚一八)とある。尚書畢命の蔡傳に「德者心之理」とあるは朱子の此の思想に基けるものであらう。然るに仁・義・禮・智は性中の理であり、萬理も亦性中の理であるが、然も此等の外に別に性なるものがあつてそれが此等の理を有するのではなく、此の四理が是れ卽ち性であり、此の萬理が又是れ即ち性であるから、性は亦之を德といふべきである。語類卷一六には「蓋天之所以與我便是明命我之所得以爲性者便是明德」(校四)といひ、「問明德明命曰便是天之所命謂性者人皆有此明德云々」(校一)と云つて居る。經筵講義に「天之明命即人之明德」と云ふも性を以つて德と爲す思想である。夫の薛敬軒が「非性之外別有一理爲德也」(註五)と言へるは朱子の意に基けるものである。故に朱子の謂はゆる德は性中の萬理の各箇に就いて之を言ひ、更に萬理が仁・義・禮・智の四者に外ならざるより又此の四者に就いて之を言ひ、更に此の四者即ち性なるより又性に就いて之を言ふ。故に萬理を以つて之を言へば人は萬德ありといふべく、四理を以つて之を言へば人は四德ありといひ得る。若し性を以つて德を言へば人は唯だ一德ありといふべきである。尙書に謂ふ所の咸有一德も朱子の意を以つてすれば天命の性をいふものと考へられるのである。

上述の如く、德が果して天命の性であり、性中の理であるならば、「德是得於天者」(註六)で、明かに先天的稟受のものであつて、萬人悉く之を具有するといわねばならぬ。然るに彼が通書誠幾德第三の解に於いて、聖人は「德無不備者也」、賢者は「德過人」といつて、人によつて德に大小差等あることを認め、且つ「思誠研幾以成其德」といつて修養の結果德の全きに至ることを說くは何故であるか。蓋し性及び性中の理を指して德といふは、其の理が特に虛靈不昧恰も一把の火の如く光明昭徹よく物を照らして燭さざる無き場合のものをいふのである。されば性の理について德をいふや、或は「光明鑒照毫髮不差」(註七)といひ、或は「而虛靈不昧以具衆理而應萬事者也」(註八)といひ、或は「有得於天而光明正大者謂之明德」(註九)といひ、或は「光明照徹無一毫不明」(註一〇)といひ、或は「全體之妙」(註一一)といひ、或は「如明珠常自光明」(註一二)などといつて、特に理の明かなるものを德といふ旨を示して居るわけである。

性の理の明かなるものが德であるが、性の理が明かであるとは、未發の時には虛靈不昧で感に應じて何時でも自由に活き得る狀態に在り、已發の時にはよく道に合する善行を實現することである。詩經大雅に「抑抑威儀維德之隅」(蕩、抑)と云ひ、孔子も「有德者必有言」(論語、憲問)といはれて居る如く、善行は德の外に現はれたもので、德は善行を生ずる內面の力ともいふべきものである。しかし善行を離れては德は考へられぬ。朱子は行は德の內なるものであるとして語類卷六九には「言德則行在其中矣」(枚二〇)といつて居る。性の理を德といはずして性の理の明かなるものを德といつたのは已發の善行をも德の中のものと考へたからである。

されば物徂徠が辨名で朱子の德は單に心に於いて言ふもので行爲とは無關係であると非難して居るのは朱子の眞意を得ないものゝやうである。內の德が性の理であり、外の德が善行である。このことは說文に悳の字を「內得於己外得於人」と內外二方面から定義し、段玉裁がその「外得於己」を「謂惠澤使人得之也」と註して、人に施す所の恩惠的行爲を德の中のものと爲したのと相通ずるものである。善行は卽ち德の顯で、德と善行とは內外表裏、二にして二ならざるものであるから、善行に卽して德を知ることが出來るとも言はれ、善行を指して直ちに德といふことも行はれて來たのである。左傳文公十八年に「則以觀德」とあり、尙書皐陶謨に「都亦行有九德亦言其人有德乃言曰載采采」と見えるは、共に善行によつて德を觀る旨を述べたものである。又、論語子張篇の「子夏曰大德不踰閑小德出入可也」の大德・小德は大節・小節で善行のことであり、憲問篇の「以德報怨」の德は恩惠を施すことで、亦善行をいふ。其他、「爲政以德」(爲政)や「道之以德」(爲政)や「德不孤必有隣」(里仁)の德の字も善行と解することも出來るやうに思はれるし、「禮樂德之則也」(左傳、僖二十七年)や「好德如好色」(禮、坊記)や「親親暱近尊賢德之大者也」(左傳、僖二十四年)や「愛民無私曰德」(管子、正篇)などの德も善行を指して直ちに德といつたものとしても通ずるかと思はれるのである。

かく德は性の理の明なるものをいふのであるが、萬人固より性の理の明は未で嘗て息まざるもので、それが本來の姿であるが、人は氣禀の拘や人欲の蔽を免れ得ないから、時にその明が曇つてその活きが自由を失するのである。此の時之を呼んで德全からずと爲すのである。中庸第二十章に註して「達德雖人所同得然一有不誠則人欲間之而德非其德矣」といひ、語類卷九八に「德性若不勝那氣禀則性命只由那氣德性能勝其氣則性命都是那德」（校一）とも「曰自家之德若不能有以勝其氣則祇是承當得他那所賦之氣若是德有以勝其氣則我之所以受其賦予者皆是德」（校一）ともいへるは是である。聖人に在つては氣禀の拘も人欲の蔽も無い。其の性は未だ動かざるや渾然たる中であり、その已に發するや悉く節に中つて和である。性の理は常に德である。これ聖人は德備はらざるなしといふ所以である。德に完不完があり大小があるは氣禀人欲の拘蔽に多少の差あるに由る。そこで若し德を養うて之を全うせんと欲するならば先づその拘蔽を去らねばならぬ。然らば拘蔽を去つて德を養ふ法は何か。他でもない、道を行へばよいのである。論語爲政篇の註に「德之爲言得也行道而有得於心也」とあり、述而篇の註に「德則行道而有得於心也」とあり、通書誠幾德第三の解に「道之得於心者謂之德」といつて居るのは皆之を言ふのである。其の得於心の心の字は禮記の得於身の身の字を改めたものであることは嚮に述べた所であるが、語類卷二三にはこのことを彼自ら「舊說德者行道而有得於身今作得於心而不失諸書未及改此是通例」(校四)とか「行道而有得於身身字當改作心諸經註皆如此」(校四)などと打ち明けて居るのである。

朱子も初めは禮記の得於身を其儘襲用してゐたことは、語類卷一三に「德便是得此道於身」(校九)、同卷三四に「德者得之於身」(校九)、同卷九四に「德者人之得於身者也」(校一〇)とあり、卷一三七にも「曰此是說行道而有得於身者云々」などあつて其の痕跡を留めて居るのを見れば自ら明かである。此等は門人の錄する所故之を改めるに由なかつたものであらうが、凡そ改め得るものは之を改めて得於心と爲したのである。上に引ける爲政・述而の兩註や、通書解は孰れも初め身と爲したるを後に心と改めたものであることは語類中の此等の章を講じた語と照し考へれば自ら領かれるのである。所が朱子は身の字の外に又己の字を用ひた場合も相當に多かつた。例へば論語衞靈公篇の註に「德謂義理之得於己者」とあり、周易繫辭上傳本義に「德謂得於己者」といひ、語類卷三四に「且如孝於親忠於君信於朋友之類便是道所謂志只是如此知之而已未有得於已也及其行之盡於孝盡於忠盡於信有以自得於己則是孝之徳忠之徳信之徳」(校一〇)とあり、同巻七四にも「徳則得於己者」(校八)などの語が見えて居る。然るに彼は己の字の改むべきことについては一言も言つて居らぬ。蓋し身の字は心の字と對して身體の意と考へられることが多い。故に若し道を行ひて身に得るを徳といへば、唯だ單に外面の動作のみ道に合して心未だ然らざる場合も亦徳と爲すの恐れがある。孝を爲すや心中此の孝を得、仁を爲すや心中此の仁を得て始めて徳である。假使外面孝を行ひ仁を行ふとも、中心眞に此くの如くならざるときは未だ徳と言ふに足らぬ。心と道と一となることによつて始めて之を徳といふべきであると考へた爲めに(註一三)、かく身の字を改めて心の字と作したのである。然るに己の字は身と心とを包ぬるが故に朱子の意に於いては之を改めざるも大害なきものである。されば論語述而篇の註と周易繫辭上傳の本義も己の字を用ひて心の字には改めて居らぬ。唯だ徳をいふとき己の字よりも多く心の字を選んで用ひたわけは、語類卷二三に「徳字從心者以其得之於心也」(校一)とも「又曰古人製字皆不苟如徳字中間從心便是曉此理」(校四)ともいへるやうに、徳の字が心に從へるを重んじたためである。

然らば謂はゆる得於心とは如何なることを言ふのであらうか。語類卷二三には之を說明して「其行之熟而心安於此也」(校四)と述べて居る。道は人道で當然の理である。其の類は極めて多いが、皆我が心の理に外ならぬ。人若し常に此の人道を踐履して止まなければ、此の心の理は內に明かとなつて次第に自由となつて來る。若し踐履して熟するに至ると此の理は內に全きを得る。此こに至つて始めて之を心に得たといふのである。人若し常に仁の道を行ひ、之を行ふこと熟すれば、仁の理內に全くして仁の德は備はる。人若し常に義の道を行ひ、之を行ふこと熟すれば、義の理內に全くして義の德は備はる。若し當然の萬理を行ひ、之を行ふこと熟すれば、萬理內に全くして萬德は備はる。こゝに至つて心と理とが渾然一となる。此のとき未だ行爲せざるに既に此の理は虛靈不昧であり、その動くや些の按排人爲を用ひずして能く善行となり、心はよく之に安ずるのである。今日孝弟であつて明日反つて孝弟たり得ぬ如きは未だ心に得たとはいへぬ。今日孝弟であり明日も亦よく孝弟であるやうに、終始一貫些の間斷なきに至つて始めて心に得たといへるのである。それも人爲努力を用ひて然る間は德は未だ全からぬのである。周禮三德說に「德也者得於心而無所勉者也」(註一四)といふは是である。

聖人は生知安行、萬理悉く明かなるが故に、道を行つて然る後始めて徳が備はるのではない。道を行つて心に得る徳は聖人についていふのではなく常人について説を爲せるものといはねばならぬ。

註一　論語朱子異同條辨　巻二、四枚。伊藤仁齋　語孟字義上　徳條。
註二　語孟字義上　徳條。
註三　説文繋傳通論。
註四　論語述而　大全　小註。
註五　讀書錄　巻五、二枚。
註六　語類　巻六、二枚。
註七　語類　巻一四、一八枚。
註八　大學章句。
註九　語類　巻一四、一二枚。
註一〇　同
註一一　同
註一二　語類　巻一五、一五枚。
註一三　語類　巻二三、一・四枚。
註一四　朱子集　巻六六。

第二章　五常と四端

拙著「朱子の實踐哲學」に於いて既に論明したやうに、（註一）朱子によれば太極と一氣との渾一的本體の顯現的發展が卽ち現實界で、その現實界の質料は質料因たる一氣の發展であり、その形相は形相因たる太極の發展とする。太極と一氣とは固と渾一體なるが故に二者は單獨に相離れて發展はしない。質料因の發展するところ必ず形相因の發展を伴ひ、形相因の發展するところ必ず質料因の發展を伴ふが故に、現實界は質料と形相との渾一的世界である。此の渾一的世界の中に於いて兩者を抽象分析する。そして形骸を以つて質料とし、此の形骸と結合する一切の諸形相を以つて形相とする。

今此こに朱子の本體が太極・一氣の渾一體なる旨について聊さか補說して置き度いと思ふ。拙著「朱子の實踐哲學」に於いて、余は朱子の全思想を通觀した結果彼の本體は太極・一氣の渾一體なる旨を結論したのであつたが、その時併せて發表すべきを差控へて置いた意見がある。次に述べんとするものは其の中の一である。今其の要點のみを簡單に此こに記して大方の叱正を仰ぐことにした。

一體朱子が重要視した周濂溪の太極圖說は、太極なる本體から萬物の生成を說く故に、朱子も亦太極を以つて究局の本體と爲したであらうと考へられ易いのである。然る時、朱子は太極を理とするからその太極一元論は卽ち理一元論と考へられて來る。加之理は先にして氣は後と考へざるを得ずとするから理一元論であるともいへる。しかし此等は論理で推した抽象に墮して生きた本體ではない。

一體太極・一氣の渾一的本體は客觀的對象界に於ける有ではない。本體は一切の對象的有をそこから成り立たしめる地盤である。故に自然界も人間社會も歷史界も、凡そ一切の客體的有がすべて其の本體の根本理法を自己の原理とする線に沿うて等しく進み行くことは當然のことである。客觀界の理法は卽ち本體の理法であつてそれは太極に外ならぬ。本體中の太極なる理が客觀界の理となつて顯現するといつても之が先づ存在するといふのではない。先に在ると見るは具體的に一であるものを抽象分離して考へる所から起る。具體的世界に於いて一つであるものを、個體的客體面と一般的主體面とに游離する所から來るのである。かゝる游離を介して一方に客觀界の理が成立し、他方に一般的太極の理が成立する。しかしかゝる游離によつて特殊と一般との理が自覺せられた以上は、一般的太極を特殊的萬理に先だつ存在と主張することは許されるでもあらう。しかし本來一なる理が既に此くの如く游離的に把握せられた瞬間、それは可能的な意味の世界に於いて捕へられたものである。かゝる太極や萬理は具體的世界自體に於ける生きた理ではなくて、生きた理の死んだ影像に過ぎぬ。同樣の論理は本體の太極と一氣との間に於いても亦通用する。渾一的本體に於ける太極は本體の一氣の一定の仕方に於ける存在の理法である。本體はもと渾一體で太極と一氣とを別つべからざるものではあるが、既に抽象によつて太極・一氣の兩面を游離して太極を氣の一定形相の原理と考へるところからは、太極は氣に先立つて存在するともいへる。即ち理は氣に先立つて存在するといつてもよいであらう。朱子が理を先と謂はざるを得ぬと論理上理先の論を爲したのは是である。然し氣に先立つとするかゝる理とは具體的には一である所の本體を抽象分離して得たものであるから、かゝる理が把握せられた瞬間既にそれは具體的なものではなく、唯だ意味として捕捉せられて居るに過ぎぬ。意味の世界に轉落し了つたかゝる理は抽象的にして本物の影像に過ぎぬ。かゝる影像的理が氣に先立つて在る所から、具體的にも亦理が氣に先立つて在るかの如く考へるは抽象と具體との混同である。朱子が本體を太極と一氣との二方面に游離して説き去つたことは、たとひ論理的説明の止むを得ぬ必要から來たものであつたとはいへ、既に抽象の世界を彷徨してゐたのである。然しそれでも尚は彼は兩者が具體的には一體であるとの思惟的態度は決して之を失はなかつたことは、彼の多くの文獻を通じて推知出來る所である。從つて彼が理を先とするから理をば本體としたと考へることは、朱子を誣ひる所あるを免れず、且つ理先氣後の論の據つて立つ所の根柢に關しても未だ一點の不明あるを免れ得ない。一體本體はかゝるものが具體的に獨立に存在するものでないことは、進んだ哲學の論證する所であり、朱子とても亦しか考へてゐたことは後に論ずる所の如くである。朱子の本體は具體的には此の現實と一つである。本來一つであるものを思惟の必要から現實界と本體界との二面に分離抽象して考へる。故に本體界が把握せられた瞬間にはそれは既に意味の世界に轉置せられて居るのである。それは既に具體からの離脱であり抽象への轉落である。云々せられる本體が既に抽象であり影像であるものを、更に又その中に於いて理と氣とを分離することは抽象の上に抽象を重ねるのである。然し一旦分離して抽象の世界へ轉落したものが、再び一つに結合統一してもとの具體的に復へすことを忘れぬは朱子の賢明な態度であつた。然るを抽象分離を其儘に放置して合一せしめんとせざるのみならず、反つて理を先在と立て了つて抽象に固執定住することは朱子の態度に反する所あるを免れ得ない。その上に理一元を以つてしては萬物の質料的方面は生まれて來ぬ。その故に不通の論との非難も起る。理を本體とするのでは抽象に陷ると共に質料の生成も解けぬ。其處で太極は理氣二元の渾一體ではあるまいかとの論も立つ。此の論で最も有力な資料の一つと思はれるものは、朱子が語類の中で太極は一氣だと云つて居るものであらう。太極を一氣といふからは太極の中に一氣を含み、太極を理といふからは太極の中に理を含む。故に太極は理氣二元の渾一體であるとせられ易い。然るに太極を一氣といふは門人の錄した語類に只だ一條あるのみであり、それにこの一條の思想も答程可久書に於いては明瞭に朱子自身によつて否定せられて居る。朱子は太極を氣とはしなかつたと斷じてよからうと思はれる。そこで太極を氣ともいつたからそれで太極は氣をも含むと考へたとする最も有力な根據の一つは消滅する。朱子は太極を氣といはざるのみならず、太極は氣ではなく斷じて理である旨を到る處で主張して居る。彼が太極に氣の臭氣の附著するさへ之を嫌惡する態度は、太極を氣とも見たとする立場からはどう諒解したらよいであらうか。又、太極が理氣二元の渾一體でその自展が陰陽を生じ陰陽から五行を生じ萬物を生ずるとすれば、太極圖說の太極動靜して陰陽を生ずといふ陰陽は既に理と氣とを合せたもの、換言すれば質料と形相とを併せ有つたものと解して然るべきである。太極が既に兩相を含むからその自展の陰陽も既に兩相を有ち、之が結合するから兩相を有つ所の五行萬物が生じ得るのである。かく解すれば首尾一貫何の困難もない。周子の太極は一氣であるが形相因を含む一氣であるから右の如く解して何等の凝滯なく寧ろかく解するのが自然である。殊に若し朱子が太極を理氣二元の渾一體としたものならば、朱子は當然右の如くに圖說の文を解し行くべきである。然るに朱子は太極動靜して陰陽を生ずといふ陰陽を現實界の天地萬物の動靜の意とし、太極自展の迹を專ら形相の方面に限つてその爲め殊更に不通の論とさへ非難せられるやうな缺點を生じたことはどう諒解すればよいであらうか。是れ朱子の太極が單なる形相因であつて決して質料因を含まぬ所から來たものではなからうか。又、無極の眞・二五の精が妙合して物を成すとは、朱子に於いては氣聚つて形體を成せば太極が之に墮在して本然の性となり、此こに一つの物か成るをいふのである。「性是太極渾然之體」(答陳器之書)で、朱子に在つては性卽太極、太極卽性である。太極は彼の哲學に於いて最高の位置を占める概念であり、性は彼の倫理に於いて最貴の位置を占める概念である。哲學を基礎とする彼の倫理に於いて、哲學のその太極を取り來つて直ちに倫理のその性とし、兩者を全然同一のものと爲したことは蓋し當然のことである。然るに此の性なるものは朱子に在つては仁・義・禮・智・信なる五常の理の渾然たる一體であり、從つて又萬理の渾一體である。性なるものが他に在つてそれが此の五常萬理を內に有つのではない。五常・萬理の全體が卽ち性であり、性が卽ち五常・萬理の全體である。故に性の中には些の氣をも包含せぬ。かゝる性が卽ち太極の全體であるから太極は理の統一體ではあるが氣は包含せぬと見ねばならぬ。程明道は「論性而不論氣不備論氣不論性不明二之則不是」(遺書卷六)と言つた。是れ性と氣とを對立的と見、而も二者は不可分のもの故理氣併せ論ずべきを戒めた語である。氣と對立する此の性は太極の全體である。若し太極は理氣合せ含むとすれば此の性も亦理氣合せ含むものとなり、只だ性を論ずれば既に足るわけであつて、更に氣を併せ論ずるは蛇足の嫌がある。性は理であつて氣を含まぬ故に氣と對立し、從つて氣と併せ論じて始めて備はり明かとなるとするのである。更に又、物は理と氣とから成り、その理と氣とは太極から生ずるから、物は太極から成るといへる。此の意味を萬物各〻一太極といつたと考へて見ることは如何であらうか。所が朱子が萬物各〻一太極といつたのは、決して一物即一太極、一太極即一物といふのではなかつた。一物各〻その中に一太極を具するをいふのである。太極が一切萬有に具はつてその物の性を爲して居る、その性についてかくいつたのである。太極は萬有に透徹充塞し十方に遍滿して絕對普遍の全一體であり、其の内些の間隙もなく其の外餘す所無きもの故にまた萬物統體一太極とも言はざるを得ぬのである。しかし實有の個物の方面からいへば一物の中に太極のみならず太極の外に氣の存在をも認めるから無極の眞、二五の精妙合して物を成すともいひ、本然の性などともいつて特に一物の氣から分離して少しの氣をも混ぜざる太極其者を抽き出すことが出來るとも考へたのである。一物一太極とか萬物各〻一太極などいふ朱子の語は、太極卽個物、個物卽太極の意味はなく、從つて之から太極が理氣を包含統一するものとの思想を導き出すことは不可能である。以上は朱子を太極一元としてその太極を理とすることの困難から之を理氣二元の渾一體とする立場が想定せられるのであるが、此の立場を採つては朱子の思想全體の上に幾多通ぜざる所を生ずる點を二三擧げて極めて簡單に論じたのである。此等の論は勿論朱子の哲學倫理の全思想を基調とした上でのものであるから、不備省略の點は拙著「朱子の實踐哲學」によつて補足諒解せられんことを希ふ次第である。

さて本然の性は太極自體であつて、それは仁・義・禮・智の四理の渾一體である。それも唯だ性なる一理の中に於いてかゝる四理の意思情狀を想見するに過ぎぬので、四理各個に固と界限があつて磊塊するといふのではない。然るに性中には又萬理皆具備するは拙著「朱子の實踐哲學」三五四頁に明かにせる如くであり、答何叔京書にも「有是性便有許多道理總在裏許故曰性便是理之所會之地」（註二）といつて居る。性は萬理の會する所、萬理の渾一體である。此の萬理が發見して散じて事物の間に在るものが道である。當然の理である。此の當然の萬理は外に在る如くにして實は我が內なる性の萬理と一なるものである。而して答陳器之書に「但其中含具萬理而綱領之大者有四故命之曰仁義禮智」といひ、中庸或問に「以性言之則曰仁義禮智而四端五典萬物萬事之理無不統於其間」（校五）とあれば、此の萬理の綱領大目が卽ち仁·義·禮·智の四理である。性中の萬理は悉く此の四者に統べられ、此の四者を提ぐれば萬理一として擧がらざるはないのである。性を理といふとき、此の理は渾然たる全體の一理を意味して四理や萬理の各個を指すのではないが、さりとて各理自體と性とは決して異なる二者ではなく各理の一つ一つが直ちに性と一である。このことは後に詳論するつもりである。而して此の四理の僅かに動いて外に發見したものが卽ち謂はゆる四端の情であるとする。

孟子云く「惻隱之心仁之端也羞惡之心義之端也辭讓之心禮之端也是非之心智之端也」（公孫丑上）と。今朱子の註の意を推すに、（註三）惻隱·羞惡·辭讓·是非は情である。仁·義·禮智は性である。性は未だ發せざるに當つては漠然として形象の目すべきものは無い。之が感に應じて發して用となるに及んで、仁は惻隱となり、義は羞惡となり、禮は恭敬辭讓となり、智は是非となる。事に隨つて發見して各々苗脈があつて相殺亂しない。之が謂はゆる四端の情である。端とは緒である。仁・義・禮・智の完全なるものが中に在つてその端緒が外に發見したのが四端の情である。されば此の端に因つて性の本然を知ることが出來る。仁・義・禮・智は性の四德であるが、之を性といふのは統べて說を爲すのである。四德は固より我に具はつて初めから既に完いものである。唯だ氣禀の拘や人欲の蔽ある爲めに此の完いものも明かではなく、その發見も不充分となる。然し處に隨ひ感に應じて此の四德はその端緒を現はすのである。譬へば雲霧に覆はれた日月の如く、濁水中の珠玉の如きもので、雲霧を漏れる日月の光や濁水中に僅かに認める珠玉の光が四端の情である。雲霧が散じ汚濁が去れば日月珠玉が明かである如く、氣質人欲の拘蔽が去れば四德がもとの姿を現はして來る。これが朱子の性と四端との關係についての大意である。然るに古註家に在つては端を始又は本の義と解し、四端の心は四德の本であるから、よく擴充すれば仁・義・禮・智の德が完成する。双葉の萠芽が四端であつて成長した大樹が四德である。未完の四端は固と我に具はつて居るから之を擴充成長させるとき此こに始めて四德が成ると考へた。古註家の四端說については先賢諸子が既に屢〻述べられて居るので、詳しいことは省略に從ふ。

朱子は四端の八字に每字一意があるとした。卽ち惻は惻然として此の念が起るのであり、隱は惻然たる後に隱痛するのである。それで隱は惻に比して更に深いものである。羞は己の不善を羞づるのであり、惡は人の不善を惡くむのである。辭は己の物を辭し讓は他人に讓與するのである。是は善を知つて之を是とし、非は惡を知つて之を非とするのである。(註四)此の四端の情は事に觸れ感に隨つて忽然として自ら發出し來るものであつて、その間何等の計較があつて然るのではない。故に孺子の將に井に入らんとするを見れば忽然として惻隱の心が生ずる。孺子を救ふことによつて交を父母に內れんと欲する爲めでもなければ、譽を鄕黨に要める爲めでもなく、惡聲を惡くむ爲めでもない。唯だ中心自ら忍びざる情が起つて之を救ふのである。穿窬の類を見れば卽ち羞惡の心があり、尊長の屬を見れば忽ち恭敬の心が生じ、是非を見れば直ちに是非の心が動くのである。しかし人は必ずしも何時でも四端の情が內に動くとは限らぬ。四德の動くに當つて之を妨げるものがあるから、四端も本然の量を顯現することが出來ないのである。四端擴充の必要が此こに在る。擴とは張開、充とは放滿の意であつて、例へば惻隱の心の如きも唯だ孺子入井の一件事の上に於いて然るのみならず、或は貧病には必ず相卹み患難には必ず相死するより、親々仁民愛物に至るまで一として然らざるなきやうに力め、羞惡の心の如きも穿窬の上に於いて然るのみならず、凡そ殘を除き穢を去り暴を戢め亂を禁ずる等に至るまで皆然らざるなきやうに力める。恭敬辭讓の心に於いても是非の心に於いても苟も恭敬辭讓すべきに當つては悉く恭敬辭讓し、是非すべきに當つては悉く是非するやうに力める。かくて事々皆此くの如く件々都て此くの如くにして漸々に放開して至らざる無きに達せんと力める。かくて擴充の功全ければ四端各々其の本然の量を充たさざるなく、四德は内に全きを得るのである。(註五)

四端といへば普通には道德的に善なる四情について言はれるのではあるが、四端は必ずしも善なるものゝみとは限らぬ。語類卷五三に「又言四者時々發動特有正不正耳如暴戾愚狠便是發錯了羞惡之心含糊不分曉便是發錯了是非之心如一種不遜便是發錯了辭遜之心日間一正一反無往而非四端之發」(一六枚)とある。更に同卷五七には「仁義禮智是爲性也仁之惻隱義之羞惡禮之辭遜智之是非此卽性之故也若四端則無不順利然四端皆有相反者如殘忍(饒錄作技害)之非仁不恥之非義不遜之非禮昏惑之非智卽故之不利者也」(校一四)とも云つて居る。殘忍は惻隱の正なると相反し、不恥は羞惡の正なると相反し、不遜は辭遜の正なると相反し、昏愚は是非の正なると相反する。共に不正なるものではあるが孰れも四端であつて、仁・義・禮・智の故卽ち發現したものである。正なる四端が性の理の發現の順利なるものであるに反し、不正の四端はその順利ならざるの相異があるのみである。卽ち前者は順にして拂らず自然のまゝに性が發現したもので、恰も水の潤下、火の炎上の如くで、その間何等の作爲も加はらざる場合のものであるに反し、後者は不自然に性が發現したものである。性の順利なる發現とは性が何の妨げらるゝところなくして發現することであり、それは性が正善なる氣稟との共働に於いて發現することである。その順利ならざる不自然なる發現とは、性が不正・惡なる氣稟との共働に於いて發現する爲めその限定を受けた發現である。かく四端と雖も獨り理のみの自展ではない。此のことは、朱子の性の概念からでも明かである。既に拙著第三篇第一章に於いて論じた如く、朱子は性を本然と氣質とに分つて考へたが、本然の性とは抽象して考へられた性であつて、現實としては唯だ氣質の性あるのみである。故に本然の性のみの自展は考へられた自展で、現實には唯だ氣質の性の自展より外ないのである。卽ち本然の性も氣質との結合共働に於いてのみ顯現するのである。性の顯現の善なるものは正・善なる氣との共働により、惡なるものは惡・不正なる氣との共働に基く。共働する氣の性質如何によつて本然の性の顯現の迹たる謂はゆる情に善惡・正不正の差を生ずるのである。情の不善なるもの、みが氣質との共働に於いて顯現し、その善なるものは氣質の共働なく專ら本然の性のみから顯現すると爲すことは、朱子の性の概念からは許されないことである。語類卷四には、「聰明で事々よく曉る者があるが、それは其の氣が淸であるからである。しかしその爲す所は未だ必ずしも皆理に中らぬ。之は其の氣が不醇であるからである。又、謹厚忠信なる者があるがそれは其氣が醇であるからである。しかし知る所は未だ必ずしも皆理に達せぬ。之は其氣が不淸であるからである。」「たとひ本然の性は人皆同じであつても稟氣に偏重があるからその發に差が生ずる。木氣多き人は惻隱の心が常に多くて他の三端は發現せず、金氣多き人は羞惡の心が常に多くて他の三端は發現せぬ。水火の氣に於いても亦同樣である。」「氣稟が拘束するので本然の性は唯だ一路通ずることがある。彼に通ずれば此に塞がり、此に厚ければ彼に薄い。天下の利害に通ずるかと見れば義理を知らず、百工技藝に工なるかと見れば讀書を解せぬ。虎豹は只だ父子を知り、蜂蟻は只だ君臣を知り、豺獺は只だ報本を知り、雎鳩は只だ別あるを知るが、之は仁義の理の僅かにその本姿を現はすものであるから此等を仁獸とも義獸ともいふ。人に於いても同樣である」などと云つて居る。此等は皆性の顯現には必ず氣の共働を伴ふことを述べたものである。既に情は顯現の初頭に於いて性の理が種々雜多の氣と共働するのであるから「合下發得善底」なるもあり、「合下發得不善底」なるもあるわけである。聖人は氣稟純ら正善なるが故にその氣との共働より顯現する情は悉く正善である。氣の正善なるものとの共働によつて起る正善なる情を氣の拘束なく專ら性から起るものといひ、性のみが純粹に單獨に自展した如く言ふのである。性の發が氣稟の拘束を受けるといふのは性が惡不正の氣と共働することである。この場合氣の共働は明かに理解せられるが、正善の氣の共働に於いてはその迹明かならざる所があるから、專ら性の理のみの自展の如くいふのである。彼が正善の情を性のみの自展と爲すが如き表現形態を用ひても其の實凡て氣の共働に基くものであることは上にいふ所からも明かであると思ふが、朱子の知覺及び人心・道心に關する思想に於いてもこの事が明かであることは嘗て拙著「朱子の實踐哲學」の第一篇第三章第一節に論證した所である。加之、下に述べる四端と七情との關係の思想に於いても亦此の事は明かである。

孟子は情に四端をいひ、禮記は喜怒哀懼愛惡欲の七情をいふ。兩者は如何に關係するのであるか。語類卷八七に云ふ、「哀懼是那箇發看來也只是從惻隱發蓋懼亦是怵惕之甚者」(校一六)。又云ふ「怒畢竟屬義義屬陰怒與惡皆羞惡之發所以屬陰愛與欲相似欲又較深愛是說這物事好可愛而已欲又是欲得之於己」(校一六)。「喜怒愛惡是仁義」(同)。此等の意を推すに、喜哀懼愛欲の五者は惻隱より發し、怒と惡との二者は羞惡より發する。七情は惻隱と羞惡とより發するものに分れる。惻隱或は羞惡より發するとは、惻隱或は羞惡より新たにそれとは異なつたものが發現するといふ意ではなく、惻隱或は羞惡が量的に變化する意である。懼は惻隱より發するといひながら、すぐ此の語に次いで懼は怵惕の甚だしきものであると說いて居るのによつてこのことは知られる。かく七情は量的には四端と異なる所があるけれども、本質的には同一であると考へられた。されば蔡虛齋も四書蒙引卷三に朱子の意を推して、七情は喜怒哀樂に外ならずとし、且つ「喜怒哀樂與惻隱羞惡辭讓是非究竟只是一箇情」(二二枚)といつて居る。卽ち本質的には同…の情を、その節に中つて和なるとき之を四端と呼ぶのである。蒙引卷三に「如惻隱於孺子之將入井便是哀之中節者羞己之不善惡人之不善便是怒之中節者云々」(二四枚)とあるは之をいふのである。故に若し四端が性の理の發ならば七情と雖も亦性の理の發でなければならぬ。然るに朱子は語類卷五三に「四端是理之發七情是氣之發」(二〇枚)といふ。四端を理の發といふはそれが節に中つて些の氣の拘をも受けず、氣のはたらきが顯著ならざる所から然かいひ、七情を氣の發といふはそれが必ずしも節に中らず、氣の拘束が顯著に認めらるゝ所からしか言つたものである。道心を理の發といひ、人心・人欲を氣の發といふのも皆此の立場から論を爲すので、二つの異なつた根源があつてそれが相竝んで各〻獨立に異つた情を發現するといふのではないのである。

四端の情は仁・義・禮・智の四理の夫々の發現であると說いても、それは四理のみから發現するといふのではない。朱子は太極・一氣の渾一的本體から一切の發展を考へる內在的二元論ともいふべき思想であつたから、單獨に太極のみの發展はなく、又單獨に四理のみの發展はない。太極の發展には一氣が伴ひ、四理の發展にも形氣が伴ふ。四端の發現は仁義禮智の理と形氣との共働によつて始めて可能である。四端と雖も理氣の渾一體から發展し來るのである。然るを彼が恰も四理のみの發展なるかの如くに說くは便宜上の抽象分析論であり、彼に此の方面の表現形態が多いのは特に理を重んずるからである。此等のことは既に拙著「朱子の實踐哲學」に考證したところであるから復たび此處に之を繰り返へす煩を避けるが、只だ四理から四端の發展することを論ずるところ、必ずその裏面に氣の共働が考へられてゐたことを改めて此處に注意して置き度いのである。尤も朱子に於いては此の氣の共働の思想は極めて微弱な姿を保つてゐたことは認められるが、しかしそれが全然なかつたとはいへないので、此等の點は拙著の第一篇第三章第一節を參照してほしいのである。そこで今後四理と四端との關係を論ずるに當つては、便宜理一元的形態によつて、四端を專ら四理の發展の如くに取扱ふことが多いが、その場合にも裏面に氣の共働のあることを忘れてはゐないといふことを附記して置く次第である。

抑〻漢代に及んで陰陽五行の說が漸く盛んとなつて、凡そ萬物の散殊必ず象を五行に取るの風を生じて來た。當時の鴻儒でさへ尙ほ且つ其の影響を蒙らざるは稀であつた。鄭玄が禮記樂記の五常を解して「五行也」(註同)と云ひ、董仲舒が新たに仁・義・禮・智の四者に配するに信を以つてし、名づけて五常といつて五行に準じた類のことは少なくない。董氏が五常を仁・義・禮・智・信と解して之を五行に配してからは其の說大いに行はれて學者の之を疑ふ者も少なかつた。宋代に及んでも其の影響を受けたものが多く、朱子の如きも「夫五行五常五方四時之相配共爲理甚明而爲說甚久」(註六)といひ、「此是先儒舊說未可輕詆」(註七)といつて、己の信ずる所を述べて次の如く言つて居る。卽ち天地の間は唯だ一氣のみ。一氣分れて陰陽となれば是れ兩物である。故に陽を仁とし陰を義とする。しかし陰陽は又各々分れて初・盛の二となる。故に陽の初めは五行に於いては木、四時に於いては春、五常に於いては仁とする。陽の盛を火とし夏とし禮とする。陰の初を金とし秋とし義とする。陰の盛を水とし冬とし智とする。五行の中四者は旣に各々屬する所があるが、土は中宮に居り、四行の地で、四時の主となる。人に在つては信である。信とは眞實の義で、四德の地、衆善の主であると。(註八)朱子さへかくの如く篤く之を信じてゐたのである。五常の中の仁・義・禮・智の四理まで旣に之を性の理とする以上、信をも亦性の理とするは當然である。論語顏淵篇の集註に「信本人之所固有」といひ、玉山講義に「性之所以爲體只是仁義禮智信五字天下道理不出於此」といつて居るのである。而も彼が多くの場合唯だ仁・義・禮・智の四者を擧げて性の理の綱領といひ、信の字を倂せ言はざる所以は、「信實也」(論語泰伯註)「以實之謂信」(論語學而註孟子梁惠王註)と云へる如く、信は眞實無妄の理であつて、仁・義・禮・智の四者は皆眞實にして無妄であるから、信は此の四者の中に存せざるはなく、仁を擧ぐれば仁中に信を包含し義を擧ぐれば義中に自ら信は兼ねられてある。禮智亦此くの如くである。故に性の理を言ふとき唯だ四者を擧げて事は足りるからである。玉山講義に「五者之中所謂信者是箇眞實無妄底道理如仁義禮智皆眞實無妄者也故信字更不須說」といふは此の意である。信は四德の動いて情となるとは大いに趣を異にする。しかし四端皆眞實なるは信の發で、信の發見は四端の中に在る。故に信は發見しないのではないのである。仁・義・禮・智の四德が皆信によつて統一せられて眞實無妄であるといふことは、性の全體が信によつて統一せられて眞實無妄であるといふことである。卽ち太極自身が本來眞實無妄であるといふことである。通書解に「誠卽所謂太極也」(誠上)といふは、太極は眞實無妄であるといふのではなく、誠とは太極の別名である旨を述べたものであるが、凡そ誠といふはもと物の眞實無妄性を形容した語であつて、物其者の名稱ではない。然るに性や太極が誠であるところから性や太極の別名として誠の字を呼ぶこともあるのである。かく太極が既に本來誠であるから、凡そ太極の發展するところ其の迹亦眞實無妄である。性の四德の發展なる四端萬情の眞實にして無妄なるも性自體が本來信により統一せられて誠であるからである。

以下仁・義・禮・智の四德と四端とに就いて詳かに朱子の言ふ所を述べるべきであるが、禮と恭敬辭遜とは社會的儀禮の條に、智と是非とは窮理の條に讓り、本論文では義と羞惡、竝びに仁と愛とについて詳說するに止めたいと思ふ。

註一　同書　第一篇第三章、第二篇、第三篇第一章第一節參照。
註二　朱子集　卷三六、三三枚。
註三　孟子公孫丑上　註、玉山講義參照。
註四　語類　卷六、一六枚。同　五三、九・一〇枚。
註五　語類　卷五三、一四—一八枚。
註六　朱子集　卷三〇、答袁機仲書。
註七　同
註八　朱子集　卷三〇、答袁機仲別幅。

第三章　義と羞惡

朱子は仁の定義「心之德愛之理」といふに對し、義を「心之制事之宜」と定義し、禮を「天理之節文人事之儀則」と定義した。此等の定義は朱子の最も苦心して得た所のもので仁・義・禮の本質を捕へ得たものであると考へたやうである。其の義の定義である「心之制事之宜」といふのは、朱子の著述中唯だ一箇所孟子梁惠王上篇第一章の註に見えて居るものである。心之制と事之宜とは表面の意味は分れて二とせられ得るところから、彼の他の諸註に於いては或は專ら心之制の方面から定義せるものがあり、（註一）或は專ら事之宜の方面から定義せるものもある。（註二）勿論孰れも臨機の一邊論で完全なものとはいへない。

心之制の制については孟子公孫丑上篇の集註に「裁制」といひ、玉山講義には「斷制裁割」といひ、語類卷六には「慘烈剛斷」（校一）などとも言つて居る。どれも皆同義であつて、我が心には固と裁制斷割の活らきがあり、此の活らきによつて吾等の行爲は當然の理に合して宜しきを得る。かゝる活きをなす理が心に本來具はるので、此の理が卽ち義である。心之制といへば心の裁制作用で、從つてかゝる心の裁制作用を義といつたかの如くに見ゆるのであるが、朱子が心之制と云つて意味せしめた所のものは、我が心の裁制するもの、用ひて以つて當然の理に處する所の者の意で、卽ち或は「義者宜之理」（答姜叔權第一書）といひ、或は「義者制事之本」（論語或問衞靈公註）といひ、或は「斷制裁割底道理」（玉山講義）などと云つて居るのと同義である。かかる意味の義は性中の一理で、未發の體を指して云ふのである。故に語類卷五一に「心之制却是說義之體程子所謂處物爲義是也」（一枚）とか「心之制亦是就義之全體處說」（三枚）などと說明して居る。以つて心之制といふは性中五常の一理たる義の理の未發に於けるものを定義したことが知られる。

朱子は此の義を刀に譬へて「義似一柄利刀看甚物來皆割得去非是刀之割物處是義只這刀便是義」（語類卷五一枚）と云つて居る。刀の割る處は卽ち宜しき處で理の在る所であるが、それが義ではなくて義は物を割る刀そのものであるといふのである。心之制といふは心のもつ裁制作用の因たる理をいふ。心に於いて義をいふのである。

事之宜どいふは心之制といふと相對する。心之制が義の體についていへるに對し、之は義の用の方面、事の方面に基いて定義したものである。事之宜といふ定義は論語學而篇の註にも見えて居るのであるが、その宜とは何を意味するのであらうか。論語里仁篇の註に「義者天理之所宜」とあり、孟子告子上篇の註に「義者行事之宜謂之人路云々」、同離婁上篇の註に「義者宜也乃天理之當行無人欲之邪曲故曰正路」とあり、此等の諸註から觀れば宜とは事物行爲の當然の理を指すと一應は考へられる。語類卷五一には明かに「義者心之制事之宜所謂事之宜方是指那事物當然之理未說到處置合宜處也」(三枚)と述べて居る。所が事に萬理あるから「事之宜是就千條萬緒各有所宜處說」(語類卷五一、一枚)といつて萬理が義と考へられる。然るに、彼が普通に謂はゆる當然の萬理とは卽ち道を意味し、道は天道と人道とに分れ、義に於いて言はれる當然の理は人道の方面に就いていふ。然るに人道卽ち人の當然の理は、人間の行爲に內在して行爲と一なるものである。行爲を我が內面の德の外的顯現として客觀的とすれば、人道も亦客觀的として外に在るものと考へられる。かゝる立場からは人道は外とも考へられる。然るに外に在ると思はれるこの當然の理なる人道は朱子に在つては性中の理に外ならぬ。それは性中の萬理が外に自展顯現したものではあるが、もと內外二あつて別なるものといふのではない。外なる人道がそのまゝ内なる理である。此の立場からは人道は内なるものと考へられる。所が義は當然の理といふその當然の理を人道なる當然の萬理であるとすれば、人道は悉く義の一理の顯現となり、義の一理が性の萬理となる。然るに性の萬理は性そのものに外ならぬから、義の一理は一性の全體となる。理の本質を推せば謂はゆる仁の理も一性の全體であり、義の理も亦一性の全體である。否、萬理はその一々が亦悉く一性の全體であると見なければならぬと思はれるが、大體に於いて朱子は仁を一性の全體と見るが他の理は寧ろ性中の一理と見る觀方が强い。義の理も性に於いては五常の一として仁禮智と對立するものと見て一性の全體と見るのを躊躇する傾向がある。そこで若し人道なる當然の萬理を謂はゆる義の當然の理と同一なるものとすれば、義卽全性となつて彼の此の傾向と撞著するに至る。事之宜を人道なる當然の萬理とすれば通じかねる所が生ずる。されば彼が事之宜にいふ所の當然の理は、人道にいふ所の當然の理と何等かの意味に於いて異つて居るものと見なければならぬ。中庸第二〇章に義宜也とある朱註を觀ると「宜者分別事理各有所宜也」と云つて居る。之は時處位に應じて其の宜しき理を分別して以つて我の行爲をしてその宜しきを得しめるのが義であるといふのである。語類卷五一には「事之宜也是說在外底事之宜但我才見箇事來便知這箇事合恁地處此便是事之宜也云々」（枚三）とある。即ち這箇の事の當に此くの如くなるべき處を知るのが事之宜の意味であるといふ。知るとは知り行ふ意である。即ち語類卷二六に「義是吾心所處之宜者見事合恁地處則隨而應之更無所執也」（枚二）といふやうに、當に行爲すべき處を分別して此くの如く行爲することである。換言すれば、事之宜とは當然的に行爲することで、行爲の當然性を實現することとそのことが事之宜の意で、それが義であるといふのである。白虎通に「義者宜也斷決得中也」（情性）とあり、釋名に「義宜也裁制事物使合宜也」（釋言語）などあるはこの意味と思はれる。行爲の此の當然性を當然の理といふことも出來るのであつて、嚮に事之宜を當然の理と一應考へたその當然の理は實は此の當然性を意味して居るものである。

このことについて今少し詳かに述べて置き度いと思ふ。凡そ朱子が人道とも當然の理とも呼ぶものは五常の理全體の渾一的顯現をいふのである。人道は正當なる行爲と離れての存在はもたない。兩者は渾然一なるものである。その一なるものを抽象して人道を行爲に內在するものと觀、行爲を人道の內容と觀る。性は五常の理の統體であるが、その愛の理の仁が發現すれば愛となり親愛的行爲となる。この親愛的行爲は愛の理の顯現であつて仁の理はこの行爲に內在する。この內在の理が仁の人道である。義の理は羞惡となり羞惡的行爲となる。此の行爲に義の理が內在し、この內在の理が義の人道である。禮の理は恭敬となり恭敬的行爲となる。此の行爲に禮の理は內在し、この內在の理を禮の人道とする。智は是非の情となり是非的行爲となる。この行爲に內在して智の理がある。之が智の人道である。信の理は仁·義·禮·智の內に在つて仁·義·禮·智の發する所常に共に動いて一切行爲の眞實無妄性として顯現する。かく仁·義·禮·智は各々獨自の顯現を爲すと思はれるが、其の實四理は各々獨立の存在ではない。四理に分つて考へるは抽象である。具體的には四理は一理で渾然たる全一體であるから、四理各々が單獨で動くことはあり得ない。動けば全體が動くより外ない。仁の一理は動くも他の三理は眠つて動かぬなどとは考へられない。義·禮·智皆然りである。有れば全體が有り無ければ全體が無い。之が統一の統一たる所であると思はれる。されば語類卷九七には「且如惻隱羞惡辭遜是非不是四件物合下都有偏言則一事總言則包四者觸其一則心皆隨之言惻隱之心則羞惡辭遜是非在其中矣」

（枚一七）と云つて居る。其處で仁の一理動いて親愛的行爲となるといつても、之と共に他の義・禮・智・信の理も顯現せざるを得ない。愛の理は親々となり、親々に內在する孝弟等の人道は仁の理の顯現とせられるが、語類卷二〇に「只孝弟是行仁之本義禮智之本皆在此使其事親從兄得宜者行義之本也事親從兄有節文者行禮之本也知事親從兄之所以然者智之本也」（枚一五）といひ、又「某尋常與朋友說仁爲孝弟之本義禮智亦然義只是知事親如此孝事長如此弟禮亦是有事親事長之禮知只是知得孝弟之道如此」（枚二〇）と語れる如く、親々の行爲の宜しき所は義の理の顯現であり、その節文ある所は禮の理の顯現である。その然る所以を知る所に智の理の顯現があり、その眞實なるところは信の理の顯現である。而してその親愛の所に內在する理が仁の理の顯現であるやうに、その宜の所に內在する理が義、節文の所に內在する理が禮、知る所に內在する理が智、眞實のところに內在する理が信の理の顯現である。かく仁の理の顯現とせられる一つの親愛的行爲にも仁・義・禮・智・信の五常の理が悉く發現し且つ內在する。同樣に義の理の顯現とせられる一つの羞惡的行爲にも亦仁・義・禮・智・信の五常の理が悉く發現し且つ內在する。禮・智の顯現とせられる行爲も亦同樣である。故に凡そ正しき行爲といはれる程のもの、換言すれば人道の內容と考へられる程の行爲は悉く五常の理の凡ての顯現であり、五常の理の凡てが內在する。此の五者の理は理なるが故に渾然たる一統體である。五理は一理として內在する。此の統體の一理が卽ち謂はゆる人道なる當然の理である。人道なる當然の理は愛の理のみでもなく、義の理のみでもない。況んや禮又は智の理のみでも信の理のみでもない。性の理の全體である。率性の人道は性中の一理に率ふ所に在るのではなく、性の全體に率ふ所に在るのである。然るに親愛的行爲を仁行とし、仁行は唯だ仁の理の顯現にて之に內在する理も唯だ仁の理のみとして仁道とするは、此の行爲の重點が愛の上に在つて特に愛の理を主として見るからのことである。羞惡的行爲に內在する人道を唯だ義の理の顯現とするも亦同樣で、行爲に內在する人道てふ當然の理なる五常渾一の中から特に義の理を抽象して之に據つて言を爲すのである。嚮に義の理の顯現を當然の理と呼んだその當然の理とは、謂はゆる人道なる當然の理の中から單に義の理の顯現せるもののみを抽象して考へたもので、人道の中に包含せられてある所の當然性の理卽ち宜の理のみを意味して居るのである。

そこで朱子は事の宜を一應は行爲の當然性を意味せしめてその理が義である

といふが、しかし行爲を客觀的と觀れば此の當然性は外的と考へられ、此の立場からは義は外に在るものとなる。其處で語類卷五一に「蓋物之宜雖在外而所以處之使得其宜者則在內也」（校二）とか、「但才見箇事來便知這箇事合恁地處此便是事之宜也」（校三）とか、「事之宜雖若在外然所以制其義則在心也」（校二）などといつて、此の當然性を實現することそのことが事の宜であり、かゝる當然性は內面の義の理の顯理で內外不二であり、當然的に行爲して當然性を實現することも性の義の理の發展と爲して以つて、義は內なるものと主張したのである。事之宜といふ語はもと恐らくは事の宜しき處の意味であらうが、朱子は義外の說に陷らんを恐れ、事の宜しきに合するやうに行爲するといふ意味を此の語に有たせ、更にかくある所以の理卽ち宜の理が性に在るとして義內を說かうとしたのである。されば事之宜とは行事の宜しきところであり、更に宜しきに合するやうに行爲することであり、更に又宜しからしめる所以の理卽ち宜の理である。然しかゝる複雜な意味を表現するには此の語では不充分であつたから、此の語の說明には朱子も色々苦心した迹が見受けられるのである。心之制も宜の理をいひ、事之宜も亦かく宜の理を意味して、二者は結局は同一の理をいふのであるが、一は心の裁制作用の上から義をいひ、一は行事の宜の上から推して義をいふの相異があるのである。

さて朱子に在つては、人の行爲は必ずしも義の理のみの自展ではない。愛的行爲は直接には仁の理の自展と考へられ、恭敬辭讓的行爲は禮の理の自展と考へられた。義の理の發展は一切行爲を當然的たらしめる卽ち行爲の當然性となつて顯現する。仁や禮や智は只だ愛し只だ恭敬し只だ是非するの原理である。その愛をして當然的たらしめること、その恭敬·是非をして當然的たらしめることとそのことも義であるが、かゝる義をして成立せしめる原理をも亦義と呼ぶのである。行爲をして當然的たらしめることを裁制とか斷制裁割とか慘烈剛斷なとどいふ。心之制なる義はかゝる原理的義で性中の一理たる五常　義の理を指す。事之宜なる義は行爲をして當然たらしめることを指す。そしてこの義は原理的義の發現に外ならぬのである。行爲の當然性は又當然の理であるとしても、それは廣く人道を當然の理といふものとは稍や異なる趣を具するものである。凡そ人道は性に率う所に在るが、人の性は仁·義·禮·智の四者皆よく通ずるを得るから、此の四者の發するところに人道がある。仁の理に率へば父子に親あり、民に仁し、物を愛する。親・仁・愛の行はるゝところに人道がある。此の當然の理を主として仁の理の顯現とする。義の理に率へば羞惡的行爲となり禮の理に率へば恭敬辭讓的行爲となる。そしてその羞惡的行爲に卽して存する當然の理は義の理の顯現であり、恭敬辭讓的行爲に卽して存する當然の理は禮の理の顯現であるとする。卽ち人道なる當然の萬理はその一々が、性中の萬理のうち之に應ずる一々の理の顯現と見るのである。然るに行爲のもつ當然性に至つては總てが唯だ義の理の發現であるとする。凡そ人道は當然性を離れては考へられない。卽ち性の萬理の人道的顯現には必ず義の理の顯現を伴ふものである。そこで人道なる當然の理とこの當然性とが一つと考へられて人道が卽ち義ともいへるが、(註一)朱子に在つては義は特に人道の當然性の上についていふ。人道なる當然の理は性の萬理の發現であり、當然性は之と融合不離ではあるが、それは專ら義の理の發現とするのである。義の理は羞惡の情を發現するが、又一切行爲の當然性をも顯現する。仁の專ら愛し、禮の專ら恭敬辭遜する類とは趣を異にする所がある。

義の字が羊我に從ひ、我を善くし正しくする意を有つとするは通說であるが、我を善くし正しくするその義は、我の行爲をして當然的たらしめるその義に外ならぬ。我とは說文段註にいふ如く他に對することに於いて我であり、我の行爲は他との相互關係に於いて行爲である。他を無視し他を犧牲にして我が當然的に行爲することはあり得ない。我が當然的に行爲するといふ中には、他を善くし正しくするといふ方面も含まれて居る。己を正し人を正すは自他の分を立てゝ自他各々宜しきを得る所以であるから、自他の差別を立てゝ各々宜しきを得るを義と考へられるその義も此の中に含まれて居るのである。

中庸に「義者宜也尊賢爲大」とあり、孟子にも「未有義而後其君者也」(梁惠王上)とか「義之實從兄是也」(離婁)とか「敬長義也」(盡心)などいつてある。長を敬し賢を尊び君を先にして尊ぶことが義であるといふのである。之では一見義は長・賢・君等を尊敬する所に在るが如く、又尊敬する所以の原理が義であるかの如くに思はれる。しかし義は當然的に行爲することであり、又其の然る所以の理卽ち宜の理であり、裁制斷割の理である。當然的に行爲することの中には物の差別を立てることも含まれて居るのであるから、物に差別が立つて居れば義があるといつて物の差別性を義ともいふその義も、宜の理たる性中の義によつて成立する。長を敬し賢を尊ぶことは、長・賢・君に對して差別を立てることである。此の差別を立てることが義であるが、それは又當然的に行爲することで義である。差別の上の義も當然的に行爲することの義を基礎としてその上に成立する義である。差別も若しそれが當然性を有たざる差別ならばそれは義ではないのである。長を敬し賢を尊び君を尊ぶこと愈〻甚だしければ、之に對する當然的な差別が愈〻嚴となり顯となる。長・賢・君を尊ぶことに於いて當然的な差別性が一層嚴となり、裏面で當然性が一層顯著明瞭となるから此等の人を尊ぶことが義とも義の實とも見えて來る。義擧とか義憤とか義俗などは當然性が非常に顯著で嚴肅なる場合である。當然性が顯著嚴肅となればなるほど義はいよ〳〵强く感ぜられるものである。凡そ人倫に於いて差別の最も明かにして分の犯すべからざるは君と長と賢とである。此等のものゝ差別性は特に大切なものである。故に義は尊賢を大と爲すとも、兄に從ふを義の實とも、義にして其君を後にするものあらずともいひ、義は君臣を主とするなどともいふ。此等に對しては尊敬の情が主觀的に最も重要なものであるから此等を尊敬することが義であるといふやうな言ひ方をする。しかし義は此等の人を尊敬すること自體の上に在るのではなく、その尊敬に於いて差別性·當然性が實にせられる上に於いていふのである。尊敬することと自體は禮の理の發現であつて、唯だ此等を尊敬するといふのみでは義の實とはならぬ。その尊敬が差別性と結合し當然性を有つてこゝに始めてそれが義の實となる。そしてかゝる差別性·當然性を實にするは義の理に基くと爲して義は宜の理とも裁制斷割の理ともいふ。故に長を敬し賢を尊び君を尊ぶを義といふも、それ等は專ら義に屬せず又專ら禮にも屬せぬ。性の理全體に屬するも主としては義と禮との二理に基くといはねばならぬ。朱公遷が「敬之發見屬乎禮敬所當敬屬乎義」（孟子告子上大全小註）といへるは這般の消息を漏らしたものと思はれる。獨り恭敬のみならず、愛にしても是非にしても、其他凡そ一切の道德的感情といはれるものは、一として義の理の共同的自展を伴はぬものはない。否、義の理の自展を伴つてそれ等が當然性を有つからこそ、愛も恭敬も其他の感情も道德的に其の眞相を顯現し來ると思はれる。愛は只だその自然のまゝでは寵愛とも愛著ともなり依怙ともなる。愛が禽獸舐犢の盲目愛である間はそれがたとひ仁の理の發現であるとしても未だ道德的とはならぬ。差別的愛こそ眞の愛であるといはれるのも義の理の自展を俟つて愛が眞の愛となることをいふのである。愛は親に事へ兄に從ふ親親のことに現はれるから孝弟は仁を行ふ本といひ、仁の實とする。此の本此の實が又同時に義の本義の實であり、禮智の本禮智の實であるとする。親に事へ兄に從つて節文有るところ禮を行ふの本であり、禮の實である。その事へ從ふ所以を知るところ智を行ふ本であり、智の實である。同樣に親に事へ兄に從つて宜しきを得しむるところ義を行ふ本であり、義の實である。(註四)かく言の異なるは各々その基く所が異なるからである。孟子が仁の實は親に事へ義の實は兄に從ふに在りといふは、親には愛を主としていひ兄には宜を主としていふので、親に事へて宜なく兄に從つて愛なしとするのではない。語類卷五六に「事親有愛底意思事兄有嚴底意思又曰有敬底意思…………只是一箇道理發出來偏於愛底些子便是仁偏於嚴底些子便是義」(一〇枚)といふ。宜を主として當爲の嚴に卽していへば親に事ふるも亦義の實であり、(註五)愛に卽して之をいへば兄に從ふも亦仁の實である。長・賢・君を尊敬するを義といふも全然之と同樣で、尊敬の上からは禮の實であるがその尊敬の當然性の上からは義の實となるのである。恭敬辭遜は禮の理の自展で社會的典禮成立の主觀的要素と考へられ、かゝる典禮は天理の節文人事の儀則とせられたが、儀則となるはそれが當然性を有つからで、當然性なき典禮は典禮にして典禮ではない。典禮が典禮たる所以はその當然性に在る。故に社會的典禮は恭敬の情が無ければ成立しないのではあるが、又義の理の自展がなければ成立し得ないものである。義の理が禮成立の原理とさへ考へられるのも故なきことではないと思はれる。

羞惡の心とは既に諸先賢の言はるゝ如く子供が人から叱責せられてきまり惡く恥かしく思ふ心である。面目なしと思ふ心、面目を重んずる心である。この心は自他一切の人々の中に絶對平等の人間性を認めて之を重んじ之を傷けざらんとする心である。此の面目心は誰にでも本來存するものであるから、孟子は羞惡の心は義の端であるといつて居る。子供は親の制止をも聽き入れず寧ろ之に反抗して敢然と危險な事を爲し遂げることが屢ある。それによつて自ら蒙る不幸などは殆んど顧みることなく、一向自己の主張の貫徹したるを喜び誇る風がある。子供に於いて既にかく親の制止と結果の苦痛とに反抗してまで斷然自己の面目を保持せんとする心を見る。齊國大いに饑えた時黔敖なる者食を路に設けて餓者に食はしめた。一人の餓者の來るを見るに疲勞困憊その極に達してゐる。黔敖左に食をさゝげ右に飮を執つて餓者に向つて「嗟來り食へ」といつた。

餓者之を聞いて我は嗟來の食を食はざる爲めにかく餓死に瀕して居るのであると言つた。嗟來り食へといふは輕蔑の語である。黔敖無禮を謝したが終に食はずして死んだといふ。之は禮記檀弓に見えて居る話であるが、孟子も「一簞食一豆羹得之則生弗得則死嘑爾而與之行道之人弗受蹴爾而與之乞人不屑也」（告子上）といつて居る。是れ盡心下に謂ふ所の爾汝を受くるを欲せざる心である。輕蔑の態度を以つて遇せられたとき死をも辭せずして之に對抗する此の心が、自己の中の絶對平等の人間性を傷けざらんとする面目保持の心である。之を人格價値の感情といふもよいであらう。

人に本來此の面目心があり人格價値感情があるから、叱責せられて恥かしく思ひ、きまり惡く思ふのである。人から叱責せられることは己の缺點を指摘せられることである。人の叱責によつて己の缺點を眞に自覺する時、かゝる不完全な己は己の重んじ傷けざらんと欲する自己の人間的本質に相應はしからずと感ずる。この感じがきまり惡く恥かしく思ふ心である。この感じは己を本質的な完全さに於いて保持せんと欲する心である。無恥は本來魯鈍の爲めに自己の缺點の自覺なく、從つて此の心の活きが無いか、或は朱子が「羞惡之心人皆有之但衆人汨於利欲而忘之惟賢者能存之而不喪耳」(孟子告子上、註)といふやうに、己の缺點の自覺はありながら利欲に妨げられて此の心の活きが不活潑で眠つてゐるかである。世の毀譽褒貶を超越し侮辱輕蔑にもよく堪へて、毅然として節を持し行を枉げざるは、表面無恥に似て其の本質は大いに之と異なる。後者は眞に己に缺點なく、從つて己の態度行爲こそ眞に己の本質に相應はしいとの強い面目心が最も活潑に活く所から來るのである。己に缺くる所なしと思ふ者が叱責せられ毀謗せられるとき、或は怒り或は反抗し或は辯護に力める。己の面目が故なくして傷けられ故なくして妨げらるゝを欲せざるが爲めである。朱子が「人雖或有所貪昧隱忍而甘受之者然其中心必有慙忿而不肯受之之實」(孟子盡心註)と云つて居るやうに、故なくして己の面目が傷けられて居ると知るとき、如何なる人でもさうあるものである。かく不快を感じはするが、己の爲す所こそ眞に己の面目を保持する所以で、世人の叱責・毀謗・侮辱の類は己の面目を傷つくるに足らぬと感ずるとき、反抗や辯護の態度に出でずして默殺の態度をとる。默殺して風馬牛の態度をとつても、面目心は内に最も活潑に動いて居るのであつて、無恥鐵面皮の眠つて活かざる類ではないのである。

以上のやうな面目保持の心は獨り己の絶對平等の人間的本質に關して存するのみならず、又他人のそれに關しても存するものである。我は他人に對してもその人がその人の本質に相應はしからんことを欲し、その人に於いてその面目を傷けずよく之を保持せんことゝ希ふものである。それは此の面目の情が我とか彼とかいふやうな限られた相對特殊に對して起る心ではなくて、自他一切の人間の中に有つ共通普遍の絶對平等な人間的本質に對して起る心であるからである。我と彼との形骸的差別を越えた、彼我に唯一なるものを重んずる情なるが故に、此の面目の情によつて一切人類の平等を實にすることが出來ると思はれる。孟子の謂はゆる羞惡の情がかく自他一切に關する心なるが故に、朱子は「羞恥己之不善也惡憎人之不善也」(公孫丑上、註)と己と人とにかけてこの心を說いて居るのである。孟子の謂はゆる羞惡の心は既に述べた如く自他面目の心であるが、此の面目の心がまた直ちに朱子の謂はゆる自他の惡を羞惡する心に外ならないのである。故に孟子は盡心下篇に「人能充無受爾汝之實無所往而不爲義也」といふと與に「人能充無穿窬之心而義不可勝用也」と述べて居る。爾汝之實の實の字は趙註は德行と解し朱註は實心の義として居るが、朱子も語類卷六一、一五枚に於いては趙註の如く德行と解することの棄つべからざる趣旨を述べて居る。趙朱孰れに從ふにしてもこの句は孟子が輕賤せらるゝを羞惡する心を推して義に達することをいへるもので、是れ卽ち面目の心から義に達するをいふのである。無穿窬之心とは姦盜を爲すことなからんと欲する心であるから惡を羞惡する心に外ならない。此の心を推しても亦義に達する。兩者共に等しく義に達し得るをいふは、兩者の心がもと一で、本質的に異なるものではないからである。されば朱子は告子上篇の註に於いて、一簞の食一豆の羹も之を得れば生き得ざれば死する身の急にも、嘑爾蹴爾の無禮を惡むが故に、寧ろ死して食はぬ。この心は是れ「羞惡之本心」であると述べて居る。凡そ面目の心は自己及び他人が當然あるべき筈の狀態に在り得ずして、現在の狀態がそれよりも小にして貧弱なる時、かゝる自他をばより大にして豐富なる人間的本質に相應はしからずと思ふ心であり、相應はしからしめんと思ふ心である。惡を羞惡する心とは惡を去らんとする心であるが、その惡の爲めに自他がより小さく貧弱なるものとなり、自他の犯す惡によつて自他が絕對平等の人間的本質に一層相應はしからぬものとなるのを嫌ふ心であつて、是れ亦自他を人間的本質に相應はしからしめんと欲する心である。兩者は本質的に別な心ではなく、固と同じ一つの心である。
自他の面目を保持せんとする心は卽ち自他の惡を羞惡する心で、それは自他の
完全を欲する心である。自己の完全を欲するから道德的な當然的な行爲を行ふ。
そしてそのことが行爲的義であるから從つて羞惡の心を充たせば往くとして義
ならざるはないわけである。羞惡の心が外的に發現すれば行爲が當然的となる
のである。凡そ人の情は、從つて又行爲は、それ自體としては唯だ自然的であ
る。自然的なるものは流れて人欲に陷り易い。流れて人欲に陷り易きを統制し
て當然的たらしめるは性中の義である。義の理の自展は自然を抑壓若しくは助
長して當然的たらしめる心の力となつて現はれる。孟子の謂はゆる禽獸と異な
ること幾んど希なる人は、義の理の自展に何か足らざる所があつて自然が當然
となり得ざる人である。此の自然を越えてよく自然を當然にまで轉ぜしめる心
の力が卽ち羞惡の情に外ならぬ。義の理の自展が行爲の當然性を成立せしめる
といひ、義の理が羞惡の情を生じ、此の情が行爲の當然性を成立せしめるとい
ふ。然しこのことは二つの異つた過程であるのではない。義の理の自展によつ
て行爲が當然性を有つといふことは、心に於いては統制の力が現はれてそれが

活くといふことより外にない。心の此の統制の力が卽ち羞惡の心であつて、二者は本來一つの力である。羞惡するといふことが統制するといふことである。義の理が羞惡の情へと自展することそれが統制の心へと自展することである。されば羞惡の情が行爲の當然性を成立せしめることそれが統制の心が當然性を成立せしめることである。義の端として羞惡の情のみを擧げても、義の理の統制的方面を落してゐるわけではなく、行爲の當然性は義の理の自展と說いても、羞惡の情を拔きにしてそれが可能であるといふのでもない。義の理が行爲の當然性の原理であるといふのは、羞惡の情を通して義の理が行爲へ自展することをいふのである。

註一　論語衞靈公上註。孟子公孫丑上註。玉山講義等。
註二　中庸第二〇章註。論語學而註。同里仁註。孟子離婁上、告子上、盡心上各註等。
註三　禮記表記には道者義也といひ、禮運には慈孝弟忠等の人の道十を擧げて之を人の義といつて居る。
註四　論語學而註。語類　卷二〇、一五枚。
註五　朱子は兄に從ふは當爲であるが親に事ふるには當爲をいふことが出來ぬ旨を語類卷五六に「己與親乃是一體豈可論當爲不當爲」（一〇枚）といつて居る。

第四章　仁　と　愛

論語學而篇に有子が孝弟と仁との關係を述べた言葉が出て居るが、その註に於いて朱子は仁を定義して「仁者愛之理心之德也」と言つて居る。又、孟子梁惠王上篇に孟子が惠王に國を利するものは利に在らずして仁義に在る旨を述べて居るが、其の註に於いては「仁者心之德愛之理」と定義して居る。凡そ古來仁を言ふ者の中には或は具體的行事に於いて言ふものがある。禮記の「春作夏長仁也」（樂記）や中庸の「仁者人也親々爲大」（第二〇章）や論語の「仁者先難而後獲可謂仁矣」（雍也）或は「樊遲問仁子曰愛人」（顏淵）などもその例で、論語の仁には此の類が多い。或は又、心に於いて言ふものがある。孟子が「仁人心也」といひ、「惻隱之心仁也」といふ類が是である。更に此等の行事や心の因つて來る所の根源に於いて言ふものがある。即ち理に於いていふもので、此こに擧げた朱子の謂ふ所の仁が是である。

朱子は仁を專言と偏言との二方面から說くのが常であつて、論語或問說に「仁之爲義偏言之則曰愛之理……專言之則曰心之德」と云ふ如く、定義に謂はゆる心之德は專言の仁をいひ、愛之理は偏言の仁をいつたものである。心は性・情を統ぶるもので、性なる理は心に內在するものである。而して性なる理が卽ち德であることは既に述べた所である。故に性なる理は之を心の德といふことが出來る。性なる理は萬理の統體であり、大綱を擧げると仁・義・禮・智・信の五理の統體である。然も此の萬理も五理も亦心の德であるから、仁のみならず義も禮も智も信も皆之を心の德といふことが出來る。此の意味に於いて仁を心の德といへば、その仁は義・禮・智と對立する德で人心の一德となる。かくては謂はゆる偏言の仁となり了る。されば朱子は論語述而篇註に「仁則心德之全而人道之備也」といひ、泰伯篇註に「仁者人心之全德」といひ、顏淵篇註に「仁者本心之全德」と述べて居り、孟子公孫丑上篇註に「仁者……在人則爲本心全體之德」などといつて、仁を心の德といふは心の一德ではなく心の全德を意味することを明かにして居る。語類卷二〇及び卷五一の諸所にも同樣の趣旨を反復說明して居るのである。故に仁は專言すれば心の全德で、性なる一理渾然の統體に外ならぬ。故に能く義・禮・智を包含し、萬理を包含するものである。所が朱子に在つては仁は卽ち愛ではないが、やはり愛を主とするもので、愛を離れては仁は考へられない。今若し仁を心の徳と説けば、仁が性の萬徳の統一者であり、仁の中に於いて萬徳が成立することは明かとなるけれども、仁が愛を主とすることは未だ明かではない。そこで朱子は更に仁を定義して「愛之理」の句を加へるに至つたのである。愛の理とは偏言の仁で、即ち義・禮・智と相對立する性中の一理を意味する。動いて愛となる理が仁であるが、仁と愛とは分れた二者ではない。既に顯現した處を愛と呼ぶけれども、その愛は即ち已發の仁である。未だ顯現せざる處を仁と呼ぶけれども、その仁は即ち未發の愛に外ならぬ。愛の理といふことは「仁是未發之愛愛是已發之仁耳」なることをも意味して居ることを忘れてはならないと主張するのである。(註一)

仁の定義として擧げた初めの二例は、四書の仁に關する彼の註中最も代表的なるものであつて二者は全く同一義であるが、論語に於いては先づ愛の理を擧げて後に心の徳を言ひ、孟子に在つては先づ心の徳を擧げて後に愛の理を言つて居る。かく先後次第の異なるについては多少の理由が存する。朱子によれば、論孟に仁を説く所を觀るに、心の上から説くものと愛の上から説くものとの二種がある。論語の「克己復禮爲仁」(顔淵)や「仁者其言也訒居處恭執事敬與人忠」(同)や

「人而不仁如禮何」(八佾)や「出門如見大賓使民如承大祭」(顏淵)や「仁以爲己任」(泰伯)や「志士仁人」(衞靈公)や「志於道據於德依於仁游於藝」(述而)や「仁遠乎哉我欲仁斯仁至矣」(同)や「若聖與仁則吾豈敢」(同)や「巧言令色鮮矣仁」(註一)(學而)等に謂はゆる仁は論語に於ける仁の心の上について言ふものであるが、孟子の「仁人心也」(告子上)も亦此の類である。然るに論語の「汎愛衆而親仁」(學而)や「愛人」(顏淵)や「觀過斯知仁」(里仁)や、或は孟子の「惻隱之心仁之端」や中庸の「仁者人也親々爲大」の類は愛の上について仁を言ふものであると考へた。今此等の文に施した朱子の註を點檢して見ると、心の上について言ふものと爲す仁に於いては「本心之全德」とか「人心之全德」とか或は「心德之全也」とか「心德全矣」とか「心之德也」とか「人心亡矣」などと其の專言の仁なる旨を明言して居り、其の愛の上についていふものと爲す仁に在つては「仁之施」とか「過於愛」などと其の偏言の仁なる旨を說いて居る。殊に此等の諸文に關する彼の答問の語の語類に收錄せられたるものに在つては詳かに專言・偏言の別を辨じて居るのである。嚮に代表的定義として引用した論・孟の註を觀るに、其の經文は共に二義を兼ね有するものであるから、そこでその註も專言・偏言を併せ說いたのであるが、しかし論語の仁は愛を主として言ふものであるから、朱子の之に註するや先づ愛之理と云つて然る後に心之德と述べたのである。孟子の仁に至つては二義に輕重なき所から、其の註に於いては先づ體を擧げて用を後にしたのである（註三）。

因みに仁說圖・語類卷二〇等によつて仁の體用に關する朱子の思想を附記せんに、專言・偏言相對して之を言へば、心の德は體で愛の理は用となり、專言の仁に於いて體用を言へば、未發は體で已發は用である。若し偏言の仁について之を言へば、仁は體で愛は用である。若し心に於いて之を言はんか、生の性・愛の理は體で、性の情・愛の發は用である。取つて立つ立場の異なるに從つて陰陽が無限である如く、體用も亦上述の如く取る立場の異なるに從つて限り無く考へられ得るものである。之を語類卷一二には次の如く述べて居る。

大抵體用無盡時只管恁地移將去如南面視北則北爲北南爲南移向北立則北中又自有南北體用無定這處體用在這裏那處體用在那裏這道理儘無窮四方八面無不是千頭萬緒相貫串云々（校一二）。

以つて體用の說の立つ所以を知るのである。

仁の體用と連關して仁義の剛柔陰陽の說がある。さまで重要な問題とも思はれぬけれど、朱子は之を相當問題視した痕迹があるので、此こに簡單にその思想を取扱つて置くことゝする。

玉山講義に「蓋仁則是箇溫和慈愛底道理義則是箇斷制裁割底道理」といひ、語類卷六には「仁便是箇溫和底意思義便是箇慘烈剛斷底意思禮便是宣著發揮底意思智便是箇收斂無痕迹底意思」(一二枚)と見えて居る。仁は愛の理であり、愛は溫和底のものであるから、其の仁も亦溫和底のものであることは推知出來る。義は宜の理であるが、宜は截然として定分があるから、其の理たる義も亦慘烈剛斷底のものであることは想像出來る。禮は恭敬撙節底の理であり、儀禮の理であるが、儀禮は節文あり宣著發揮底のものであるから、禮の理も亦宣著發揮底の意思があると言へる。智は知の理であるが、是非を知り得れば更に作用あることなく、截然として收斂藏縮する意思があるから、智の理も亦此の意思があると見なければならぬ。

仁が既に溫和底のものであり、義が慘烈剛斷底のものであるとすれば、仁は柔にして義は剛なるものと言はねばならぬ。彼が之を認めたことは語類卷六や卷七七等によつて明かである。然るに彼は又、易の說卦に「立天之道曰陰與陽立地之道曰柔與剛立人之道曰仁與義」とあるのを解して多くの人々は仁を柔とし義を剛と爲すがこれは誤りであると主張し、且つ袁機仲が義は剛底の物で陽に屬し、仁は柔底の物で陰に屬すると爲したのに反對して、是れ只だ「於仁也柔於義也剛」なる揚子の兩句を念ひ得て此くの如く說くもので、その正に此くの如くならざることを知らざるものであると難じ、寧ろ仁を以つて剛とし、義を以つて柔と爲すべきことを主張したのである。(註四)然らば其の根據はどこに在るか。蓋し仁は溫和底のものではあるけれども、又實に「生底意思」がある。「敷施出來底」のものである。義は慘烈剛斷底のものではあるけれども、又實に「殺底意思」がある。「肅殺果斷底」のものである。そして禮は宣著發揮底のものであるから、其の意思は仁の發生底なると近く、智は收斂底のものであるから、其の意思は義の收斂底なると異ならぬ。四時を以つて言へば仁は春に相當する。一元の氣がよく物を生ずるは仁の意思に似て居る。禮は夏で、一元の氣が長じて物が盛大を致すは禮の意思と似て居る。義は秋で、生氣が收斂して萬物が成るは義の意思である。智は冬、冬は生氣が收藏する。是れ智の意思に似て居るのである。故に若し其の舒暢發達を以つて見れば仁は剛健であると言はねばならぬ。剛なるが故に許多の造化も可能なのである。禮も剛健のものであるといはねばならぬ。其の收斂藏縮を以つて見れば義は柔順であると言はねばならぬ。智も亦同樣である。是れ仁は本來は柔底であるが、その發出し來るや却つて剛底であり、義は本來は剛底であるが、その萬物肅殺の時收斂憔悴の處あるは却つて柔底であるといふのである。(註五)故に仁と義とは各々剛にして且つ柔であるといはねばならぬ。其處で體用を分けて考へるのである。語類卷六に「仁體柔而用剛義體剛而用柔」(二二枚)とあり。同卷七七の六枚にも同語が見えて居る。仁は剛直の意あるに似て畢竟は本と一箇溫和底の物であり、義は柔軟の意あるに似て畢竟は本と一箇剛斷的のものである。剛柔孰れとするかは唯だ其の主とする所の如何に在る。(註六)

若し四德を陰陽の上から看ると、「仁禮屬陽義智屬陰」(語類卷六、七枚)といへる。仁禮は敷施發生底の意思あるが故に陽であり、義智は肅殺收斂底の意思あるが故に陰に屬するとするのである。

之を要するに、用の上に就いていへば其の發生底の意思より仁と禮とは剛にして陽であり、その收斂底の意思より義と智とは柔にして陰であるが、體の上に就いていへば、其の溫和底の意思より仁は柔であり、その剛斷底の意思より義は剛である。剛柔其の一を以つて仁義をいふのは、仁義の體用何れか一を以つて言ふので、かの袁機仲の剛柔の説も體を以つて言へば正しく其の論の如くである。然るに朱子は之を難じて反つて用を以つて柔剛を主張した所以は、仁義は唯だ體を以つてのみ柔剛を言ふべきではなく、宜しく用の處如何をも併せ見るべきことを知らしめんと欲したからである。要は仁義の體用併せ論じて柔剛の説始めて全きを得ると爲すのである。

仁は心の德愛の理であつて、心の德は專言を以つて之をいひ、愛の理は偏言を以つて之をいふものなること、及び仁は卽ち心ではなく心に內具する性の理であることは上述の如くである。然るに孟子は仁人心也といひ惻隱の心は仁なりとする。程子も亦仁は天地物を生ずるの心といふ。是れ仁を心の德心の理とせずして直ちに心と爲すものの如くである。朱子も此等の表現に倣つて語類卷一〇五所載の仁説圖は先ず「仁―者天地生物之心而―人之所得以爲心」から始まつて居る。文集卷六七の仁説は此の仁説「圖」と對應するもので、仁を詳説したものであるが、それも「天地以生物爲心者也而人物之生又各得夫天地之心以爲心者也」の句を以つて文を起して居る。孟子公孫丑上篇の集註にも「仁義禮智皆天所與之良貴而仁者天地生物之心得之最先而兼統四者所謂元者善之長也故曰尊爵在人則爲本心全體之德云々」と述べてあり、克齋銘にも「蓋仁也者天地所以生物之心而人物之所得以爲心者也」(朱子集卷七六)とある。其他此くの如き例は語類にも多い。されば朱子も亦仁卽心と爲したのではないかとの疑ひも生じ、仁を心の理とする朱子平生の主張と矛盾するとも考へられる。されば門人の吳伯豐や廖子晦等も此の矛盾を如何に解決すべきかを朱子に質問したこともあつたのである。(註七)しかし朱子に在つては、たとひ先賢に從つて仁を心と言つても、其の眞意はどこまでも仁は心の德・愛の理であつて仁卽心ではなかつたのである。されば孟子・程子の仁は心といふ表現をも仁卽心といふ意味には解しなかつた。吳伯豐が嘗て朱子に向つて「孟子の仁人心也を揚氏は評して最も親切なりといつたが、しかし思ふに心の德を以つて仁と爲すは可なるも、人心を仁といふは恐らく妥當ではあるまい」と質したとき、朱子は之に對へて「仁人心也義人路也此指而示之近緣人不識仁義故語之以仁只在人心非以人心訓仁義只是人之所行者是也」(語類卷五九、三一枚)と云つて居る。卽ち孟子が仁人心也といふのは仁卽人心の意ではない。仁は理であるが仁を說くに理を以つてしては仁の己に近きことが諒解せられ難い所から、仁の內具する心を擧げたに過ぎぬとするのである。孟子の右の章には「仁者心之德程子所謂心如穀種仁則其生之性是也然但謂之仁則人不知其切於己故反而名之曰人心則可以見其爲此身酬酢萬變之主而不可須臾失矣」と註して居る。仁を心の德とか生の性とか云つたのでは、仁が己に切なるもので實に一身の主で須臾も離るべからざるものなることが理解せられ難い所から、特に人心を以つて仁を解したとするのである。或は語類卷九八の沈杜仲の錄語には「孟子は仁は人心なりといひ、又惻隱の心は仁なりともいつて、性と情との上に都べて心の字を下したが、仁は人心なりといふは體を說き惻隱の心を仁といふは用を說いたものである」旨語つて居る。心を以つて仁を解する理由をかく種々に說明して居るのであるが、之について門人廖子晦は嘗て「先生は向きに仁說を作られたが大率ね心が愛の理を具する所から心を仁といはれたやうである。然るに集註では仁人心也を只だ酬酢萬變の主と爲るといふ立場から說かれて居る。これは如何なるわけであるか」と質問したことがあつた。朱子は之に對へて「不要如此看且理會箇仁人心也須見得是箇酬酢萬變之主若只管以彼較此失了本意……向爲人不理會得仁故做出此等文字今却反爲學者爭論」(語類卷五九、三五枚)と云つた。以つて朱子の意の在る所を知ることが出來るのであるが、其の孰れにせよ仁卽心とは考へなかつたことは明かである。是に由つてかの仁説圖の「仁者天地生物之心而人之所從以爲心」といへる朱子の眞意も理解出來る。又、仁説では劈頭心を以つて仁を説かんとしながら、すぐ其の次に「故語心之德雖其總攝貫通無所不備然一言以蔽之則仁而已矣」といひ「蓋天地之心其德有四曰元亨利貞而元無不統……故人之爲心其德亦有四曰仁義禮智而仁無不包云々」と論じ、孟子の集註でも仁は天地の心といひながら之に繼いで「在人則爲本心全體之德」と述べ、克齋銘でも同樣の事が續けて述べられてある。此等孰れも仁が心ではなく心の德である旨を明かにして居る所以も知られるわけである。

人は天地の理を得て以つて心の理と爲すものであるが、之を人は天地の心を得て以つて心と爲すといふのである。天地の心に就いては朱子は周易復卦に「復其見天地之心乎」とあるによつて天地に心有りと説き、程子が「天地無心而成化聖人有心而無爲」といへるによつて天地は心無しと説いた。或は有りといひ或は無しと説いたのであるが、彼謂へらく、易の復を見れば天地の心の正大なるを知る。天地は實に物を生ずるを以つて心と爲すものである。若し果して天地無心ならばいかでか牛は牛を產み桃樹は桃花を發せん。恐らくは牛にして馬を生じ桃樹にして李花を發することもあらう。然るに天地は生々して窮まらぬ。然も其の間少しの差謬さへも無い。心は便ち「是他箇主宰處所以謂天地以生物爲心」（語類卷一、四枚）といつて居る。萬物生々して些の差謬なく恰も天地が之を主宰せるが如くなるより、その然る所以のものを名づけて天地の心と稱したのである。然るに此の然らしむる所以のものは朱子に在つては言ふまでもなく天地の性である。この天地の性を呼んで天地の心といふのである。此の事は仁を天地の心といふ點からも容易に理解出來ることである。然るに道夫が嘗て「天地にして若し心有らしめば必ずや思慮營爲あらん。然るに天地にはかゝることを見ぬ。しかも四時行はれ百物生ずるは何等の思惟を待たず、此くの如くなるべくしてよく此くの如くなるのみ。天地に心有りといふべからず」と問うたとき、朱子之に對へて「程子が天地心無くして化を成し聖人心有つて爲すなしといへるは、是れ天地無心の處を說けるものである。四時行はれ百物生ず、天地何ぞ心を容るゝ所があらう。聖人に至つては唯だ理に從ふのみ。復た何をか爲さん。故に明道は云ふ、天地の常其心萬物に普ねきを以つて心無し。聖人の常其情萬事に順なるを以つて情なし、と。是れ說き得て最も好し。天地は此の心を以つて普ねく萬物に及ぼす。人之を得て遂に人の心を爲し、物之を得て遂に物の心を爲す。草木禽獸接著して遂に草木禽獸の心を爲す。只だ是れ一箇天地の心のみ」（語類卷四枚）と云つて居る。故に天地に心無しといふのは、一は天地の作用が意思なくして自然によく行はるゝ點からいひ、今一つは天地の心是れ卽ち普ねく萬物の心なる點から之を言ふのである。或は有りといひ或は無しといふも各〻據る所あつてのことで矛盾ではない。有無の二者を併せ說いて益〻詳かなるを得るのである。故に云ふ「今須要知得他有心處又要見得他無心處」（同）と。

而して天地の性には元・亨・利・貞の四德が具はつて居る。此の四德の人に具はれるものが仁・義・禮・智の四德である。天の四德が運行すれば春・夏・秋・冬の四時となる。元の理の自展は春の生氣となり萬物の萠生となる。亨の理自展すれば夏の長氣となり萬物の長盛となる。利の理は秋の收氣となり萬物の收斂となる。貞の理は冬の藏氣となり萬物の退藏を成す。元・亨・利・貞は德であり理であるから、それが直ちに四時の氣でもなく生・長・收・藏の現象でもない。四時の氣は天の四德の自展によつて顯現し、生・長・收・藏の現象は四時の氣の自展によつて顯現する。之は人の四德の仁・義・禮・智が自展して愛・恭・宜・別の情を顯現し、愛・恭・宜・別の情が自展して四端的行爲を顯現すると對應することである。然るに「天地只是一箇春氣」（語類卷九五、二枚）である。生・長・收・藏の四氣として其の顯現の方向は各々異なるとしても、本來かゝる四種の氣が有つて春・夏・秋・冬の異つた現象を生ずるのではない。唯だ一箇の生氣が春に於いては春の生氣となり、夏に至れば夏の長氣となり、秋には收氣となり、冬には藏氣となるに過ぎぬ。生・長・收・藏の四氣は唯だ一箇の生氣の種々なる方向への自展顯現である。（註八）されば一箇の生氣は四時の氣を統一し、之を内に包むものである。四氣は一箇の生氣の中に成立する。一箇の生氣が自己の内に自己の内容を限定したものである。四氣のどれにもその内に一箇の生氣が裏付けとして存在する。四氣は一箇の生氣の中に包まれながらも然もその各々は一箇の生氣と異なるものではない。春の生氣は勿論のこと、長・收・藏の三氣も亦それが其の儘又一箇の生氣である。四つの各氣は一箇の生氣と完全に合一し完全に重なり合ふ。就中春の生氣は一箇統一的生氣の自己限定中最も其の面目を保持し最も其の本質を呈露する所のものである。そこで春の生氣が直ちに一箇統一的生氣であるともせられる。然しながら春の生氣は他の三氣と對立する所の相對的の氣である。かゝる相對の氣はたとひ生氣であるとしても其の儘では四時の氣の統一者とはなり得ない。それが相對を絕した高次的一般者となることによつて始めてそれ等の統一者となり得る。故に春の生氣が四氣を統一するといふ時、その氣は最早や相對特殊の生氣ではなくて實は高次的一般的な生氣を言つて居るのである。是れ生氣の生氣ともいふべきもの、生氣一般ともいふべきものである。生氣一般と春の生氣とがその面目を一にすると考へる所から、生氣一般をいはずして直ちに春の生氣を統一者としたのであらう。しかし春の生氣は生氣一般の自己限定によつてその中に成立するものであり、被覺態として對象位に在るものである。之に反し生氣一般は春の生氣の裏面に之を超えて之を包むものである。かゝる一般者を生氣とすればそれは生氣の生氣、長氣の生氣、收氣の生氣、藏氣の生氣ともいふべきものである。春の生氣が四氣を統べ包ねるといつても、其の實統べ包ねるものは生氣の生氣である。具體的には春の生氣と生氣一般とが一であつても、統一する生氣と統一せられる生氣とは異なるものでなければならぬ。故に統一するものは春の生氣といふが、それは相對的な春の生氣ではなくして絕對的な生氣一般でなければならぬ。春の生氣が統一するといひながら、その生氣は春の生氣ではなくて生氣の生氣、專言の生氣であるとの考があつたことは、四德の元を以つて四德を統一する元と同一としながら、一を偏言の元とし一を專言の元として兩者の間に何等かの異を立てたり、又、後者を特に元の元、亨の元、利の元、貞の元といへば其の意甚だ明かであると言つたり、人の四德の仁がよく四德を統一するといひながら、その統一的仁を專言の仁といひ統一せらるゝ仁を偏言の仁といつて、同一の仁としながらも尙ほ兩者の間に何等かの區別を立てた點などから推して知られることである。

春の生氣が四氣を包み四氣を統一すると論じたやうに、自展によつて此等の氣を顯現する天地の四德の間に於いても、元は其の統一者と考へられたのである。程子易傳に云ふ「四德之元猶五常之仁偏言則一事專言則包四者」と。天地の四德とは天地の性の四德である。天地の性とは太極である。元・亨・利・貞は太極の四德である。然も其の元は偏言すれば相對的一理であるが、專言すれば四德を統一する絕對的一理で、卽ち太極自體である。太極なる一般的元は自己の中に固有の內容として元・亨・利・貞の四德を有つ。一般的元卽ち元一般の自覺自展が四德である。元一般が自己の中に自己の內容を限定し成立せしめたものが此の四德である。元一般は四德の各々の內に超越しながらその裏付けとなつて存在する。四德の各々は元一般の中に成立しながら元一般と一である。四德は相對特殊でありながら其の儘絕對普遍の元一般である。就中偏言の相對的元は專言の絕對的元一般の面目を最もよく呈しその本質を最もよく保つものである。故に四德の元が直ちに四德を統一する元とも見える。然し統一的元と被統一的元とが何等かの意味に於いて異なる所がなければならぬことは生氣に於けると同斷である。全然同一のものであるならば專言と偏言との別を立てる必要もない。同じ元をかく區別する所に兩者の元が何等かの意味に於いて異なる所あるべきを示して居る。偏言の元と專言の元とはたとひ完全に重なり合ふものであつても、前者は後者の自覺自展によつて其の中に成立したもの、後者の內容が被覺態として對象位に置かれたものであり、後者は前者の內に超越して之を包むものである。故に語類卷九五に「今若能知得所謂元之元元之亨元之利元之貞上面一箇元字便是包那四箇下面元字則是偏言則一事者恁地說則大煞分明了」といひ「須要知得所謂元之元亨之元利之元貞之元者蓋見得此則知得所謂只是一箇也」（三四枚）といふやうに、專言の元は元之元、亨之元、利之元、貞之元ともいふべく、元一般ともいふべきものである。四徳を内に包み統一し成立せしめる元一般は、四徳よりは高次的な一般者である。而してその四徳が又各々自展して生・長・收・藏の四氣を成立し、其の四氣が春・夏・秋・冬の四時を顯現する。所が四徳が自展して四氣を顯現するといふことは、其の根柢に之と重なる元一般が自己の中に此の四徳を限定し成立せしめることである。元一般はもと太極渾然の一體であつて四徳の區別は立たぬ。元一般が自展しない限り四徳は成立しない。然も其の四徳が自展しない限り四氣は成立しないのである。之を逆に四氣が成立することによつて四徳の自展が成立するのである。四氣の成立なくしては四徳共者の成立もない。更に四徳が自展して以つて自己を成立せしめることによつて、元一般の自展が成立し、元一般も成立する。四徳が自展して四氣を成立せしめるといふことは、元一般が自展して四徳を成立せしめることである。元一般の自展が四徳の成立であり、四徳の自展が四氣の成立であると云つて節々相下るが如くではあるけれども、其の實具體的には元一般の自展が卽ち四徳の自展であり四氣の成立である。四氣の成立は四徳の自展であるが、又元一般の自展である。元一般の自展卽四徳の成立、四徳の成立卽四徳の自展、四徳の自展卽四氣の成立、四氣の成立卽四氣の自展卽四時の變化であつて、皆同時の事であるばかりではなく、具體的には一つの事實であるものを異つた方面から抽象してかく考へるに過ぎぬのである。

其處で理の世界に於いて元一般が自展して四德を成立するといふことは、氣の世界に於いて生氣一般が自展して四氣を成立することであると思はれるが、しかし生氣一般は氣とはいへ純粹の氣のみを意味するのではない。四時の各氣は旣に物であるからその氣は理をも含むものでなければならぬ。かゝる理をも含む四時の氣が完全に生氣一般と一であるから、理を除外して生氣一般を考へることは出來ない。生氣一般は理氣渾一體である。之が卽ち本體である。其の理が元一般で太極其者であり、その氣が一氣である。四氣といひ四時の變化といふも皆此の本體の自展である。元一般の自展は生氣一般の中に於いて行はれ、それによつて生氣一般の自展も亦行はれる。元一般の自展から四德が成立するといふことは四德が自展すること卽ち生氣一般が自展して四氣が成立することである。四氣の成立は生氣一般の自展であるがその理に於いては元一般の自展である。しかし元一般は四德の自展の形式に於いて自展するから、四氣は四德の自展によつて成立すると考へられるのである。生氣一般の四氣への自展が元一般の四德への自展であるといふことは、生氣一般を四氣へ自展せしめるものが元一般で、元一般は生氣一般を四氣へ自展せしめることによつて亦自らが四氣へ自展することを意味する。具體的には四氣へ自展するものは生氣一般より外に無いが、その中から理を抽象して其の理に就いて自展を言へば元一般が四德へ自展し四德が四氣へ自展すると考へられる。しかし元一般の自展をいふは本體中の理の自展を特に抽象して述べたまでである。生・長・收・藏の四氣は本體たる生氣一般の中に成立し、之に包まれ、之を統一者として已の根柢に有つのである。元一般なる理と一氣との渾一的本體が此の生氣一般である。此の一なる統一者が具體的統一者で生・長・收・藏の四時の氣は何れも此の具體的統一者たる本體の自展である。本體が自己の中に自己の內容を限定したものである。本體は各氣の內に超越し、之を包み、その根柢に統一者として横はる。四時の氣は氣とは言ひながら既に相對の物である。それは單なる氣ではなく必ず太極を宿す氣である。かゝる四氣の中の太極は卽ち本體中に考へられる太極の自展顯現であり、その四氣の中の氣が本體中に考へられる一氣の自展顯現であるとせられる。かくて四時の氣は本體の生氣一般の自展顯現で、本體が統一し本體と一であるとせられる。獨り四時の氣のみではなく、凡そ一切萬有悉く本體の自展顯現であり、本體が自己の中に自己の內容を限定したものである。一切萬有一としてその根柢に統一者として本體を有たぬものはない。萬有個物が生まれるは朱子に在つては天地の氣が聚つて形骸を爲せば、太極なる理が之に墮在して性を爲し、理と氣とが一つとなつて此こに物が生ずるとせられる。その性なる太極は本體中の形相因的太極の自展顯現であり、その形骸なる氣は本體中の質料因的一氣の自展顯現とする。太極・一氣の渾一的本體が分つべからざる具體的一者として自覺自展するによつて萬有が生ずると考へる。萬物は一として形相と質料との結合統一たらざるは無いが、其の形相は形相因的太極の分身ではなく、其の質料は質料因的一氣の部分ではない。形相は其儘形相因であり、質料は其儘質料因である。形相因と質料因との具體的一者は顯現的として萬有である。本體は萬有個々を一貫し之を裏付けて然も個物はその一つ一つが本體と一つである。個物は其の儘本體と二にして一である。本體の顯現的が萬有であり、萬有の潛在的が本體である。一つのものが表からは萬有個物と見え裏からは本體と見える。具體的個物の底に統一者を考へるとき本體の概念が成立し、表に被統一者を考へるとき萬有の特殊が成立する。しかし特殊の外に普遍はなく、個物の外に本體はない。萬有個物が本體の全體である。特殊が直ちに普遍であり、多が直ちに一であり、相對が直ちに絕對である。萬有は本體の自覺自展の過程的生起であり、本體の所產である。然るに現實には子は親から生まれ實は花から生ずると考へられる。子は親の自展であり、實は花の自展とせられる。此こでは個物の自展が個物を生むのである。個物が個物化するのである。ところが個物化するものは本體である。しかし本體が個物化するといつても、個物が個物を生むといふ事實の外に本體の個物化は無い。親が子を生み花が實を結ぶといふことは、本體が子を生み本體が實を結ぶといふことである。本體が自覺自展することが個物が自覺自展することである。朱子の思想を推せば個物は本體の顯現的なるもの、本體と一なるもので之を二とするは抽象であると考へられる所から此の事が言へる。加之、本體的太極は無極であつて方所形象の言ふべきものが無い。無といふべきものである。本體的一氣も亦些の形相を有たぬものので唯だ一氣といふより外なきものであるから是れ亦無といふべきものである。

知は智の理の自展とするから、吾等の認識も此の本體の自展であり、從つて本體は知を超えたもの、卽ち無である。質料因たる一氣の部分が萬有の形骸であるとする考へ方からは、一氣の全體が萬有個物の一々に裏付けとして完全に重なるといふことは考へられ難いことであると見えるであらう。しかし一氣を個物の形骸よりも大であり、個物の形骸はその大なる一氣の部分に過ぎぬと考へるのは既に一氣を對象化して居る。かゝる一氣は抽象的であつて具體的ではない。具體的一氣は知を超えた無である。故に時間も空間も越えて居る。大小今昔を以つて考へることの出來ぬもの、大小今昔の無いものである。故に在らざる處なくあらざる時がない。その微絲忽に入りその大天地を包むのである。この事は無極も亦同様である。かくて太極・一氣の渾一的本體の無は其儘千萬の個物と重なり合つて二にして一、一にして二なるものなのである。さればかゝる無の本體が自展して萬有を生ずるといつても、萬有は唯だ萬有から生まれると經驗するのである。萬有が萬有を生むことそれが本體が萬有を生むことであるのである。寒暑の往來晝夜の交代の如く、陰陽動靜が互に根となつて、永遠の無始から永遠の無終へと只だ一すぢに不斷生成の一途が辿られると考へられる。

此の親から子、萬有から萬有へとの生成の一途の方向に本體の自展が考へられるとき、本體は只だひたすら時間上の一線を走ると考へられる。かゝる自展が卽ち流行底の自展であり、本體の自展をかく時間的に觀る觀方が謂はゆる竪看である。而も萬有は悉く本體と一にして一々が獨立絶對であるから、親と子と花と實と皆對等である。一つ一つが獨立絶對であるから、親は親自身を自展し子は子自身を自展すると考へられる。路傍の一草もよく自ら伸び、名もなき一蟲も亦よく自ら成長するとせられる。かく萬有は自ら自己を生んで息まぬ。個物は自己の天地に於いて無限に自展すると見る此の觀方も勿論竪看である。然るに萬有は空間的に無限に存する。此の空間的な瞬間的個物も悉く本體の自展であるから、此こでは本體の無限球的自展が考へられる。かゝる自展が卽ち謂はゆる定位底の自展であり、本體の自展をかく空間的に觀る觀方が謂はゆる横看である。かくて太極一氣の渾一的本體の自展は竪看横看併せて全く、至る所に中心渦柱を有つ無限大の渦卷を爲して居ると見られる。横看といひ竪看といひ、或は流行底といひ定位底といふ、此等はもと陰陽を觀る二つの立場であるが、しかし之がそのまゝ本體の自展の方向を觀る態度ともなるわけである。

本體の此くの如き自展は此の本體に於ける太極の不斷的自展を豫想する。太極の自展が是れ卽ち本體全體の自展である。太極が自己の中に自己の內容的理を限定することが、本體自身の中に本體自身の內容を限定し成立せしめることである。之が卽ち經驗界の生成變化である。天地自然の一切現象は一として本體の自己內容の自覺限定ならざるは無い。本體が不斷に自己の內容を生んで行くから本體は唯だ生である。此の生は本體自身の本然であるが、その因を本體の中に抽象して太極なるものが立ち、太極が生の理とせられる。元を大德とし生の理とする所以でもある。太極は不斷に自展し從つて本體の自展も亦息む時なく在らざる所がない。天地宇宙一切が唯だ生である。一切が生なる故に死も亦生である。川の涸れ山の崩るゝも生であり、木の枯れ人の死するも亦生たるを漏れぬ。生と死とは矛盾であるが、しかし死と矛盾する生は死と對立する相對的生である。相對的の生と死とを越えて而も之を內に包むものは本體の生である。本體は自生自展的內容として此の相對的の生と死とを有つ。死滅は一種の收藏であるが、收藏は利貞の理の自展であり、從つて太極の自己限定であり、本體の自己限定である。生と死との連續が本體の自展であり、それが生である。

それは生と死とを包む大生である。本體の自展から言へば生も死も皆自然であり必然である。一切が自然必然であるのを人間が外から一つの立場に據つて眺めるところから、それが眞と妄とに分れ、當然と偶然とに對立する。唯だ眞と妄との混合、唯だ當然と偶然との繼起が本體の自展とせられる。草木は不斷に生長繁茂すべきに時に衰頽を見、川は不斷に流水すべきに時に涸渇を見る。繁茂流水は正であり生であり當然とせられ、衰頽涸渇は邪であり死であり偶然とせられる。現實界に於いては當然と偶然とが相錯綜し相連續するが、當然を以つて始中終を貫けば誠とせられ、その一連の何れの部分にか偶然が混入すれば、それだけ生は死の面影を潜め、誠は邪妄の色を帶びる。天地日月の運行にも山河草木の變化にも死が在り邪妄が潜むとせられるけれど、固より共の死も邪妄も本體の自展であるは生と誠との亦然ると一般である。本體の內に入つて觀れば偶然も當然も無い。唯だ自然があり大生があるのみである。朱子が經驗界の理を自然の理とするは本體の自展自體の立場に立つによつて起ることであり、その自然の理の中に於いて當然の理を立つるは、本體の自展的內容に對して評價の立場に立つによつて生ずることである。本體の自展は一切が唯だ自然であり唯だ生であるのである。

仁は天地生物之心で人の得て以つて心と爲す所のものである。天地の心に元・亨・利・貞の四徳があつて、その元は偏言すれば對立的一理で、動いて能く春の生氣を成立せしめるものであるが、若し之を專言すれば統一的一理であつて、能く四徳を包攝するものである。故に人心にも仁・義・禮・智の四徳がある。天の元は人の仁と爲り、亨は禮、利は義、貞は智となる。仁も亦偏言すれば愛の理なる對立的一理で、動いて能く愛の情を成立せしめるものであるが、若し之を專言すれば統一的一理であつて能く四徳を包攝するものである。偏言の仁は性中の一理であり、專言の仁は心の全徳即ち生の全體である。しかし固と此くの如き二個の仁があるのではない。具體的には此くの如き一箇大底の仁があつて、其の中に又一箇小底の仁が在るのではない。答張欽夫第十一書には「非別有包四者之仁而又別有主一事之仁也」(朱子集卷二四)と述べ、答萬正淳第四書には「然心之德即愛之理非二物也但所從言之異耳」(同卷四八)と論じて居る。語類にも卷二〇には「愛之理即是心之德不是心之德了又別有箇愛之理偏言專言亦不是兩箇仁」(二二枚)とあり、卷九五には「問仁既偏言則一事如何又可包四者曰偏言之仁便是包四者底包四者底便是偏言之仁」（一枚）と語つて居る。唯だ愛の理として觀たる時之を偏言の仁といひ、四德を包める心の全德として觀たる時之を專言の仁と呼ぶのである。愛の一事を主とする仁が直ちに四德を包ね得るは實に仁の妙たる所以であると考へた。仁にかく偏言・專言の二方面を言ふは勿論朱子の創意ではない。嚮に論じた如く、朱子は遠くは孔孟の謂はゆる仁に既に心の德を以つてするものと愛の理を以つてするものとの二種あるを觀、近くは程伊川が易傳に「四德之元猶五常之仁偏言則一事專言則包四者」といへるを併せ考へて以つて其の說を詳說したに過ぎぬのである。此の點は朱子自らも答歐陽希遜第二書に於いて「然仁字又兼兩義非一言之可盡故孔子敎人亦有兩路（克己即孟子仁人心之說 愛人即孟子惻隱之說）而程子易傳亦有專言偏言之說如熹訓釋又是孟子程子義疏可更詳之」（朱子集 卷五九）と告白して居るのである。

專言の仁は四德に對しては一般者である。それは仁の仁・義の仁・禮の仁・智の仁で仁一般といふもよい。仁一般は心の全德故性の全體で太極に外ならぬから自らが在る。それの上に更に高次的なる一般者があつてそれが此の仁一般を在らしめて居るのではなく自らが己を在らしめるものである。此の仁一般が仁・義・禮・

智の四理を己の内に包有する。しかし此の四理を外にして別に仁一般はない。四理の渾一體卽ち仁一般であるが、かゝる渾一的仁一般に於いて四理は各々界限あつて條理燦然たるものがあるといふのである。しかしそれは仁・義・禮・智の四理が其の間に磊塊するといふ意味ではない。此の四者は形而上の理なるが故に唯だ渾然一理であるものを、その中に於いてかゝる意思情狀を想像するに過ぎぬ。四者は限界あるに似て然も實は何の差別あるものではない。さりとて感に應じて四端の發見異なる所あるを見れば、未だ感ぜざるとき都て分別無しともいひ得ぬと考へるのである。語類卷九五に云ふ「若有人問自家如何一箇便包得數箇只答云只爲是一箇」(三枚)と。四理は唯だ一箇なるが故に四理の孰れをも仁一般といつてよいわけである。かゝる唯だ一箇渾然たる仁一般が時に應じ機に臨んで自覺自展するとき此の四理が顯現する。之を「大凡人心中皆有仁義禮智然元只是一物發用出來自然成四派……仁流行到那田地時義處便成義禮智處便成禮智云々」(語類卷六一四枚)と曰ふ。四理は仁一般が本來內に有つ所の自己の內容を自覺限定したものである。それは仁一般の內容の所覺態であり對象位に置かれたものである。しかしたとひ所覺態であり對象位に置かれたものであつても、それは抽象的なものではなく、具體的な生きたものである。仁一般の自覺によつて四理が成立すれば、仁一般は其の四理の孰れにも流通する。仁一般の全體が四理の一つ一つに一貫である。四理の內に根柢に仁一般の全體があり、一つ一つの理が仁一般と完全に合一する。各理の在る所其處に仁一般の全體がある。各理と仁一般とは一者の兩面を爲す。かくて特殊の各理が完全に一般の仁である。偏言の仁が卽ち專言の仁といふは四理の一つ一つが直ちに完全に仁一般であるといふ此の具體的事實の一つを表はしたものである。獨り偏言の仁のみならず、義・禮・智も亦皆仁一般と完全に一つであること偏言の仁の然ると異ならぬ。然るに朱子は偏言の仁が仁一般と一であるといふと同樣の重要さに於いて、義・禮・智が仁一般と一であるとは言はぬ。全然兩者の一なることを言はなかつたわけではなく、語類卷六には「義禮智都是仁」(八枚)とあり、同卷二〇には「問直卿已前說仁義禮智皆是仁仁是仁中之切要底此說如何曰全謂之仁亦可只是偏言底是仁之本位」(一九枚)とも言つて居るがしかしあまり强くは言はぬのである。之は偏言の仁が仁一般の面目と本質とを最もよく得たるものとして義・禮・智よりも遙かに之を重んじた爲めである。然し其の實、義・禮・智も亦仁一般と完全に一なる點は優劣が無い。之は理の本質として然らざるを得ないので、若し然らざるものならば仁一般も四理も理ではなくなるのである。かく仁一般と同一なるが故に四理はどれも皆生きたものである。語類に「因說仁義禮智之別曰譬如一箇物自然有四界而仁則又周貫其中」（卷五三、二二枚）とも「當來得於天者只是箇仁所以爲心之全體却自仁中分四界子一界子上是仁之仁一界子是仁之義一界子是仁之禮一界子是仁之智一箇物事四脚撑在裏面唯仁兼統之心裏只有此四物萬物萬事皆自此出」（卷六、一六枚）とも見え「嘗譬如一箇物有四面一面青一面紅一面白一面黑青屬東方則仁也紅屬南方禮也白屬西方義也黑屬北方智也云々」（卷二〇、二三枚）とも見えて居る如く、四理は仁一般の四箇の限定面と考へられた。玉山講義に「仁固仁之本體也義則仁之斷制也禮則仁之節文也智則仁之分別也」と說くやうに、仁一般の本質的面、愛の情への自展面が仁であるとせられ、斷制作用的面、羞惡の情への自展面が義であるとせられた。又、其の節文的面、恭敬辭遜の情への自展面が禮であり。分別的面、是非の情への自展面が智である。故に四理は仁の仁・義・禮・智であり、仁一般は仁・義・禮・智の仁である。而して此の四箇の限定面は又夫々の自覺によつて自己の內に無數の面を限定する。その無數の面が謂はゆる萬理である。萬理は四理の自覺によつてその内容が所覺態として對象位に置かれたものである。しかし此の萬理の外に四理は無く四理の外に仁一般は無い。萬理は四理の中に成立し四理は仁一般の中に成立する。萬理の或る部類は高次的なる四理の或る一理によつて包攝せられその中に成立する。かくて萬理は悉く四理の何れかに分屬する。そして萬理の一つ一つは己の屬する四理の一つと完全に一であること恰も四理の一つ一つが仁一般と完全に一つであると一般である。從つて又萬理の一々は仁一般とも完全に合一する。萬理は己の根柢の統一者たる四理の中に包まれながら又仁一般の中に包まれ、四理の限定面でありながら又仁一般の限定面でもある。四理の根柢を爲す仁一般は又萬理の根柢である。四理が自覺することは仁一般が自覺することとである。四理が自展して萬理を立てることは仁一般が自展して萬理を立てることに外ならぬ。かく萬理も亦仁一般の自展であり仁一般の限定面であるから、四理も萬理も皆性中の理とせられ、性を萬理の統體とも考へられたのである。

仁一般は四理の各〻の内に超越しながら其の根柢となり、四理は仁一般の中に成立しながら仁一般と同一である。四理は特殊相對でありながら其の儘普遍絕對である。偏言の仁は義・禮・智の三理のどれよりも最もよく仁一般の面目を呈露し仁一般の本質を保持するものであるから、玉山講義には「仁固仁之本體」といひ、語類卷二〇には「只是偏言底是仁之本位」(一九枚)ともいひ、偏言の仁が即ち專言の仁一般とも見えるのである。しかし被統一者は被統一者たる意味を其儘にして直ちに統一者たる意味を有つことは出來ぬ。被統一者は統一者の中に成立し、統一者は被統一者を包攝するものである。包攝するといふ點からは專言の仁一般は偏言の仁よりも大であると考へられるから、語類卷二〇に「偏言專言亦不是兩箇仁小處也只在大裏面」(二一枚)といふ。しかし「說著偏言底專言底便在裏面說專言底則偏言底便在裏面」(語類卷二〇、一七枚)と云ふやうに、偏言の仁と仁一般とは完全に重なつて一であるから兩者は大小の差異はないともいへる。故に語類卷二〇には「仁只是一箇仁不是有一箇大底仁其中又有一箇小底仁」(二一枚)と言ふ。被統一者と統一者とが完全に重なり合つて一つとなる所から、偏言の仁が其の儘仁一般の位置に取つて替り得ると考へられて、偏言の仁即ち仁一般とせられた。しかし偏言の仁と云へば仁一般の所覺態で、對象位に置かれたものであつて、どこまでも對立的の一理として被統一者の位を出ないものである。四理の統一者は飽迄も自覺體たる絶對的仁一般である。被統一者たる意味を變ずることなくして偏言の仁を統一者とすることは出來ないから、答張欽夫第十一書に「若以一仁包之則義與禮智皆無所用矣而可乎哉」（朱子集卷三二四）と論ずる。偏言の仁と仁一般とは具體的には完全に同一であるから、此の意味からは被統一者が直ちに統一者であつて、偏言の仁が統一するとも考へられる。しかしかく言ひ得るものは獨り偏言の仁のみではなく、義も亦統一者であり、禮も智も亦統一者であるといへる。此等は又、直ちに專言の仁といふことも出來るわけである。しかしかく四理悉くを專言の仁とし仁一般とすることは、四理の裏の統一者・四理を生む自覺體の面から言を爲すのである。若し所覺態の面から言へば四理は專言の仁の個別的內容であり、之によつて包攝せられ了るものであつて、統一者とはなり得ないものである。四理の裏面に卽して言へば四理は專言の仁なる仁一般であり、心の全德、性の全體であり、太極自體である。四理のみならず萬理も亦一つ一つが仁一般であり、心の全德、性の全體で、太極自體である。四理も萬理も凡てが唯だ一つの一般者である。若し四理や萬理の表面に卽して言へば各〻は主とする所ある特殊相對て性中の一理とせられるのである。

程明道は天地萬有悉く相對對立を爲すことによつて成立して居るものなることを發見して、自ら悦びの色に出づを禁じ得なかつたことを述懐して「天地萬物之理無獨必有對皆自然而然非有安排也每中夜以思不知手之舞之足之蹈之也」（遺書卷一一、四枚）と漏らして居る。朱子も勿論此の思想に贊同して此の語を近思錄卷一に收錄しても居るし、又之に就いて門人と答問した語が語類卷九五には五箇條程載せられてある。其の一條中に「天下之物未嘗無對有陰便有陽有仁便有義有善便有惡有語便有嘿有動便有靜云々」といふのが見える。凡そ一切は相對對立を爲すことによつて相互に成立すると見るのであるから、形而上の理に在つても仁は義に對して成立し、義は仁に對して成立すると爲すわけである。若し此の理を推して言へば、專言の仁と四德・萬理とは統一的一般と被統一的特殊として相互に對立し、相成立せしめ合ふといふことが出來るであらうし、更に四德相互の間に於いても仁が有ればこそ義も成立し義が有ればこそ仁も成立する。仁・義・禮・智は相互に相對立して、自ら在ることによつて他を在らしめ、他の在ることによつて自らが在らしめられるものといふことが出來る。されば仁・義・禮・智の四理が成立し存在するは仁一般によ。ると共に、四理相互の限定にもよるわけである。

四理は各〻が仁一般なる一つの統一者によつて統一せられて居る。四理の各〻は特殊個別でありながら、一つ一つが仁一般と同一である。個々の各理が仁一般と同一であるから仁一般が自覺自展して各理を成立せしめることは卽ち各理が獨立に自ら己を成立せしめることである。そして此の一理が獨立に自ら己を成立せしめることは、此と對立する彼の理を成立せしめることであり、それは卽ち彼の理が自ら己を成立せしめることを意味する。然るに彼の理が自ら己を成立せしめることはそれと對立する此の理が自ら己を成立せしめることを意味する。故に四理が各〻自ら己を成立せしめ、又相互に相手から成立せしめられるといふことは、仁一般が自覺自展することを意味する。四理が一つ一つ獨立的でありながら、而も全然無關係ではなくよく相互に對立し得るは、其の根柢に仁一般が一貫であるからであり、此の一貫の仁一般によつて四理が成立するから、四理は相互に成立せしめ合ふことが出來るのである。然るに仁一般は四理の特殊に對して仁一般である。四理が無ければ仁一般は無く、仁一般が無ければ四理も無い。仁一般の自展によつて四理が成立するといふことは逆に四理が仁一般を成立せしめることである。故に四理は仁一般の中に成立しながら而も仁一般を超越する趣が見える。互に超越し合ふことは完全に一つであることである。仁の外に仁一般は無く、義の外に仁一般は無い。萬理の個々を外にして別に仁一般があるのではない。四德萬理の一々が其の儘仁一般と一つである。されば仁一般の自覺自展は四德への分化であり、萬理への特殊化であるが、分化し特殊化した瞬間には早や既に統一であり普遍である。分化が直ちに統一であり特殊化が直ちに普遍化である。かくて四德及び萬理の一つ一つは特殊個別でありながら普遍唯一である。故にどの理も生きて能く自展するのである。

仁一般は唯だ仁一般として單獨に存在し得るものではない。四德の中の孰れかの特殊として存在する。仁一般は不斷に自展して息まぬ太極故、不斷に自展して己の內に仁・義・禮・智の四理を、從つて又萬理を、成立せしめて息まぬ。四理や萬理を成立せしめることに於いて在るものである。此等と離れて獨り在るものではないから、四理や萬理の成立することによつて自らが成立するのである。四理が成立するといふことは仁一般が成立するといふことである。仁一般は仁を成立せしむれば仁に在り、禮を成立せしむれば禮に在る。成立する四理の孰れに於いても仁一般が在る。各理卽仁一般、仁一般卽各理で、兩者は同體である。唯だ抽象は兩者を分つて考へさせる。裏面の統一として仁一般が考へられ、表面の特殊として四理が考へられる。仁一般は唯だ一つであるから四理は特殊個別でありながら而も凡てが一である。仁一般は自覺自展して四理を成立する。卽ち四理に變ずるが、しかし四理に變じながらも尙ほ變ぜずして終始一貫である。仁一般が變じたと考へられる四理は、一體の表に卽して見たものである。裏に入つて見れば裏の仁一般は不變である。變じて變ぜざるものが仁一般である。或は仁或は義或は禮或は智と特殊が相ついで成立するは仁一般の自展的過程である。四理は仁一般の自展的過程として一つの統一であり同時に各々が獨立である。故に四理が相次いで成立するは、夫々が獨立に相次いで自己を成立せしめて居る意味が見える。かゝる相次ぐ獨立の中に一つの統一がある。四理は特殊獨立なるものでありながら一つであるから、特殊の理が相次ぎ相前後して成立するといふことは、前なる獨立自全の理が次の之とは異なつた獨立自全の理へと轉變することである。しかし轉變はしても前後總べてが一であるから、四理は轉變して轉變せざるものといはねばならぬのである。

仁一般は卽ち四理であり卽ち萬理である。仁一般が自展して四理が成立するといふことは、四理が自展して四端を成立させることである。仁一般が自展して内に仁の理を限定成立させるといふことは、仁の理が自展して愛の情を成立させることである。仁一般の自展が四理の特殊を成立させることと四端の情を成立させることとは同時の一事である。四端の情の成立は四理の自展であるが、それは又仁一般の自展でもある。仁一般の自展なるものは四理の自展の形式を以つて自展して四端の情を成立させる。されば仁説圖は仁について「已發之際四端著焉而惟惻隱則貫乎四端」といひ、語類卷五三には「羞惡恭敬是非之心皆自仁中出」(二二枚)といひ、同卷六八には「若羞惡也是仁去那義上發若辭遜也是仁去那禮上發若是非也是仁去那智上發若不仁之人安得更有義禮智」(八枚)と説いて居る。更に朱子は四理が夫〻自展するとき自己に分屬する萬理を己の内に成立せしめ、その萬理の自展が萬情を成立せしめるとも考へた。萬理の根柢に四理が在り、四理の根柢に仁一般が在るが、仁一般は四理に直接するのみならず萬理にも直接す。仁一般は一切の理の體系の各段階にすべて直接するものである。四理が仁一般と同一であるやうに、萬理は四理と同一であり、且つ仁一般と同一である。一切の理一として仁一般と同一ならざるはないから、語類卷六に「理只是一箇理理擧著全無欠闕且如言著仁則都在仁上言著誠則都在誠上言著忠恕則在忠恕上言著忠信則都在忠信上只爲只是這箇道理自然血脈貫通」（一枚）とある。萬情が成立するといふことは理に於いては萬理が自展することであり、萬理の自展は萬理の成立であり、萬理の成立は四理の自展を意味する。四理の自展は四理の成立のことであり、從つてそれは仁一般の自展を意味する。故に萬情の成立は四德の自展であり更に仁一般の自展でもある。かくて四端萬情一切の已發の心、換言すれば、一切の意識の成立は、理に於いては仁一般の自展が考へられたのである。

然るに萬情なる已發の心は未發の心の自展とせられた。未發の心とは嘗て「朱子の實踐哲學」に於いて論證した如く、氣の靈能と性の理との渾一體である。氣の靈能といつてもそれは未だ靈能と限定せられざるものである。それの自展によつて種々の意識作用を生ずるやうな神妙なるものであるから假りに之を靈能と呼ぶのである。若し之が靈能と限定し得るやうな靈能ならば、既にそれは已發であつて未發ではない。之は意識作用を發現するやうな潛在的の靈能である。性の理が氣のかゝる潛在的靈能と渾一であるといふことは、かゝる靈能を有つ氣と渾一であるといふことである。氣と性の理との渾一體とは萬有個物である。

萬有個物は本體の自展であり、根柢に統一者として本體が在る。本體と同一なるものである。萬有個物の一切の自展は此の本體の自展である。人間は各自特殊獨立にして然も本體と同一である。人間の意識作用の如きも固より人間各自の自覺自展で、人間の最も深い奥底から起るものである。その最も深い奥底が即ち本體である。人間各自の自覺自展は即ち此の本體の自覺自展である。人間は意識作用へと自展し、從つて又行爲へと自展する。それは個人の自展でありながら同時に本體の自展である。人間の最も深い奥底に在つて、意識作用へ、從つて行爲へ、自展する此の本體が即ち未發の心である。本體は太極・一氣の渾一體とせられるが、未發の心は太極と氣の靈能との渾一體と考へられた。しかしかゝる渾一は氣との渾一の外には無い。本體に於いては理は氣と渾一であるのを、未發の心に於いては特に氣の靈能と渾一であるとする。蓋し本體の萬有に於ける自展は多方面であつて、獨り意識現象のみではない。さればその自展の方向によつて夫々異なつた自展面が考へられる。未發の心は本體の意識界への自展面である。故に特に氣の靈能の點に於いて之を考へたのである。人間奥底の本體の意識界への自展面たる未發の心は、未だ自展せざるものについて考へられたものであるが、一度び之が自展するとき愛・恭・宜・別の四端を始め萬情一切を成立せしめる。凡そ人間の意識現象は悉く此の未發の心の自展であり、一切の個意識は一として未發の心に本具の內容たらざるはなく、一として未發の心の內に成立せざるは無い。未發の心は個意識以前のものであり、個意識の內に之を超越し之を包攝するものである。それは意識ではなくて意識の意識で意識一般である。意識一般の自展が己の內容を限定して被覺態として對象位に置いたものが個意識である。一切の個意識は己の根柢として又統一として意識一般を己の裏面に有つ。しかし裏面の意識一般と表面の個意識とは具體的には一つのものであることは、本體と個物とが一であるのと一般である。意識一般なる未發の心は、人間奧底の本體であるから、其の中に太極なる本然の性が考へられ、又萬情を潛在的に內に有ち顯現的に外に統一すると考へられる。心を以つて性情を統ぶるものと爲すは此の意味からである。太極は天地の物を生ずる大德・生の理であるから、之と同一の本然の性・仁一般も亦生の理である。仁說圖では「生之性」といひ語類卷二〇では「仁是箇生理」(校二二)と說く。かくて生の理を內に包む本體は本來が生々的であり、未發の心も亦生々的意識一般とせられる。之を生、意、とも言ふ。謂はゆる生意は個意識ではなくて意識一般であり、未發の心であるから、故に四端・萬情も生意の自展とせられ、生意が萬意識を一貫統一するとも考へられる。是れ語類卷九五に「如惻隱羞惡辭遜是非都是一箇生意當惻隱若無生意這裏便死了亦不解惻隱當羞惡若無生意這裏便死了亦不解羞惡這裏無生意亦不解辭遜亦不解是非心都無活底意思」（校二）といふ所以である。凡そ惻隱・羞惡・恭敬・是非の四端を始め、一切萬情は悉く生意の自覺自展によつて成立するものではあるが、就中最もよく生意の面目を呈露し最もよく生意の本質を保てるものを惻隱の情とする。惻隱の情の生意に於けるは、恰も偏言の仁の專言の仁に於けるが如く、春の生氣の生氣一般に於けるが如くである。故に偏言の仁即專言の仁、春の生氣即生氣一般とせられた如く、惻隱も直ちに即ち生意一般と考へられ、惻隱の自覺自展によつて四端・萬情が成立し、惻隱が此等を統一するものとせられたのである。されば語類卷五三には「是非辭遜羞惡雖是與惻隱竝說但此三者皆自惻隱中發出來因有惻隱後方有此三者惻隱比三者又較大得些子」（校五）とあり、同卷九五には「人只是這一箇心就裏面分爲四者且以惻隱論之本只是這惻隱遇當辭遜則爲辭遜不安處便爲羞惡分別處便爲是非若無一箇動底醒底在裏面便也不知羞惡不知辭遜不知是非」(枚三)と說く。共に惻隱を生意と見、それの自展が四端の情を成立せしめることをいふのである。その惻隱を他の三情よりも稍や大とするは、語類卷二〇に「既發而言惻隱可以包恭敬辭遜是非」(枚一九)とか同卷九七に「言惻隱之心則羞惡辭遜是非在其中矣」(枚一七)と云ふやうに、惻隱を以つて他の三情を己の內に成立せしめ、之を內に包む一般者とするからである。然し獨り三情のみではなく、凡そ一切の意識悉くが惻隱によつて成立し、之によつて包攝せられるとするのである。己の內に成立せしめ、己の內に包む主體は、それ等を一貫し統一する主體である。されば仁說では「其發用焉則爲愛恭宜別之情而惻隱之心無所不貫」と論じ、克齋銘では「已發之際四端著焉曰惻隱羞惡辭讓是非而惻隱之心無所不通」と述べ、語類卷五三には「惻隱之心頭尾都是惻隱三者則頭是惻隱尾是羞惡辭遜是非若不是惻隱則三者都是死物蓋惻隱是箇頭子羞惡辭遜是非便從這裏發來」(枚八)と語つて居る。かゝる言ひ方は答廖子晦第八書、答何叔京第十八書にも語類卷二〇·五三·五九·九五等の諸所にも散見する所のものである。かく惻隱を以つて四端·萬情即ち一切意識の成立者とし統一者とするは、偏言の仁が即ち專言の仁であつて、能く四理を內に成立せしめ能く之を一貫統一するが故に、其の用たる愛も亦能く四端を内に成立せしめ、能く之を一貫統一せねばならぬと考へる所から來る當然の歸結であるが、朱子は此の眞理は既に先賢の說く所で、決して己一人の見ではないと主張して、程明道及び孟子に其の例を取つて居るのである。卽ち謝上蔡が初めて明道先生に見えたとき、彼は己の學の該博なるを自負し、面前にて史書を誦して一字を遺さなかつたのである。然るに明道は之を玩物喪志と評し去つた。上蔡之を聞いて冷汗三斗面赤を發したのである。明道乃ち曰く、卽ち是れ惻隱の心と。己の過失を聞いて慙づる心は羞惡の心であつて惻隱の心ではない。然るを明道は之を惻隱の心と曰つた。是れ惻隱の心が在つて始めて能く羞惡の心も生じ、惻隱はよく羞惡を一貫包攝するから、惻隱の心を擧ぐれば他は自ら之に從ふ故である。(註一) 又孟子公孫丑上篇に四端を論ずる所を見るに、首章から孺子井に入るに至るまでは皆只だ人に忍びざる心を發明するに過ぎぬ。未だ全く義・禮・智の用を論ずる意思は存せぬ。然るに下文に至つて突如として「由是觀之無惻隱之心非人也無羞惡之心非人也無辭讓之心非人也無是非之心非人也」と論じて居る。若し人に忍びざる心が四端を包ね得ざるものならば、宜しく初めに當つて亦各〻の心を發明し、然る後に始めて下文を起すべきである。

今其の然らざるを觀れば人に忍びざる心が四端を包ぬるに足ると爲したことは明かであると(註十一)論じて居る。惻隱が四端を包ねると見ることが決して朱子一個人の臆度に非ざる旨をかく主張して居るのである。

以上の如く、朱子は自履によつて己の内に四端萬情を成立せしめ、此等の根柢に統一者として此等を超越しながら、よく此等と同一なるものを惻隱と爲したのであるが、かゝる惻隱が如何なる意味に於いても四端の一なる惻隱と異なるものでないとは考へられぬ。具體的には特殊卽一般であり多卽一ではあつても、惻隱をば四端の一と立てると一般者と立てるとで既に兩者の相異が考へられて居る。四端の一とするは惻隱の特殊に於いていふのであり、一般者とするはその普遍に於いていふのである。表裏二面に分けて表の被統一者と裏の統一者とを抽象分離し對立させて考へる限り兩者の間に相異が生ずる。特殊の惻隱が一般者の惻隱であるといへば、其處には意味の變化が行はれて居る。四端の一の惻隱といふその儘の意味に於いては、一般者的惻隱といふものは考へられない。特殊的惻隱に對立させて考へるならば、一般的惻隱は元の元とも仁の仁ともいふ言ひ方に從つて之を惻隱の惻隱とも愛の愛ともいふべく、或は惻隱一般とも愛一般ともいふべきものである。此の愛一般は生意であり、意識一般であり、未發の心であり、人間各自の深き奥底の本體である。此の本體なる愛一般の本質を最もよく傳へ、生意の面目を最もよく呈するものが惻隱であるから、惻隱卽ち生意とも愛一般とも考へられる。然し惻隱が特殊個別の相對愛であるに反し、愛一般は普遍統一の絕對愛であり、人間各自の內に降在する本體の一切の精神と行爲とを生むべき自展面である。卽ち本體の意識と行爲との根源面である。愛一般とも生意とも若しくは意識一般ともいふべき未發の心が個意識を成立させるといふには、それが自覺自展しなければならぬ。そしてそれの自覺自展は抽象して言へば其の理と氣との自覺自展である。理の自覺自展のある所には必ず氣の自覺自展が伴ふ。此の理氣は未發の心に於いては渾然として一なるが故に、かゝる兩種の自覺自展は具體的には唯だ一つの自覺自展を爲す。其處には未發の心の唯だ一つの自展あるのみである。未發の心はその理の自覺自展によつて亦自覺自展的である。思惟は便宜を求めて一つの中から二つを抽象する。未發の心の中の理は卽ち太極であり性であり仁一般である。此の仁一般が自展するといふことは未發の心なる理氣渾一體が自展して個意識を生ずることを意味する。陳北溪が「仁是此心生理全體常生々不息故共端緒方從心中萠動發出來云々」(性理字義)といふは之を指すのである。理から言へば仁一般が自展して内に特殊の愛の理を限定するといふことは愛の理が自展することであり、それは意識界に惻隱の情を成立させることであるが、之を具體的に未發の心の上について言へば、未發の心全體がそのやうな自展をして自分の內に惻隱の情を限定成立させることである。同樣に仁一般が自展して内に義の理を限定するといふことは義の理が自展することであり、それは意識界に羞惡の情を成立させることである。然し具體的には未發の心全體がそのやうな自展をして內に羞惡の情を限定成立させることである。禮及び智の理の自展に於いても亦同樣である。萬情の成立に於いて之を觀るも亦同理である。萬情は萬理の自展に從つて生ずるが、萬理は四德の自展であり、四德の自展は四端を生むから、萬情は四端に包攝せられる。仁一般は四德が自展して四德自身の内に萬理を成立自展することを以つて自らよく萬情を限定するものである。然るにそれは未發の心がそのやうに自展して內に萬情を限定成立させることに外ならぬ。愛の理の自展に伴ふ未發の心の自展が惻隱であり、義の理の自展に伴ふ未發の心の自展が羞惡である。禮の理のそれが恭敬であり、智の理のそれが是非である。故に惻隱を仁の端とし羞惡を義の端、恭敬を禮の端、是非を智の端とするのである。然し理は理のみ單獨に存在はせず又活きもせぬから、四端も四德のみからは生れて來ず、四德のみの端とはいへぬ。理は氣と結合し共働することに於いてのみ始めて其の活らきを顯はす故、四端を專ら四德の端の如くに言ひながら、又他方では四德と氣との共働から生ずるとも主張するのである。（註一三）凡そ物象一として本體の自展たらざるは無いから、人間の意識も固より人間各自の深き奧底なる本體の自展でなければならぬ。そして朱子が四端萬情を理のみの自展とはせずして理氣渾一の未發の心の自展とする所に、彼が一切の意識を人間各自の奧深き本體の自展とする心が見られるのである。

愛は愛一般ではなく、惻隱は生意ではないが、愛·惻隱は愛一般·生意の面目を最もよく呈露し、本質を最もよく失はざるものであるから、愛が愛一般と見え惻隱が生意と見えること仁が仁一般と見えると同理であつて、特殊が直ちに一般と一なる趣が看取せられる。其處で程朱の如く愛を以つて萬情中の一感情とのみは見ずして諸感情の統一とも體系とも見ることが行はれるのである。しかし萬情の一なる愛を直ちに愛一般或は生意と混同することの出來ないことは上述の如くである。孺子の將に井に陷らんとするを目擊しては乍ち怵惕惻隱の起るは人間の深き奥底の生意の自覺自展である。穿窬の類を見ては生意は自展して羞惡の情を成立する。尊長の屬に對しては恭敬辭遜の情を成立し、是非に對しては是非分別の情を成立させる。凡そ萬事に接して內なる生意はよく自展して萬意識を成立させる。萬意識の顯現する所共の奥に生意の自覺自展が在り、萬意識の在る所共の根柢に生意が横はる。生意と萬意識とは重なつて一を爲す。故に惻隱・愛の生々的なるは言ふまでもないことながら、凡そ一切萬情一として生々的たらざるは無いのである。生意の自展が純なれば純なるほど萬情は益〻生々的である。人間に於ける生意の自展の純粹なること母の共の子に對する場合の如きは稀である。故に母の共の子に對する萬情は最も生々的である。母は唯だ己の子の爲めに喜び怒り哀しみ樂しみ、或は怨み或は感謝する。時には暗黑千仭の深淵に臨んで身も世もあらぬ恐怖と失望とに泣くかと見れば、時には天空高く希望の光を仰いで世は唯だ我身の爲めにのみ在りとさへ覺える。母は唯だ其の子の爲めの故にかくもあらゆる人情を味はひ盡すのである。母の深き內なる生意は我が子に對してはかくあらゆる自展をする。然も其の自展たるや一點の不純一毫の私を其の間に混ぜずして最も純である。故に其の嘗め盡くす萬情は一つ一つが何れ劣らず最も生々の趣を有つのである。母の我が子を怨怒し憎惡するは最も生の道に反するが如くに見えながら、其の實それ等は限りなく大いなる溫かさに潤うて最も生々的である。子に對して味はひ盡くす母の情が生々的にして、一として其の子を生かすものたらざるは無く、一として無限の溫情に裏付けられざるもの無きを見れば、凡そ萬意識が人間の深き奧底なる本體の自覺自展であり、その一つ一つが生意と同一なりとの趣が其の間に自ら看取出來るのである。唯だ若し何ものかによつて生意の自展の純粹性が幾分でも妨げられるとき、意識はそれだけ溫潤を缺き生々性を缺いて、それだけ生の道から遠ざかる。是れ本體の自展に偶然が混入するのであり、それだけ本體の生々に背いて不善であり惡である。本體の自展が些の不純偶然を混入せず、專ら純にして當然的なるとき、從つて萬情が純ら生々溫潤の意を含むとき、そこに道德的に善とせられる根據が在るかと思はれる。中村惕齋は嘗て次のやうな意味のことを言つた。卽ち、公平といふやうなことも實は慈愛の生意が其の主となり根柢となつて始めて眞の公平となるのである。父が羊を盗んで子が之を許く如きは一見直の如くなるも、之は唯だ私無きを以つて公とし直とするもので、人心本然の生意を以つて主とし根柢とすべきを知らぬものである。それは天地の生命たる生成の心の通はぬ公であり直であつて單なる絞直に過ぎぬ。公や直の中に自ら惻隱慈愛の生意が存して始めて完全なるものといへる。惻隱慈愛の情は生機である。凡そ君子の爲す所は常に此の生機を存する。故に刑罰の如きも萬止むを得ずして始めて之を施すのである。是れ謂はゆる生道を以つて人を殺すものである。其の刑殺の根柢には生意が流れて居る。かゝる刑殺にして始めて眞に正しい刑殺といふべきである。されば人を殺しながらも生機は失はぬ。然るに小人の爲す所は生機を失つて反つて殺機が其の根柢となる。故にたとひ愛を施すことあつても反つて怨を買ひ人を害するの結果ともなると論じて居る。(註一四)朱子生意の眞意を得たるに近いと思はれる。又、室鳩巣が駿臺雜話に「仁は心のいのち」なる旨を述べて「夫心は活物なるにより、人に情あり物の哀をしりて、常にいきたる物ぞかし、よりて父母を見ては自然に親愛し、親愛せざるに忍びず。君長をみては自然に尊敬し、尊敬せざるに忍びず。齒德を見ては自然に遜讓し、遜譲せざるに忍びず。義を聞ては必感ずる事をしり、不義を聞ては心恥ることをしる。もし情なく哀をしらずば、其心頑然として鬼畜木石のごとく、痛さ痒さもしらずなりなん。何をもて自愛し、なにをもて恭敬せん。義を聞て感ずる事なく、不義を聞ても恥る事なかるべし。中略、是天徳寺が武邊は涙より出れば、もとより仁者にはあらねど、武の一筋は仁に根ざして惻隱の心より發するにあらずや。然るに武は殺獲の事にて、手あらき道なればいはゞ仁とは黒白のたがひあるやうなれども、仁より出ざるは眞の武にあらず。況や其の餘の事はなをもてしるべし。されば忠孝も禮義も、文道も武道も、内より油然として潤ひわたりて發するにあらざれば眞のものにあらず。是則前にいひし人に情あり物の哀をしるの心なり。すべてもろ〳〵の言行ともに、義理に當てはこと〴〵く忍びざるの心より出て、天徳寺が涙をこぼすやうにだにあらば、是心徳の全きなり仁者といはんになにの疑かあるべき」と論じて居るのも亦見遁し難いものである。公平正直も忠孝禮義も之を浸透するに溫暖和煦の潤ひを以つてして始めて其等は眞なるものとなる。武勇も生意に根ざし刑罰も生意に裏付けられてこゝに始めて眞の武勇であり眞の刑罰である。武は干戈の擾亂を鎮止するを以つて眞とし、刑は惡を驅つて人を善道に納るゝ所以にして刑なきに至らしむるを以つて本質とする。武も刑も共に温暖和煦の滲潤するあつて始めてそれが可能であり、かゝる武と刑とを以つて其の眞なるものとするのである。皮日休が原親の末尾に「刑也者仁在其中矣」(文集卷三)といへるは其の意味せしめた所は必ずしも此の意と同じではないが、其の語は其儘借り來つて此の意を表現せしむることが出來るであらう。此の事は一切の道德についていへることであつて、道德も生々温潤の一貫あつて始めて眞の道德となり得ると考へられるのである。人類一切の文化はそれが人間の造建に係る限り、人間の深い奧底の本體・生意の自展であるから、一切が生々的であり無限の温かさに潤ふのが文化の本來の姿である。教育でも政治でも經濟でも藝術でも温潤生々的なるものを以つて眞とする。限り無き春の温かさに滲透せられながら不斷に伸び行く草木の姿こそ、實に人類の歴史的、社會的全生活の本來の眞面目であるであらう。

凡そ萬行は萬情の限定であるが、萬情は未發の心の自展であり、それは仁一般の自展に基くと考へられた。そして仁一般の自覺によつて成立する仁の理が自覺して惻隱の情を成立せしめる。此の慈愛惻隱の情の限定を主とする外的行爲は故に仁の理の自展に基くものとせられ、仁を行ふ行爲とせられた。仁を行ふ行爲は千差萬別で其の類は極めて多いが、之を總括すれば唯だ親々と仁民と愛物との三種となる。故に語類卷二〇に「如親々仁民愛物皆是行仁底事」（二六枚）といひ「愛之發必先自親親始親親而仁民仁民而愛物是行仁之事也」（二七枚）とも云つて居る。之れは中庸に「仁者人也親親爲大」と見え、孟子に「君子之於物也愛之而弗仁於民也仁之而弗親親親而仁民仁民而愛物」（盡心上）とあるに本づいたことは言ふまでもない。物とは禽獸草木の類を云ふので、之を愛するとは之を取るに時を以つてし之を用ふるに節あるをいふ。仁すといふは己を推して人に及ぼすをいふ。吾が老を老として以つて人の老に及ぼす類である。故に民に於いては仁すといへるが物には仁すとはいへぬ。親々とは父母兄弟を愛し妻子に和にして九族を親睦する等皆親親である。親々は固より仁の切なるものであるが、其の親々には自ら殺がある。就中父母に事へ兄に從ふは其の至つて切にして精實なるものである。故に孝弟を以つて仁を行ふ本とせられた。論語に有子が孝弟について述べた語が見えて居るが、其の中に「孝弟也者其爲仁之本與」（學而）といふ句がある。古來此の句の解釋に二説がある。一は皇侃が注して「孝是仁之本」(疏義)といふやうに、孝弟を以つて仁の本と爲すものである。管子が孝悌者仁之祖也」(管子戒第二十六)といへるも亦全く之と同じ思想である。他の一つは程伊川が「蓋孝弟是仁之一事謂之行仁之本則可謂之是仁之本則不可」(語録卷一、二枚)といふやうに、孝弟を以つて仁を行ふ本と爲すものである。朱子は程子の意に從つて此の句を註して「爲仁猶曰行仁」といつて居る。蓋し朱子謂へらく、仁は理である。究極である。仁の上に更に本ありと爲すことは出來ぬ。仁が親を愛するに見はれると之を孝と呼び、兄に事ふるに見はれると之を弟と喚ぶのである。故に孝弟を以つて仁の本といふわけにはゆかぬ。反つて仁こそ孝弟の本なのである。本とは始の意であつて、仁を行ふは孝弟より始まるをいふのであると。孝弟が仁を行ふ本であると爲すことは右の如くであるが、獨り仁のみならず義・禮・智を行ふ本も亦孝弟であると考へて、語類卷二〇には「只孝弟是行仁之本義禮智之本皆在此使其事親從兄得宜者行義之本也事親從兄有節文者行禮之本也知事親從兄之所以然者智之本也」(十五枚)と云ひ、「以此觀之豈特孝弟爲仁之本四端皆本於孝弟而後見也」(十七枚)と語つて居る。朱子がかく孝弟を以つて仁・義・禮・智を行ふ本と考へたのは、孟子離婁上篇に「仁之實事親是也義之實從兄是也智之實知斯二者弗去是也禮之實節文斯二者是也樂之實樂斯二者云々」といつてあるのに基いたことは言ふまでもない。

仁を行ふ事には親親と仁民と愛物との三があり、之を行ふに當つては孝弟を以つて本とし始めとし、仁民愛物を以つて末とし終りとすることは上述の如くである。思ふに親を親しむは第一段の事である。民に仁するは第二段の事である。物を愛するは第三段の事である。先づ孝弟にして然る後に推して民に仁し物を愛するに至る。恰も水の流れに似て居る。仁は水の源である。孝弟は水流の第一坎である。仁民は第二坎、愛物は第三坎である。水流は必ず先づ第一坎を過ぎて第二坎に及び、然る後に始めて第三坎を過ぎるものである。未だ第一坎を過ぎずして能く第二坎第三坎に及ぶものはないのである。孝弟は本であるから此の本が立つて道は生ずる。若し孝弟の本根がよく培養せられるならば、仁民や愛物の如き枝葉は自然に繁茂するに至るのである。未だ先づ孝弟であり得ぬ者は民に仁し物を愛することは不可能である。仁の顯現に次第先後あること此くの如くであるとするから、彼の墨子の謂はゆる兼愛とは大いに異なる所がある。墨子は愛に差等なくその至親を見ること衆人と異ならぬ。故に父を無みし君を無みするにも至るのである。墨子は本を二にするものである。しかし人物の生ずるは必ず各〻父母に本づいて二あるものではない。骨肉の親は本と同一氣で、但だ人の類を同じうするが如きと同日の論ではない。さりとて人と人とも亦類を同じうして相親しむもので、物の類を異にするが如きと同日の語ではない。西銘に分殊といふは之を謂ふのである。故に其の愛は必ず先づ親から立ち、親を親しむことから推して民に仁し、更に推して物を愛するに及ぶべきである。近から遠に、親から疎に及ぶべきである。然し萬物は皆天地の理を得天地の氣を禀けて生ずるもので、西銘には之を理一といつて居る。故に其の愛は必ず萬物に及ぶべきである。仁の施は其の極まる所に至つては差別無く平等でなければならぬが、但だ之を施すに當つては初めには必ず差等があり次第がなければならぬ。是れ我が性の自然であつて、性中の義の理がよく此くの如くならしめるのである。

抑〻支那は古來家族制度を以つて立てる國であるから、最も家族道德が重んぜられたのであるが、その家族道德の中でも親に對する孝と兄に對する弟とが最も重要なものであつた。儒教道德の淵源ともなつた堯舜時代の道德を見るに其の重んずる所は峻德を明かにして九族を親しみ百姓を章明にして萬邦を協和するに在つた。己を修めてやがて一家一族を齊へることが道德の根本であるとせられた。舜が畎畝の中に拔んぜられて遂に天下を讓り受けたのも其の孝弟と夫婦道德とに依つたのである。尙書舜典皐陶謨に五敎・五品・五典の名が出て居るが、左傳文公十八年に見える魯の大史克の語では父義・母慈・兄友・弟恭・子孝の五者を之に當てゝ居る。故に之では五品・五敎・五典は全く一家に限定せられた道德であつたわけである。後に孟子が出て五敎を父子有親・君臣有義・夫婦有別・長幼有序・朋友有信の五者とし、中庸も此の五者を天下の達道と說いて孟子の說と一致した。故に孟子・中庸では五敎の中に君臣・朋友の道が加はつたのであるが、それでも五つの中三つまでは家族道德が敎へられて居るわけである。其他或は三綱とか六紀とかが說かれるが、三綱は君臣・父子・夫婦で三つの中二つまでが家族道德であり、六紀は諸父・諸舅・族人・昆弟・師長・朋友で六つの中四つまでが家族道德となつて居る。孔子は支那道德思想の建設者であり完成者であつたが、それにも係らず自ら述べて作らずひたすら堯舜を祖述し文武を憲章する態度を失はなかつた。故に孔子によつて確立せられた道德も堯舜文武周公等の重んじたと同じ家族中心の道德であつた。孔子の道德は仁の一字に統一せられると言はれて居るが、然も其の仁と最も密接にして深い關係を有つ道德はやはり家族道德の孝弟であるとせられた。家族道德は支那に於いては此く重要なものであり、就中孝と弟とは又最も重要なものであつたから、書經君陳にも「惟孝友于兄弟克施有政」とあり、有子の言にも「孝弟也者其爲仁之本與」とあり、孟子も「堯舜之道孝弟而已矣」(告子下)とさへ說いて居る。されば朱子の如きも亦「但孝弟乃人心之不可已者所發最親切所繫最重大故行仁之道必自此始」(記謝上蔡論語疑義)といひ、「堯舜之道孝弟而已今人將孝弟低看了孝弟之至通于神明光于四海直是如此」(語類卷五六、一〇枚)と語つて居る。是れ孝弟を以つて最高の道德と爲し、之を推せば他の諸道德は自ら行ひ得べきをいふのである。然るに孝と弟とを比較すれば、言ふまでもなく禮記祭義に「至孝近于王至弟近乎霸」などとあるやうに孝こそ最高最貴の道德とせられ、聖人の德孝に如くは莫しとせられた。孝弟は仁を行ふ本とせらるゝが故に情に於いては愛が其の中心となるとせらるゝが、義・禮・智を行ふ本も亦孝弟なりと爲す故に、亦恭・宜・別の情をも併せ含むとせられるのである。故に孟子の「義之實從兄是也」のやうに弟を以つて義に屬せしめることも爲し得るのであり、孝に在つても亦敬の上から說くことも出來るのであるから、孔子は子游の孝を問へるに答へて「不敬何以別乎」(爲政)と曰ひ、孟子は「孝子之至莫大乎尊親」(萬章)といふ。曾子も「孝有三大孝尊親其次弗辱其下能養」(禮記祭義)と述べ、孝經には「子曰天地之性人爲貴人之行莫大於孝弟莫大於嚴父嚴父莫大於配天云々」(聖治章)と云つてある。敬するは差別を立てる所以であつて義の行はるゝ所以であるから、朱子は孟子離婁上篇の「義之實從兄是也」に註するや「義主於敬而敬莫先於從兄」といひ、盡心上篇の「親親仁也敬長義也」の註に於いては「所以爲仁義也」といつて居る。かくて仁義の道至つて多く愛敬の用至つて廣きも其の精實にして切近なるものは親に事へ兄に從ふの間を出でぬと考へられたのである。然るに弟よりも猶ほ重く貴しとする孝は親を愛するより大なるは莫く、又親を尊ぶより大なるは莫いとせられるのであるから、從つて仁義の道愛敬の用は孝に於いて極まると考へられる。孝經全卷孝を說いて竟に愛敬の二字を出でざる所以である。而して仁は禮を兼ね義は智を包れるとせられるから、仁義の德の自展は五常の德の自展を意味し、從つて又仁一般のあらゆる自展を意味する。仁一般のあらゆる自展は未發の心・生意のあらゆる自展を意味するが故に、支那に在つては人間の奧底深き本體の自展は先づ親に對して現はれ且つ親に對して純粹に行はるゝを以つて理想とし、此の自展が純粹に行はるゝに至れば其の他の道德は自ら之を推して實現し得ると見るのである。故に孝經にも「資於事父以事母而愛同資於事父以事君而敬同故母取其愛而君取其敬兼之者父也故以孝事君則忠以敬事長則順忠順不失以事其上然後能保其祿位而守其祭祀蓋士之孝也」（士章）と云つてある。然るに我が日本に於いては大いに之と異なる所がある。我國も亦支那の如く家族制度の行はれる國であるから、父母に孝に兄弟に友なるべきは言ふまでもない。然し孝を以つて至極とはせずして忠を以つて至極とする。克く孝なるべきは論ずるまでもないことながら、克く忠なるべきは猶ほ更ら論ずるまでもないのである。支那の家族が君を除外する群小家族であるに反し、我が國の家族は皇室を宗家とし天皇を宗主とする一大家族である。天皇は吾等の君にして吾等は天皇の臣でありながら、天皇は吾等の大親にして吾等は天皇の子に外ならぬ。天皇は吾等臣子を生み給ふ。直接吾を生む者は我が父母であるは言ふまでもないが、父母が吾を生むことによつて天皇は吾を生み給ふのである。かくて天皇は吾等の大親であらせられる。其處に天皇に對して吾の仁が自展し吾の愛が傾き動く根據がある。天皇の內に我が父母が在り、我が父母の內に吾は在る。吾は我が父母の內に在ることによつて直ちに天皇の內に在る。天皇は吾を包み我が直接の父母を包み給ふ高次的なる統一者である。かくて天皇は吾等の大君であらせられる。其處に天皇に對して吾の義が自展し吾の敬が傾き動く根據がある。天皇は大親としては子たる吾の愛の究極の對象であり、大君としては臣たる吾の敬の究極の對象である。天皇は子の仁と臣の義とが向ひ聚まる對象であらせられる。天皇に對しては愛と敬とは主從なく輕重なく大小もない。愛と敬とは共に其の極まる所に至らねばならぬ。仁義の道愛敬の用は支那に於いては孝に極まるとせられるが、我に於いては忠に極まるのである。故に天皇に事ふる愛を資つて以つて父母に事ふればよく、天皇に事ふる敬を資つて以つて長兄に事ふればよい。父母には特に其の愛を取り長兄には特に其の敬を取るのである。天皇に盡くす忠心を以つて父母に事ふれば孝となり、之を以つて長兄に事ふれば弟となる。克く忠なるを得ば其の他の道德は自ら成立する。仁の行爲の最大最高なるものは孝に非ずして忠に在る。忠は百行の本である。かくて我が奧深き本體のあらゆる自展は天皇に向つて集註せられ、天皇に對して純粹に顯現するを以つて理想とする。然も天皇に向つてかゝる自履をすることが吾が本に復り始めに反つて大いなる生命に合一することであり、天皇へ歸一することである。朱子の謂はゆる天人合一も復性も得仁も皆かゝることをいふものと解することによつて、朱子學の我國に於ける意義が益〻深まつて來るのではあるまいか。

註一 朱子集巻四六、答周舜弼第五書。巻三四、答張欽夫論仁說。

註二 語類巻二〇、三〇枚に此の文の仁は愛の上についていふもので、偏言の仁である旨を「巧言令色鮮矣仁汎愛衆而親仁皆偏言也」と述べた語が見えて居る。然るに同三四枚の南升の錄には「只是心在時便是仁若巧言令色之人一向逐外則心便不在安得謂之仁」とあり、同二一枚には「巧言令色求以悅人則失其本心之德矣」とある。此等は此の文の仁を專言の仁と爲すものである。論語或問にも此の章を說いて「故仁之爲義偏言之則曰愛之理前章所言之類是也專言之則曰心之德此章所言之類是也」と述べて居る。されば本註にも心の德を以つて之を解して「人欲肆而本心之德亡矣」と云つて居る。之を偏言の仁と爲すは朱子の眞意ではないと言へる。金仁山も論語集註攷證に「此仁字言心之德」と言つて居る。

註三 謝疊山は論語の仁を言ふや事に隨つて發現する處に於いて言ひ、孟子の仁人心の一語は直ちに仁の本體を說く。故に朱子は論語の註に於いては先づ愛を言ひ孟子の註に於いては先づ心を言ふとす。諸諷氏は論語の爲仁とは仁を行ふと曰ふ如くで仁の用を以つて言ふ。故にその集註には先づ愛の理を言ふ。孟子の此の章は仁の體を以つて言ふ。故に集註には先づ心の德を言ふとする。胡雲峰は孟子の謂ふ所の仁は體用を兼ねて言ひ、論語の謂ふ所の爲仁とは仁の用を以つて言ふとして集註の相異を之に原けんとした。吳程は論語の爲仁は用に因つて體を明かにするもので偏言の處に就いて仁を說き、孟子の仁は體を先にし用を後にするもので專言の處に就いて仁を說く。故に集註は互に異なるとする。蒙引は論語の爲仁は愛の上を主として說き、孟子の仁は體用を以つて言ふ故に體を先にし用を後にしたとする。汪份に至つては孟子の此の仁も亦偏言の仁を言ふのであるが、しかし仁と義とを對擧して居る所から言へば仁は體で義は用であり、又其の中に各々體用がある。故に體を先として用を後にしたのであると言ふ。

註四　語類卷六、七枚。

註五　語類卷六、七・八枚。卷七七、六枚。

註六　語類卷六、九枚及び二二枚には之と反對の論が見える。卽ち仁は體は剛にして用は柔、義は體は柔にして用は剛と說いて、其の然る所以は仁の體は流動發越の意があるが、其の用は慈柔であり、義は體は商量宜しきに從ふ意があるが、其の用は決裂の意があるからであると說いて居る。

註七　語類卷五三、三〇・三五枚。

註八　語類卷二〇、二二枚。同卷九五、一一枚。仁說等參照。

註九　拙著「朱子の實踐哲學」三八頁—四〇頁參照。

註一〇　同書一九五頁—二〇九頁參照。

註一一　語類卷五三、二〇・二一枚參照。

註一二　朱子集卷三四、答張欽夫論仁說參照。

註一三　拙著「朱子の實踐哲學」第一篇第三章第一節、第二篇第一章第五節及第三篇第二章第一節參照。

註一四　講學筆記。

第五章　仁に關する異說と其の批評

仁卽愛の說　朱子の思想では仁は理にして愛は情である。仁は未發の體にして愛は已發の用である。體と用とは判然相離れぬがしかし其の間に異なる所がなければならぬ。宜しく二者の異なる所を分別すべきである。然るに漢より以來愛を以つて仁を謂ふ者が少なくなかつた。荀子は「仁愛也故親」(大略)といひ、莊子は「愛人利物之謂仁」(天地)といひ、韓非子は「仁者謂其中心欣然愛人也」(解老)と說く。又、禮記には「上下相親謂之仁」(經解)とあり、董仲舒は「何謂仁仁者憯怛愛人」(春秋繁露必仁且智)と云ひ。白虎通は「仁者不忍也施生愛人也」(情性)といふ。此等は皆仁を解くに愛を以つてせるものであるが、朱子は韓退之が原道に「博愛之謂仁」といへるを以つて其の最たるものと爲し、之を評して曰く、韓愈の仁を言ふは情を以つて性と爲すものであつて、性と情との辨を察せずして相混ずるものである。程伊川は既に言つて居るではないか、仁は性で愛は情であるから愛を以つて仁と爲すことは出來ぬ旨を。(註一)是れ情を認めて性と爲すべからざるを戒めたものである。かの

漢以來愛を以つて仁を言ふ弊は正に性情の辨を察せずして遂に情を以つて性と爲した爲めである。（註一）

然るに論語には「樊遲問仁子曰愛人」（顏淵）とあり、孟子には「親親仁也」（告子下盡心上）とある。中庸にも「仁者人也親々爲大」（二〇章）と見えて居る。是れ仁を說くに愛を以つてせるものではないか。朱子は必ずしも然りとはせずして、論語の彼の章は「愛人仁之施」（同章註）の意なりと解し、孟子の該章は「親親之心仁之發也」（同章註）の意と爲し、かの中庸は「人指人身而言具此生理自然便有惻怛慈愛之意」（同註）の意味であると解して、決して仁即愛の義に非ざる旨を主張して居る。獨り之れのみならず、朱子が其の條理の密意味の深なる點に於いて推賞して措かなかつた通書にも「德愛曰仁宜曰義云々」（誠幾德）とある。是れ亦其の仁の說は韓愈と異ならざるが如くである。朱子は之をも愛の用に因つて仁の體に名づけたもので、其の意味は猶ほ惻隱の心は仁の端といふ如くである。愛の處に就いて仁を指出したに過ぎないので、韓愈の說と同じきものではないと主張して居るのである。（註二）

仁即覺の說　語類卷二六に云ふ「湖南諸公以知覺做仁說得來張大可畏」（一七枚）と。而して朱子が最も其の非を攻めたのは謝上蔡であつた。謝上蔡の說は其の語錄に「有知覺識痛癢便喚做仁」(枚一二)とあるを見て知り得るので、朱子は覺を以つて仁を解する上蔡の此の說の誤りなることを語類や文集の諸所に論じて居る。答呉晦叔書に云ふ「若知覺則智之用而仁者之所兼也」(朱子集巻八)と。或は「又論仁說」にも「故謂仁者心有知覺則可謂心有知覺謂之仁則不可蓋仁者心有知覺乃以仁包四者之用而言猶云仁者知所羞惡辭讓云爾若曰心有知覺謂之仁則仁之所以得名初不爲此也今不究其所以得名之故乃指其所兼者便爲仁體正如言仁者必有勇有德者必有言豈可遂以勇爲仁言爲德哉」(朱子集巻二四)と論じて居る。蓋し智の理が動いてよく知覺が成立するが、仁一般はよく此の智をも包ぬるが故に仁者はよく知覺するのである。

そこで仁者は心に知覺ありといへば正しいが、知覺を直ちに仁と呼ぶは正しくない。用を以つて體と爲すからである。上蔡が流れて此こに到つたのは、蓋し伊川が博愛は仁ではなく仁は性で愛は情であると主張したのを誤解した爲めである。伊川の意味は唯だ情を認めて性となすべからざるを言ふに過ぎぬので、決して仁の性が愛の情を發せず、愛の情が仁の性に本づかぬといふのではない。一體仁は愛を離れぬものである。然るに惜しい哉上蔡は伊川のその語が專ら知覺を以つて仁を言ふものと解して遂に此くの如く仁の眞意を失ふに至つたのである。此の上蔡の說は一變して張子韶となり、子韶の說は一轉して陸子靜となつた。上蔡の說は未だ甚だしくは誤らぬも子韶に至つては復た伊川の意を去ること漸く遠く、子靜に及んでは其說彌〻益〻違ふに至つたと考へたのである。(註四)

仁卽天地萬物と一體の說　仁の眞意を誤解したものとして朱子が力めて辨明したものゝ中に楊龜山の仁說がある。龜山は天地萬物と一體たるを以つて仁の體と爲したものである。之は恐らくは程明道が識仁篇に「仁者渾然與物同體」といつたり、遺書に「醫書言手足痿痺爲不仁此言最善名狀仁者以天地萬物爲一體莫非己也認得爲己何所不至若不有諸己自不與己相干如手足不仁氣已不貫皆不屬己」(卷二上)とある表現に基いて說を爲したものと思はれる。然るに程明道の眞意は、天地の大德が生成となつて發現するやうに、人の仁德は愛の行爲となつて發現する。而して眞に萬物を一體と見て悉くを完全に愛することは我が萬物と同體となることである。完全なる愛によつて萬物と一體となるところに仁の眞面目がある。天地萬物を以つて一體と爲すことそれ自體が直に仁ではない。それは仁の用であると考へたのである。此の明道の思想を誤解して仁の用を以つて直ちに仁の體と爲したのが楊龜山である。朱子は龜山の流れを汲む者ではあつたが、しかしその仁說に至つては之を取らず、反つて龜山の說を以つて仁の眞意を得ざるものとして、屢〻門人に告げて其の說の太だ寬なるをいひ且つ天地萬物と一體たるは仁の愛せざる無きを知るもので、決して之を仁の體と爲すべきではない。寧ろ仁の量であり結果である。仁の如きは自然本有の理であつて必ずしも天地萬物同體にして始めて有ると爲すべきではない。唯だ仁にして然る後始めてよく天地萬物と一體たり得るに過ぎぬ。無私が仁の前事であるに對し天地萬物と一體と爲ることは仁の後事である旨を主張して居るのである。(註五)

仁卽公の說　程子の時公を以つて仁と爲す者があつたので旣に其の非を辨じた伊川の語が遺書の所々に見えて居る。朱子の時にも尙ほかゝる說を爲す者が往々にして在つた。かの張欽夫の如きは其の一人である。朱子が其の非を辨じた語は文集語類に相當多く見えて居るのであるが、(註六)答鄭子上第十四書に「仁是本有之理公是克己功夫極至處故惟公然後能仁」(朱子集卷三八)とある類は彼の意を最も簡明に表はし得た一つであらう。蓋し朱子によれば、公とは克己の功の極まり到る處で、公の地點に至ればそれで早や自ら仁である。公は固より仁ではない。仁に到る所以の道である。「公是仁之方法」(語類卷六、二七枚。卷九五、三八枚)である。故に「公在仁之前」(同)

といはねばならぬ。人欲旣に消盡して仁は始めて其の姿を現はすものである。程伊川に「惟公近仁」の語があるが、之を溝中の水について說明して見ると、溝中に元と此の水がある。之れが仁である。所が沙土に壅塞せられると此の水は流れぬ。若し能くその沙土を擔去すると水は流れる。この沙土が己私である。謂はゆる克己復禮とは此の己私を去ることである。能く此の己私を去つて公であれば天理は自ら流行するものである。旣に己に克つて別に天理を討ね來つて裏面に至らしめるのではない。纔かに公であればそれで仁は其處に在るのである。故に惟公近之といふので近とは近似の近ではないと主張したのである。

註一　遺書卷一八云「孟子曰惻隱之心仁也後人遂以愛爲仁惻隱固是愛也愛自是情仁自是性豈可專以愛爲仁孟子言惻隱爲仁蓋爲前已言惻隱之心仁之端旣曰仁之端則不可便謂之仁退之言博愛之謂仁非也仁者固博愛然便以博愛爲仁則不可。」

註二　朱子集卷三四、答張欽夫書。語類卷二〇、一八枚。卷二六、一六枚。卷三三、一八枚等。

註三　通書解。語類卷二〇、一八枚等。

註四　其他朱子集卷六八玉山講義。卷三六答何叔京第十八書。卷六八仁說。語類卷六、一九枚。卷二〇、一八・三三枚。卷二六、一七枚。卷三三、二二枚等參照。

註五　拙著「朱子の實踐哲學」四三九－四四〇頁。語類卷六、一八・一九・二〇枚。同卷三二、一五枚。朱子集卷六八仁說等參照。

註六　朱子集卷三四又論仁說。卷一七答范伯崇第五書。卷三四答呂子約第三七書。卷三八答吳晦叔第一〇書。語類卷六、一七・一八枚。卷四一、一五枚。卷九五、三七・三八・三九枚。卷九七、七枚。卷一一七、二八枚等。

結語

朱子の德の概念は以上論じた所によつて知られるやうに要するに仁の一字に歸着するもので、仁一般が最も高次的な德とせられ、此の仁一般から一切の道德現象を說き盡くさんと欲したわけである。そして其の論理的展開を最も簡潔に表はしたものは語類卷一〇五に所載の「仁說圖」と、文集卷六七に收錄の「仁說」とであらう。故に左に此等を錄し以つて朱子自らをして本論文の結語を述べしめることにしよう。

（仁說圖）

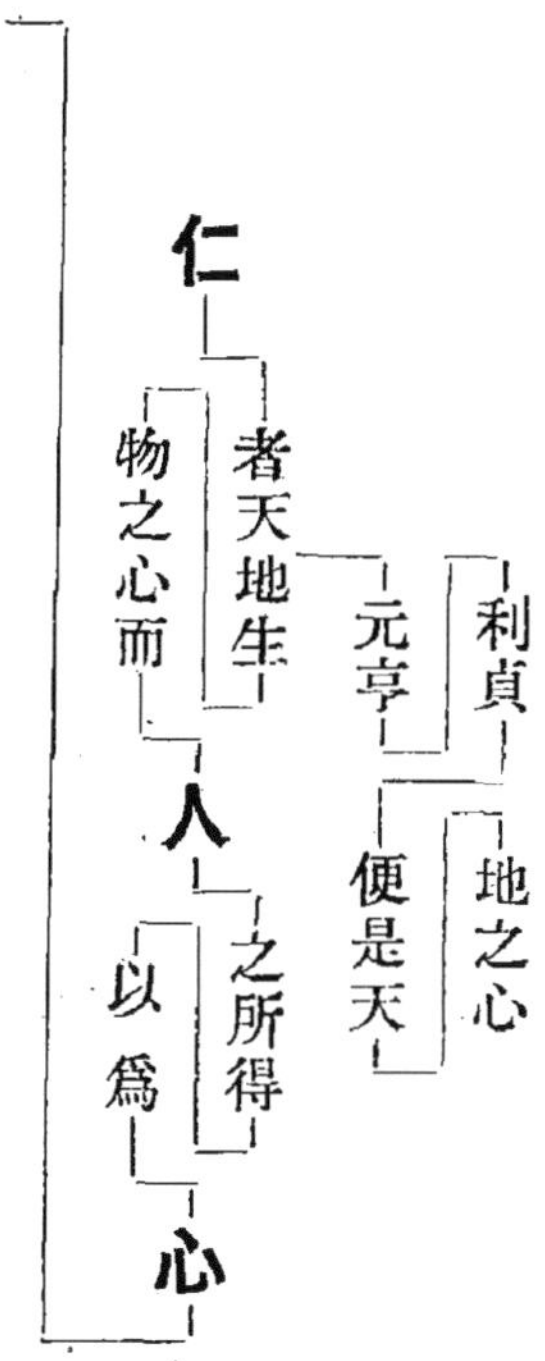

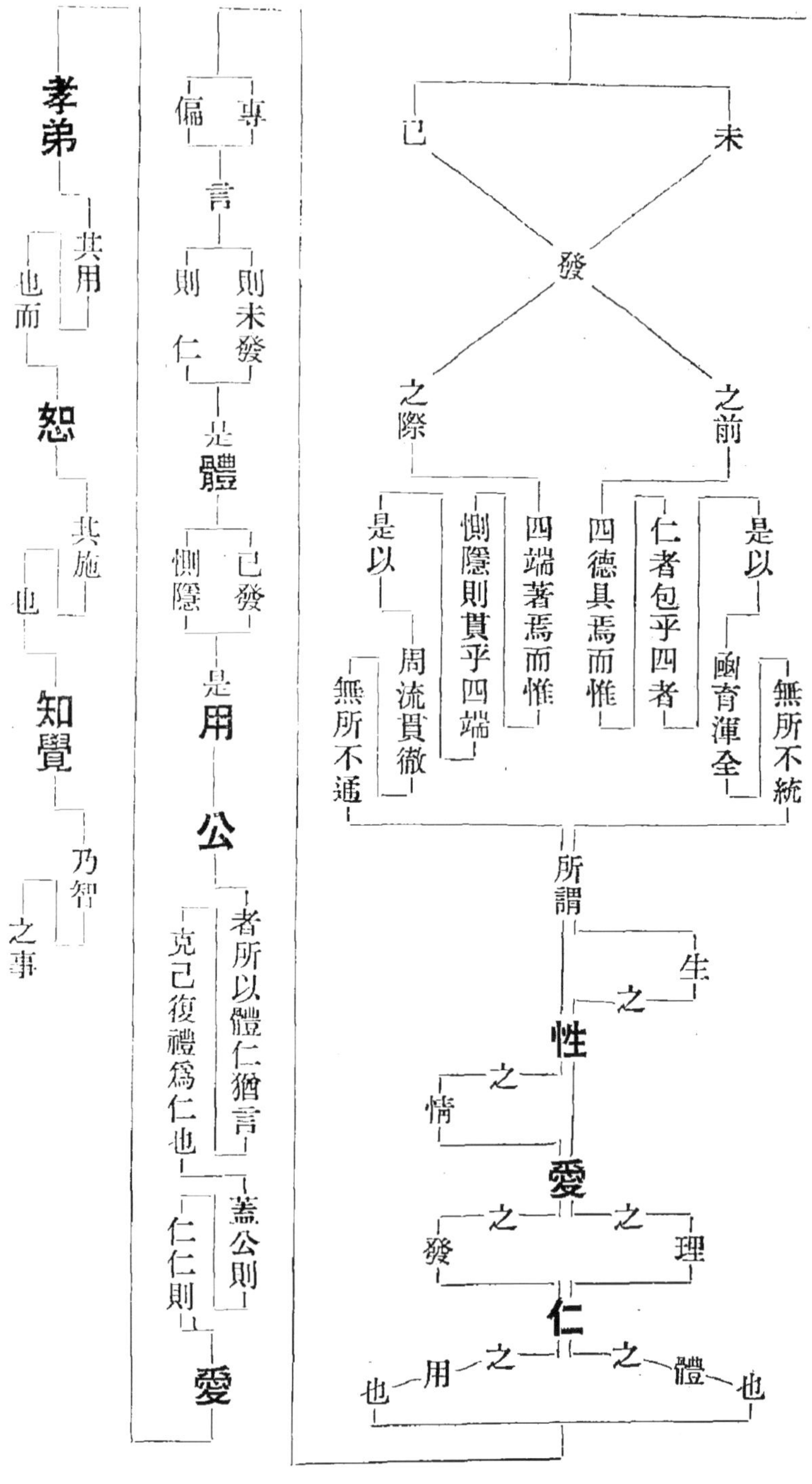
未
已
發
之前
之際
是以
仁者包乎四者
四德具焉而惟
四端著焉而惟
惻隱則貫乎四端
是以
函育渾全
無所不統
周流貫徹
無所不通
所謂
生
之
性
之
情
愛
之
之
發
理
仁
之
之
用
體
也
也
專
偏
言
則未發
則
仁
是
體
已發
惻隱
是
用
公
者所以體仁猶言
克己復禮爲仁也
蓋公則
仁仁則
愛
孝弟
其用
也而
恕
其施
也
知覺
乃智
之事

（仁說）

天地以生物爲心者也而人物之生又各得夫天地之心以爲心者也故語心之德雖其總攝貫通無所不備然一言以蔽之則曰仁而已矣請試詳之蓋天地之心其德有四曰元亨利貞而元無不統其運行焉則爲春夏秋冬之序而春生之氣無所不通故人之爲心其德亦有四曰仁義禮智而仁無不包其發用焉則爲愛恭宜別之情而惻隱之心無所不貫故論天地之心者則曰乾元坤元則四德之體用不待悉數而足論人心之妙者則曰仁人心也則四德之體用亦不待遍擧而該蓋仁之爲道乃天地生物之心卽物而在情之未發而此體已具情之既發而其用不窮誠能體而存之則衆善之源百行之本莫不在是此孔門之教所以必使學者汲々於求仁也其言有曰克己復禮爲仁言能克去己私復乎天理則此心之體無不在而此心之用無不行也又曰居處恭執事敬與人忠則亦所以存此心也又曰事親孝事兄弟及物恕則亦所以行此心也又曰求仁得仁則以讓國而逃諫伐而餓爲能不失乎此心也又曰殺身成仁則以欲甚於生惡甚於死爲能不害乎此心也此心何心也在天地則坱然生物之心在人則溫然愛人利物之心包四德而貫四端者也或曰若子之言則程子所謂愛情仁性不可以愛爲仁者非歟曰不然程子之所訶以愛之發而名仁者也吾之所論以愛之理而名仁者也蓋所謂情性

者雖其分域之不同然其脈絡之通各有攸屬者則曷嘗判然離絕而不相管哉吾方病
夫學者誦程子之言而不求其意遂至於判然離愛而言仁故特論此以發明其遺意而
子顧以爲異乎程子之說不亦誤哉或曰程氏之徒言仁多矣蓋有謂愛非仁而以萬物
與我爲一爲仁之體者矣亦有謂愛非仁而以心有知覺釋仁之名者矣今子之言若是
然則彼皆非歟曰彼謂物我爲一者可以見仁之無不愛矣而非仁之所以爲體之眞也
彼謂心有知覺者可以見仁之包乎智矣而非仁之所以得名之實也觀孔子答子貢博
施濟衆之問與程子所謂覺不可以訓仁者則可見矣子尙安得復以此而論仁哉抑泛
言同體者使人含糊昏緩而無警切之功其弊或至於認物爲己者有之矣專言知覺者
使人張皇迫躁而無沈潛之味其弊或至於認欲爲理者有之矣一忘一助二者蓋胥失
之而知覺之云者於聖門所示樂山能守之氣象尤不相似子尙安得復以此而論仁哉
因並記其語作仁說。

實存的道徳の諸問題

世良壽男

目次

この一篇は昨夏總督府主催の精神文化講習會に於ける講演の內容を新たに補整したものである。その意圖は主としてキェルケゴール、ゴーガルテン、ブルンナー、ヤスパース、ハイデッガー、ベルグリン等に於ける實存的道德觀をばそれぞれの問題に聯關せしめて叙述し、そこに特殊道德と一般道德との具體的關係を見ることにあつたのであるが、然しその結果はこれ等の人々の言葉をかりて自分自からの道德的感慨を托するやうなものとなつた。深くこれ等の人々と聽講者に對して恕しを乞はねばならぬ。これが主なる材料は、Kierkegaard, Entweder = Oder; Der Begriff der Angst; Krankheit zum Tode; Abschliessende unwissenschaftliche Nachschrift II. — Gogarten, Politische Ethik; Ich glaube an den dreieinigen Gott. — Brunner, Das Gebot und die Ordnungen. — Buber, Ich und Du. — Jaspers, Philosophie; Psychologie der Weltanschaungen. — Heidegger, Sein und Zeit; Vom Wesen des Grundes. — Bergson Les deux sources de la moral et de la religion 等であつた。

第一　『これか＝あれか』の問題

『これか＝あれか』(Entweder = Oder) といふ言葉はかのキェルケゴールのいふやうに、丁度咒文のごとく吾々人間的現存在の上へ働らく、吾々の魂はこれに於て深き嚴肅さ、眞面目さを體驗する。そして吾々はこの言葉の絕對的意味をば、一方に眞理性と明晰性と正義、他方に快樂と傾向性と暗らき激情が立つやうな生の矛盾的瞬間に於て最も明らかに感得する。然しこのやうな『これか＝あれか』は果して何處から來るか、この絶對的なる選擇をば必然的ならしめるものは何であるか。それは人間的實存の根柢に於ける限りなき不安の自覺より來る、實存とはかかる根源的不安についての自覺的存在に外ならない。『自己自身の自由をばそれの可能性に於て反省する』ことによる、『客觀的不安』と『自己の罪の結果として個人に於て成立してゐるところの、個人に於ける不安』としての『主觀的不安』[1]の自覺からしてこの『これか＝あれか』の絶對的選擇は生れるのである。『不安は運命を發見する』[2]と言はれるのはこれがためである。それではこの『これか＝あれか』に於て吾々は果して何を選擇し、何を決定するのであるか。吾々はそれに於て吾々の人格性の內容について決定する、この選擇によつて吾々の人格性は始めて吾々のものとして眞の具體的內容を得る、人格性は全くこのやうな選擇によりて現實的に成立するのである、何故ならば選擇とは現存在に於て私自身であらうとする決意であるから。それゆえにこの選擇又は決意の瞬間は吾々に對して最高の嚴肅さ、眞面目さの瞬間である、しかもこの嚴肅さ、眞面目さは吾々に對して『選擇に於て現はれるところの可能性の嚴密なる熟慮』の中に存するのでもなく、又この熟慮に結付いた『多樣の思想』の中に存するのでもなく、それは『危險が猶豫の中に存する』かゆえに、嚴肅であり、眞面目なのである。若し人にして選擇をば猶豫するならば、その時人格性は無意識に選擇する、又は人格性に於ける暗らき力がこれを選擇するであらう。(3) かやうにして選擇すること又は決意することは倫理的なるものに對する本來的且つ緊急なる表現である、常に嚴密なる意味に於てこの『これか＝あれか』の存するところ、そこにはたしかにまた倫理的なるものが關係せしめられてゐる、これこの選擇又は決意はやがてまた善と惡との間の選擇又は決意に外ならないから。否なこの選擇又は決意は倫理的でのみあり得ると考へることが出來るであらう。他の選擇、例へばかの美的選擇と考へられるものも、それが全く直接的、直觀的である限り、嚴密には何等の選擇でないであらう、若い少女の『心情の選擇』はそれがいかばかり美しくても、嚴密なる意味に於て何等の選擇でもないであらう。(4) 純粋に直接的なるものとして美的なるものは實存することに於て何等の矛盾をも見出さない、矛盾は外より來る、そして内面的矛盾を見出さないところには『これか＝あれか』の選擇は成立しないからである。又思惟の領域に於ても、より高い統一に於て自からを他と結付けるためには一つは他へと移り行くものであらねばならぬ、そこには眞の意味に於ける絶對的對立は存せず、從つて何等絶對的選擇も存しない。(5)　たとひ思惟の領域に於て絶對媒介といふことが考へられ、しかもそこに絶對否定的に絶對的對立が必然的に豫想せられるやうに見えるにしても、然しかかる絶對的對立はもはや嚴密には、それに對じてあらゆるものが存在して、しかも何ものも生成しないところの思惟に於ける對立ではなくして、思惟の根柢に於てこの生成をば可能ならしめるところのかの『永久的のものと時間的のものとの結合』としての實存の本質たる辨證法的なる意志の對立であらねばならぬ、何故ならばかかる實存的なる意志の領域に於てのみ、矛盾の統一としての自由は可能であり、そしてかかる自由の可能に於てのみ、そこに必然的に『これか＝あれか』の絶對的對立が成立するからである。かやうにしてこの『これか＝あれか』の絶對的選擇はどこまでも意志の領域、自由の領域に於ける選擇であり、從つて倫理的である、卽ち人格性が自己を選擇する間に、それは自己をば倫理的に選擇するのである。然しこの倫理的選擇は、それが上述のごとく單に可能性についての決定でた　、して、むしろそれによつて選擇されるところの精力、情熱、眞面目さに關係する、卽ちそこに人格の內的無限性が自からを顯はにする限りに於て、それは嚴密にはもはや單に善と惡との間の選擇ではなくして、むしろ『それによつて人が自からをば善惡の對立の下に置かんと欲するか、又は欲しないか、といふ選擇』である、從つて問題は『如何なる見地の下に人は全生をば考察し且つ生きんと欲するか』といふことにある、(6)そしてそこに人格性が自己をば倫理的に選擇するといふことの意義が存するのである。

若し以上のごとく『これか＝あれか』にして、自己の人格性の具體的內容が選擇されるところの倫理的選擇であるとするならば、人格性は如何なる仕方に於て眞に具體的に自己を選擇するか、といふにキェルケゴールは『絕望を選擇すること』に於てといふ。(7)この一見奇矯なる、矛盾的なる言葉は人間的實存の本質について深い反省を與へるものでなければならぬ。絕望を選擇するとは如何なる意味であるか。元來絕望とは『自己が自己自身に對する關係の不釣合』として『精神に於ける又は自己に於ける病』である、しかもかゝる病があり得るといふ可能性は動物に對する人間の優越である、かれは絕望し得ることによつて、自己であり、精神であることをば證據立てるから。(8)かやうにして人間の生は本來的に絕望である、『人間が絕望してゐるといふことは稀れなことではなくして、人間が眞に絕望してゐないといふことが稀れなことである、』これ『絕望してゐないといふことは絶望の一つの形式である』から。(9) 卽ち普通の場合にあつては、現實性は充たされたる可能性、働くところの可能性、又は可能性の確證であるに反し絶望に於ては現實性は却つて無力なる可能性又は可能性の破棄である。(10) それゆえに現實的に絶望してゐるといふことは、絶望してあり得るといふ可能性の否定であるに對して、現實的に絶望してゐないといふことはこの可能性の否定の否定として、實際絶望してゐることである。卽ち吾々は絶望してゐないといふことに於て却つて絶望してをり、絶望してゐるといふことに於て却つて絶望を超えてゐるのである。絶望を選擇するといふことの意味はこゝにあらねばならぬ。今絶望するとは、かやうに絶望の可能性の否定として、決して選擇を棄てることではなくして、それ自から一つの選擇である。然るに絶望卽ち Verzweiflung とは上述のやうに自己が自己に對する關係の不釣合ひ又は自己分裂として、それ自から疑ひ卽ち Zweifel の一種と考へられるのであるが、然し絶望は決して直ちに疑ひと同一ではない。卽ち Zweifel は Zweifalt の意で『心が二様に分れる』といふ『思想そのものゝ內的運動』を意味するに對して、Verzweiflung に於てはかの Zweifel に於ける否定的側面が前景に出で、それの Ver= によつてこの否定的意味が強められ、かくして心が自から二様に分れる思想の内的運動といふよりも、むしろ生そのものに於ける絶對的斷絶を意味しなければならぬ。　かやうにして疑ひが、思想の内的運動として分裂である限りに於て、人は疑ひを選擇することなしに疑ふことが出來るが、然し絶望は吾々の生そのものに於ける絶對的斷絶として、人は絶望をば選擇することなしに絶望することを得ない、絶望することはそれ自から絶對的選擇であらねばならぬ。絶望は疑ひよりも遙かにより深く且つ包括的である、絶望は疑ひが部分的であるに對して全體的であり、疑ひが主として思想のみに關するに對して、絶望は全人格に關係する、吾々は『思想の絶望』としての疑ひに打克つことは出來るが、『人格の疑ひ』としての絶望は、却つて疑ひの全く打克たれたところに生ずるとも考へることが出來る。(11)　絶望はまさしく自分自からを滅ぼすことである、しかもそれにかかはらず絶望は、絶望の根柢に横はるところの永遠なるもの、又は本來的自己をば滅ぼすことを得ない、卽ち絶望は自分自身を滅ぼす力なくして自分自身を滅ぼさんとする激情である、それは自分自身を滅ぼすことは出來ぬ、又は無にすることは出來ぬといふことについて絶望することに外ならない。(12)絶望は決して疑ひの解決によりて克服することを得ない、絶望はただ絶望することによつてのみ超えらるべきである。然るに今吾々は一般に眞實に絶望するためには眞實に絶望を欲しなければならぬ、眞實に欲しない絶望、他より强要された絶望は眞實の絶望ではない、他よりの絶望に對しては吾々は絶望しないことが出來るからである、吾々が自己の内奧から選擇した絶望こそ吾々にとつて絶對の絶望であるとともに絶望そのものゝ超克でもある。『神がそこにあり、そして人間自身又はかれの自己が神の前にあるといふこと、卽ち無限性が獲得されるといふことはどこまでも絶望を通しての外は決して到達せられない』。(13) かくして絶望の選擇に於て始めて人格性は安らひに來る、しかもそれは必然性をもつてではなくして、却つて自由をもつてである、吾々は決して必然的仕方で絶望しない、自由に於てのみ絶望の選擇は始めて可能であり、そしてここに吾々自身であるところのものが絶對に獲得されて來るのである。

今若し以上のごとく吾々は絶望の選擇に於て吾々自身であるところのものを選ばば絶對に選擇し、措定する又はそれに於て吾々は吾々を選擇するところの絶對的のものを選擇するとするならば、この絶望の選擇に於て選擇せられ、立せられるところの常のものたる『自己』とは如何なるものであるか。それは未だあらざる自己としてまさに選擇さるべき當のものである限り、最も抽象的なるものであると同時に、またそれはどこまでも吾々の自己として吾々自からの主體の根柢に於て見出さるべき生ける現實である限り、それ自からに於て最も具體的のものでなければならぬ。 即ちこの絶對に選擇された自己は絶對に創造されたものとして、吾々の以前の自己から異つてゐる、吾々はそれをば絶對に選擇したのである、この自己は以前にはそこに存しなかつた、それは選擇によつて始めて生じたのである、それは『質的飛躍』によつて始めて立せられたものである、しかもそれは同時にまたそこに存在した、それはどこまでも吾々自身であつたのである。 かやうにして選擇はここでは一つの『辨證法的運動』に外ならない、即ち選擇されたものは決してそこに存在せず、選擇によつて始めて生ずる、といふことと、選擇されたものはそこに存在する、然らざればそれは何等選擇ではないであらうから、といふこと、換言すれば選擇の對象としての自己は無にして有、有にして無といふ辨證法的性格を擔ふものであり、(14)そしてそれがかやうな辨證法的性格をば必然的に有つのは、その選擇された自己そのものが必然的に擔ふところの歴史性と社會性とにもとづくものでなければならぬ。 即ちここにいふ自己とは單に抽象的なる實體としての個體ではなくして、『自己自からに關係するところの、そしてこの自己への關係に於て自から他者へ關係するところの關係』である(15)、即ちこの自己は同一的主體として、吾々自からをばその種族に於ける他の個體及びその全種族そのものへの交互關係にもたらすところの歴史的社會的性質を有つものである、そしてこれによつてのみ吾々の自己はそれがあるところのものたるのである、即ち吾々は自分自身をば孤立せしめるやうに見えるところの同じ作用をもつて、同時に全體との聯關をば肯定するのである。そしてかかる歴史的、社會的な自己としてのみ、過去としての、又は有としての我と、未來としての又は無としての我とが現實に於て結付き、具體的なる主體としての自己を顯はにすることが出來るのである。吾々の選擇すべき自己は決して永劫の相の下に於ける實體的自己でなくして、永久性と時間性との結合、としての實存的自己であらねばならぬ。

然しながらかやうに絶望の選擇による自己の選擇にして、抽象的な個人的自己を破棄することによつて、眞に具體的な實存的自己を囘復することであるとするならば、この絶望の選擇による自己の選擇はまた『懺悔』による自己の選擇とも考へ得るであらう。『懺悔とは自己についての絶望である、即ち吾々が自からの上へもたらしたところの罪責をば取除くための自己信賴について絶望することである[16]』吾々はまさしく懺悔によりてのみ眞實に絶望し、かくして吾々自身をば絶對に選擇し、そして眞實に自己自からへ、家族へ、種族へ、國家へ歸來り、そして終に神の前に自からをば見出すことが出來るであらう、何故ならば懺悔とはかく自己自身についての絶望であるとともに、また『この異別なる自からの自己への特種的な愛』であり、そして『この愛に於て私は永遠なる神の御手からして、自己自身をば絶對に選擇する』から。[17] 即ち吾々はこの懺悔に於て吾々の自己をば放棄する間に吾々は自己自身をば選擇する、そして自己を選擇する間に自己自身をば放棄するのである。 それゆえに自己を絶望に於て選擇するとは自己を懺悔に於て選擇することである、自己を懺悔に於て選擇するとは自己をば罪あるもの、負ひ目あるもの、即ち歴史的、社會的實存として選擇することである。 かやうに懺悔に於て吾々は吾々をば吾々自身から解放し、そこに新たなる眞實なる自己を見出す、それがために懺悔は惡が吾々に本質的に屬するといふことの表現であるとともに、同時に惡が吾々に本質的に屬しないといふことの表現でもある、即ち惡が吾々に本質的に屬するがゆえに吾々は懺悔することを要し、又惡が吾々に本質的に屬しないがゆえに吾々は懺悔することが出來るのである。 吾々は本質的に惡であるとともにまた惡でないゆえに即ち罪、負ひ目を荷ひながらこれを自覺する存在者であるがゆえに、自己をば絶對に選擇すべき運命を荷ふのである。 吾々は吾々がかかる歴史的、社會的なる實存として荷ふところのその罪責、負ひ目、又は義務等についての考察を通して吾々の選擇さるべき自己の本質をば一層明らかにして見たいと思ふ。

(1) Begriff der Angst, S. 52.　(2) Ib. S. 160.　(3) Entw.=Oder II, S. 137.
(4) Ib. S. 139.　(5) Ib. S. 145.　(6) Ib. S. 141.
(7) Ib. S. 179.　(8) Krankheit zum Tode, S. 12, 10, 11.　(9) Ib. S. 19, 20.　(10) Ib. S. 12.
(11) Entw.=Oder II, S. 179, 180.　(12) Krankheit zum Tode, S. 15.　(13) Ib. S. 24.
(14) Entw.=Oder II, S. 183, Begriff d. Angst, S. 75.　(15) Krankheit zum Tode, S. 10.
(16) Brunner, Theology of Crisis, S. 57.　(17) Entw.=Oder II, S. 184.

第二　絶對的選擇による自己存在に於ける罪、負ひ目、又は義務

『これか＝あれか』の絶對的選擇に於て選擇される自己は、上述のごとく永久性と時間性、又は無限性と有限性との結付きとしての實存的自己であり、從つてそれ

は罪、負ひ目、又は義務を荷へる歷史的、社會的存在者として自らを見出す。　それではこのやうな實存的自己の荷ふ罪、負ひ目、又は義務とは如何なるものであるか。キェルケゴールによれば先づ罪とは實存をして實存たらしめるところの『實存の新たなる媒介者』である、何故ならば『實存する』とは『個體は現存在へ入り來ることによつてそこにある、しかも生成に於てそこにある』といふことのみならず、また『個體はそれが現存在へ入り來ることによつて罪人となつた、そして最初から罪人としてそこにある』といふことを意味するから。　それゆえに罪の意識はどこまでも內在の範圍を出で『內在と斷つこと』である、卽ち『生成しつつ人間は一つの異つた人間になる』のである。　人間は決して刧初から罪人であるのではない、しかも『誕生に於て成立するところの、永久に束縛された存在者は、誕生に於て一づの罪人となる』のである。(1)　かのパスカルが人間の所謂原罪についていふやうに、『神は人間をば神聖で無垢で完全なものとして創造した、人間の眼は初め神の尊嚴を見てゐた、かれは自己を盲目にする暗黑にも包まれず、死をもまたかれを苦惱させる不幸をも有たなかつた。　だがかれは自負心に墮することなしにはかかる光榮を荷ふことを得なかつた、かれは自己を自分の中心たらしめて神の助力から獨立しやうと欲した、かくして今日では人間は動物に酷似したものとなつて神から遠く離れ、かれの創造主の、微光を僅かに殘留するに過ぎなくなつた、感覺は理性から獨立し、往々理性の主となつて人間をば快樂の追求に驅つた、そしてあらゆる被造物は或はかれを惱まし或はかれを誘惑しかれを支配する』。(2) そしてこのやうな人間の原罪は人間が自からの貴き本質たる自由をば氣隨にまで墮せしめたかれの『傲慢』と『怠惰』にもとづくものであらねばならぬ。罪の意識が絶望に於て、懺悔に於て深く且つ嚴肅なる苦惱となるのは、それがかやうな神からの分離の意識であるがためである。それゆえに罪は何等『狀態』ではない、卽ちそれは可能性又は展相として存在しないで、どこまでも事實的に、行爲として又行爲に於て存在するものである、從つて罪がそこから絶えず生ずるところのものは必然性をもつたものでなくして、自由をもつたものである、必然性をもつたものはやがて一つの狀態であるから。(3) これがために罪をば單に否定的のもの、卽ち弱さ、感性、無知等として規定することは正當でないであらう、罪はまた同時に積極的のもの、卽ち氣隨、傲慢、怠惰より來る、それは『善の缺損』ではなくして、むしろ『善に對する反逆』である、(4) しかも罪のこの積極性はその消極性を豫想するとともに、またその消極性は積極性を豫想する。　そして罪はかく狀態でなくして行爲であるがゆえに『罪の中にあるといふことは更に新らしき罪である』即ち『罪は罪を脫しないすべての瞬間とともに增大する』(5)　といはねばならぬ。　かやうにして人間は罪人であるといふことほど人間をば神から區別するものはない、人間はこの罪といふことのために神から絕對に自からを斷絕してゐるのである、しかもこれとともにこの罪のために人は神にますます近付きゆく、即ち『罪人が罪の赦しに絕望する間に、かれはまさしく神に向つて進んで行つてゐる』のである。それゆえに人は神にあまりに近づくならば神からはるかに離れてをり、神に近づくためには人は先づ神からはるかに離れゆかねばならぬ。(6)　罪は神からの人間の絕對的分離であるとともに、また神への絕對的近接の媒介者であらねばならぬ。

以上のごとく罪の意識は內在の範圍から出で、內在と斷つことをば本質とする、即ちこれは人間と神、絕對者と相對者との斷絕關係に於て成立する意識である、しかもこれは何等罪一般といふやうな抽象的概念の意識ではなくして、どこまでも私の又は汝の罪である、汝と私とが罪人であるといふことの意識である、罪の範疇が『個別性の範疇』と考へられるのはこれがため(7)である。　罪はただ個別的でのみあり得る、そして人間の孤獨性は、人間をば自己自からの前に孤立せしめるところの罪の、認識から來ると言はねばならぬ。かやうにして人間として實存するといはれるところのもののみを自己自身によつて意識するところの個體は、かれ自からをば普遍的＝人間的のものと區別して意識するのであるが、しかもこれと同時にかれは個別者として絶對者に對し絶對的關係に立つことによつてまた普遍者に對して倫理的關係に於て立つ、卽ち個別者は、普遍者に於て表現せらるべき個別者として、又は普遍者の中にその目的を個別者として、有つと考へられる限りに於て、個體はその罪の意識の中に『全種族の罪』を意識するとともに、また『全種族に對する罪』をも意識する、卽ち個別者が普遍者に於てありながら、これに對立して自己を主張することに於て罪が犯かされる、そして個別者はかれがこの罪を承認することによつてのみ普遍者と再び宥和することが出來るのである。(8)『自分は世俗の誰よりも一層劣つたものといふばかりでなく、自分はすべての人に對して罪がある、群集の罪、世界の罪、個人の罪、一切の罪に對して責任があるのです。……吾々はみな一人一人地上に住むすべての人に對して罪があるのです、それは一般の人に共通な世界的罪惡といふやうなものではなく、各の人がこの地上に住む一切の人に對して個人的に罪をもつてゐるのです。このやうな自覺に於てこそ、吾々の一人一人が愛をもつて全世界を克ち得、涙をもつて浮世の罪を洗ふことが出來るのです。[9]』『吾々は誰れでもすべての人に對し、すべてのことについて罪があるのです、その中でも自分が一番罪が深いのです。……神の小鳥、悦びの小鳥、どうぞわたしを赦してくれ、わたしはお前にも罪を犯してゐるのだ。……お母さん、自分が泣くのは嬉しいからです、決して悲しいからではありません、自分がすべてのものに對して罪人となるのは自分の好きですよ。……だつて皆んなのものを愛するにはどうしたらよいか。……自分はすべての人に罪があつたつて構やしません、その代りみんなが自分を赦してくれます、そこでもう天國が出現するのです。[10]』そしてこのやうに內在を斷つところの、卽ち神への絕對的分離的關係に於て成立するところの罪が、內在の範圍內へ、卽ち實存としての歷史的、社會的存在の中へ導き入れられ、神への罪が同時に實存的なる人間全體への罪として、より多く倫理的意味に於て意識せられる場合、罪の意識は正當に『負ひ目』の意識として特徵付けられ得るであらう。何故ならば『負ひ目』とは『かの失はれたる永久的淨福に對する實存者のパトス的關係』として『實存に於ける苦惱』を表はす[11]とともに、それはまた全種族の罪ばかりでなく全種族への罪を表はすことに於て、その語原的意味の示すやうに當爲又は義務を表はすものとして特徴付けられるから。即ちこの負ひ目 Schuld は當爲 Sollen とその語原を同じうする。Schuld は中高獨逸語の schult, schulde であり、これに對して Sollen の中高獨逸語 suln、古高獨逸語 scolan が聯關するからである。かやうにして負ひ目は當爲の根本的意味に應じて、或ることに對して義務あること、即ち Verpflichtung をば意味する。それではこのやうな意味に於ける負ひ目としての義務とは如何なるものであるか。ここに義務、即ち Pflicht とはそれの原始的語義の示すやうに、人格性との深い内面的聯關を示す、即ちこの Pflicht は Pflegen に由來し、そしてこれは、私が或ることに責めを有つがゆえにそれに關心を有ち配慮することを意味する。それゆえに義務は、普通考へられるやうに、『外部から個體に課せられた規律の總體』として外から迫り來るものではなくして、却つて『自己の最も内的なる本質の表現』として内から迫り來るところの倫理的喚びかけであらねばならぬ(13)、そして眞の倫理的個體はかかる喚びかけに於て確實性をもつて自己自身に安らふことが出來るのである。かやうにして義務を通して自己自身をば倫理的に選擇し且つ見出したところの人は、自己自身をばかれの全具體に於て規定したものである、從つてかれは自己自身をばかれの天賦、かれの激情、かれの傾向性、かれの習慣をもつた個體として有つのである。 それがためにかれの課題は先づ自からを秩序付け形成し、和らげ、燃え立たせ、抑制すること、換言すれば魂に於ける調和的平衡を回復することであらねばならぬ。 從つてここに目指されるところの自己は、前にも述べたやうに、決して到る處適合するところの、それゆえに何處にも適合しないところの、抽象的なる非本來的なる自己でなくして、却つてこの特定の周圍、この生活關係、この世界秩序と生ける交互作用に於て立つところの具體的なる本來的なる自己である、卽ちそれは單なる個人的自己でなくして、社會的自己であらねばならぬ。(18) 元來個人的生活そのものは一つの孤立である、しかも人が社會的生活を通して自己の人格性の自覺へ達した場合にこの個人的生活はより高い形式に於て自からを顯示する。 人格性は今やそれの目的をば自己自からの中に有つところの絕對的なるものとして自からを示す。 今義務はもとより一般的のものであるにかかはらず、吾々の義務はただ個別的でのみあり得る、吾々は『義務なるもの』をなすのでなくして、ただ『吾々の義務』を爲すのみである。 義務は一面に於て人格性を超え、それから獨立的と考へ得るとともにしかもそれはどこまでもかれの義務として人格性へ必然的關係に於て立つのである、この意味に於て義務は全く人格性に依存してゐるのである、否なこの義務の一般性と個別性との結合がやがて人格性そのものに於ける一般性と個別性との結合をば指示してゐるものでなければならぬ。かやうにして人格性が自からをば絶望そのものに於て見出す場合、又は人格性が懺悔に於て自己を選擇する場合に、それは眞實に自己自からをば有つ、しかも永久的負ひ目の下に於けるかれの課題として自己自からを有つ、そしてここに義務の本質的意義が存するのである、卽ち義務は人格性の絶對的依屬性とそれの絶對的自由との結合にもとづく人格性そのものの根本要求、又は內面的喚びかけであらねばならぬ。(14)

然しながら今かやうに個別的と一般的、絶對的依屬性と絶對的自由との結付きとしての人格性の內面的要求又は喚びかけと考へられる義務は如何なる實存的構造を有ち、又如何やうに吾々の行爲を規定するのであるか。かのゴーガルテンはこの倫理的喚びかけとしての義務に於ける二つの意味を區別する、卽ち一つは『汝爲すべし』(Du sollst) として表はされる最も直定的且つ無制約的なる喚びかけ、卽ち直接的に方向を與へるところの客觀性としての、狹義の義務又は當爲であり、他は『人はかやうに爲す』(Man tut das und das)といふことに於て表はされるところのものであつて、これは風習又は道德的傳襲にもとづくところの人間生活の一般的規律としての倫理的喚びかけである。それゆえに前者卽ち『汝爲すべし』に於ては、人間が直接的仕方に於てまさしく汝として喚びかけられる間に起るところの人間の要求に關係する、從つてそこでは人間は風習及び道德的傳襲の外にとり出され、極めて强調された仕方で個人として喚びかけられるのである。これに對して『人はかやうに爲す』といふ意味の喚びかけは、かの『汝爲すべし』のやうに個人に對する超越的なる直定的、無制約的喚びかけではなく、ここに喚びかけられる『人』には常に『ならば』が含まれてゐる、卽ち若し汝がこの範域の人ならばかやうに爲す又は若し汝がこの範域に屬しやうとするならば、かやうに爲さねばならぬ、といふ歷史的、社會的存在者としての人間に於ける風習的、傳統的なる、一般的規律を表はす[15]。なほかの『汝爲すべし』は、善くないところの、そしてこの喚びかけを充たし得べき境遇にゐないところの人間についての喚びかけであるに對し、この『人はかやうに爲す』は本來的に善くあるところの、又この喚びかけをば常に爲し得べき境遇にある人間への喚びかけである。[17] 例へばかの『汝殺すべからず』といふ命令は、『人はかやうに爲す』といふ喚びかけの意味に從へば『私は殺さない』といふ善をば要求するに對して、『汝爲すべし』といふ喚びかけの意味に從へば『私は殺人者であるといふことの告白』をば私に要求するものである。(17)　かやうにして一般に義務又は倫理的喚びかけは、人間に於ける善の可能とともに、人間自からが惡であることの眞理性を顯はにし、そして人間に對しこの眞理性の承認をば要求するものである。　しかのみならず、『人はかやうに爲す』は、それが上述のごとくこの範域の人ならばかやうに爲す、又はこの範域の人たるを欲するならばかやうに爲さねばならぬ、といふことであるならば、それは吾々がかかる人たることを放棄する場合、意義を失ふところの、又永き傳襲としてその生命を失ひ又は誤りに陷り得るところの、むしろ一般的且つ抽象的なる喚びかけであるに對し、『汝爲すべし』は、かやうな一般的、抽象的喚びかけでなくして、全く私自身について、個別的にしてしかも私の個性の根抵に於ける人間性を通して同時に普遍的なる絕對的喚びかけである、私か單にかかる人たるを放棄することによつてこれから解放せられるやうなものではなくして、私はただ私自からを絕對に否定し、自己を無に於て見る場合にのみこれから解放せられるやうな絕對的なる具體的喚びかけである、何故ならば、この『汝爲すべし』は、かの「人はかやうに爲す」が、善人である限りの私に對する喚びかけであるに對し、これは惡人である限りの私に對する喚びかけであるから。吾々の氣隨は吾々をば善から解放し、善から背き出ることを得しむるであらうが、然し吾々の自由は如何にして吾々をば吾々の惡から解放することが出來るであらうか。『人はかやうに爲す』といふ善が、吾々に對して妥當性を有ち得るのは、それがどこまでも吾々の內に、しかも吾々を超えて吾々に喚びかけられる『汝爲すべし』といふ絕對的且つ具體的なる當爲の喚びかけの一般化、抽象化であるがためでなければならぬ。かやうにしてこの『汝爲すべし』は吾々に於ける『これか＝あれか』の絕對的選擇に於ける眞實なる自己そのものの喚びかけに外ならない。吾々は進んでこの絕對的選擇に於けるかかる當爲を通して喚びかけられる吾々人間的現存在の具體的在り方、卽ち人間の具體的關係を見ることに於て、實存としての眞實なる自己そのものの本質をば一層具體的に限定しなければならぬ。

(1) Kierkegaard, Abschl. unwiss. Nachschrift, S. 238—9.　(2) Pascal, Pensées, P. 522—3.
(3) Kierkeg., Begiff d. Angst. S. 9, 15.　(4) Gogarten, Ich glaube an den dreieinigen Gott, S. 151.

(5) Kierkeg., Krankheit z. Tode. S. 99,100.　(6) Ib. S. 108.　(7) Ib. S. 112.
(8) Kierkeg., Furcht u. Zittern. S. 51.　(9) ドストエフスキー、『カラマゾフの兄弟』卷一、三二七頁
(10) 同上、卷二、一六一頁　(11) Kierkeg., Abschl. unwiss. Nachsch. II. S. 193.
(12) Kierkeg., Entw.=Oder II. S. 218.　(13) Id. S. 225.　(14) Ib. S. 233.
(15) Gogarten, Politische Ethik, S. 8—9.　(16) Ib. S. 11.　(17) Ib. S. 55.

第三　義務又は當爲の倫理的喚びかけがそれに於て成立する人間的關係の二側面と責任性及び自由

かの『汝爲すべし』といふ義務又は當爲の倫理的喚びかけがそこに成立するところの根源をば吾々は前にも述べたやうに人間的現存在の實存性、即ちそれの歴史性と社會性、從つて時間性と空間性との內的聯關に於て有つ、人間的現存在の具體的構造は實にこの兩者の結合に於て成立する。然し吾々は今この人間的現存在に於ける歴史的、社會的聯關の考察に入る前に、かの負ひ目、又は義務の意識がそこに成立するところの人間的關係の二側面をばかのゴーガルテンに從ふて區別し、そしてこの兩者の關係について考察することによりて倫理的なるものの性

質を一層明かに限定したいと思ふ。

さてゴーガルテンに從へば、負ひ目、又は義務の意識又は一般に倫理的なるものがそを通して成立するところの人間的關係は、一方に於ては『自然に對する人間の關係』と考へられ、他方に於ては『人間相互の關係』として考へられる。然しこの倫理的なるものに關し、自然に對する人間の關係をばより根本的とするか、それとも人間相互の關係をばより根本的と考へるかどうかといふことによつて、倫理的なるものに對する解釋が異つて來るであらう。今先づ倫理的なるものをば第一の關係、卽ち自然に對する人間の關係に於て見るならば、道德性とは『人間的生活が自然から與へられたかれの仕方を克服し、そして自己自からの活動によりて生活の高い段階を克ち獲ようとするところの態度』に外ならない、卽ちこれに於ては道德は單に『自然に對する人間生活の自己主張』であり、又は自然的なる衝動及び激情に對する人間的、精神的生活の內的獨立性及び自由の獲得といふことである(1)。從つてこの立場に於ては他の人間の獨立性とかかる獨立的人間相互の結付きとは、ただ自然に對する自己の人格の獨立性といふことからの類推によつてのみ可能でなければならぬ。これに對して第二の關係、卽ち人間相互の關係に於ては、吾々はこれをば更に『人間相互の間接的なる又は非本來的なる關係』と『人間の間の直接的、本來的關係』とに區別することが出來るであらう。人間の間の間接的、非本來的關係とは『人間の間に立つところの中間者又は第三者によつて媒介された關係』であつて、これに於ては人間は直接に相互に結付くのではなく、從つて汝と私との無制約的結合でなく、却つて常にその媒介者を通して被制約的に結付いてゐるのである。それがためにかかる關係は眞に『他の人間への關係』でなくして、『物への關係』であり、かくしてこれに於て可能なる倫理的關係は必然的に、他への關係ではなくして自己自からに對する關係に於てのみ見られ、又かれの獨立性は人間に對するものであるよりも却つてかれに於ける自然的衝動に對する獨立性とならざるを得ない。然るにこれに對して、人間の直接的、本來的關係に於ては、そこに何等の媒介者なくして直ちに他に結付く、ここではかの自然に對する人間の關係に於けるやうな獨立性は存せず、人間相互の間の獨立性は直ちにそれの『相屬性』でなければならぬ、『人間は相互に屬し合ふ間にのみ、本來的に人間と關係するのである。[2]』卽ち『汝は自からでは無である、ただ他への關係に過ぎぬ、ただ他への關係によつてのみ汝があるところのものである。[3]』それでは人間に於てかやうな相屬的關係が成立するためには人間は如何なるものであらねばならぬか、といふに、それはかれが『人格であること』によつてのみ可能である。物と物との間には何等の相屬關係もない。人格であるとは『自己自身について知ること』しかも『他に對して答辯的、卽ち責めを負ふものとして自己自からについて知ること』である。卽ち『如何に私はあるか、又何を私は爲すかといふことについて私は私自身として答辯せねばならぬといふやうに自己自身について知ること』である。[4] それゆえに人格であるといふことは單に自然に對する人間の獨立性といふことからは起り得ない、若し自然に對する獨立性に於て、責めを負ふものとして私自身について知る、といふことが可能であるならば、その時私がそれに對して責めを負ひ得るものは、私自身に外ならないゆえに、それは私が自然的拘束に對して私の自己を主張するといふことについて私に責めを負ふといふことを意味するに過ぎぬであらう。しかもかやうに單に自己に對してのみでは人格であることは成立せず、他に對して責めを負ふものとして自己について知ることに於てそれは始めて可能となるのである。[5] かやうにして自然に對する人間の關係に於ては人は常に對自的であり又あるべきである、かれはかれの對立物から自由であらねばならぬ、從つてこの場合若し人にして責任性について語るならばこはかれの對立物、卽ち自然には妥當しないで、かれの自己にのみ妥當する、卽ちかれの自己のみが責めを負ふ、しかもかかる自己のみに向ふ責任性は上述のごとく決して本來的でなくして全く非本來的のものに過ぎない。これ本來的なる責任性はどこまでも二つの人格の間の關係、卽ち『責めを負ふものと、かれがそれに對し責めを負ふところの他のものとの關係』の自覺に於てのみ成立するからである。(6) かくして自然に對する人間の關係に於ては、人間は單に自然に對する獨立的存在者として相互に利益社會を造り得るであらうが、しかし人間の眞正なる共同社會を全うすることを得ないであらう。

それゆえに若し以上のごとく、人格であることと、從つて責任性にして、自然に對する人間の關係からではなくして、人間相互の關係からのみ理解せらるべきであるならば、その時必然的歸結として、自からをば責めを負ふものとして知るところの人間はかれの存在をば決して單に『對自存在』又は『自因存在』として理解するのでなくして、どこまでも『依他存在』として理解するやうになる。卽ち他人に對して本來的意味に於て自から責めを負ふものとして知るところのものは、『他から在るところのもの』として自からについて知るのである。それゆえにこの責めを負ふことに於て私であるところの自己は、他人の前に、他人からして私であるのであつて、決して私の前に且つ私からして私であるのではない。(7)吾々は前に、人格であるとは、他に對し責めを負ふものとして自己自身について知ることであると言つた。責任の眞の意味に於て責めを負ふものとして自己自身について知る人は、また他人に對して責めを負ふものとして自己自からをば知る、又はかれはまさしく他人からして自己自身でありうるものとして自からを知るのである。このやうな知はもはや何等對象的知ではない、人は自己についてもまた他人についても何等對象としてそれを知るのではない、この知はどこまでも『實存することに於て、しかも他に屬してゐることに於て行はれるところの知』である。私はそこに私が私に對してあるものとして私について知るのではない、又私はそこにかれがかれに對してあるところのものとして他人について知るのでもない、むしろ私はそこに私が他人からあるものとして私について知るのである、そして私がかやうに私について知る間に私は始めて人格として私について知り、又他人について知るのである。(8)吾々はここに對象的知に對する實存的なる主體的知の根本的區別を見るであらう。そしてこのやうな關係の中に本來的倫理現象はそれの場所を有ち、またこのやうな關係に於てのみ吾々は眞正の倫理的自己理解に達し得るであらう、そしてかの『汝爲すべし』といふ倫理的喚びかけの意味をば理解し得るであらう。卽ち『汝爲すべし』は決して『かれが有つところの自己』としての人間に對してではなくして、『かれがあるところの自己』としての人間に對して適當するのである、何故ならばかやうなかれが有つところの自己はそれをかれが處理するところの自己として對象的であり、從つて根本的にはかれ自身を意味しないのに對し、かれであるところの自己は決して對象的でなく、卽ちかれの處理の客體でなくしてどこまでも主體であるところのかれ自身を意味する、しかもこのやうな主體的自己は常に必然的に他への相屬關係に於て、從つて他への責任性の自覺に於て成立するからである。(9)

かやうにして『汝爲すべし』といふ倫理的喚びかけは人格であることに於て成立し、人格であることは責任的であることに於て、責任的であることは他人からあることに於て成立するがために倫理的意味に於ける人間の獨立性は前述のごとく決して單なる自己主張、卽ち自然に對する自己主張でも、他人に對する自己主張でもなく、どこまでも眞の意味に於ける自由といふ性質を有つたものでなければならぬ、卽ち私は私をば自由と知るがゆえに私を負ひ目あるもの、責任あるものとして知るのである、しかもここに自由とは決して單に『或るものからの自由』卽ち『自然的生活の衝動による拘束からの自由』といふやうなものでなくして、本質的に『或るものへの自由、又は或るものに對する自由』卽ち『そのひとの前に私が私自身であるところの他人に對する自由』ともいふべきものでなければならぬ。(10)從つてこの自由は、それの場所をば決して自然への人間の關係に於て有つのではなくして、どこまでも人間に對する人間の關係に於て有たねばならぬ。私が私自身であることは、私が他人へ答辯的、卽ち責めを負ふてゐるといふこと以外の何ものでもない、私は他人に責めを負ふてゐることに於て他に相屬してゐるのである、しかもかく他人に對し責めを負ふてゐることに於て相屬してゐることがやがて私が自由であることとの眞の意味でなければならぬ、何故ならば私は愛又は憎の仕方に於て、信賴又は非信賴の仕方に於て、順從又は不順從の仕方に於て他人に相屬してゐるといふ關係の中に眞實なる自由は存するからである。かくして人間に於ける眞の獨立性、眞の自由はかかる相屬性なくしては可能でない、卽ち人間はかれが互ひに相屬的である場合にのみ獨立的であり、自由である、そし同時にかれが眞に獨立的であり、自由である場合には、かれは眞に相屬的であるのである。(11)

（1） Gogarten, Politsche Ethik, S. 13.　（2） Ib. S. 15.　（3） Kierkegaard, Entw.=Oder II, S. 133.
（4） Gogarten, Pol. Eth S. 16.　（5） Ib. S. 18.　（6） Ib. S. 19.　（7） Ib. S. 19.
（8） Ib. S. 20.　（9） Ib. S. 21, 25—6.　（10） Ib. S. 32.　（11） Ib. S. 33.

第四　當爲の倫理的喚びかけの對象としての善及び惡と道德的秩序としての國家

以上のことからして今や次のやうな問ひがその答へを要求する。かの當爲の倫理的喚びかけをば人間に置くものは誰れであるか、この『汝爲すべし』に於て自からにかく喚びかけるものは自己自身であるか、それとも他者がこれをなすのであるか、卽ち倫理的なるものは人間の本質の深みから起るのであるか、それとも外部からかれに來るのであるか。然しながら右のやうな問ひは、この『汝爲すべし』といふことが、かの相屬性として特徴付けられるところの人間の間の直接的關係に於てのみ可能であり、そしてこの相屬性の直接的關係の認知に於てそれが成立する限り、本來決して二者擇一的にこれに答へることを得ないであらう、何故ならばかく喚びかけられるところの、そしてかく喚びかけられて自からを知るところのものは、かれに對してこの喚びかけが他者から爲されるといふこと、しかもまた同時にこの喚びかけをば自己自身から爲すといふことを知るから、といふのはこの『汝爲すべし』に於てかく喚びかけられて自からを知るところのものは、不從順といふ仕方で他に相屬してゐる、しかもかく不從順といふ仕方で他に相屬してゐる限りに於て彼はまた他者に全然相屬してゐることは出來ぬ、從つて『汝爲すべし』といふこの喚びかけは、かれに對し、他者から、しかもまたかれ自身からなされるといひ得るからである。(1)

かやうにして『汝爲すべし』に於て喚びかけるところのものは私であるとともにまた他者であり、個人であるとともにまた社會であり、內であるとともにまた外である、そしてこのやうな關係は、この『汝爲すべし』に於て命ぜられ又は禁ぜられるところの對象たる『善』及び『惡』についても妥當するであらう、何故ならば『汝爲すべし』に於て要求され、又は禁止されるこの善又は惡は、この倫理的喚びかけがそれの場所をもつところに、卽ち『人間の互ひに共にあること、又は互ひからあること』に於て求められねばならぬから。[2] 卽ちこの『汝爲すべし』に於て要求されるものとしての善は、決して單に『起るべき筈である善』といふやうな抽象的善ではなくして、どこまでも『私の自からの善であること』である、しかもこれとともに同時にそれは『他者への直接的、從つて無制約的關係に於て起るべき筈であるところの無制約的善』であらねばならぬ。無制約的善とは『私自からが善であるべきである』といふことであるが、しかもこのことはどこまでも『私が他者へ相屬してゐること』に於て起るのである。これ『私であるところの自己としてのみ私はまさしく他者に相屬してゐる』から。[3] 然るに私は前述のごとく愛、信賴、從順の外にまた憎、不信賴、不從順の仕方に於ても他者に相屬してゐることが出來る。そしてこの後者の場合に於ては、善は私が私自身であり、且つ私自からにのみ相屬してゐると考へられる限りに於て起る、しかもかく私が私自からにのみ相屬してゐる限りに於てのこの私の善は、人間の本來的在り方に於けるそれとは異つた善、卽ち非本來的なる善であつて、これはやがて『非善』又は『惡』として特徵付けられるものに外ならない。[4] かやうにして非善又は惡は人間の非本來的在り方にその根源を有つものとして、何等自からの實存を有たず、却つてただ『善の奪はれた實存』を有つのみである。從つて惡はそれ自から無であると考へられる。それゆえに自からをば惡人として知るところの人間は、かれが惡である限りに於てかれが無であること、又はかれは惡の曝露に於て無に墮するといふことを知るのである。(5) そして惡が曝露された場合のこの虛無性は『私の負ひ目の認識から生ずるところの、私の自己の不可能性』卽ち『私は私自身であることも出來ねば、また私自身でないことも出來ぬ』といふことを意味する。それゆえに『汝爲すべし』の理解に於て私に明らかとなるところの私の自己の眞理性は『私の自己の負ひ目ある虛無性』である、そしてこの虛無性の承認こそまさしく『汝爲すべし』に於て私に要求されるところの當のものに外ならない。この負ひ目ある虛無性を承認するとは、私の全實存の自から犯したる無展望性と無效性とを耐へ忍ばねばならぬといふことである。そしてこの無展望性は境遇からも、世界からも、また事物からも由來するのでなく、私の負ひ目に於て、私の自己の惡しくあることに於て與へられた無展望性である。しかもこの無展望性によつて私の實存は私から取去られないで、却つてそれによつて私の實存は常に新たに無展望的のもの、空虚のものとして私に與へられるのである。(6)　このやうな意味に於て、負ひ目ある空虚性としての惡は、單に消極的のものにとどまらないで、また積極的現實性を有つのである。　卽ち惡しくあるところの人間は、かれ自からであらうと欲する、自己であることはもとより善であるが、しかしこの善はただ彼がまさしく他者からして彼自身である間にのみ起るのでなければならぬ。　かれが他者からでなくして却つて自分から彼自身であらうと欲するところに、卽ち隷屬性に於てではなくして自主性に於て自分自身であらうとするところにかれは惡に墮ちるのである。(7)

以上のごとき意味に於て惡の認識は本來的なる倫理的現象を構成することが出來るのである。　卽ち人間は單に自己からの存在でなくして、他者からの存在として必然的に負ひ目あるものであり、そして他に相屬することに於てのみ自己であるべき存在でありながら、却つて自己から自己自身たらんと欲する存在である限り、換言すれば人間が『汝爲すべし』に於て、自からの負ひ目ある虛無性をば承認せねばならぬやうな存在である限りに於て、必然的に惡への性質をば荷ふ、從つて惡は人間に對して不可止揚的であり、人はこの惡をば思ひのままにすることを得ない、何故ならば自分自身をば惡なるものとして知るところのものは、またかれ自身をば思ひのまゝにすることが出來ぬといふことをも知るから。 然し人は問ふであらう、若し人間にしてかれがその根源に於て惡しくあるがゆえに、かれの自己を思ひのまゝになし得ないならば、かれがこれこれしかじかの善き行爲を爲すこと、又かれ自身惡でなくして善であるべきである、といふことをかれから要求することは果して何の意味を有つであらうかと。 然しこの場合、惡しきものとして自からをば知るところのものは、またかれがかれ自身をば思ひのまゝになし得ないといふことをも知る、といふことの意味をば誤つてはならぬ。 ここにかれ自身をば思ひのまゝになすことを得ないといふことは決してかの所謂決定論と何等の關係もない、それは決して、人間は自然的事象の必然性の中に組み合はされ、從つてこの自然的事象に對して不自由である、といふ教說ととりかへられてはならぬ。むしろ反對に、惡しきものとして自己について知ることは、責めを負ふものとして自己について知るといふことであり、又責めを負ふものとして自己について知るといふことは、人がかれであるところの自己として自然的生活の必然性の中へ組み合はされてゐない、といふことであるから。(8)

ここに於てかの始めに倫理的喚びかけについて區別された二重の意味及びそれの關係が一層明らかに限定され得るであらう。即ち倫理的喚びかけは、一方に於て私が私に對し決して對象的になり得ないものとしての私自身に關係するとともに、又他方に於て私に屬し且つ私が私に對象的となるものとしての私に關係する、そしてこの倫理的喚びかけが、前者即ち非對象的なる私自身、換言すればそれが私自身にしてしかも私自身ならざる私を超えたものを意味する限り、それは『汝爲すべし』の意味を有ち、又それが後者、即ち對象的であるものとしての私、又は傳統の中に生ける、現實的なる私を意味する限り、それは『人はかやうに爲す』の意味を有つのである。そしてこれとともにまた倫理的喚びかけの『汝爲すべし』の意味に於ては、私、の自から惡であることとの承認をば私に要求するに對し、『人はかやうに爲す』に於ては、私自からの善であることとの承認を要求するといふことが理解されるのである。前にも述べたやうにかの『汝殺すべからず』といふ命令は『人はかやうに爲す』の意味に於ては『私は殺さない』といふ善を要求するに對し、『汝爲すべし』の意味に於ては『私は既に殺人者である』といふこととの承認をば私に要求するのである。倫理的喚びかけが私に對し、それの『汝爲すべし』の意味に於て、私の自から惡であることの眞理性を顯はにし、そして私に對して、この私の眞理性に對する承認を要求する場合には、この要求はこれがために、かの『人はかやうに爲す』の意味に於て止揚されもせねば又無意義にもならぬのみか、却つてこの後者の善をばより深く、より眞なるものとなすものでなければならぬ。(9)かやうにして私の自から惡であることの認識によつて、私は私自身であることも出來ねば、また私自身であることを止めることも出來ぬといふやうに、生活の可能性が私から取去られる、しかもかやうな自からの惡の認識の深淵に於て惡をば、それとともに善をば認識する倫理學のみが眞に倫理學たるに堪え得るのである、これかかる倫理學のみが人間の惡であることの認識から善について問ふからである、そしてまたかかる倫理學のみが、惡のすべての襲擊に耐へることの出來る善、卽ち自己自身から存在するのでなくして却つてそれの實存をば常に善から奪ひとつたところの惡よりも、より原本的であるところの善、換言すれば惡の常に新たにされた認識の中にのみ顯はにされ得るところの、しかもそれがためにまたこの認識の不斷の脅威をば恐れることを要しないところの善について問ふからである。(10) そして人間に於けるその根源的なる惡とこの惡の認識の根柢に於て見られるより根源的なる善とを内面的に統一する人間の秩序の最高の在り方がやがて道德的存在としての『國家』に外ならないのである。卽ち國家は實存的には、それの最深の道德的基礎付けをば、惡の認識に由來するところの、この世の人間生活の根本的なる脅威についての知と、惡の認識の中に顯はにせられるところの、從つて惡しき人間にのみ可能なる善の中に有つ。そしてこれがために國家は先づ人間が混沌に對し、また世界に於ける人間の實存がそれから脅やかされるところの破壞力に對し、しかも人間の自身の本質から由來するところの破壞力に對して、自からを確保しやうと求めるところの秩序である、卽ち國家は『この脅威の不斷の和解』であり、または『この脅威の不斷の防止』である、從つてそこには常に人間の實存が賭けられてゐる、そしてこのことは國家が單に國民の外的實存、卽ち所有及び財に關係するのみでなく、また國民の精神的實存、卽ち國民の名譽に關係するといふ事實の中に最も明らかに示されてゐる。この名譽に於て常に人間自身が賭けられてゐる、丁度自己の罪責について知るところの人間が永遠の死に歸屬してゐるやうに、自己の名譽を失つたところの人間は國家的又は市民的死に歸屬してゐるものである。(11)　そしてかやうに人間の外的實存のみならず、人間の全生が賭けられてゐるところの人間の精神的實存をば保證し、またかれに於ける種々なる文化の創造をば確保するところのものは國家に外ならない。　かくして國家に於て、人間はただ從屬するものとしてのみ存在する、人間は實存的には他に從屬することなしには自己自からであり得ないと言はれるのは、實は國家の地盤に於てでなければならぬ、卽ち人間の眞の獨立性は國家への眞の從屬性に於てのみ可能でなければならぬ。　そして常に負ひ目あるものとしての人間をばその隱在の深淵に對して確保するものは實にこの國家への從屬性に外ならない。　そして國家がかやうにこの隱在の深淵から、又は人間が惡であることとの認識からして了解される場合にのみ、國家はそれが成遂げるためにそこにあるところの使命をば人間に對して成遂げることが出來る、また人間をばかれにとつて實存の唯一可能性であるところの從屬性に於て保つことが出來るのである。(12)　然しながらまた飜つて考ふれば國家はそれの成員が根源的に歴史的、社會的性質を荷ふと同樣にそれ自から時間的發展を有つとともに、また空間的に他の國家とともに社會的關係に立つことによつて世界史を構成するところの存在である。　吾々は國家の實存的本質とそれが個人に對する內的關係を考察するために、國家及び個人がそれに於てあり、又それに於て結付くところの歷史性と社會性について立入つて考へて見なければならぬ。

(1) Gogarten, Politische Ethik, S. 33—4, 46.　(2) Ib. S. 40.　(3) Ib. S. 42, 43.
(4) Ib. S. 43.　(5) Ib. S. 50.　(6) Ib. S. 50—1.　(7) Ib. S. 51.　(8) Ib. S. 54.
(9) Ib. S. 54—5.　(10) Ib. S. 55, 57.　(11) Ib. S. 58.　(12) Ib. S. 59.

第五　人間的現存在の時間的根柢としての歷史性

人間的現存在はその存在の根據に於て歷史的であると言はれる。卽ち人間は單なる自然的存在でなくして、時間に於て不斷に自己自身を顯はにしゆくところの歷史的存在である、從つて人間及び人間に於けるあらゆる活動、あらゆる運命、卽ち個人も社會も國家も、またこれを通して創造せられる人間的文化も、すべて歷史に於て生れ、歷史に於て相聯關し、歷史に於て發展する。かくして人間及び人間の現實性の問題は直ちにまた歷史の問題として考へられるのである。それではかやうに實存する現實性の意味に於ける歴史とは如何なる性質のものであるか。

かのゴーガルテンによれば、ギリシャ的思惟に於ては實存的現實性の意味に於ける歴史は未だ知られてゐない、かれに對しては、時間は永遠の影であり、從つて現世的時間的出來事はやがて、『それの無時間的秩序に於て浮動せる無時間的本質の曇れる模寫』に外ならない、そしてかやうに時間の否定せられるところ、そこに實存的現實的出來事としての歴史もまた止揚せられるのは當然であるから。これに對してキリスト教的信仰に於ては、時間的出來事はどこまでも唯一的實存的現實性であつて、決して無時間的本質の時間的現象といふやうなものではなく、從つてここに始めて眞の意味に於ける歴史が可能となるのであるが、しかもこのやうな實存的現實性としての歴史はまた同時に『永遠なる神の業且つ啓示』でなければならなかつた。(1) このやうな信仰はもとよりかの無時間的本質の時間的顯現といふやうな、抽象的なギリシャ的思惟と異つてゐるであらうが、然しギリシャ的思惟に於ける時間的と無時間的、現實と理念との結付きの問題と同樣に、實存的現實性として何等そを通して顯現する超歴史的なるものを背後に許さない歴史が、永久的なる神の業且つ啓示であり得るといふことは如何やうに理解せらるべきであらうか。かやうにして近代の歴史概念に於ては、歴史に於けるこのやうな宗教的契機を除去し、これに對して『すべての出來事そのものの一貫的連續的全聯關』の概念が要求されるやうになつた、そして出來事をば結合して統一的なる、それ自身に於て聯關する運動になすものはやがて精神と自然との對立に外ならなかつた、卽ち歴史的存在をばただ自然的存在に對する對立に於てのみ考へるといふことが近代の歴史概念の特性であつた。これに於ては歴史は丁度道徳が自然に對する人間の自己主張であつたやうに、自然に對する精神の自己主張、且つ自然からの精神の戰ひながらの上昇であつた、そして歴史の本來的實體は、また道德の場合と同樣に、自由、しかも自然からの解放及び獨立としての自由に外ならなかつた。(2) しかのみならず近代的歴史概念はかやうに一貫的連續的全聯關の思想をば要求するゆえに、それは必然的にまたあらゆる存在の普汎的發展を前提するところの『普遍史』の概念に關係する、卽ち歴史はそれに於て限界付けられた全體に關係せしめられることなしには可能でない、最も意義少き存在の發展でもそれが存在の全聯關に於て見られることなしには了解され得ないと考へられる。(3) 人は自然の生成をば始め及び終りについて問ふことなしにこを思惟することが出來るが、然し人は歴史の出來事をば同時にそれの始め及び終りをば一緒に考へることなしには思惟することを得ない、始め及び終りなしには歴史は存しない、そこにはただ自然が存するのみである。しかのみならずかく自然と精神との對立を豫想する近代的歴史概念は、必然的にすべての近代的思惟と同様に、歴史をば自我の思想の展開として把捉する、卽ち歴史は常に『自我の歴史』又は『自己解放の歴史』に外ならない。かくして歴史に於ては、超歴史的なるもの、卽ち自から常に同一に殘るところの自我及びそれの理性的法則性と單に歴史的なるもの、卽ち過行くところの、時間的なる歴史的現象との二つの契機が考へられ、かくして歴史は、『純粋無時間的自我がその時間的現象の、無限的充實及び被制約性から展開すること』以外の何ものでもない。(4)

然しながら右のやうな近代的歴史概念はそれが一面に於て歴史の深い統一的理解を與へるにかかはらず、しかも眞實なる歴史の具體的認識に到達し得なかつたのは、それが道德の場合と同様に、歴史の有つ『二重性』をば充分に把捉してゐないがためでなければならぬ。元來歴史はどこまでも人間相互の間に起る或るものである、それは人間相互の關係である、從つて歴史はかの道德の場合と同じやうに、決して自然から獨立的である限りの人間に於て起るものでないとともに、また單に他者から獨立的である限りの人間に於て起るものでもない。即ち人間は決して自我とか理性とかいふやうな唯一的原理から了解せらるべきでなく、却つて人間の現實性は『汝と私との矛盾的又は對立的現實性』であるといふこと、しかもこれと同時にこれに於て人間の獨立性は却つて他への從屬性から來ることを承認した場合にのみ、人間の現實性、從つて歷史をば把捉することが可能であらう。(5)

それゆえに吾々の現實性は決して單なる自我の主觀主義的現實性でなくなくしてどこまでも、それに於て吾々が吾々を見出すところの、又はそれからして吾々が生にまで喚ばれ、それから吾々が自我として喚びかけられるところの具體的なる世界の現實性である。　それゆえにこの現實性はどこまでも統一的でなくして二重的である。それは單に自然からの獨立性に於て見られる『自我の一元的現實性』でなくして、却つて『汝と私との永久に二元的且つ二重的なる現實性』である。即ちこの現實性は、それに於て汝が在りまたそれに於て私が在るところの現實性であつて、決して私があり、そしてその時汝をばその內容の一つとして自己の中に含むところの現實性ではない、又はそれに於て私が汝から喚ばれる現實性であつて、決して私が私自身から喚ばれる現實性ではない。そして私が汝から、しかも汝からのみ喚ばれるこの喚び出しをば聽くか聽かぬかといふことはやがて私の生の決定である、卽ち如何うして私はこのやうな現實性の中に生きるかといふことがこれに於て決定せられる、そしてこのやうな現實性に於ける生の決定がやがて歷史に外ならないのである。[6]

かやうにして歷史はただ人間が決して唯一的原理、卽ち自我といふやうなものからのみ了解せらるべきでなく、却つて人間の現實性が汝と私との矛盾に充ちた二重的現實性であることをば人が承認する場合にのみ把捉されるのである。それゆえにゴーガルテンは人間の具體的現實性の聯關としての歷史をば『汝との私の出會ひ』として特徵付けた。卽ち歷史は決して『史的累積の意味に於ける人格的精神の總體生活』ではなくして、『すべての具體的汝の喚びかけに於て過去的のものが吾々に出會される』といふことに於て成立するのである。[7] そして吾々に對して歷史であるところの、この過去的のものは實は現在的である、そして吾々に歷史として現在的であるところのこの過去的のものは、それがまさしく現在的であるがために、完全でなく、何等完成されたものの仕上げられたものでもない。

かやうに歴史はどこまでも現在に於て起る或るものであり、そして過去的のものはそれがなほ現在的に起る限りに於て歴史であるのである。若し過去的のものにしてすべての自然的生成に於てのやうに絶對的に過ぎ去つたものであるならば、そこには全く何等の歴史もなく、却つてただ無歴史的なる現在が存するのみであらう、これそこに現實的になるところの過去的のものが存するところにのみ、現實的現在は存し得るから。かくして歴史はまた『過去的の。のとしての汝と、現在的のものとしての私との出會ひ』であるといふことが出來る、卽ち私が過去的のものに於て汝と出會ふ場合にのみ、從つて私が過去的のものから決定にまで喚び出される場合にのみ、この過去的のものは歴史であるのである。(一) 元來過去的のものとは普通の意味に從へば、もはや存しないもの又はなほ現存してゐるが、しかし現在への影響を有たぬもの、と考へられるのであるが、しかし今歴史的のものとしての過去的のものとは、上述のごとく、『過去つたものではあるが、しかもなほ働らきつつあるもの』を意味せねばならぬ。それゆえに歴史は決してもはや現存してゐないといふ意味に於ける過去的のものではなくしてむしろ『過去からの到來』を意味すべきである。歴史を有つところのものは生成の聯關の中に立つ、それがために『歴史を有つものは同時に歴史を造るものである。』即ち『それは劃期的に未來をば現在的に限定するのである。』そしてこのやうな意味に於て歴史とは、過去、現在、未來を貫くところの、出來事及び結果の聯關である、といふことも出來るであらう。(9)

ここに於て吾々は人間的現實性としての歴史に於ける辨證法的性質に逢着せねばならぬ。それは過去的のものと現在的のもの、可視的のものと不可視的のものとの辨證法である。即ち歴史に於ては過去的のものが現在的のものであり、又は過ぎ去つたものとしての可視的のものが過ぎ去つたものの現在的者として不可視的のものである。しかもこの歴史の辨證法は決して歴史的のものと超歴史的のものとの間に起るのではなくして、どこまでも歴史の內部に、即ちその過去的のものと現在的のものとの間に起るのである、そしてまたこの辨證法に於ける對立は決して統一に於て止揚されるものでもない、即ち過去的のものは決して現在的のものの中に止揚されないで、却つてそれはただ過去的のものとしてのみ現在的たるのである。それではこのやうな對立をば對立そのものとして內から成立せしめるものは何であるか。それに於て二つの對立者が、他方なくしては一方が可能でないやうに互ひに結付けられてゐるところのこの矛盾の統一は、もとより何等論理的統一ではなくして、それはどこまでも『歴史的存在の具體的なる、且つ常に二重的なる所與性』でなければならぬ。そしてこのやうな歴史の辨證法は決してかの因果概念から規定された歴史概念によつて明らかにせられることを得ない、何故ならばかやうな因果的歴史概念に對しては、勿論過ぎ去つたすべては再び現在的となり得るであらうが、しかしかかる現在性は、本來的意味に於ける歴史的存在の現在性でなくして、むしろ普遍的眞理の無時間的現在性であるであらう。眞實なる歴史概念に對してはただ『そこに汝が私に出會ひ、そしてそれからして私が決定にまで喚び出されるところの過去的のもの』のみが歴史として現在的たるのである。歴史はまさしく勝義に於て『一つの知られたもの』ではない。私は曾てあつたところのすべてのものをば知り得るとしても、しかも知られたる過去的のものの何れも私に對して歴史的として現在的とはならない。それは眞實には現實的のものの領域に入り來らないで、むしろ可能的のものの領域にとどまる。歴史的現在は決して因果的效驗性ではなくして、どこまでも過去としての汝と現在としての私との出會ひである、卽ちこの兩者の間には何等因果的關係が存するのでなくして、ただ『喚びかけ』と『答辯』との關係が存するのみである。(10)かくしてまた歷史とは、過去的のものとして現在的に私をば決定にまで喚ぶもの、又は具體的現實性としてかれの要求をば私に置くもの、又は汝として現在的に私に出會ひ、そして私に喚びかけ、そしてこの喚びかけによつて私をば自己へしかと結付けるところのものに外ならない。

以上のごとく歷史は決して單に曾て起つたところのもののみでもなければ、また單に今起るところのもののみでもない、即ち單なる過去でもなければ、單なる現在でもなく、どこまでも過去的のものと現在的のものとの不斷の出會ひに於て起るところの、二重的なる出來事である。しかしここに注意すべきは、この出會ひに於て、措定するもの、自由なるもの、喚びかけるものたる主體はすべての場合に於て汝であり、これに對して私は措定されるもの、拘束されるもの、喚びかけられるものたる客體である。それがためにここでは汝と私との間の出會ひを媒介し得るところの何ものも存しない、兩者の間の出會ひは現實的にこの出會ひ以外の何ものでもない、そしてこの出會ひに於て世界はその完成を見出すのである。然しここにいふ世界の完成とは「一つの理想の完成といふこととは何の關するところもない、却つてそれはただ、そこまで現實的ならざるものの現實的となること、そこまで求められてゐたものの發見、そこまで混沌なるものの秩序付け、そこまで限界付けられざるものの限界付けられることに外ならない。　しかもこの出會ひの主體にして、すべての場合且つすべての仕方に於て汝であるならば、それによつてこの出會ひの事件はまたどこまでも汝に依存して、私に依存しないといふことが出來るであらう。(11)　そしてこゝに歴史の客觀性が存する。

かやうに歴史に於ては、汝が主體即ち限定するものであり、そして私は客體、即ち限定されるものである、これがために人間に對しては、それに於て人間が他者及び他者の喚びかけに對する答辯性から免除されるやうな何等の現實性も存しない、そしてこれは人間がかれの現實性をば、他者から喚びかけられることに於て有つがゆえである。(12)　そしてかく他者がその現實性に於て認識されるところ、そこにまた愛の如何なるものであるかが明らかとなるであらう、これ他者の喚びかけを無意明的且つ無制約的に充たすとことはやがて他者を愛することに外ならない、そして人間を愛することはやがてかれの存在とともに私へ置かれてあるところの喚びかけをば無意明的且つ無制約的に充たすことに外ならないから。(13)　このやうな喚びかけと答辯との關係として歴史は愛の實現であるともいひ得るであらう。

(1) Gogarten, Ich glaube an den dreieinigen Gott, S. 19, 20.　(2) Ib. S. 22.　(3) Ib. S. 27.
(4) Ib. S. 34.　(5) Ib. S. 36　(6) Ib. S. 68–9.　(7) Ib. S. 70.　(8) Ib. S. 71, 72, 73.
(9) Heidegger, Sein und Zeit, S. 378–9.　(10) Gogarten, Ich gl. a. d. dr. Gott. S. 80–3, 91.
(11) Ib. 108–9.　(12) Ib. S. 145.　(13) Ib. S. 149.

第六　人間的現存在の空間的根柢としての社會性

以上のごとく歴史にして『汝と私との出會ひ』として『喚びかけと答辯との關係』であるならば、歴史的存在としての人間が直ちにまた社會的存在として特徴付けらるべき性格を荷ふことは明らかである、人間が歴史的に存在するといふことは同時に人間が他者とともに且つ他者によつて存在すること、他者の喚びかけに對する答辯に於て存在することに外ならない、卽ち人間はどこまでも單なる孤獨ではなくしてかれの現實的自我をばただ汝からのみ得來る、人間は汝なくしては何等私ではない、私であり得るためには人間は直接的に汝に結付いてゐなければならぬ。かやうにして私は汝を知る、私に喚びかけ、私を規定し、私を判定するものとして汝を知る、しかもそれとともに私はまさしくまた汝を知らぬ、汝は私に對して他者であり、私を超えたものである、汝が汝である通りに汝は私の意識の中に存してゐない、即ち汝は私に對して不可止揚的なる主體であるとともに、また私に對してどこまでも超越的なる客體でもある、(1)私と汝との間には踏み越え得ない限界が固定されてゐる、そしてこの限界はやがて私と汝との現實性である、この限界が自覺せられ、互ひの喚びかけが眞實に聽かれるところ、私は現實的に私であり、又汝は現實的に汝である。(2)かやうに互に超越的なるものの間の喚びかけと答辯とは、それが時間的に過去的のものとしての汝と現在的のものとしての私との間の出會ひに於て起る場合、これは歷史的と稱せられ、これに對して、それが空間的に、現在的のものとしての汝と現在的のものとしての私との間に起る場合には社會的と稱せられるのである。しかもこの兩者の場合は必ずしも別異のものでなく、汝と私との現實的なる出會ひは直ちに過去的なるものへの聯關に於て歷史的意義を擔ひ、又過去的のものとしての汝と現在的のものとしての私との出會ひはそれが決して因果的關係でなくして、どこまでも喚びかけと答辯との關係である限りに於て社會的といふことが出來るであらう。歷史即ち Geschichte はそれの語義が示すやうに人間的現存在に起つた出來事であり、しかも人間的現存在はかのハイデッカーのいふやうに世界内存在として共在又は共同現存在である限り、人間の出來事としての歴史はそれ自から社會的性格を有つものであらねばならぬ。卽ち世界なき單なる自我として現存在は直接的に存在もせねば、また決して與へられてもゐない、卽ち他者なき孤立された自我は決して與へられてゐない。他者とはそれから私が自からを區別するところの、私以外の全殘餘をば意味するのではなく、むしろそれとともに又それとの聯關に於てのみ私がまたそこに存在するところのものである。この他者とともにまたそこにあるといふことは單なる物の存在とは異り、どこまでも實存的であつて範疇的ではない。世界とはどこまでもぞれをば私が他者とともに分前へしてゐるところの世界、卽ち共同世界であり世界内存在といはれる場合の内在は、他者との共在又は交はりであらねばならぬ。それゆえに共在又は交はりは、他者が事實的に現存もせず、また知覺されもしない場合にもまた現存在をば實存的に限定する、現存在の孤在もまた世界に於ける共存でなければならぬ、これ孤在は共在の缺如的樣態と考へられ得るから(8)。然るに今この共存又は交はりに於て人間は普通にはそこに本來的なる自己としてあるのではなく、自からをば他者の中に沒入して存在してゐるのである。そしてこのやうな日常的なる共同相互存在に於ける人間はハイデッガーのいふやうに、この人でも、あの人でもなく、複數の人でも總體の人でもなく、それは中性の人、卽ち『平人』である。卽ち『各人は他者であり、そして如何なる人も彼自身でない。平人はやがて誰れでもないものである。』(1)しかもこれがために平人はかの一般的主觀といふやうな抽象的なものでなく、それはどこまでも一つの實存疇に屬するものであらねばならぬ。ただ日常的現存在としての平人は非本來的自己として本來的自己から區別せらるべき在り方に外ならない。吾々は人間的現存在に於ける社會性を明らかにするために本來的自己の性質について一層立入つて反省して見なければならぬ。

人間の存在は、前にも强調されたやうに、喚びかけに對し答辯すること、卽ち責めを負ふことに於ける存在である。然しこのことは單に人は自からをば答辯的卽ち責任的として、從つて或る倫理的のものとして知るべきであるといふことを直ちに意味するのではなく、こはむしろすべての倫理的意識又は行爲以前に存する人間の根源的在り方であり、人間はそれの人間性をばすべてこの答辯性卽ち責任性から有つといふことを意味する。そしてこの答辯すること卽ち責めを負ふといふことは必然的に私が汝をば對立者として有つといふことによつて制約されてゐる、卽ち人間は答辯することと責めを負ふことに於て存在するといふことは人間はただ汝の喚びかけに答へることによつてのみ人間的自我である、從つて自我はただ汝からのみ存在するといふことを意味せねばならぬ。然しながらこれとともに汝もまた私と同樣に單なる所與性ではなく、私が汝をば、それから私があるところの汝として、認識し得るためには、私と根源的に結付いてゐるのであらねばならぬ、私は汝からして、私をば答辯的、卽ち責めを負ふものとなすところの喚びかけを聞かねばならぬ、私は私の中に汝を見るとともに汝の中に私を見なければならぬ。(5) かのブーバーが『私―汝』をば『私―それ』とともに、世界がそれによつて決定される根本語となしたのはこれがためでなければならぬ。かれによれば人間はその二樣の態度に從ふて二樣の世界を有ち、この二樣の態度はかれの語る二樣の根本語にもとづく。そしてこの根本語は何等單一語でなくして對語である、卽ちそれはかの『私―汝』と『私―それ』とである、そしてこれ等の根本語は何等物を意味しないで關係を意味する。それがために『汝』が語られる場合には必然的に『私—汝』の根本語に於ける私がともに語られ、また『それ』が語られる場合には『私—それ』に於ける私がともに語られ、また『私』が語られる場合にはこの二つの根本語に於ける汝又はそれがともに語られる。そして『私—汝』の根本語に於ける關係は主體と客體との人格的關係で、何等媒介されない直接的關係であるに對し、『私—それ』に於ける關係は主觀と客觀との對象的關係であつて、それは媒介されたものである。從つて前者に於ける人間の態度は行爲的であり、後者に於けるそれは觀照的である。そしてこの前者の態度に於て人格的なる『關係の世界』が成立し後者の態度に於て對象的なる『經驗としての世界』が成立する。然るに私と汝との人格的關係の世界に於て、この關係の引延ばされた線は、終に『永久的汝』に於て交叉する。それゆえにすべての個別化された汝はこの永久的汝への覗き見である。即ち個別化された汝を通してかの根本語は永久的汝へ喚びかける。そして神への關係に於て無制約的排他性と無制約的包括性とは一つであるゆえに、この永久的汝、即ち神は私に對して『全くの他者』であるとともにまた同時に『全くの自己』であると言はねばならぬ。(6)　かやうにして人間はその根源的在り方に於て私と汝との間の喚びかけと答辯との關係に於ける存在である、又は答辯にまで喚び出された存在である、私は單に物への對象的關係に於ける主觀にとどまらないで、それ自から客體への人格的關係をふくむ主體存在である、主體存在とは汝との關係に於ける私の存在であり、他者との關係に於ける自我の存在である。この主體存在としての自我は、よしそれがどこまでも自己自からを把捉するところの存在として對自的に限定された場合すら、それは自己自からへ向けられたものとして、自己自から喚びかけと答辯との關係に立つものとして、主體にして同時に客體、自我にして同時に他者であるやうな社會的性格を荷ふものであらねばならぬ。かの『私はある』といふ自我の最高の直定的限定すらも、主觀主義的立場に對しては、『それによつてのみ世界が世界であるところの世界への人間の喚びかけ』であるに反し、實存的には『それなくしては私が決して私でないところの汝の喚びかけに對する私の答へ』でなければならぬ。(7) 主體存在としての自己存在はどこまでも他の主體存在に對してのみあるところのものである、自我は他者から喚びかけられることに於ての外は何等の現實性をも有たぬ、そして他者に對するかかる關係をば單に自己から獲得せんとすることは、私自身とともに與へられたる他者への事實的關係をば拒否しやうとするものである、この事實的關係は決して自我の自由から獲得されたのではなくしてそれ以前にかゐ根本語の原初的結合に於て與へられてゐるのである。それがために自我は、それが身體である場合にのみ自然的存在を有つやうに、それが他者とともに、また他者から在る場合にのみ實存的なる社會的存在を有つのである、否な自我はそれの本來的の性質に於て社會的であるのである。私がこの世界から全く引き裂かれたとしても、社會との私の生活のつながりをば私は止揚することを得ない、私はどこまでもこの位置、この環境に於ける歷史的特性である、私は吾々の世界に於ける一つの現存在であらねばならぬ。かやうにして私自身は私が單に在る場合には無である。自己であることはかのヤスパースのいふやうに自己の上へ立つこととの世界及び超越へ引渡されてあることとの二重のものの統一に外ならない。私はただそこに私が在り、そこに私が働らくところの世界をば分前へすることによつてのみ私の現存在を有つ、私は單に成員に過ぎないが、しかも可能性に於て全體を覆ふ。勿論私は個體として全體から背き出ることとも出來るであらう、しかも私のかかる孤立化によりて私の獨立性は却つて空虛とならねばならぬ、これ私自身の

廣さはやがて私の世界の廣さとともにのみ存するから。(9)

然しながらかやうに私は他者なしには、從つて世界なしには存在し得ないといふことは、また私は超越なしには私自身であり得ないといふことを意味せねばならぬ。人間は意識一般として自からを世界に於て方位付け、そしてこの世界を通して超越へ關係せしめられるところの可能的實存であるとも考へられる。超越とはそれに於て現存在が眞の自己性を見出すところの世界性そのものである。勿論私は自からの決定によつて私に對し自から根據となる、私は理性的認識と自律的行爲とに於て私をば產出する、しかもこの場合私は事物の現象の間に、世界に於ける現存在として私に出會されないところの、しかもすべての現存在者から、また最も決定的には私の自己存在から、可能性として私に喚びかけるところの超越の前に立つ、そして私自身の深さは、實にその前に私が立つところのこの超越の中にその尺度を有つのである。(10) 私は超越が私に語らず、また私が大膽にも超越に反抗する場合にも超越をば見る、そしてこれによつて私の存在について確實となる。若し私にしてもはや全く超越を見ないならば私は私自からが沒落し去るのを感ずるであらう。 吾々はかやうに他と共にあることとしての自己存在が超越に對して有つ內的關係を考察する前に、共在又は交はりに於ける自我の社會的意味をば一層明らかに限定して置かねばならぬ。

今私は他者と共にのみ在る、又は他者との交はりに於てのみ在る、といふことは、自己存在の根源的制約である。　交はりとはヤスパースに從へば、現存在に於て多樣の仕方に於て行はれるところの他者との共同生活としての共同社會關係である。　それゆえにこの交はり、卽ち共同社會關係の中には二つの契機が區別される、それは『私が在ること』と『他と共に在ること』とである。　若し私にして獨立者として私自身でないならば、その時私は私をば全然他者の中に失ふ、そして交はりは私自身とともに同時に自からを止揚するであらう、之に反して若し私にして私をば孤立化し始めるならばその時交はりは一層貧弱且つ空虛になりゆき、そしてその極限に於て、そこに私は私自身であることをもまた交はりとともに失ふであらう。　それゆえに一方に於て、私自身が在るとは孤獨であるといふことであるとともに、私は孤獨に於てなほ決して私自身ではない、孤獨はただ交はりに於てのみ現實的となるところの可能的實存の準備意識に過ぎぬとも考へられるから。

卽ち私は交はりの中に入ることとなしには自己となることを得ず、又孤獨であることとなしには交はりの中に入ることを得ない。 若し私にして自からの根源から自己であり、それがためにまた最も深い交はりに入らうとするならば孤獨を欲しなければならぬ。 交はりに於て孤獨としての私は他者とともに私に顯はになる。そしてこの顯はになるといふことは、やがて自己としての自我が現實的となることに外ならない。 若し人にしてこの顯はになるといふことをば、生得的性格の開明であるといふやうに考へるならば、その時かれは、この顯はになる過程に於て不斷に自からを創造する實存の可能性を拒否するものである。 對象的思惟に對しては、前もつて在るところのもののみが顯はになり得るに過ぎない。 これに對し、交はりに於て實存的に顯はになることは言はば無からの產出であらねばならぬ(11)。そしてこのやうな顯はになることとの過程は決して孤立化せられた實存に於て行はれないで、却つて他者との交はりに於てのみ行はれる。 しかも自己が在ることとと他と共に在ることをばそれの契機とするところの交はりに於て顯はになるところの過程はやがて對立に於ける結合として『同時に愛であるところの特種的な戰ひ』であるといふことが出來る。 卽ち交はりは愛としては決して單なる盲目的愛ではなくして、むしろ『戰ふところの愛』であり、又戰ひとしては、交はりはどこまでも『實存のための個體の戰ひ』である、自我と他者とは實に止揚すべからざる對立性に於てのみ相互ひに結合されてゐると言はねばならぬ。(12)

以上のやうに自己が在るとはやがて交はりに於て他とともに在るといふことであり、また交はりに於て他と共に在るといふことは自己が在るといふことであるとするならば、現存在に於て分離されてゐるところの汝と私とをかく結付けるものは何であるか。吾々はこの問ひに於て自から超越の前に立つのを見るであらう、卽ちこのやうな汝と私とはこの超越に於て始めて一つである。かのブーバーが私と汝との關係の引き延ばされた線が終に永久的汝に於て交叉すると考へたやうに、超越とは實に最も深く相對立するものの最も深く相結付くべき場面である。私は交はりなしには私自身であり得ないやうに、超越なしには眞の交はりに入るを得ない。かの愛するところの戰ひ、又は戰ふところの愛と考へられるところの汝と私との辨證法的交はりはかかる超越に於てのみ可能である。超越とは交はりに於ける相對立するものの愛をば可能ならしめる絶對愛に外ならない。吾々は對立者をば或るもののために愛するのでなくして、他者であるがために愛するのである、また對立者がかくあるゆえに愛するのでなくして、單にそこにあるゆえに愛するのである。このやうな愛はもはやかの普遍的、理念的なる人間愛でなくして、最も具體的なる『隣人愛』である、そしてこのやうな隣人愛はもはや限界尊重ではなくして、むしろ限界超出である、自己の限界放棄によつて他者へ超えゆくことである、即ち犠牲である、犠牲とは自己の正義をば踏み超えることである、從つて犠牲は理性の彼岸にある。しかも犠牲はかく最高の自己否定であるとともに同時に最高の自己主張、自己充足でもある。(13) そして相對立せる汝と私との交はりがそれに於て可能なるかかる愛はやがて超越そのものに外ならないのである。然しながらこのやうに人間の交はり、即ち共同社會關係をば可能ならしめるところの超越はまた人間の歴史を可能ならしめる制約でもある、これ人間の歴史は前にも述べたやうに單に過ぎ去つた出來事でなくして、過去としての汝と現在としての私との出會ひであり、そしてかかる辨證法的なる出會ひを可能ならしめるものとして必然的に時間と無時間性との思惟すべからざる統一に於ける超越の存在が要求せられるからである。吾々はこのやうな人間的現存在に於ける社會性と歴史性との根本制約としての超越の本質について一層具體的に反省して見なければならぬ。

(1) Barth, Dogmatik, S. 218.　(2) Gogarten, Glaube und Wirklichkeit, S. 31.
(3) Heidegger, Sein u. Zeit, S. 116, 118, 120.　(4) Ib. S. 126, 128.　(5) Brunner, Gebot u. Ordnung, S. 279.
(6) Buber, Ich u. Du, S. 9—10, 12, 18, 19, 36, 37, 89, 93.　(7) Gogarten, Ich gl. a. d. drei, Gott, S. 69.
(8) Ib. S. 144.　(9) Jaspers, Philosophie II. S. 30, 48.　(10) Ib. S. 48—9.　(11) Ib. S. 51, 61, 64, 65.
(12) Ib. S. 65.　(13) Brunner, Gebot und Ordnungen. S. 290—1.

第七　人間的現存在の歴史性及び社會性の根據としての超越

ここに超越の問題とは決して普通考へられてゐるやうに主觀が客觀の方へ自からを脱出することを意味する客觀的超越でもなければ、又逆に客觀が主觀そのものの中へ還元せられるところの主觀的超越を意味するのでもなく、却つて主客觀の對立そのものをばその根柢に向つて超えるところの絶對的超越についての問題でなければならぬ。それゆえに第一の場合のやうに、單に主觀から獨立的なるもの、氣隨的に變化せしめられないもの、單にそこに見出されたもの、私なくしても成立するものは、それが或る對象性を有つ限り、超主觀的者といふことは出來ても、何等本來的なる超越ではないであらう。本來的超越とは非對象的なるものへの對象的なるものの超出であつて、あらゆる對象性の彼岸に横はるものであらねばならぬ。次に第二の超越、例へばカント的意識一般への超越のやうなものは、意識一般がどこまでも認識の形式的主觀であつて何等實存的主體でない限り、形式的なる認識論的超越ではあつても、なほ眞の本來的超越ではない。元來『超越』即ちTranszendenz とはその語義の示すやうに『踰越え』(Überstieg) を意味する。踰越えとは或るものから或るものへと自己を越えて移りゆく關係を表はすものであるが、なほそれとともにまたこの踰越へがそこへ行はれゆく當のものをも表はす。それゆえに超越とは超越する主體そのものの性質であるとともに、この主體がそこへ超えゆくところの當のものを意味する。そして人間的現存在は實存としてまさしくこのやうな超越にむかつて自からを超越しゆく主體であり、この意味に於て超越はかのハイデッガーのいふやうに現存在の『根本狀態』であるといふことが出來るであらう。(1) 然しながらこれにかかはらずこの超越は何等現存在とともに與へられてゐる現實的事實ではなくして、却つて現存在に於ける自由の可能性として決意を通してのみ實現されるものである。人間は可能的實存がそこに自からを現象せしめてゐるところの現存在として存在するのであつて、かれは單にそこにあるのみではなく、またこれを止めることも出來るのである。[3] それゆえに若し人にして決意に於て超越の前に立つならば、その時かれは獨自的仕方に於てその究極的根據を求める、この根據はこの決意に對して自から開いて見えるが、しかも若しそれが實際可視的となるならば、それは直ちに消失する、そして若しかれにしてこの究極的根據をば把捉しやうとするならばその時かれは何ものをも把捉しないであらう。　しかし悟性に對してかやうに空虚なるこの深淵性は實存に對しては充たされることが出來るのである。　即ち人はそこにこの深淵が開かれ、そして時間現存在に於て『求めること』そのことがやがて『見出すこと』であるやうな超越の中に立つてゐる、何故ならば求めることとしてのみ在るところの現存在は、求めるところのものから切離されてゐない、ただ見出さるべきものの先把捉からのみ求めることが可能となるからである。　かやうにして實存は超越と相聯關しつつ世界に於けるそれの道を歩みゆく、超越なしにか、超越に反對してか、それとも超越とともにか、何れにせよ超越といふことは可能的實存に對して斷えざる問題として關係せしめられてゐる。　然しそのやうな超越が吾々に對して存在するとは如何なる意味であるか。それは如何なる經驗も、如何なる推理も確かめることを得ない、それは觀察することも考へ出すことも出來ぬ。超越の存在はただ超越することに於てのみ見出されるものである。そしてこの超越することは可能的實存としての現存在に對しては、なほ單に可能性に過ぎず、そしてそれが自己存在の生成とともに成遂げられるかどうかは自由によつて決定されねばならぬ。即ち超越とは何等現存在とともに與へられた存立ではなくして、却つて現存在に於ける自由の可能性であらねばならぬ。私は實存として超越しないとを得ない、むしろ極端の場合には自由からして超越することをば否定することが出來るが、しかもこの否定に於てなほ超越することをば遂行することが出來るのである。[3] 元來存在は若しそれが自からを顯はにしないならばそれは本來的存在ではない、それはただ一つの可能性に過ぎぬ。それが現存在の中へ入込み、そしてすべての分裂から再び自己へ歸來る場合にのみ、それは一つのものの中に顯はに且つ現實的になるのである。存在そのものは生成しつつ時間の中に在らねばならぬ。存在はそれが有限性を自己の中に含む場合にのみ無限的である。存在はそれが有限的のもの、分裂したものに獨自存在の獨立性を與へ、そしてそこにすべてが一つの中にあるところの存在としてそれをば包む場合に最高の力且つ完全性である、最高の緊張はやがて最高の顯示性を藏すると考へられる。(1) かやうにして超越への聯關をば常に自己の中に擔ふところのあらゆる存在はヤスパースのいふやうに『暗號』であると考へるところが出來る、超越は暗號に於て自からを表現する、何等の暗號の存しないところ、そこにはまた何等の超越も存しないであらう。一般に暗號があるといふことは、吾々現存在にとつては、一般に超越があるといふことと同一である。この暗號は實存的意識にとつては、そこに超越が實存的意識に對して現はれ來るところの唯一的形式であり、又は實存に對し超越がなるほど隱されてはゐるが、しかも決して消失してゐないといふことのしるしである。(1) それではこのやうな人間的現存在の根本狀態とも考へられる超越の概念はそれ自からに於て如何なる構造聯關を有つか。

今吾々は以上のごとく理解されたこの超越の概念に於て三つの契機をば區別することが出來るであらう。即ち第一は、現存在がそこへ超えゆく當のものであつて、これは現存在に對しては暗號として與へられてをり、そしてこれはただ超越するとそのことによつてのみ解かれることが出來る。第二は、踰越えられるもの、卽ち被超越者であつて、これは現存在者としての吾々自身である。そして第三は、踏越えゆくもの、卽ち超越者であつて、これは超越の主體としての吾々自身である。それゆえに超越とは行爲的主體としての吾々が現存在者としての吾々を超えて、吾々の眞實なる根柢としての自己存在そのものへ還るところの辨證法的出來事である。それゆえに現存在はかやうに自己を超え、自己を出でゆくことによつてそれは自己と異つた或るものになるのではなくして、却つて現存在はこれによつて眞の自己を獲得するのである、卽ち『踰越えに於て現存在は始めてそれであるところの存在者の方へ、又はそれ自身としての存在者の方へ近づく、超越は自我性を構成する』[9]と言はれ得るのである。然るに今他方に於て、そこへ現存在が超えゆくところのものをばハイデッガーに從ふて世界と名付けるならば、世界は超越の統一的構造をばともに構成する、從つて現存在の眞の自己性はこの世界性と一致する、卽ち自己性と世界性とは超越に於て一つになるのである。かやうに超越とは現存在の本來的自己存在可能の實現であつて、これによつて現存在の自己性が世界性として成立するのである。それゆえにここにいふ世界とは決して普通考へられるやうに、存在者の總體といふやうなものではなくして、現存在が自己自からを否定し、自己自からを脱け出ることによつて始めて把捉され得る眞實なる自己性である。そこから現存在が自からを解釋すべき地平である。然しながら世界はかく現存在の自己解釋の地平であるがゆえに、それ自から與へられた一つの存在ではない、眞の自己性としての世界性は決して與へられてゐるものではなくして、問題として課せられてゐるものであり、又は讀解によりてのみ解かるべき暗號の聯關である、現存在そのものの決意を通してそこにあらゆる存在の聯關が見らるべき無の場所である。世界とは現存在がそこへ越えゆくことによつて、却つてそこに眞の自己性を見出すところの超越そのものでなければならぬ、ハイデッガーが『世界は在るのではなく、むしろ世開する』(7)と言つたのはこれがためでなければならぬ。かやうにして現存在の眞の自己は、單にそれの内に於ても、またそれの外に於ても求められるを得ない、卽ちそれの主觀の根柢に於ても、客觀の根柢に於ても見出すことを得ない、それはどこまでもこの内と外、主觀と客觀との對立そのものがそれに於て成立するところの場所に於て見出されねばならぬ、卽ち超越としての世界そのものに於て見出されねばならぬ、そしてこの世界こそ現存在が絶えず自己を超えて求めつゝある眞の自己存在の場所であらねばならぬ。そしてかやうに現存在の自己性が、自己を超えた世界に於て見られるのは、世界そのものが超越としてハイデッガーの所謂脱自的＝地平的でありそしてこの脱自的＝地平的といふことはやがて時間性の根本性格として人間的現存在そのものの歴史的、社會的本質をば構成するからである。かやうにして吾々はかの主觀への超越によつて單なる單一性としての自己、又は個別性としての自己を有ち、客觀への超越によつて多數性としての自己、又は特殊性としての自己を有つに對し、主客觀の對立そのものの根柢への超越によつて總體性としての自己、又は普遍性としての自己を有つとも考へられる。そしてかくして成立せる自己が、それ自からの具體的本質をばどこまでも脱自的＝地平的なる時間性に於て見出す限りに於て、かかる總體性又は普遍性としての自己は決して單に抽象的、一般的なる自己ではなくして、必然的に社會的、歴史的なる具體的の自己でなければならぬ、そしてこの社會的歴史的なる自己は、また必然的に世界的自己であらねばならぬ。それではこの個別性としての自己、卽ち個體的自己と特殊性としての自己、卽ち社會的、又は國家的自己と普遍性としての自己、卽ち世界的自己とは如何に相聯關し、如何やうに內面的に結付くことが出來るか、換言すればベルグソンの所謂閉ぢた社會、閉ぢた道德は如何にして開いた社會、開いた道德に結付くことが出來るか。吾々はこれ等二つの領域の性質をば今一度社會存在そのものの構造聯關に於て反省してそれの關係を考察して見たいと思ふ。

（1）Heidegger, Wesen des Grundes, S. 10,11.　（2）Jaspers, Philosophie I, S. 38.　（3）Ib. II, S. 201—2.
（4）Ib. S. 204—5.　（5）Ib. S. 205,206.　（6）Heidegger, Wesen d. Grundes, S. 11.　（7）Ib. S. 31.

第八　社會存在に於ける個體と國家と世界、卽ち閉ぢた社會、閉ぢた道德と開いた社會、開いた道德との聯關

周知のごとくベルグソンはその『道德及び宗敎の二源泉』に於て閉ぢた社會と開いた社會とを區別した。かれによれば閉ぢた社會とは『一定數の個人を包含し、そしてその他の個人を排除することを本質とする』ものであり、そして『それの成員が嚴密なる責務によつて相互に結付られてゐる』ことを特質とするものであるに對し、開いた社會とは『原理上全人類を包含する社會』又は『すべて

の人間を包括する單一社會』である。(1) 然るに今一般に社會的存在領域に於て閉ぢたものは開いたものから根本的に區別される、即ち閉ぢた社會はそれの本性上、『自己の屬する社會外の人々には無關心的な成員が、常に攻撃又は防衛の用意をして、つまり爭鬪的態度を餘儀なくされて相關係してゐるやうな社會』であつて、(2)人間社會は自然から造り出された時は常にこのやうなものであつた、そして吾々が社會的責務の根柢に認めるところの社會的本能は常にこのやうな閉ぢた社會を目指すのであつて、決して直接、開いた社會即ち人類を目指すものではない、何故ならば閉ぢた社會に於ける最高の段階と考へられる國家は、よしそれがいかばかり擴大されても、それと人類との間には、有限から無限へ、閉ぢたものから開いたものへ至る全距離が存してゐるからである。 またこれに聯關して、普通に個人道德は家庭道德へ、家庭道德は公民道德へ、公民道德は國民道德へ擴張せられ得ると同樣に、國民道德は人類道德へ擴張し得ると考へられるのであるが、然しこのやうなことはかの國家をば世界へ擴張し得ると考へると同樣に全く主知主義的解釋にもとづく推論でなければならぬ。 吾々の生存してゐるこの社會と人類一般との間には前にも述べたやうに閉ぢたものと開いたものとの間の、量的でなくして質的なる根本的差異がある、卽ち吾々が兩親や、市民や、祖國を愛するのは直接的自然的であるに對して、人類愛は間接的であり、習得的である、吾々は兩親や市民や國家に對しては一直線に進み、人類に向つては迂路を通つてしか達しない、これ人類愛はただ神を通して、ただ神に於てのみ實現せられ得る、卽ち吾々は一足跳びで人類よりもはるかにより遠いところに移り、人類を超えながら人類に達すべきであるから。(二)

それではこのやうな閉ぢた社會と開いた社會、從つて閉ぢた道德と開いた道德、國家道德と世界道德、祖國愛と人類愛との直接的に結付くことを得ないと考へられる二つの領域をば媒介するものは果して存しないであらうか。ベルグリンはこれ等二つの領域に於ける魂の態度、卽ち『社會的にして個人的なる魂』としての『閉ぢた魂』の態度と『全人類を包む魂』としての『開いた魂』の態度との間に、『純粹觀想』としての『開く魂』の態度をば想定することによつてこれ等二つの領域又は二つの道德をば人間に於て結付けやうとするのであるが、然し開く魂の態度はそれがどこまでも純粹觀想、卽ち所謂『知性そのもの』であつて、純粹行爲でない限り、直接的に自然的本能に於て結付き得る所謂『知性以下』としての、靜的なる閉ぢた魂の道德と、ただに人類のみならず動植物また自然全體にまでも及ぶところの所謂『知性以上』としての、動的なる開いた魂の道德とをその根柢に於て媒介することを得ない、即ちそれは一つの中間者ではあつても媒介者であることを得ないといふことは、ベルグリン自身も既に認めてゐるところであらう。かくしてそのやうな二つの領域をば結付け得る眞の媒介者は必然的に靜的にして動的、自然的にして歷史的社會的、特殊的にして普遍的なる、換言すれば閉ぢることがやがて開くことであり、開くことがやがて閉ぢることであるところの辨證法的なる原理でなければならぬ。かかる原理をば吾々は何處に求むべきであるか。吾々はかかる原理をばベルグリンが單なる閉ぢた社會として限定した國家そのものの本性に於て見出し得ないであらうか。吾々は社會存在そのものの構造聯關に於ける個體と國家と世界との關係を通してかかる二つの領域の結付きについて考察して見たいと思ふ。

今世界内存在としての人間的現存在は前述のごとく絕えず自己をばその主客觀の對立の根柢に超越することによつて、そこに眞の自己を見出すところの辨證法的存在である、そして現存在の主體がそこへ向けて超越するところのものはやがて世界であつて、かかる世界への超越に於てその自己は却つて眞の自己となる卽ち世界存在はやがて自己存在と一つになる。 然しこのやうに超越としての世界は、主體としての自己に最初から超越として與へられてゐるのではなくして、それはどこまでも超越することとそのことに於てのみ見出されるところの、現存在の自己解釋の脫自的＝地平である、そしてこのやうな脫自的＝地平性はやがて現存在の自己性、從つて世界性が無に於てあることを表はすものでなければならぬ、無に於てあるもののみが脫自的＝地平的である、無の深淵に直面し、これか＝あれかの絕對的選擇に驅られるもののみが無限に自己をその根柢に於て超えて世界性へと向ひ、却つてそこに眞の自己性を見出すのである。 卽ち超越するものとしての現存在の主體的自己と、そこへ超越しゆくところの世界とはこの超越に於て一つであり、この意味に於て個體卽世界、個別卽普遍といふことが現存在の實存の根本性格として見出されるのである。 然しながら現存在の主體がそこへ超えゆくべき世界は上述のごとくどこまでも超越として與へられた存在でなくして、超越することに於てのみ見出されるところの、無に於ける存在である、讀解することに於てのみ實在性が獲らるべき暗號の存在である。 この無に於ける存在に形態を與へ、暗號を解くことによつて超越をば可能にするものは何であるか、卽ち個體と世界、個別と普遍との相卽をば眞に具體的に媒介するものは何であるか。　それは一方に於て質料的、基體的性格を荷ふことによつて普遍に對する特殊化の原理となるとともに、また他方に於て形相的、主體的性格を有つことによつて個別に對する普遍化の原理となることを得るものでなければならぬ。　かの血緣と地緣とのつながりによる自然的竝びに歷史的、社會的限定を通して、すべての個體がそこに生れ、そこに生長し、そこに歸りゆくところの質料的、基體的意味を有つとともに、すべての個體がそれに於て個體として主體化され、それの孤獨性が連帶性にまで普遍化されるところの形相的、主體的意味を有つところの特殊態としての國家、特に民族國家はまさしくかかる媒介をば可能にするものでなければならぬ。　元來國家はそれの本來的性質に於て民族的であらねばならぬ、それは民族に於て、民族によつて現實的に存するのである、國家は『民族の秩序』であると考へられる。　卽ち民族存在の基礎はかのブルンナーの言ふやうに、第一には空間的近接、卽ち『地緣』であり、第二には生物學的近接、卽ち『血緣』であり、更に第三には、民族が『運命共同體』としてのみ存するといふことである。　然るに民族はただ國家を通してのみそれの總體に對して共通的運命を荷ふ國家にまで總括された民族のみが歴史をば共通的運命として體驗するのである。かくして國家は丁度民族が國家の前提であるやうに民族の前提であらねばならぬ、國家に於て結合されてゐないで自からを民族として知るものは存しない、ただ國家に於てのみ民族意識は成立するからである。(3)　かやうにして血緣と地緣と共通的運命といふことをば基礎とするところの種的普遍としての特殊態たる民族的國家は、かの超越に於てのみ可能であるところの、又は無に於てのみある世界に對して單にそれの創造的契機として孤獨であるに過ぎぬところの個體をば自からの種的普遍性、種的主體性を通して連帶的成員となすところの普遍化の原理であるとともに、また世界への關係に於ては、それの質料性、基體性を通して世界をば個的主體へ媒介すべき特殊化の原理となる、即ちかかる國家に於てのみ特殊即普遍は可能となる。それゆえに種的普遍としての特殊態たる民族的國家は、一方に於て個的主體の自己性をばそれの直面せる無の深淵から救ひ出して世界への超越をば可能になすとともに他方に於て世界をばそれの暗號性から解放して個的主體に於けるそれの實現をば可能にするところの基體である。個體は國家を離脱することによつて世界への超越を全うするのではなくして、國家に於て、國家を通してのみ世界の創造的契機たることが出來るのである、かのユダヤ人が神の國の實現を目指しながら、永久の漂浪者とならねばならなかつたのはかれ等がかかる國家的媒介を失つたがためとも考へられる。然しながら民族國家がかく個體と世界とを媒介し得るのは、それが單にこの兩者への方向を含むところの中間者であるがためではなくして、この兩者への方向そのものの矛盾的對立を通して不斷に自己自からを超越するところの、それ自から主體的なる辨證法的存在であるがためでなければならぬ、從つてこの民族國家の質料性、基體性は單なる直接性としての質料性、基體性でなくしてそれ自から形相性、主體性を含んだ動的直接性としての質料性、基體性でなければならぬ。それゆえに民族國家の單なる要素が直ちに個體であるのでもなければ、また國家そのものの單なる擴張が直ちに世界となるのでもない。個體は單なる孤在でなくして、この國家の質料性、基體性に於てどこまでも他と共にあること、又は他から在ること、卽ち共在性と相屬性との自覺に於て始めて具體的なる個體となる。またそれ自から一つの超越としてただ超越することによつてのみ可能なる、無に於ける存在であるところの世界への媒介は、一方に於てかの個體が國家的基體に於て他と共に在ること、他から在ることによつて個的主體となると同時に、他方に於て國家そのものがこの個體の自覺に對して內から統一として自からを自覺するとともに、又他の國家への關係に於て外から自己の同樣なる共在性と相關性をば自覺することによつて基體的から主體的になつた場合に始めて可能である、何故ならば主體としての個體の眞の自覺が國家存在の豫想に於てのみ可能であると同樣に、國家そのもののかかる主體的自覺は必然的にそこにそれの成立すべき世界存在を豫料するからである。今吾々はこの超越、又は暗號としての、卽ち無に於てあるものとしての世界をば、西田博士によりしばしば無の自覺的限定といふことについて引例せられたるパスカルの言葉になぞらへて『中心をば到る處に有ち、周邊をば何處にも有たぬ無限大の(5)』圓と考へるならば、この時この圓の無周邊といふことは、個的主體の自己性の目指す世界性の無限なる脫自的＝地平性、暗號性、卽ちそれが無に於てあることを示し、又この周邊なき圓に於ける無限の中心はそれの各自がこの圓の中心としてこの圓卽ち世界を限定しゆくところの創造的要素として個體を表はし、そしてこの圓に於ける無限の中心が、それの有つ血緣と地緣との特定の自然的竝びに歷史的、社會的制約により特定の結合をなしたものがやがて民族共同體としての國家に外ならない。然るに今この周邊なき圓に於て無限の中心として分散せる個體がかくそれの特定の制約にもとづき、特定の中心の方へ集結して特定の圓を形成する場合、ここにかの周邊なき圓の中心として、無に於てある世界の創造的要素であつた個體は一つの國家に於ける連帶的成員として主體的に自からを自覺するとともに、その特定の圓としての國家は同樣にして成立する他の特定の圓、卽ち他の國家に對して、その共在性と相屬性とに於て自からを自覺することによつてそれの基體性は主體性にまで高められ、かくしてこの國家主體としての特定の中心はこの國家の共在性、相屬性の自覺を通して、自己自からを超出して更らにかれ等に於ける特定の中心の方へと集結する、そしてかかる集結への豫料とともにかの無限の中心を有つ周邊なき圓はここに特定の唯一の中心に於て限定せられる無限大の圓の方へと限定されゆくことことによつて、この無に於てある世界そのものはまた主體的に限定される。かやうにして基體としての國家の主體的限定は一方に於て個體の主體的限定を可能にするとともに他方に於て世界の主體的限定をば豫料することによつて世界への個體の超越をば可能にする。思ふに世界主體は個體が最も深く自己の孤獨に徹した場合そこに直面するところの絶對他者である、しかも人はかれが最も社會的になつた場合にのみ最も孤獨的であり得る、他者なき孤獨は何等孤獨ではないであらう、從つて人はかれが最も社會的、國家的生活に徹した場合に、最もよく世界主體を見るともいひ得るであらう。人は國家的生活に於てその連帶的成員として眞に自からを自覺する時にもまして世界の一員として人類全體への連帶性を自覺することはない。吾々は國家の閉鎖性のために、國家を否定することによつて個體をば世界へ媒介し得ると考へるであらうが、國家の否定は世界の實現からそれの質料的、基體的制約をば奪ひ去るものでなければならぬ。國家の閉鎖性は單なる排他性ではなくして、却つて自からに於けるかの二つの方向の對立を通して不斷に自己をその根柢へ超越しゆくことによつて却つて自からを實現するところの自覺を表はす、從つてこの閉鎖性は單に他を排斥するのではなくして却つて他と共に、他への聯關に於て在ることを意味する、卽ちこれに於ては閉ぢることが同時に開くことである。かくして國家はどこまでも世界の無底をば充實すべき基底であらねばならぬ。そしてかやうに國家の自覺が個體の自覺とともに個體をば世界へ媒介する根據となるといふことは、同時にこの國家の自覺そのものが個體の自覺とこれに於ける世界の豫料に於て制約せられるといふことを否定するものではない、ただ國家はそれの著るしい質料性と基體性とのためにあらゆる社會存在の根本制約としての共在性と相屬性との具體的根柢であることに於て、個體と國家と世界との相互的媒介の中心的重要性をば要求し得るのである、そしてこのやうな國家の主體的自覺は、この國家主體が一方に於て個的主體に於て自然的並びに歷史的、社會的なる有限的存在者として自己を表現しつつ他方に於てこの個的主體の、世界への豫料を通して直ちにまた世界主體として、卽ち超越的なる無限的存在者として表現せられ、そしてこれが眞に具體的なる歷史的、社會的現實として證示され、これが國民的信仰として不斷に確保せられる場合に最も深く且つ强固なる根柢を獲得する、そしてこのやうな國家的主體と個的主的と世界主體との一致に於てのみ、かの閉ぢた社會としての國家は始めて開いた社會としての世界への、展望と飛躍とをば眞實に實現することが出來るのである。然るに今現實に於ける多くの民族又は民族國家は、それの神話に於て世界の主又は世界の創造者、卽ち世界主體をばそれ自からの民族に於て有つ、しかもかれ等に於けるこの世界主體はかれ等に於ける歷史的、社會的現實としての國家主體と何等生ける結付きをもつてゐるのではない、卽ちかれ等に於ては神話と歴史、世界主體と國家主體とは必ずしも一つに歸せられない。ただわが日本帝國に於てのみこの神話と歴史、世界主體と國家主體とは　天皇の個的主體に於て、深き內面的なる歴史的、社會的聯關を有つ、卽ちわが國に於てのみ、個的主體におはします　天皇は直ちに歴史的、社會的現實としての國家主體におはしますとともに、しかもこの國家主體としての　天皇はまた直ちに現人神として、かの世界主體としての天御中主神（造化神）及び天照大御神（皇祖神）をばかの神勅に於ける世界の永遠なる豫料を通して表現まします限りに於て、國家主體と世界主體とは　天皇の個的主體に一つに結付いてゐるといふことが出來る。わが國が古來『神國』として特徵付けられてゐるのはかやうな歴史的、社會的特質のためであらねばならぬ。そしてこのことはただに國民的信仰の事實であるのみならず、わが國に於ける否定すべからざる歴史的、社會的現實である、そして歴史的社會的現實の眞理性は決して思惟の論證によつてでなくして、その不斷の歴史的、社會的現實そのものによつてのみ確證せられるものでなければならぬ、そしてこれはかく歴史的、社會的にのみ證示せられるとともにまた歴史的、社會的にのみ產出せられ、發展せられるものでなければならぬ。　わが國民道徳が『之を古今に通じて謬らず、之を中外に施して悖らず』とせられることの出來るのも、國家主體が歴史的社會的なる個的主體を通じて同時に世界主體を表現するといふ國民的信仰の歴史的現實的確證にもとづくのであつて、敎育勅語によつて示されるこのわが國民道徳が、單なる特殊的普遍でも、また抽象的普遍でもなくして、卽ち單なる閉ぢた社會の閉ぢた道徳でも、また單なる開いた社會の開いた道徳でもなくして、換言すれば單なる個人道徳でも、公民道徳でも、また人類道徳でもなくして、この兩者を媒介すべき具體的普遍としての國家道徳であると考へられ得るのは、わが國に於てはそこに世界主體卽ち神への迂路を必要としないで、却つて國家主體がこの世界主體をば直ちに個的主體に於て表現するといふ直路が歴史的現實に於て可能であるがためでなければならぬ。

（1） Bergson, Les deux sources de la moral et de la religion, P. 25, 96, 288.　（2） Ib. P. 287.
（3） Ib. P. 27—8.　（4） Ib. P. 61—3.　（5） Brunner, Gebot und Ordnungen, S. 440, 441.
（6） Pascal, Pensées, P. 348.

高砂族の行動特性（その二）

――パイワンとルカイ――

藤澤　祐

一、目的

高砂族の進化は彼らのいふ「ニッポン」の影響並びにその受用を度外視しては考へることが出來ないし、その外のことではないといはなければならない。而して高砂族の進化といふことは我國の運命に響く所は小さいかも知れないが、閑却視さるべきことではないと思ふ。

そこでその受用の行動の事理を明らかにすることが求められる。それに何程か寄與する所があるやうに、その第一着手として、高砂族の中の種族、部族、蕃社等の種族的群によつて、現在の受用の仕方に差異があるかどうか、もしあつたとしたらどんな差異なのか、その特性を確めようとした。

現在の受用の仕方は、一方既往の「ニッポン」の影響の仕方の累積と、他方高砂族の人種心理學的特性とを契機として成立してゐるものと考へられる。然るに、既往に於ける「ニッポン」の高砂族への影響はその諸種族的群に同質同强のものではなかつた。又高砂族に於ても「ニッポン」の影響以前に於て、種族的群によつて、その習俗、その相對的勢力、又はそれらへの外部諸勢力の滲透の度などを異にし、その人種心理學的特性を均一にしてゐたとは考へられない。
そこで右のやうにまづ現在の受用の仕方の特性を問題とすることができるのである。

その問題解明の作業促進のために、その受用の行動を位相幾何學的概念と力學的概念との中で考へて見やう。まづ「ニッポン」と高砂族とは相接した二つの領域と考へることが出來る。そして受用は、勿論「ニッポン」の領域全體ではなく、その中に當面の問題となつて來る部分領域の結構に通曉すること、即ち領域分化が累加して行くことである。そしてそれと自己領域とを、一つの結構(力學的)をもつた領域とし、從て自己領域を擴張することである。まさに分化さるべき領域は、自己領域と分化未了の領域との間の境界を具現するものであるから、受用は、自明のことながら境界領域に起るのであり、それに携はる行動そして、その現象の層に於て、又は、研究素材として、境界現象といふことが出來る。かかる概念を導き出したのは、受用の仕方又はその現象の契機が既述の通り兩側のものであることを表明するとともに、その故に一般的に重要な社會心理學的概念として發展せしめられるやうに考へられるからである。何となれば、それは人と人とど間に日常切實に營まれる現象であつて、例へば人の性格が見とられるといふのも、畢竟見る者と見られる者との間の境界現象に、或ひは一方が、或ひはまた多かれ少なかれ、双方がそのあるじとなることに發するのである。そして、性格學的研究をする、そのこと自體が具體的には境界現象なのである。その中に兩側の契機を分析する方法を見出すことが、性格學的方法の重點となるのである。

私の小試も、間接的にはその方法の發見を一つの遙かな目標としてゐる。

右の問題を携へて、眼前に境界現象を展開せしめ、その觀察に從事する。それには、理蕃行政の日常の現地事務に座した自然的觀察よりも、實驗的方法によつてその現象の發展を促進しながら觀察する方が有利である。そのために、その方法は、未分化領域への停滯か、或ひはそれの連續を計り得るものであり、そこに展開する現象が、實際のその現象と同樣、人の深層にかかはるものでなければならない。私が、まづデンボーの花の取方の實驗(註一)を選んだのは、そのためである。後に、對照としてロールシャッハの偶然圖形解釋のテスト(註二)をも試み、この報告の關する限りでは、すべての被驗者に兩者が適用されてゐる。(註三)私はこれらの方法によつて「ニッポン」の指導的性質を完全に擔つて、彼等の營む「ニッポン」への境界現象に、その要員となりつゝ、觀察者となることができる。

註一　T. Dambo : Der Ärger als dynamisches Problem. Psychol. Forschg. 15. 1931. S. 1–144

註二　H. Rorschach : Psychodiagnostik. 3. Aufl. 1937.

註三　拙稿「アタイヤル族とサイシャット族とに於ける指導社會との間の社會的境界現象」(心理學研究、第一三卷、昭一三。五五頁以下)は花の取方の實驗だけについての報告である。なほパイワンとルカイとに次いで、ブヌンとツォウとにも兩者を適用した。

二、被驗者

この報告に於ける被驗者の住んでゐる蕃社は、すべて高雄州の山岳地帶にあり、何れも一方に行旅の難が實驗者を脅かしてゐる。

今、臺北帝大土俗人種學研究室に(註一)依る高砂族の種族、系統、部族の區分から、被驗者の住んでゐる蕃社の所屬を見れば第一表の通りである。各社の調査時と、當時の戸數、人口等をも合せて表示する。

第一表

被驗者居住蕃社の人種學的系統所屬その他

蕃社	種族	系統、部族	略符	調査年月日	所在地	蕃社標高(尺)	戸數	人口
マカザヤザヤ*	パイワン族	ブツル系統 ブツル蕃	Pb	13. 2.15〜19	潮州郡	2,400	130	598
下パイワン**	同上	同上		13. 2.20〜24	同上	2,600	172	875
マヌル***	同上	同上		13. 3. 8〜10	屏東郡	2,950	145	689
コチャボガン	ルカイ族	第一類	R_1	13. 2.26〜32	同上	3,100	130	707
ブダイ****	同上	同上		13. 3. 4〜6	同上	2,600	192	927
トナ	同上	第二類	R_2	12.12.23〜26	旗山郡	1,500	91	349
マガ	同上	同上		12.12.27〜30	同上	2,200	61	269

* 上パイルス、タラバコン兩社を含む
** パダイン、チャリシ兩社よりの移住者を含む
*** ダラダライ社を含む
**** カバラヤン社を含む

ルカイ族を立てるのは右研究室の創見である。それに依らぬ臺灣總督府等の從來の慣用によれば、右は何れもパイワン族である。而して部族別に於て、トナ、マガは下三社蕃の中にあり、その他のコチャボガン、ブダイ、マカザヤザヤ、下パイワン、

マヌルは何れも傀儡蕃の中にある。(註二) なほ細別したものに依ればコチャボガン、プダイはルカイ蕃の中に、マカザヤザヤ、下パイワン、マヌルはブツル蕃の中にあり、なほ下三社蕃を上ツァリセン蕃と稱してゐる。(註三)

次に全被驗者の年齢その他を個別的に第二表に示す。その中、身體各部の長さは筆者に依る計測ではなく、計測者の好意により借用できたものをそのままに、又はそれに基いた計算の結果を示したのである。

第二表

全被驗者(被)の年齢その他

一、マカザヤザヤ

調査年月日	被	屋號	名前	年齢(算)	地位その他*	身長	下肢長	腕=上身長	前二數の和	頭蓋指數
13. 2.15	1	カツダス	プルグ	35		(粍)	(粍)	(粍)	(粍)	
〃	2	ルルアン	タバウ	26						
13. 2.16	3	タリマラオ	チムルサイ	·32		1,597	830	1,144	1,974	84
〃	4	トヴカツ	アロボ	32	勢	1,521	854	1,179	2,033	88

13. 2.17	5	チ　　　ル	リ ッ プ ン	40	長					
〃	6	タロザロム	サ　カ　ロ	44	勢	1556	825	1,162	1,987	77
〃	7	パ サ サ オ	リ　パ　ン	31		1,536	781	1,150	1,931	93
13. 2.18	8	ゾマララト	リ ッ プ ン	30	教	1,629	858	1,176	2,034	86
〃	9	カザキラン	ティボロアン	50		1,567	805	1,171	1,976	72
〃	10	ルンッアン	ボ　ロ　ク	26	教	1,649	856	1,241	2,097	91
13. 2.19	11	マ ル ト プ	ム ダ サ ン	37	教	1,549	813	1,127	1,940	83
〃	12	パ タ ダ ル	チムルサイ	41		1,530	761	1,118	1,879	86

二、下パイワン

調査年月日	被	屋號	名前	年齢（算）	地位その他*	身長	下肢長	腕＝上身長	前二數の和	頭蓋指數
13. 2.20	1	カリブアン	ラ ン ク イ	51	勢	1,630	851	1,248	2,099	84
〃 21	2	ステラパン	パ　ラ　ン	45	勢	(耗)	(耗)	(耗)	(耗)	
〃	3	ロアジアジ	ラ ン パ ウ	36	勢、教	1,591	804	1,196	2,000	84
〃	4	ドマララト	リ ッ プ ン	35		1,558	817	1,133	1,950	79
13. 2.22	5	パ サ サ オ	チョボク	44	勢					
〃	6	パ タ ダ ル	パ ン テ ル	33	勢、教	1,646	852	1,258	2,110	85
〃	7	ルルマン	パ ン テ ル	37		1,572	834	1,182	2,016	84
〃	8	マララルモ	チモルサイ	30						
13. 2.24	9	パ ル グ ズ	ク　　イ	57	頭					
〃	10	パクムクム	ク　レ　レ	42		1,677	893	1,247	2,140	77

〃	11	タロラヤジ	ルマリズ	42	頭	1,552	791	1,205	1,996	81
〃	12	パツリジ	リッポン	35	勢					

二、マヌル

調査年月日	被	屋號	名前	年齢(算)	地位その他*	身長	下肢長	腕=上身長	前二數の和	頭蓋指數
13. 3. 8	1	ルシグアン	ビコシ	35		(粍)	(粍)	(粍)	(粍)	
〃	2	タリバタン	パリ	46		1,561	783	1,212	1,995	84
〃	3	カザキラン	プラルヤル	56		1,553	769	1,190	1,959	84
〃	4	タナバタン	ビカル	45						
13. 3. 9	5	パツクル	コワル	54	頭					
〃	6	リガツ	マダラブ	30						
〃	7	パチクル	ラバカウ	37						
〃	8	タルワガイ	ビコン	32	數	1,538	778	1,205	1,983	85
13. 3.10	9	タビュラン	タヌバク	47	頭					
〃	10	カザキラン	パンテル	50	勢	1,509	779	1,097	1,876	85
〃	11	トダリマオ	タノバク	40		1,534	784	1,148	1,932	84

四、コチャボガン

調査年月日	被	屋號	名前	年齢(算)	地位その他*	身長	下肢長	腕=上身長	前二數の和	頭蓋指數

調査年月日	被	屋号	名前	年齢(算)	地位その他*	身長	下肢長	腕=上身長	前二数の和	頭蓋指数
13. 2.26	1	パクダバイ	ゴロツ	34		1,606	830	1,230	2,060	87
〃	2	タパラン	パリ	29		(耗)	(耗)	(耗)	(耗)	
〃	3	マダブ	マリライ	42						
13. 2.27	4	ルマララト	ブキリガン	44	勢	1,565	881	1,237	2,118	79
〃	5	ガブルガン	タノバク	49	頭	1,631	856	1,198	2,054	77
〃	6	パチクル	ギリギラウ	34		1,633	846	1,209	2,055	89
13. 2.28	7	マルガン	バタイノク	40	パダインより入婿					
〃	8	サパイ	セセル	52		1,674	381	1,244	2,125	85
13. 3. 1	9	パチクル	ダガル	38		1,638				84
〃	10	アルラデン	チャガル	42						
13. 3. 2	11	カルスガン	チョコロ	45						
〃	12	タケラダン	ラブル	45		1,640	886	1,174	2,060	83
〃	13	タギラダン	チャマル	31		1,568	845	1,216	2,061	84
〃	14	ブチョラン	ラリボン	35						

五、ブダイ

調査年月日	被	屋号	名前	年齢(算)	地位その他*	身長	下肢長	腕=上身長	前二数の和	頭蓋指数
13. 3. 4	1	トパチガ	ブリヤン	62						
〃	2	シャバール	ブルン	52		(耗)	(耗)	(耗)	(耗)	
〃	3	タビョウラ	テボサン	52	眼疾	1,611	853	1,234	2,087	84
13. 3. 5	4	ブルイラ[illegible]	マルガン	57	勢	1,508	809	1,125	1,934	79

調査年月日	被	屋號	名前	年齢(算)	地位その他*	身長	下肢長	腕=上身長	前二數の和	頭指數
〃	5	トダリマオ	パウルツ	62						
13. 3. 6	6	ルラデン	パリ	52	勢	1,549	819	1,203	2,022	82
〃	7	ラモラン	チガオ	29		1,574	821	1,176	1,997	89
〃	8	カラギラン	バラチャイ	30						
〃	9	ルラデン	ツボ	30						

六、ト　　　ナ

調査年月日	被	屋號	名前	年齢(算)	地位その他*	身長	下肢長	腕=上身長	前二數の和	頭指數
12.12.23	1	タイラバン	リツボン	32	勢	1,510	784	1,138	1,922	82
〃	2	ウリギリン	マスグスグ	37	勢	1,570	824	1,184	2,008	83
12.12.24	3	ラルガン	アリウ	44	頭	1,534	746	1,210	1,956	86
〃	4	アリアバン	ラブラス	20						
〃	5	タマオルル	ランパウ	64	勢					
12.12.25	6	アビトアン	ブツキリガン	67		1,563	786	1,214	2,000	76
〃	7	タリマラオ	アタス	32		1,559	836	1,227	2,063	86
12.12.26	8	タウリン	リリギラウ	37		1,534	775	1,178	1,953	82
〃	9	アブルガン	タカナオ	34		1,584	806	1,221	2,027	80

七、マ　　ガ

調査年月日	被	屋號	名前	年齢(算)	地位その他*	身長	下肢長	腕=上身長	前二數の和	頭蓋指數
12.12.27	1	サブラ	カナウ	41	頭(官選)	1,520	770	1,115	1,885	90
12.12.28	2	リジバン	オバク	26	勢	1,582	818	1,164	1,982	91
〃	3	サリマラオ	ギギウ	40	勢	1,572	817	1,208	2,025	93
12.12.29	4	ラデリヤ	アリウ	35	頭(前)	1,476	771	1,130	1,901	93
〃	5	カラパ	セセガ	58	勢	1,590	845	1,139	1,984	84
12.12.30	6	パサクヌ	ギギウ	33		1,576	816	1,160	1,976	91
〃	7	タマオロル	ウト	29		1,676	890	1,247	2,137	88

* 頭……頭目　長……(蕃)社長　勢……勢力者　教……教育所卒業者　記入なきは一般社衆

註一　臺北帝國大學土俗、人種學研究室「臺灣高砂族の系統所屬の研究」第一册、昭一〇。三三九頁以下、二六五頁以下參照

註二　警務局「蕃社戸口」(毎年)等

註三　臺灣總督府番族調査會「番族慣習調査報告書」第五卷ノ一、大正九。六頁

註四　計測者は、臺北帝大醫學部解剖學第二講座の宮内悦藏氏である。計測は、トナとマガに於ては昭和一一年に、その他に於ては昭和八年に行はれた。但し同氏の計測はこれだけの蕃社に限られたものではなく、又その計測項目も第二表に借りただけなのではない。なほ、その研究は未發表のものである。　同氏の御好意に深く感謝申しあげます。

三、通譯

通譯は各社一人、その社出身のもので通譯の最もよくできるものを願ひする。一社ではどの被驗者にも同一の通譯でと望み、多くはその通りになつてゐる。

一、マカザヤザヤ社

ラウルヤン・ツァマク

二〇歳。昭和六年マカザヤザヤ教育所卒業、教育所補助者となる。

二、下パイワン社

チャプラル・リップン

二二歳。昭和二年頃下パイワン教育所卒業、下パイワン駐在所職員。

三、マヌル社

リブリブアン・チムルサイ

二〇歳。昭和八年マヌル教育所卒業、九年、マヌル男子青年團に入る。一二年秋同團長となる。八年、リキリキ教育所に於ける青年團幹部講習會に(一週間)、一〇年四月より一一年四月まで、捕羌溪農業講習所に、一一年四―五月、臺北市富田町總督府殖産局養蠶所に夫々講習を受ける。

四、チャボガン社

第一……タバラン・ササル

一九歳。昭和四年コチャボカン敎育所卒業、コチャボカン青年團副團長。

第二……アラバラン・ツムルサイ

二〇歳。昭和八年頃コチャボカン敎育所卒業後直ちにコチャボカン青年團長となる。

被九及び一〇の實驗第一、第二兩方に、被一一の實驗第二に、通譯第一に代り出場。その時通譯第一は病氣缺場。

五、ブダイ社

カザキラン・パリプリプ

二九歳、昭和二年タマラカウ敎育所卒業、ブダイ駐在所警手。

六、トナ

タリアロ・ララアラン

二二歳。トナ敎育所卒業、昭和一一年六月よりトナ駐在所警手。

七、マガ社

第一……ライラダ・ビビヤ

二五歳。昭和五年マガ敎育所卒業、六年マガ駐在所警手となる。

第二……林欒桂

マガ駐在所警手

被四、五の、實驗第一、第二に出場。そのとき通譯第一は旅行缺場。

「調査者及び通譯以外の方のお立會ひを要せず、且調査條件を確定するためお立會ひなき方望まし」とは、調査行に先立つて豫め公文による依頼事項の一項としてあり、その望ましからざることは殆ど稀にしか起らなかつた。

四、實驗第一——花の取方

一、方　法

第一圖の一の通り、(ブダイ、マヌル兩社を除く他の五社に於ては)二米半平方の竹を四邊とした枠を室内の床の上に置く。枠の一邊から一米二〇糎の距離に、高さ約一米二〇糎の臺を置く。教壇に教卓を載せて、それとする。この臺の上の、枠に對し左端に花筒を立てその中に花を挿す。圖の花1がそれ。

被驗者を枠内に入れ「その中から歩いて出ないで、その花を手で取る」やうに指示し、それに對して被驗者が如何に應ずるか、それを觀察記録する。そのために實驗者は枠の一角に机を据ゑ、椅子にかけてゐる。花1に向つた被驗者を右から見る位置に。實驗者の傍ら(右)に通譯も椅子にかけてゐる。

枠内の一隅に腰掛一脚をおく。この報告の關する限りではどこでもこれにオルガン用の腰掛を用ゐた。そのはじめの位置は圖の通りである。

第一圖の一

實驗場

マカザヤザヤに於けるを示す。上圖はその平面圖で下圖はその寫眞。

（1. 黒板　2. 生徒用机（實驗者の準備臺として置く）
3. オルガン　4. 黒板　これらは實驗設備のほかのものである。）

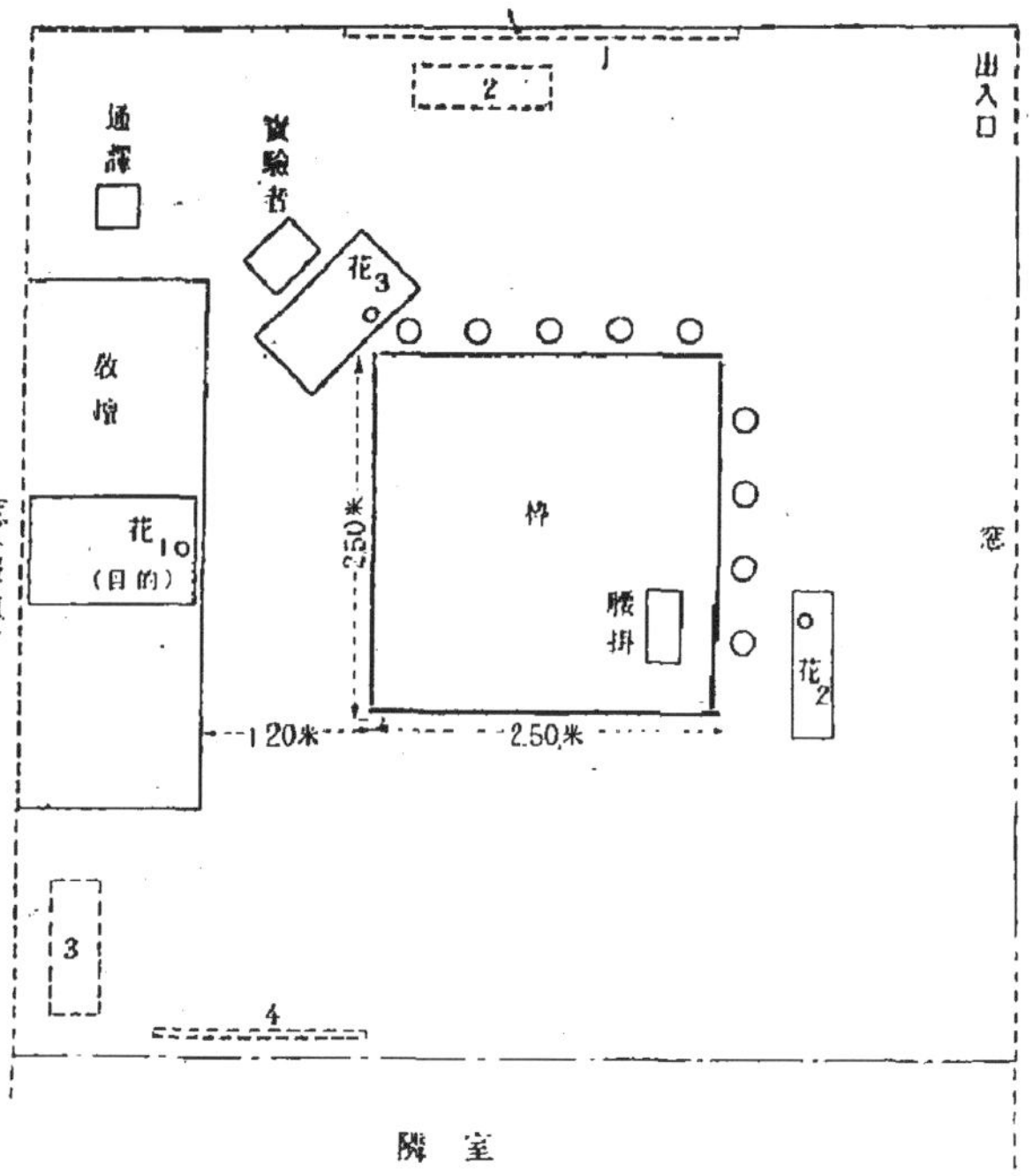

目的の花を取るために被驗者がそれを道具とすることも、又被驗者が腰かけることも差支へないのだが、實驗者はそれについては何とも指示しない。唯情況によつて、後述のやうにそれを暗示することはある。

目的の花と、枠を隔てた反對の側の枠外にも臺をおき、その上にも花筒に花を挿しておく。圖の花2がそれ。この臺には教育所生徒の机(二人用)を用ゐ、これと枠との距離は、枠内から容易にその花に手がとどく程にする。

實驗者の机の上にも花をおく。圖の花3がそれ。これも枠内から容易に手のとどく所におく。花1、2、3何れも、その花筒は高さ一〇糎の竹筒で、水も入れる。

枠の二邊には、圖のやうに、輪を並べる。輪投げ用のゴム輪で實驗に直接の關係はない。花2、3、ゴム輪等は目的又はその入手方法に關係したものと紛らはしいものである。それらが顧慮されるかされないか、又如何に顧慮されるかといふことも、行動の發展(乃至場面力學)を理會するための一助となる。表面上はその場の裝飾と見えるやうにおいてある。

かかる情況の下に、被驗者がある方法をもつてまづ目的の花を入手したとする。すると實驗者は「それも一つの取方だが、まだほかの取方があるからほかの取方で取る」やうに指示する。それに對して第二の取方がなされたら、又第三の取方を要求する。かうして第四、第五の取方を要求することができる。實際には第四、第五の取方は、よしなされても、それ以前の取方の一寸した變形であるに過ぎぬやうになるのだが、さはさりながら、この方法は、巧妙に、被験者を未分化領域へ引止めることも、それを連接生起させることもできる。しかも、これに纒はる行動情緒は、デンボーに於ては、怒への發達の階程として眺められたやうに、この方法は當事者の自我の深層を緊張せしめる可能性を要する場合の方法となる。今の場合もそれである。そして、解法の澁滯する毎に自我意識又は種族意識が、手法の上に脅かされる。境界の彼方此方に動搖する不安の、又は守我的の情緒が漂ふ。その豫想の下に、その行狀は境界現象のよき模型となるであらうと考へるのである。

實驗場は、トナ、マガ、マカザヤザヤ、下パイワン、コチャボガンでは、敎育所の敎室の一つをそれとし、枠その他設備の寸法を右の如くにした。これはデンボーの寸法の通りである。併し、ブタイ、マヌルでは、敎室に隣る敎育所事務室を實驗場とし、右の寸法を第一圖の二の通りに變更した。敎室はトナ、マガ、コチャボガンでは約六米半・九米、マカザヤザヤ、下パイワンでは約七米平方の廣さである。事務室はブダイ、マヌル何れも約三米半平方である。この方での設備の寸法は、枠は一米五五糎平方、枠と目的の臺との距離は一米三五糎、目的の臺の高さは九六・五糎。この臺としたのは、同室備付けの奥行のせまい重ね戸棚から上半部を除つた下半部。

なほ、ここでは枠を竹にしないで、白チョークで描いた。かく、寸法を變更した一つの要點は、枠と目的の臺との床上の距離を大きくして、見かけは遠くなつたやうにして、その代り臺を低くして、枠と臺の上端までの距離はさきの寸法に於けるとほぼ等しくして見たのである。そ

第一圖の二

實驗場

マヌルに於けるを示す

(1及2は生徒用腰掛。實驗第一の前後、又は實驗第二に於て、被驗者に掛けさせる。)

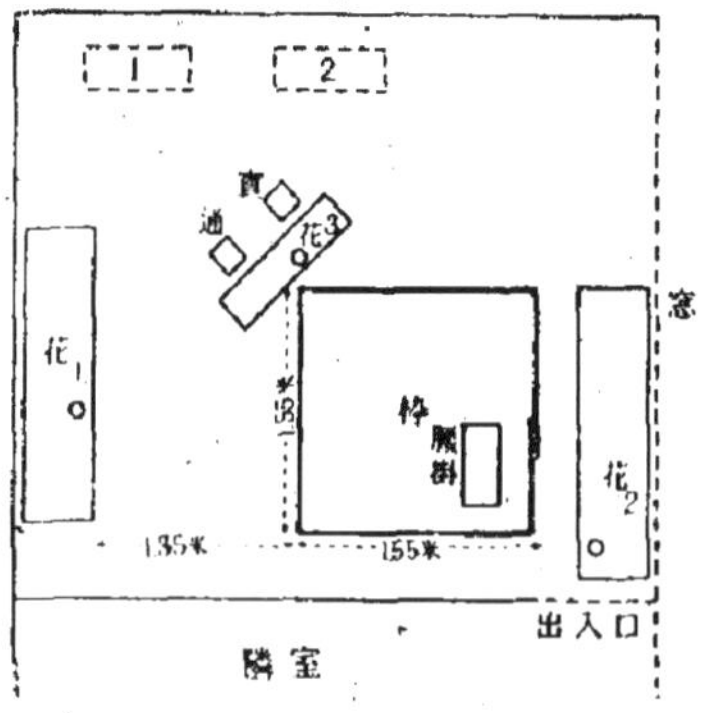

のことは次の第二圖の一、二に圖示してある所を較べて見れば明らかである。從て枠内に足を殘して臺に飛びつく(それで目的を入手しようとする一つの解法)のに伴ふ困難はほぼ等しいのである。なほ一つの要點は、枠を小さくしてその内の、腰掛が始めから被驗者のすぐ近くにあるやうにして見たのである。かうしたら、腰掛を用ゐる解法が思ひ付き易くなるかどうか。なほ、枠を、チョークで描いて、枠の竹をなくなせば從てその竹を用ゐて目的を入手しようとする解法をなくなせば、なほ一層右の腰掛を用ゐる解法が思ひつき易くなるだらうか。つまり、PbとR_1とについてはこれらの諸點が夫々對照されたのである。

　次に、右いふやうに、臺に飛びついて目的を入手する際の身體の樣相を兩方の寸法に就て思ひ浮べて見る。それを圖示すると第二圖の一、二のやうになる。

　支柱となる下肢の長さ八〇糎、伸び行く腕＝上身の長さ(腕の長さと、肩から下肢上端までの長さとを加へたもの)一米二〇の人(第二表、下パイソン、被3)は、右二つの長さの和二米に於て、その長さの判つてゐるものの中の中數となつてゐる。その人が、アイの如く下肢を直立して腕を伸し、上身を傾けて目的に向ひ行く場合、その指先はアイのイまで行き、臺の端につかない。脚をアウの如く傾けて、漸くアウウの如く臺の端に指先が行く。そして、そこにつかまれば、脚

第二圖の一

飛びつき取りの狀態

桙と目的の臺との間の距離が本文に於けるより5糎多くなつてゐるのは、桙竹の直徑（大體）を見込んで、爪先と臺との間の距離を取つたのである。

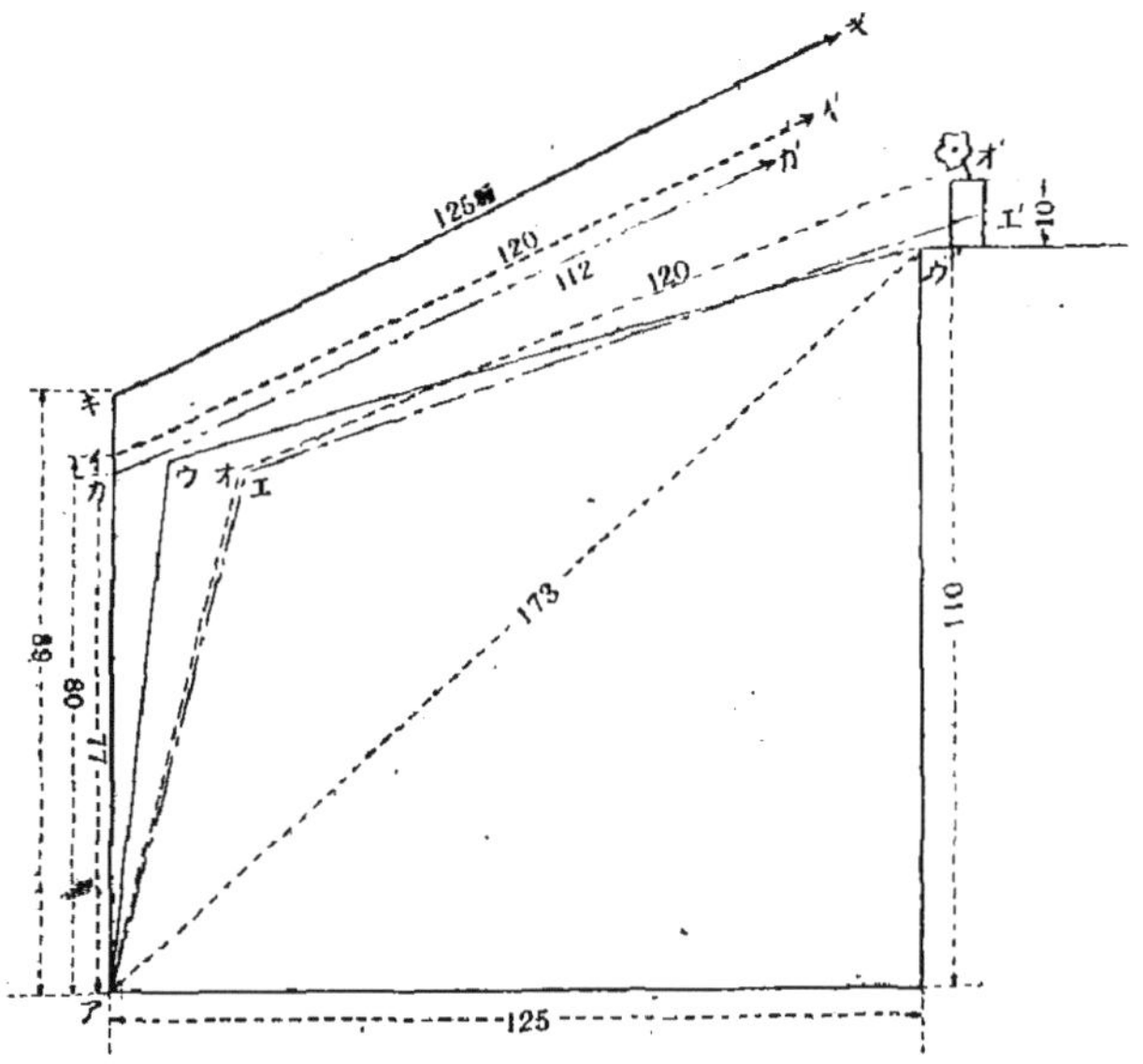

第二圖の二

同上

桙と目的の臺との間の距離と、その臺の高さとが、一と異る。

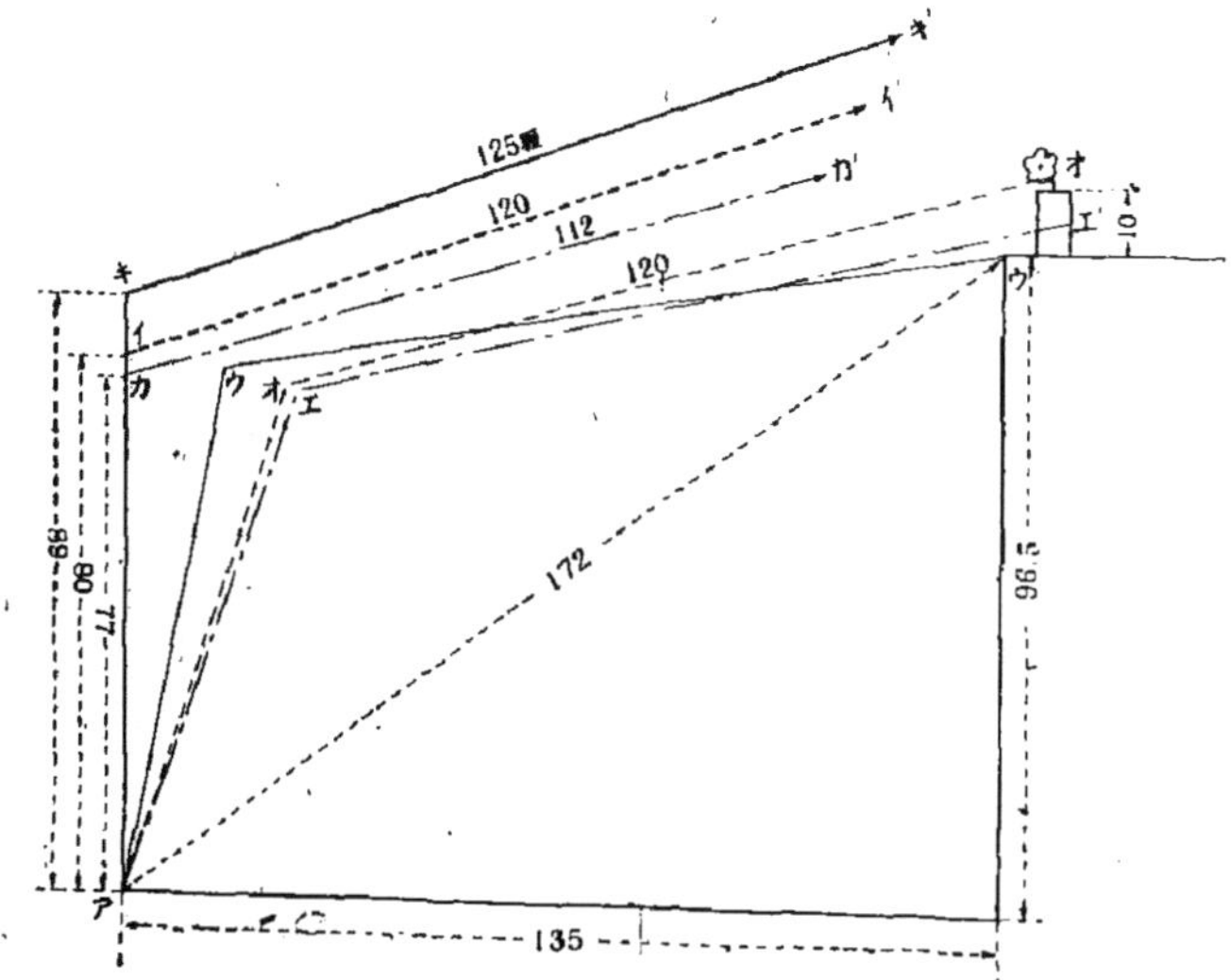

をなほ傾けることは容易で花又は花筒を入手することができる。そのためには、脚はアエの如く、又はアオの如く傾き、それを起し立てて退くのには困難になる。臺につかまらないで、直接アエ′エの如く、又はアオオの如く目的につかまりかかりそれを入手しやうとするのは更に困難である。右の事情は、靜的な長さから推したのであるが、機能する長さは、恐らくは右の事情を更に困難にするやうに、短縮されるであらう。圖解では爪先と踵との間の距離も無視されてある。

右の二つの長さの和の最も少ない人(第二表、マガ、被1)は、下肢七七糎、腕〃上身の長さ一米一二である。その人が下肢を直立して指先をやり得る點はアカガのカである。同樣に、右の二つの長さの和が最も多く、下肢八九糎、腕〃上身の長さ一米二五の人(第二表、下パイワン、被一〇)の指先はアキキ′のキ′に行く。かく體の長さに依り、飛びつき取りに有利と不利とがあり得る。併し、體の長さによつて、それを試みると試みざると、成就するとせざるとが分れるのでないことは、第六表(解法)、又は第三表(努力)を第二表と照合すれば明らかになる。

デンボーは、かく臺に飛びついて目的を入手することを最初の指示に於て禁止してしまつたが、私はさうしないで見た。さうしない方が、被驗者を實驗情況に引き入れるのに抵抗が少なく圓滑に行くだらうと考へたからである。そしてその取方をも一つの取方として承認を與へる。

竹枠は各邊とも互ひに釘づけしたり、床に打ちつけたりはしない。足にさわれば動き、又もちあげることができる。それで屢〻それらは道具としてとりあげられる。それによる解法もここでは承認を與へる。

目的に向へば後になる一邊は一本としないで、二米と七五糎との二本の竹から成る。これもデンボーの設備に於て被驗者に顧慮されたので、ここにも移されたのである。（チョークで描いた方にもその相貌を存したけれどもそれは不必要のことであつたかも知れない。）この七五糎竹は取上げられて道具となるばかりでなく、そこを引きあけて目的へ歩み行く（代償行動）ときの目的への通路の出口ともなつてゐる。かくの如く、道具に於ける通路性が用具性と分れて具體化することは珍らしく、その事情は深くさぐらるべきであらう。

【指示】 まだ枠外にある被驗者を實驗者の机の近くに呼び、名前、年齡、妻子の名前などをきき應答に慣れさせ、それから枠を指さして

「その中へお入りなさい」

と、枠内に入れる。

次いで、枠と目的の花とを指さしながら、次の指示を與へる。

「その中から足を出さないであの花を手で取つて見て下さい」又は、「その中から歩き出さないであの花を手で取る」と。

これを第一の指示と名づけておく。これは實驗者の要求が理會されることを旨として丁寧に與へられ、くり返してもよいとする。理會の十分でない最初にくり返すばかりでなく、なほのちにも、指示に反したとき、動きのない時などに隨時くりかへす。なほ例へば次のやうな部分のくり返しも、部分を强調したくり返しもある。

「手で取つて下さい」「手で取るんですよ」

「その中はあなたの領分です。その中から歩き出しさへしなければいいのですよ」(註一)

一つの解法が成功したときには次のやうに指示する。

「取れたでせう。それが一つの取方です。けれども、まだほかの取方がありますから、それを考へて、また取つて下さい」

これを第二の指示と名づけておく、これは解法のあつた度にくり返される。なほ前の解法をくり返したとき、指示に反したとき、前解法の一寸した變形に成功しただけのとき、もう取方がないといふときなどに、隨時そのまま、又は部分を、例へば次のやうにくりかへす。

「ちがつた取方を考へて下さい」

「手で取るちがつた取方を考へなさい」

「まだちがつた取方があるから考へなさい」

「まだほかにあるからよく考へなさい」

「もつとちがつた取方を考へて下さい」

「まだあります」

「ないことはない」

「その取方でもいい」

被驗者が前の解法をくり返したとき、又はそれを試みつゞけるときには次のやうな指示をもする。

「それは同じでせう」

「さつきと同じでせう」

「それもさつきとちがひません」

「それも前と同じでせう」

「今やつたのと同じでせう」

「今のはさつきと同じでせう」

「もうやつたでせう」

「同じやり方はやめなさい」

「それはやめなさい」

なほ、「できない」「分らない」「もう取方がない」などといふとき、動きのないときなどに、

「よく考へなさい」

「取方を考へなさい」

などとも指示する。これははじめから必要になる。

被驗者の質問は屢々次のやうにこたえられる。

「自分のいいやうにしなさい」

「自分の考へたとほり」

「いいやうに」

全く動きなく、長く畏り立ちつづけるときには、

「立つてばかりゐないでもいいですよ」

「お行儀がいいかどうか見るのではないですよ」

「體はできるだけ樂にしてよく考へなさい」

「同じ所にばかり居る必要はありません」、

なども指示する。
それは腰掛もまた使ひ得るものなることを、かすかに暗示しようとするのでもある。
未分化領域へ自分の手法で分化を起すのに丁度必要なだけの理會に達するやうに、それが所期の境界現象のよき模型に發展するやうに、その軌道にのるやうに、その路を後退しないやうに、行けるだけ行くやうに、指示はそれをみちびき、確め、力づけやうとするのである。

指示はすべて通譯を通して行き、被驗者のいふことも通譯を通して來る。實驗者は指示のことばゆびさし方について豫め通譯と協議を遂げ誤解ないやうにしておく。被驗者の言葉は、譯はまづくてもいいからすぐよこし、忠實にすべてを傳へ、拔きさしをしないやうに求める。通譯自身被驗者へ發言することは許されない。非常におかしいこともあるが、大體は非常に退屈な仕事である。笑ひ出しや、ねむけや、身勝手な動きは戒められる。實驗者は、前述のやうに、情況の發展に腐心するにひたすらなる一方、その記錄に追はれる。被驗者の行動、表情、言葉の委細はもとより、實驗者自身の指示も身動きも、通譯の言動も、外部(註二)の人の動きも、物音も、又なるべく小刻みに時間も、出來事の現象の層をこえて、材料のことばをこえて、深層の、構築のことばで、記錄を綴ることは筆者には困難である。まづ、現象の奴隷となり、ひたすら鉛筆を走らすことのはやさをねがふ。

註一　かかる指示は、Pb及びR_1に於て必要に迫られて出來たもので、R_3にはその必要はなかつた。

註二　トナに於ては實驗中も隣室（教室）で授業が行はれた。それを隔てた教育所事務室では飯沼先生が兒童について形態盤檢査を行はれた。マカザヤザヤでは隣室（教室）がこの檢査の室となつた。コチャ、ボガン、ブタイ、マヌルでは、隣室は教室一杯を使つた養蠶（郡是の）で賑はしかつた。トナでは、駐在所改築のため、教育所の運動場に木材を落下集積してゐるのが實驗場から見え、マカザヤザヤでも、同じく改築作業中の現場が實驗場に接してゐた。コチャボガンでも、同じく改築中であつたが、現場は實驗場から遠ざかつてゐた。下パイワンでは、實驗中近傍に農產物展の會場が設備された。マガでは、正月を迎へる準備に駐在所構内も蕃社内も活況を呈してゐた。マカザヤザヤでは、戸外の人が窓に近づかぬやうに廊下の柱に綱を張り、下パイワンと同樣窓には帳幕をめぐらした。コチャボガンでも、そのために窓外に通行止めの柵を設けた。

二、結　果

種族的群による行動特性は極めて顯著に看取される。それが各群の場面情勢の大綱を下敷く所に、その示標を求めれば（若し私の目する所に誤りがなければ）、それとして最も有意義なのは、目的入手のための努力の頻數（努力度）、又は目的入手方法（解法）の種類數（分化度）である。

【努力度】

一定時間内の目的入手のための試みの頻數を以て努力度とする。そのために、努力度の一度となるやうな試みを、實驗結果に就て擧げれば次のやうになる。

一、目的入手の試みとして、目的に向つて手を伸ばす。片手にても、兩手にても。それに、目的に飛びかからうとするのや、目的を手のひらにすくひあげやうとするのや、目的を指の間にはさまうとするのや、種々のかたちが現れる。何れも、努力度の一、度とする。くり返しも、その度に皆一、度と數へる。

目的に向つて後むきになり「後むきで目的へ手を伸ばす」は別々に一、度、づつとする。體を前に傾けるだけのものも、傾き傾くなどと記錄され、傾倒することとの明らかなのは一、度とするが、少し前に傾くとあるだけで意味明確でないのは評價しない。

二、目的に向つて枠外の床に兩手をつき「その片手を目的に向つてあげる」も別々に一、度、づつとする。

三、枠内の腰掛を取りに行く「それを目的の前におく」それに一方の手をつき「他方の手を目的に向つて伸ばす」も別々に一、度、づつとする。

四、枠の竹を取り上げる「それを目的に向つてその前の床に杖づき「その片手を目的に向つて伸ばす」又は、竹さきを目的に向つて差出し花を引つかけやうとする」など、いづれも別々に一、度づつとする。

五、口で咬みつかうとする「も一、度、

足を目的に向つて蹴り上げる「も一、度。

六、枠竹に添ひ並ぶ輪をとりあげる「それをもつて目的を取扱はうと試みる」被驗者の持物たとへば煙管、帶などをもつて目的にかゝる」通譯所持の煙管をもつてする」枠外に道具となるものを見出しそれを持ち込む（積み重ねてある生徒机、腰掛、置き忘れた洗面器など）いづれも一、度、づつ。指示に反して枠外へ出るととも、高まつた探索に於てはやむにやまれぬ勢となるし、努力としては評價さるべきものとして一度にするのである。

七、ある解法への着想、執意、決意、說明などをいひあらはす提言も夫々一度づつとする。「手を地についていいですか」などの着想。「やらう」などの決意。

執意として、

「少し横に向いたら取れるやうな氣がする」「杖があつたら屆くかも知れない」「遠いからこの腰掛を使はないと取れるやうな考がない」など。困惑を伴ひながらその取方に執意するのである。

說明としては、

「さつきは體をゆり上げて取つたが今度は足をあげて取りました」などの如く前の解法と今度の解法との相違が說明された場合。

提言にその實行の伴ふときは、同時に伴ふと、遲れて伴ふとにかかはらず、提言と實行とを別々に一度づつとする。

前の解法を枚擧して、『もう取方がない』といふ」『も一度取るにはどうしたらいいか」といふ」枠竹を通譯が直すのに、『段々とつちへ寄せてはいけない』といふ」それらは、獲得した領域を確保してをり、それを越えて努力しつつあることをいひ表はすものとして努力度一度に價ひするものと認める。

前の解法をくりかへすことをいひ表はす、又はその許可を求めるやうな提言は、枠外に出て道具をとるのと等しく反則ではあるが、努力として一度とする。

提言が非現實的な解法にかかはる時、又は代償行動、代償目的にかかはる時も努力の一、度、とする。

八、二、三の被驗者に於ては、實驗情況内の緊張が高まると、その場面が自然情況に擴融する。そして、その一人はその緊張が山谷の難路を行くと選ばず、ひいてはそこに敵手がゐて挑戰され、爭ひ號ぶと區別なきにたちいたつた。かかる情勢に於ては、努力は一段と强勢されてあらうが、それにはかかはらず、評價は上述の所に準じてなされる。

九、解法に成功すれば、それは分化の一、度となるが、努力の上でも、それのない努力と區別さるべきものとして、努力の上に三、度を得ることとする。

解法は完全に遂行されなくても殆ど遂行されたものと見なされる場合にもやもり三、度、とする。たとへば、手を伸ばし飛びつき花に觸れつかむが巧みには退けず花を床に落す」又は煙管のくさりにからみ引出し、片手に受けさせようとして間に合はず落ちる」など。

前の解法と殆ど同じ解法でも、その換手なることの明らかな場合にはやはり三、度とする。たとへば、右手取りを左手取りにかへる」床に手をつくとき膝も床につけたのを、膝はけずにする」腰掛の置き所をかへる」竹を杖づいたのを、目的の臺に架す」など。

前解法の單純な繰返しとその殆ど遂行とは二、度。

又、換手が完全に遂行できず、殆ど遂行なのも二、度。

繰返しの無効なのを知りながらも、繰返して見るにも二、度。

代償目的(花2又は3)を取る」代償行動として枠外に足を出して目的を取る」はどれも努

力として二度を認める。

この後者には短絡的に目的の前の枠竹をまたいで行つて目的を取る」又は、片足を枠内に殘し片足を教壇にかける」のもあり、迂回して、七五糎竹を引きあけてそとから出かける」のもある。一、二の被驗者に於けるごく初期の歩き出しは、努力の致す所といふよりは、指示滲透の低劣のためといふべきものがあり、それは評價しない。この中には、戸外に出て戸外の花を持つて來ることを一度ならず二度もくり返したものがある。（下パイワン、被一。その間には第一の指示がくり返されてゐる。

而して努力度の大きさをきめる時間を便宜上、一五分とする。

實驗時間の長さは、場面情勢をできるだけ發展させることを主として、豫めきめてはない。そして、それ以上發展させることは、もはや既述の指示の持つ要求の限界内では困難なことを見定めてからやめるのをよいとした。

しかし、すべての被驗者にそれに十分の時間をかけることはできなかつた。限られた日數で、被驗者の數も、めぐる蕃社の數も、なるべく多くすることが一方には望まれたからである。だが、多くの被驗者に相當時間をかけて見た結果、努力度でも又次の分化度でも、最初一、二の一五分時限のそれから、その後のその趨勢が推察できるやうに思はれた。それで急いだ蕃社では、各被驗者に、この實驗にはその位の時間しかかけなかつた。

從て、多くの被驗者に、實驗時間の長さの意味は區々になつてゐる。

第三表一、二、三は、各被驗者の努力度を表示したものである。

Pb に於ては、多くの被驗者の、多くの時限が、努力度〇を示し、これに次いで漸く一、二又は三なのが多く、一〇を越すのは寥々たる有様である。最高も一七に止まる。〇又は〇に等しい努力度の羅列が最初の時限から始まるのが多いのが、目立つてゐる。(註二)

第三表

全被驗者の努力度

一、マカザヤザヤ　(Pb)

被＼時限	一	二	三	四	五	六	七	八	九	一〇	一一
1.	15	0	7	15	4	(10分) 1					
2.											
3.	0	0	0	0	0	0	(2分) 0				
4.	17	0	0	0	〃 0	0	〃 1	1	0	0	(4分) 0
5.	15	10	3	2	〃 1	1	1	4	2		
6.	0	0	0	0	〃 0						

7. . .	1	《 0	1	㞢 0	㞢㞢㞢 0	(6分) 0				
8. . .	1	1	0	0	《 1	0	《(13分) ?			
9. . .	3	《 0	0 (四三分)	5	3	(11分) 0				
10. . .	1	(11分) 0								
11. . .	1	0	0	0	0	0	(8分) 0 (四六分)	(2分) 0		
12. . .	2	《 0	0	0	0	0				

二、下パイワン (Pb)

被＼時限	一	二	三	四	五	六
1. . .	× 4	0	《 0	0		
2. . .	0	0	0	0	0	0
3. . .	2	0	0	0	《(9分) 0	
4. . .	10	4	4			
5. . .	0	0	0	1	(6分) 0	
6. . .	5	2	0	1	7	(10分) 0
7. . .	2	0				
8. . .	10	3	3	(6分) 0		
9. . .	6	(9分) 2				

10.	10	(13分) 0			
11.	(10分) 2				
12.	4	正(10分) 9			

三、イ　ヌ　ル　(Pb)

時限 / 被	一	二
1.	0	0
2.	0	(2分) 0
3.	1	
4.	×× 2	0
5.	1	(12分) 4
6.	××× 6	
7.	0	
8.	0	8
9.	0	(2分) 0
10.	(7分) 1	
11.	(3分) 0	

四、コ　チ　ャ　ボ　ガ　ン　（R_1）

被 ＼ 時限	一	二	三	四	五	六
1.	0	11	0	4		
2.	14	6	3	9	([illegible]分) 0	
3.	7	0	0	(7分) 2		
4.	3	13	11	1	0	(3分) 0
5.	0	38	13	4		
6.	22	18	11			
7.	0	(10分) 0				
8.	0	(6分) 0				
9*	2	12	4	0	(5分) 0	
10*	6	0	0	[illegible] 0	(8分) 3	
11.	0	(10分) 0				
12.	12	6	[illegible] 6	6		
13.	7	(13分) 0				
14.	20	(分) 3				

五、プ　ダ　イ　（R_1）

被＼時限	一	二	三	四	五
1.	0	1	2	(10分) 0	
2.	12				
3.	1	0	(4分) 0		
4.	17	20	(11分) 2		
5.	2	8	8	0	(12分) 3
6.	6	9	(10分) 5	(R) —	
7.	12	35	(4分) 18		
8.	2	(5分) 0			
9.	13	(8分) 7			

六、ト　　　　　　ナ　(R_2)

被＼時限	一	二	三	冂	五	六	七
1. . .	12	6	14	2	7	7	14
2. . .	40	37	26	21	14	13	10
3. : .	38	30	41	22	44	(8分) 2	
4. . .	29	8	5	(14分) 1			

5.	33	15	16	22			
6.	35	27	25	21	9	13	10
7.	38	32	24	36	31	28	(8分) 15
8.	40	13	10	5			
9.	37	(7分) 8 (一四分)	5				

七、マ　ガ　(R_2)

被＼時限	一	二	三	四	五	六	七	八	九	一〇	一一
1.	8	12	8	4							
2.	39	12	9	5	7	11	0	(11分) 0			
3.	36	34 (三一分)	26 (五八分)	30	(6分) 7						
4.	29	18	23	14	0						
5.	20	37	31	26	(7分) 4 (三五分)	23	(7分) 4				
6.	86	105	108	120	97	▲ 77	69	68	50 (三〇分R)	31	(11分) 14
7.	49	52	30								

◯…………中斷ノ時間ヲ示ス　（　）…………ソノ時限ハ15分ナキコトヲ示ス　＊…………通譯第二
▲…………以下擴融　‹‹…………腰掛ノ暗示　出…………解法ノ暗示　R…………實驗第二ニテ中斷
×…………戸外の花を取りに行く　××、×××…………初期の歩き出し。これらは評價しないといふ建前に
可したもので、それだけ Pb に評價を弛めてある。(31頁參照)

R_1では、Pbに較べては、努力度〇又は〇級の羅列がやゝ少くなり、一〇以上の努力度も多く現はれるやうになる。そして少數は二〇、三〇以上となり、最高も三八となつてゐる。だが、時限相次ぎ、一〇以上の努力度を並べるといふ勢はない。(註一)然るに、R_2に於ては、〇は極めて少く、それ、又はそれに等しい低下は後の時限に漸く起るに過ぎない。多くの被驗者の最初の時限は努力度三〇を越え、時限相次ぎ、充實した努力度を並べ、最初の勢を容易には落さないのが目立つてゐる。(註二)マガ被六に於ては努力度九〇乃至一〇〇が第五時限まで續き、第九になほ五〇を算する。この被驗者は、第六時限から、さきにいつた、實驗情況の擴融を來す。(註三)

Pb、R_1に於ては、既述のやうな、腰掛の使用を示唆する指示を屢々用ゐた。第三表内に散在する«は、その時限内にその指示をしたことをしるすものである。なほそのほか、もつと立入つた解法への示唆を含む指示をもした。ㄓは、その指示をしるす。(註四)

次に、第四表に、各種族的群の、各時限の努力度の中數を示す。便宜上、第一時限に就てPb、R_1、R_2の三群の努力度を比較すると、順次「一·五」「六」「三六·五」となり、假りにR_2の努力度を一〇〇とすれば、他の群のそれに對する率は、R_1は一六、Pbは四となる。

第　四　表

各種族的群努力度の中數

略符	時限 社	一	二	三	四	五	備考、各時限人數 一	二	三	四	五
Pb	マカザヤザヤ	1	0	0	0	0	11	11	10	10	10
	下パイワン	4	0	0	0	0	12	11	7	6	4
	マヌル	0	0				11	6			
	全體	1.5 (4) *	0	0	0	0	34	28	17	16	14
R_1	コチャボガン	4.5	4.5	4	3	0	14	14	9	8	4
	ブダイ	6	7.5	3.5	0	(3)	9	8	6	3	1
	全體	6 (16) *	6	4	1	0	23	22	15	11	5
R_2	トナ	37	15	16	21	14	9	9	9	8	5
	マガ	36	34	26	20	7	7	7	7	6	5
	全體	36.5 (100) *	22.5	23.5	21	9	16	16	16	14	10

* 假にR_2の中數36.5を努力度100として、それに對してPb、R_1兩群の率を示す。

註一　Pb及R_1に於ける努力度の乏しい情勢を示す例は、註四の例がそれを兼ねてゐる。

註二　R_2に於ける努力度の多い情勢を示す例として、マガ被六の記錄を引用する。全く原形のままでは、略符、略法のために分りにくいので、それを分りよくするに止まる修理を加へて示す。

實* 「その中へお入り」　* 實驗者

被** 枠内に入り、目的(Z)の前の枠の一邊の竹(前竹)まで一米許り殘して、足はZの方に向け、默つて實驗者の方を見てゐる。　** 被驗者

實 第一の指示。

被 Zを見る。實驗者を見る。進まない。Zを見る。實驗者を見る。實驗者のノートを見る。「始めていいですか」

實 ……

被 Zの方を見てゐる。「屆かないでせう。もう始めていいですか」

實 ……

被 「それではもう取りませう」枠を出て、肩に下げた鞄を置いて枠内に歸り、足はZに向けてゐる。實驗者と通譯との方を見ながら、「もう取つていいですか」前竹へ五〇糎の所まで進む。實驗者の方を向く。

實 「勿論いいのですよ」

被 「竹を踏んではいけませんか」

實 ……

被 右手を伸ばす。又伸ばす。餘り働かない。〔三・一五〕*** 床に兩手をつき、Aの解成功。*** 最初からの經過時間〔時・分・秒〕

實 第二の指示。

被 手を伸ばす。後を向き、後に歩いて行き、やがて枠内の腰掛(S)を持つて來、それをZと枠との間に置いて、Bの解成功。Sを原位置に返して來てZに對して立つてゐる。

實 第三の指示。

被　Ｚを見てゐる。左手を先に一寸前へ出すが、右手にかへそれを伸ばし、倒れ、教壇近くに兩手をつく。立ち、Ｚを見てゐる。一寸兩足をすり合せる。〔六・〇〇〕「足で取つて見ませう」左足を前に上げ、小聲に、「屆きません。何で取つたらいいでせう。右の手で取つて見ませう」右手を伸ばし、床に兩手をつき倒れる。次いで左手を伸ばし、「少し横から取つて見ませうか」といひながら床に兩手をつく。再び試み、膝もつき倒れる。前竹を自分で直す。「今度は反對にして見ませう」と右手を伸ばし、床につき、立ち、「同じ」左から後を向く。前を見、しつばしよりをする。〔八、〇〇〕「今度は少しまつすぐに取つて見ませう」と正しくＺに面してまつすぐに手を伸す。「今度は反對にして見ませう。かうしたら屆くでせうか」と後向きＺを後にしてそれへ右手を伸ばす。「屆きません」その體位で左手を伸ばす。「同じです。机を使つて見ませうか」後から枠外へ出やうとする。（そこには隣室との境の戸に寄せて生徒用机、腰掛が積み重ねてある）

實　「出てはいけませんよ」

被　「机を使つたらいいが。これを使つて見ませう」と又Ｓを持つて來て、それをＺと枠との間に置き、Ｂの解のくり返しになり、Ｚを入手する。ＺもＳも原位置へかへす。「今度は口で取つて見ませう」と、又Ｓを持つて來て、Ｚと枠との間に置き、それにつかまり、口をＺに持つて行く。「男のくせにどうして取れないのだ」左を見る。前竹を取り上げる。「これに引つかけて見ませうか」Ｚをそれに引つかけて引き寄せ手に取つてＤの解に成功。〔一〇、三〇〕「今度はどんなことをしたらいいか。かうして見ませう」右手を伸ばし、兩手を壇近く床につき、起き、「屆きません。あんなに近いのにどうして屆かないのだ。男のくせに！足を少し曲げて見ませうか」左手を伸ばし、左膝を少し曲げ、その手をなほ伸ばし、又伸ばし床につく。又その手を伸ばし床について引き、少し後向き氣味に立ち、又その手を伸ばす。「どつちの手でも長くはならない。同じだ。手でかうやつて取つて見やう。もう變らない。長さは同じだ。今度は少し飛んで見やうか」右手を伸ばし、「手は右がいいか左がいいか」左手を伸ばし、床につき、起き「も少しで取れる。今の通りやつて見やう」裾をあげ直し、試みる。右手を大きく伸ばし床につく。「しまつた！　前の通りやつて見やう。取れるかどうか分らぬが。さつきの、も一寸で取れるかも分らぬ」右手を伸ばし、Zの花に觸れ、兩手を床につく。（Cの解殆ど成功）「飛んで行つたら戻るのに困る」左手を伸ばし、花に觸れ、足が枠外に飛び出す。「どんな風に取るのかね」下から上へ掬ひあげるやうな手つきをしながら、「下から取つて見やうか。上から取るのはむづかしい」左手を伸ばし、花を入手して退くが、足が枠外に出る。「足を出しましたか。着物が邪魔になる」（蕃裝の上に浴衣を着てゐる。和服奬勵のため）〔一五、〇〇〕

「今度は上からすぽつと取つて見ませうか」「下から取るのも少し……、上から取るのも少し……」左手を掬ひあげるやうに下からZへ持つて行き、花を入手するが、足が出る。「同じだ」竹を直す。手に床をおさへ、「かうしたらいいが」左手を伸ばし、「どうして、も少し近くへ來ぬかね。手を少し伸ばせたらいいが、手が短いから仕方がない。どうして取れませんかね。男のくせに！」右手を突込み倒れ兩手を床につき、「轉んだ！」

伏してAの解のくりかへし、左手に花を入手する。－左に取りしました。手はどつちが長いか、今度は右で取らう」Aの解のくり返し、右手に花を取る。「あまり變らぬ。手と足と長さが同じなのに、どうして屆かぬのでせう」左足を前へ上げ、「仲々屆きません。手で取つた方がいいが屆かぬ」右手を伸ばす。左向きになつてゐる。

「何かないかね」前竹を取り上げ、Dの解のくり返しになり、花を入手する。「かうして取るのが一番いい、引つかけて」

のべつに提言と試みとが續く。聲は低く。

「こんなことをやつたら少しむづかしい」と左手を伸ばす。「口でも變らない」右手を伸ばす。左肩を進める。しやがみ、立ち、右手を伸ばし、「こんなことをしたら一寸取れるやうな氣がする。まつすぐにしたら取れない。取れるやうな氣がするが屆かない」左手を伸ばし、「早くしやうと思つたが仲々取なれい」兩手を床につき、「あいた！」立つ。

試みと提言との切れ目ない連續と、Zから離れぬことはじめから變らない。

右足を前へ上げ、それをなほ前へやり、「足で取れるやうな氣がするが仲々屆かぬ。どんなことをしたらいいかね。足も手も餘り變らぬ」「今度この腰掛使はう」と、又Sを持つて來て、Zと枠との間におき、それに兩手をつき、Zに口をやる。「仲々屆きませぬ」Sを少し前に進め、又試み、「仲々屆かぬ、頸が短い」Sを原位置に返して來て、はしより直す。「今度は手で取つて見やう。少し屆かぬ」左手を伸ばし、「取れるまでやつて見やう」兩手を床につく。「今度は何かいい方法を考へて見やう」

伏してAの解をくり返す。「まつすぐに取らうと思つたが仲々屆かぬ。少し片一方の足をあげて取つて見やうか」右手を伸ばし、右足を後に上げ、その手を床につき、「あいた！　も一寸の所で足が出た」右手を伸ばし、足を枠內に殘したまゝ、「そろつとやつて見やうか」左手を伸ばし、足を內に殘したまま、「屆かいですな。手を伸ばすのどうしてむづかしかね。もつとやつて見やう」右手を伸ばし、Zの臺に觸れ、「一寸机に屆いたがね」又伸ばし、兩手を床につき、「あいた！　飛んで取らうとしたが、體が倒れた。今度足を交るぐ\して見やう」右手を伸ばし、左足を後に上げる。「しまつた！　足が出た」又同じ試み、「しまつた！　も少ししたら取れるのに。どうして手が短いですかね。手が短くてはどうもかうもならぬ」右手を伸ばす。「あ、しまつた！　足が出た」右手を伸ばし、右足枠から出ながら花を入手する。「あ、しまつた！　足が出なければよかつた。どうしても足が出る。今度は足を出さぬやうにしやう」右手を伸ばし、「しまつた！　屆かぬ」又試み花に觸れる。

迺　枠竹を直す。

彼「も一寸で取れるが」右手を伸ばし、右足を後に上げ、その手花に觸れる。「しまつた！ 屆いたが足が出た。體が少し重いから取れぬ」又試み、左足出る、「あ、しまつた！ 足が出た。どうしたらいいか。今度はこんなことをして見やう」左手を伸ばすやうに實驗者に腹側を向けるが、後向きになり手をZにやらうとし、「どうしても屆かぬ」かうして見やう、ああして見やうと、體を廻し、手を伸ばすこと色々あり。「手が短い。これが一番やさしい」と前竹を取り上げ引つかけてDの解をくり返す。「取りました。今度はどうしたらいいか、別な方法を考へて見やう」等といふ。立つてゐるが、又前竹を取り上げ、Z前に杖づき、その先を壇にあて、「これが取り易い」

とめどなく流れる提言と試みとがつづく。

左に寄り手を伸ばし、右に寄り手を伸ばし、「かど（枠かど）から取らうと思つたが遠いし、ここで取つても變らぬし、どんなことをしても同じ」等といふ。右手を伸ばし、「かうして取つたらいいが足がすぐ出るから困る」足出る。「見て下さい。今度は手と足と交る〲使つて見やう。どつちが長いか」手を伸ばし、「しまつた！ 體の上が重いから」又手を伸ばし、「あ、しまつた！ どうかして手が長くならぬかね」

狂暴ならず、よどみなく試み續ける。

後を一寸見る。「どんなことをしたらいいか」實驗者に背を向け、手を伸ばし、「あ、しまつた！ も少しで取れるが、體が倒れる」〔三〇・〇〇〕

右手に、左手にくり返す。「どうして近くへ來ないか。今度はどんなことをしたらいいか」右に寄り、左に寄り、手を伸ばし、「何處へ行つても同じ。まんなかに居ると近いやうな氣がするが、足が出る」右手を伸ばし、左手を伸ばし、「どうして取れぬか。しつかりやらう。しまつた！」と、くり返し試みる。又、右手を伸ばし、左足を後に上げ、「も少し手が伸びたらいいが。しまつた！ どうしたらいいかね。足を出さぬやうにしやうとしたが」兩手を床につき倒れる。「あ、倒れた」〔三三・〇〇〕伏してAの解を繰返し、「かうしたら一番たやすい。これより外には取る方法がない。今度はどんなことをしたらいいかな」右手を伸ばし、「上から取るのはむづかしい。體も倒れるし。しまつた！ 下から」と手のひらを上向け、「下から取るのもむづかしい」左に寄り、手のひらを實驗者向けに左手を伸ばし、「横から取つても」右に寄り試み、「こつちから取つても」中央（前竹の）へ行き試み、「かうして取つても體が倒れるし」前竹を取り上げ、「かうしたら一番いい、樂に取れる」〔三四・三〇〕Dの解のくり返しで花を入手する。右手を伸ばし、花を取り、「こんなことしたら體出るし。あ、しまつた！」實驗者に背を向け、右手を伸ばす。

・「誰か體をつかまへてくれぬかね。机でもないかね。飛んで行つたら體が倒れて困る。誰か縄でもつて天井に括つてくれたらいいが」と後の天井を見上げる。右手を伸ばす。「かうして取つたら體がすぐ倒れる。手を下についたら痛くなる」右手の試み。「しまつた！ も少しで…………飛んで行つて見やうか」右手の試み續く。「誰か片方の足をつかまへてくれぬかね」右手の試み續く。花を入手するが、足が出る。「しまつた！ 手で取つたが、足が出た」〔三七・三〇〕「も一遍考へてしませうかね」右手の試み。〔三八・〇〇〕兩手を伸ばし、「兩方の手で取ると、なほむづかしい」右手を伸ばし行き（實驗者に少し背を向け）花に觸れ、「少し横に向つたら取れるやうな氣がする」又それを試みる。足を前へ上げる。「足もどうして屆きませんかね」〔三九・〇〇〕左手を伸ばす、實驗者に手のひらを向け、「今度こんなことをして…………」横から右手を伸す。「同じ」と退き立つが、〔三九・三〇〕すぐ左手を伸ばし、花に觸れる所まで行き、足が出る。「手は屆くが足が出る。こんなことをして取つても仕方がない。竹も折れる。竹が折れなければ。まあ、やつて…………」前竹をZの臺に架し、それに片手を托し花を取るDの解の變法成功。「ほら、取りました。今度はどんなことをしたら。腰掛を使ふのや、手を下につくのや、棒で引つかけて取るのだと一番いいがね」〔四一・〇〇〕「手で屆かぬ所は橋をかけて取るといい。ほら、見て下さい」右手を伸ばし、花に觸れ、

「臺が重い。何かないかね」

ことば伴ひながら、バンドを解き、頭上に天井から下つてゐるランプのかぎにバンドをかけ、片手でそれにつかまり、片手を伸ばし、Dの難解に成功、花を入手する。「これに臺を括つて下げたらまだ取れる。仲々ほかにはできません」なほ〱言葉が流れる。「どうしても取らなければいけないが」實驗者に背を向け、右手を伸ばし、足が出る。「手でも取りたいが、足が出て仕方がない。片手を腰に片手で取らう」はしよりなほし、左手を腰に試み、「しまつた！ 足が出た」（通譯外出、すぐ歸る）「片方の手を背中に引ばつてしたら、臺が出ぬでせうね」それをし、足が出、「手は取れるけど、足を出しました。足が出なかつたら取れたが。臺は下が輕いからどうも困る」又右手を伸ばし、花に觸れるが、手を床につき退く。「下が輕いからすぐ倒れる。机がここにあつたらいいのに。腰掛も使つたらいいし」左手を伸ばす。「ほら屆きません」右に寄り左手を伸ばす。節竹の中央に來る。「どちらも同じ、まんなかからの方がいいが、臺が倒れる」そこで、なほ、左右手を換へ、手を腰になどし、ああしても、かうしても駄目と、いひ續け、試み續ける。〔四五・〇〇〕

「臺の上が輕かつたらいいが」なほ右手を伸ばし、左足を後へ上げ、突つ込み、花を取り、「しまつた！」と、足が出る。〔四六・二〇〕「かうして取つたら一番たやすい」と左手を床につきAの解の緩弛しになる。立ち、やや退き、左手を下から、手のひらを上向きに伸ばし、「下からそつと取つても同じ、片一方の足がすぐ出てどうもかうも仕方がない。上も少し重いから困る」等といひ續け、試み續ける。一寸立つてゐる（實驗者に背を向け）〔四七・三〇〕「さあ、飛んだら取れるかね。も一遍」と左手を下から伸して行き、花に觸れ足が出る。足の出るのを惜しむ。又試み、足が出る。右手に試み、又足が出、膝をつく。左手を、右手を、左手を突つ込む。「しまつた！ 取れると思つてゐた」實驗者に背を見せ、腹側を見せ、右手を、左手を試み、右手花に屆き、足が出る。それを惜しむ。又試み、屆き足が出る。「近いのに。一年やつても取れないや。一年でも、手が短いから同じ。まだ若い人はどうか分らぬ。も少し足を斜めにして見やうか」右手を伸ばし、「あ、しまつた！　足を何處へやつても同じだ。足右と左と交る〳〵使はうか」左手を伸し、右足を後に上げ、「あ、しまつた！　ぶらんこがないかね。それで行くんだが。さつき天井に帶をかけたらすぐ取れたから。今度、も一遍考へて見ませうか」

Sを持つて來る。Zと桦との間の床におき、それに腹を當て、右手を伸ばしBの解の變法で花を入手する。〔五一・〇〇〕「こんなの一番取り易い。今度は寢て取つて見ませうかね」仰向きにSに手をつき、右手に花を入手する。やはりDの變法。「これも取り易い」Sを少し手前に引き、「今度は少し横に」實驗者に背を向け側面向きにSに手をつき、左手に花を入手する。やはりDの變法。「これは少しむづかしい」Sを左によせ、前竹の左端に行き、「今度は少し別の考…………」と足を前竹より退け遠ざけて試みる。「これは少し遠い」と足を前竹に進め、Sも教壇に近くし、「これは取れる。教壇に近いと取れる」Sを少し壇から遠ざけ、「ほら見て下さい、これはむづかしい」Sを右に持つて來て、「この腰掛を教壇のすぐ近くにしたら取れる」とおく。「遠いのは少しむづかしい」とその竹に引き寄せる。「膝をこの上に載せて見やうかね」それはせず、手だけついて花を取る。Sを、Zと桦との間に、色々に位置を換へて、それに提言を伴ひながら、試み續ける。Sを前竹と臺とに、ほぼ平方の位置から、右をZの方に近めた斜の位置に、それから直角の位置にと色々變つて行き、段々SをZの方に近づける。なほ色々に試みる。「今度は坐つて取つて見ませうか」と實驗者に背を向けSに腰をかけて、右手に花を取る。「こんなことをしても取れる。も少しこつちに引つぱつて見ませうか」といひながら、前竹の近くにそれに平行にあるSをそのまゝ前竹に引きつける。その平行を直角にする。それに手をかけ試みる。「腰掛が倒れはしないかね。これはあぶない。倒れたら頭を割つてしまふ」直角に前竹につきZに對して縱長がにおいてあるSの、Zに近い前端に手をつかうとして、Sの倒れるのを恐れる。その位置で、直角を平行にして、その中央に手をついて、右手に漸く花を取る。Dの變法と認める。「竹から少し離れてゐる」と、Sを前竹に少しづつ近づける。「少しこつちへ寄せませうかね」と左に少し寄せる。それに左手をつき、右手をZにやり試みる。「これは危い。膝を腰掛に載せて見やうかね」と左膝を載せる。左手をやり、花を取る。「腰掛と竹とすれ〳〵にして見せうかね」と、Sを前竹に平行に接し、「これは……」とやめる。「今度は腰掛を反對に」と、Sを前竹に直角に接し、「これは屆かない。もう腕も痛くなつた。少し伸ばして見ませうかね」腕をいたはる。「手はどつちにしたらいいかね」Sに兩手をついてゐる。「まん中について見やう」左手をSの中央につき、右手を伸ばす。その試みを續ける。ああでもない、かうでもないと續ける。〔五九・三〇〕「この花を下から」と、Zを取るが足が出る。「つかまつてゐたが足が出た。少し腰掛を向ふにやると取れる」と少し前竹から離し、花を入手する。「腰掛をこつちによこすと取りにくい」と、又Sを前竹に直角に接し、「しつかり取れるやうにして見やうか。腕ももう痛くなつて困つたが」〔一・〇・〇〇〕

痛いといふのはそれらしい左手をSつき、右手に取るが、足を出し、「ほら見て下さい、倒れたでせう」〔一・一・〇〇〕「出來るだけやつて見せうかね」巧く取る。「漸く取れました。腰掛を反對にして見ませう」と直角を平行にする。又直角にし、平行にする。前竹に接してそれに手をつき、膝をつき、色々に試みる。「今度はこつちへやつて見ませうかね」と右に寄り、Sを右に寄せ、それに右脛を載せ、右手を伸ばす。Zへ斜に。「これはあぶない。倒れたらあぶない。取らうと思ふが倒れたら。今度はこつちへやつて見ませうか」と左に寄り、Sも左に寄せ、前竹左端に平行に接し、それに右脛を載せる。「倒れたらあぶない。頭が當つたら怪我をする」Sを中央に持ち來り、壇に近く置き、「腰掛を前へやつたらすぐ取れる」と、試みて花を入手する。「ほら見て下さい」〔一・三・三〇〕「もう少し腰掛を此方へやると仲々取りにくい」と少し前竹の方へ引き、前竹との間一〇糎位になる。試み、「ほら見て下さい」又試み、「漸く取れました。腰掛を詰めたら仲々取れぬ。あぶない」とSを平行に前竹に接して試み、「ほら、しまつた！」又試み、Sに右手をつき、膝をあて、花を入手する。「もう腕が痛くなつた」〔一：五・一五〕

Sを原位置へ返しに行き、前に來、右手を出し、左手を出し、「こんなことをして取らうと思つても取れない」右足を前へ上げ、「これでも取れない。手と足とどちらが長いか。使つて見やうと思つてゐる」左に寄り、左手を伸ばし、右に寄り、右手を伸ばし、「左も右も………」又左右にずり試み、「こつちでもこつちでも同じ。何かあつたら二本で挾んで取るが、何もないかなら困る。紐がないかね。紐があつたら輪にして引つかけて取るが」と手を振つてゐる。右手を伸ばし、「遠い。仲々屆かぬ」足が出、それをいふ。左手を伸ばし足が出、「あ、しまつた！」實驗者に背を向け、「横に取ると少し遠い。前に取つても同じ」〔一：八・〇〇〕前竹を直す。「できるだけやつて見ませうかね」左手を伸ばし、「こんなことしてやると體が倒れて仕方がない」やることをいひながら、バンドを取り、前竹を取り上げ、その先に卷いてゐる。〔一：九・三〇〕〔一：一〇・〇〇〕「遠い所を取るには輪を作つて引つかけるから、今度はそれをまねして見せう」前竹の先にバンドの兩端を卷きつけ、輪にして垂らし、それをZにやり、花冠をその輪の出る所へ吊し手許に近づける。「そら見て下さい。立派に取れたでせう」花を入手すると同時に輪が解ける。〔一：一一・〇〇〕

這ひ行きAの解の繰返しになり、「こんなことをしたら取り易い」と右手をあげて花を取る。「今度はかどへ行つて見ませうかね」と前竹左端から伏してAのくり返し。「ほら取れる」右に寄り、「こつちは少し遠いやうな氣がする。Zの右横からかゝるAのくり返し。なほ、「かうしても取れる」とAの解を幾通りにも繰返す。そして前竹の中央に立つ。〔一：一二・〇〇〕

「今度は片一方の手で取つて見ませうかね。」左手を伸ばし突込み、右足が出る。それをいふ。「机から紐をつけて、私の腹を括つてくれぬかね」後を向き生徒机の方を見ていひ、前に向き、右手の試み。倒れる。

「あ、しまつた！」左手の試み。「こつち（左）の手も屆かぬ。こつちの手（右）も屆かぬ。こんなことをやつても倒れるし」とやや左後向き氣味に兩手を擴げる。體を色々に使ひ說く。

又、Sを持つて來て、Zと枠との間に前竹より三〇糎位離しておき、Dの解のくり返しで花を入手する。「も少しこつちにやると取れません」Sを平行に前竹に接し、傾斜は手前に落ちるやうにおく。「あぶない。倒れたら轉ぶ。膝を載せて見やうか」と右膝を載せる。「少しあぶないですね」〔一：一五・〇〇〕

「今度腰掛を反對にして見ませうかね。長くして」と、Sを前竹に直角におき、Sの中央より少し前に左手をつき、「しかし同じ。腰掛がしつかりしてゐない、動くから困る」又、Sを前竹に平行に接し、右に寄せ、Sの中央前緣を押し、左手に花を取り、Sから體が落ちる。「取つたけど、體が倒れて仕方がない。まん中にやると一番いい」Sを、Zと枠との中間に置いて花を取り、「ほら」又Sを前竹の方に引き寄せ「こつちへやつたらむづかしい」試み、「ほら」Sに兩手をついたまま、「體が倒れるから困ります」

「今やつたことは、川を渡るのと變りません」「大水の時、川を渡り度いが、入らうと思つても、入つたら流れるから困る」Sをがた〳〵させながらいふ。〔一：一八・〇〇〕なほSに兩手をつき、がた〳〵させてながら、「水に流れて死にはしないかと心配するが、これも變りありません」左手をSに殘し、右手に花を入手する。〔一：一九・〇〇〕「川を渡る方法考へて見ませうかね。川を渡る時、橋をかけるから、これと同じでせう」とそのまま左手に花を入手する。「飛んで行かうとしても怪我をするから橋をかけるのが一番いい」まだSに手をついてゐる。又、左手に花を入手し、「川の中に石があつたら、それに載せて橋をかけて取るからそれと同じ」〔一：二〇・〇〇〕

後へSを持つて行き原位置に返し、前に來て、「川に何もないとき飛んで行く。するとすぐ流れる、あれと同じ」と飛びかゝり床に手をつく。〔一：二〇・三〇〕伏してAの解のくり返しになり、「斷崖の所でもかうしたらすぐ取れる」〔一：二一・〇〇〕又右手、左手を伸ばしながら相變らずの調子で說く。「斷崖をはづれたらすぐ落ちるから、木で引つかけて取るか、ほかにはありません」〔一：二一・三〇〕半ば左手を伸ばし、それから右手を握り、「斷崖に品物を落した時、繩でも作つて引つかけるか、ほかにはありません」右手を伸ばし、床につき、足が出、「死んでもいいと思つて體を伸ばすとすぐ倒れて死ぬ」〔一：二三・〇〇〕

又、Sを持つて來て、Zと枠との間におき、右手をつき花を入手する。「斷崖に落した品物を取らうとすれば、どんなことをしたらいいかと考へると、木を切つて橋をかけてのれば取れる」Sを後へ持つて行き原位置に返して來る。〔一：二三・三〇〕

前竹を取り、その先に花を引つかける。「近い所は棒に引つかければすぐ取れる。斷崖の所はこの位離れたら仲々取れません」立つてゐて指し、「考のある人は、木を切つて橋をかけて取るか、又はかづらで輪を作つて引つかけて取る」左手を伸ばし、「ほら見なさい。こんなことをして」その手を伸ばし、Zに對ひに對ひ、「子供が水のまん中にゐるんでも、手で屆かなければやつぱり橋をかけて行つて取るだらう」と前竹をZの臺に架し花を入手する。前竹を置き、〔一：二六・三〇〕又すぐ話し出す。兩手をやり、「手で取らうとすると、すぐ死んでしまふから、まん中に何か載せて取る」〔一：二七・〇〇〕左手を伸ばし、「こんなに近いのにどうして取れぬかと思つてゐるが仲々取れぬ。飛んで行かうと思つてゐるが……　山の斷崖のある所はぶらんこをつけてから取れるが」と前へ出る。右手を伸ばし、「仲々取りたいけど手が屆きませぬ」〔一：二八・〇〇〕「よし！」と飛び行き、臺につきかへり、「しまつた！」左に寄り、右に寄り、「橫に取らうと思ふが取れない」中央に來てZに對つて、「こんなことをして、倒れたら怪我をしたり死ぬこともある」〔一：二九・〇〇〕

又、Sを持つて來て、Zと枠との間に置き花を取つて見せ、「ずつと考へて、どんなことしたら取れるかと。木を切つて橋をかけたら、安心して歸れる」Sを後に持つて行つて原位置に返して來る。〔一：三〇・〇〇〕

伏してAの解の繰返しで、右手に花を取りながら、「斷崖で取り度いものがあつたら、しやがんで手をついて行つて取れるが、水の中では仲々そんなことはできぬ」〔一・三〇・三〇〕實驗者に背を向け右手を伸ばす、「これは横に取ると少し取り易いが、まつすぐにして取ると倒れやすいから困る」前竹の中央に正しくZに面して左手を伸ばし、右手を伸ばす。「右の手も同じ」Zに正しく面し右手を伸ばし、「まつすぐはすぐ體が倒れる」左に寄り、右に寄る。右手を高く上げ、左足を後に上げてZにかかり、その足が出る。又その手を高くしないで伸ばし、足が出る。「上からやつても、下からやつても、どつちにやつても同じ」〔一・三二・〇〇〕左手を伸ばし、「そろつと行つて取つたらどうかね」足が出る。「どつちにしても同じ」右手の試み。「變らぬ」立つてゐてZに對ひ、「どんなことをしたらいいかね」〔一・三三・〇〇〕後に行きかけて歸り、右手に上からZをつつつくやうにし、「何かないかね。あれば上から取れるが。むづかしいでせうね」右手にZをせせくるやうにその手を伸ばし、「こんなやうにやつて取れるかね」

「こつちからやつても同じ。横を向いても同じ。後むきになつても同じ」と色々に體を廻し、Zの方に手をやりながら試みる。「腰掛で取るか、輪を作つて取るか、棒に引つかけて取るか、ああいふのが一番いい」〔一・三五・〇〇〕右手を伸ばし、又伸ばし、突き進み屆き、足が出る。

「それで川や谷はすぐ橋かけて困らぬやうにする」左手を伸ばし、右足が後に上がり、その足が出る。實驗者に背を向け右手に試み、「ほら見なさい」しやがんで、「坐つて取らうとしてもなほ遠くなる」そのまま右に寄り、右手を伸し、左に寄り、左手を伸ばし、「なほ遠くなる」立ち、「立つて見ると近いやうだが仲々屆かない」右手を伸ばし、足が飛び出す。「ほら。胸が重いから、體が倒れる。下が重かつたら倒れることはないが胸が重いから倒れるわい」實驗者に腹側を向け左手を伸し、右足が後に上がり、それが飛び出す。實驗者に背を向け、右手を伸ばし、左足が後に上がり、その手が花にふれ、足が飛び出す。「どんなことをしたらいいですかね」立つてゐる。〔一：三七・三〇〕Zに正しく面し、左手を伸ばす。「近い所に行つたらすぐ體が倒れるから困ります」實驗者に背を向け、右手を伸ばしかける。〔一：三八・三〇〕

實驗者の方をはつきり見ることは更にない。〔一：三九・〇〇〕

「も少し低くしたらいいけど」前竹を取り上げ、それにつかまつて飛ぶやうな形を見せ、「川を渡る時は棒で飛べるけど、これは高いから飛べません。棒で取るのはいいが、手で取るのは仲々むづかしい。足をまつすぐに伸ばしても同じだし、曲げても同じだし」實驗者に背を向け、右手を伸ばし、又伸ばし、その度に足が出る。「近くに行つたら體が倒れる」實驗者に背を向け、左下を見、又右手を伸ばす。（通譯あくび）體を動かし、手をZにやりながら、「下からすぽつと取るつもりだが體が倒れるから困ります。上から取らう。又倒れるから」手を伸ばし、花に觸れ、「ほら見なさい。下から取らうと思つて屆きませんが」〔一：四一・三〇〕

又、Sを持つて來て、「これが一番やさしい。少しまん中にやらぬと取れない」Zと枠との中間に置いて、花を取る。Sを前竹の方へ引き寄せ、「又前のやうに少しこつちでやると取れない」と、それに手をつき、試みる。「動くから困る。まん中でやると一番取り易い」花を取る。

Sを原位置に返す。又Zの前に立ち、手の試みの不能なことを說き動き、どうしたらその難局を打開できるかとなほ試み續ける。花に手が屆き足が出て、倒れかかる。〔一：四四・〇〇〕「しまつた！　體をまつすぐに伸ばして取らうと思つたがすぐ倒れる」と小時立つてゐる。息使ひが荒い。〔一：四五・〇〇〕

やつて見やうと意氣込んで色々試みる。前竹の左に寄り、右に寄り、まん中に行くなど。〔一：四六・三〇〕「引つかけて取つたら一番いい」と、又前竹の先きに引つかけて取る。〔一：四七・〇〇〕

手を伸ばす試み。「どうして屆かぬか。男のくせに、どうして屆かぬか。やつぱりできませんね」などといひ試みる。右に寄り、左に寄り、「どこでも同じ」などといひ試みる。足の出るのもまじる。

「天井を傳つて行つて又戻つて來たらどうかね」〔一：四八・三〇〕右手を伸ばしZを取るが、足が出て、

「仲々、取りたいけど、體が倒れて」左の角に行き、又右にかへる。「どんなことをして取つたらいゝかね。どうしても屆きません」〔一：四九・三〇〕小時立つてゐる。實驗者にやや背を向け右を進め、〔一：五〇・〇〇〕「着物が邪魔になる」袖をいぢり、右手を伸ばし、花に觸れる。前竹を直す。「近い所に行くと體が出て困る」又試み、「しまつた！　足が出ないやうに取らうとするのだが仲々できない。近い所に行つたらも う體が倒れて居るから困る」兩手を伸ばす。「兩方の手で取らうと思つたが、まだひどいや」〔一：五一・三〇〕大わざに、Zに手を觸れて退く。「飛んだらどうかね」右手の試み。「も一寸の所まで行つたが」〔一：五二・三〇〕

Sを持つて來る。Zと枠との間に前竹に接してそれに平行におき、それに右脛を載せ、手もかけ、「これもあぶない」Sを前竹から離し、あちこちにやり、試みる。前竹より少し前方で、それに左手をつき、右手にZを取る。「これは少し取り易いか。も少しこつちにしたら仲々取りにくい」Sを前竹に接しておき、それに左脛　載せ、右手を伸ばし、Zに觸れるが、Sから落ちさうになり退く。「手は着いたが膝が痛くなつた。腰掛が動くから困ります」Sに左手をついてゐて、そのまま右手を伸ばし、つつこみ、つつこみ、遂に花を取る。つまりSを前竹に接しておいて膝を載せて取るのに成功。Dの變法の成功と認める。

だが、Sと前竹との間にほんの少し間隔があつたので、それをこれに引きつけ、それに左足の膝を折つて載せ、そのあぶないことをいひながらやつて見せ、何度も試み、Sをかたくいはせ落ちさうになり、Sを前竹に直角に接しさせる。それに右足を載せ、右手を伸ばし、「あぶないか」その手を伸ばし試み、漸く花を取る。「ほら」又Sを前竹に平行に接しておく。「竹と腰掛とくつついたら少し遠いですかね。もう落ちたつていいからやつて見せうかね」それに足を載せ、手を伸ばし試み、Sがたがたゆれ、落ちかける。退き、「さうしたら取れるんだが」又手を伸ばし、左へ落ちかける。〔一：五八・〇〇〕又伸ばす。Sが搖れながらも花面を摘み漸くZを入手する。「漸く取れました」と、Sを原位置へ返して來る。「今度は又手で取つて見ませう」と右手を伸ばし、「取りたいけど屆きません」なとと言葉流れながら、試みつづける。「何かするときは、まん中へ行かぬとできません」〔二：〇・〇〇〕

「つかまへやうと思つたら、足が出ました」など。〔二：〇・三〇〕左手を伸ばし左足が後に上がり、それが出、「足を交る〱やらう」左に寄り、右に寄り、試み、足が出、「こんなことをやつたら取れない。近い所へ行つたらすぐ體が倒れてゐる」〔二：一・〇〇〕試み、トントンと足が出る。

前竹を取り上げ、「引つかけたら取れるでせうがね。體も倒れないで」とおく。右手を伸ばし、「つかまへやうとしたら體が倒れる」それを越えやうとする試み。〔二：三・三〇〕右を向いてゐて、「何かないかね。それに腹をくつて天井に下げて」又左を進め、「左で取つて見ませうかね」突つ込み、左足が飛び出す。手は花に觸れる。「あ、しまつた！ やつぱり變りません」〔二：四・三〇〕右手を伸ばし、枠内へ五〇糎位退き、又前竹に進み、〔二：五・〇〇〕自分で前竹を直し、左に寄り、右に寄り、又Zの正面へ行く。「どんなことをしたらいいですか」

脇腹が上下になる側面むきの體位になり、それを整へやうとして、幾度も手を伸ばして試みる。「どんなことをしたらいいかね」右手を腰に、それを左手を腰にかへて、右手を伸ばす。「やつぱり同じで、つまみかけたら體が倒れる。體を少し動かし手を伸びるやうにしやうと思つたが仲々伸びない」左手を腰に、實驗者に背を向け、Zを見てゐる。〔二：七・三〇〕手のひらを上向き、下向き、横向き、左に寄り手は右から、左手左の方からなど色々試み、「どこでも同じだ。これが一番いいが手が短いから」右、左、手を伸ばす。「體を動かさないで取らうとしても………」實驗者に腹側を向け側面向きになり、手を伸ばし、これが一番いいが屆かぬ。まあ、體を少し動かして柔らかくして見ませうかね」腰を左右に曲げ、兩手を擴げる。「手を伸ばして見ませうかね」手を伸ばし、花に觸れる。「つかまへたが倒れた。ずつと向ふから………」

と枠内に退き又進み、「飛んで來たらどうかね」

前竹を取り上げる。〔二・一〇・三〇〕竹先きの使ひ方を色々にすることを說きながらやつて見せる。「引きよせて取らうとすれば落ちる」など。「輪を作つて取るのが一番いい。天井にブランコをつけて取つて又戻つたらいい」前竹を返しながら、「さう思ふだけ」

手を伸ばし、「つかまうとすれば倒れる」言つてAの解のくり返しをやり、「斷崖を通る時は、かうやつて行つて橋をかけてのぼつて取る。慌てて、そつと取らないと水の中に落ちる。落ちたら死ぬ。やつぱり考へて取らなければ駄目だ」〔二・一三・〇〇〕左手を伸ばす。それに右手を引金のやうな形にして副へ、その兩手を前方で打ち合せ、「魚を取る時は、針金をかうして刺して取ればすぐ取れる」〔二・一三・三〇〕右手を伸ばし又前の手を伸ばす試みの位相にかへり、「左でも右でも長さは同じだ」「もし片一方の手が長かつたらすぐ取れるが、長さは同じだ」。

實「もつとちがつた取方を考へて下さい。今迄やつたのよりも」〔二・一五・〇〇〕

被 右肩進み立つてゐる。左窓の方見て暫らく立つてゐる。前に向ひ、着物の前を抑へ、「机があつたらいい」と後を見る。

實驗第二にかかる。此時駐在所警察官入り來り、これに陪席する。この實驗を約三〇分にて濟ませ、再び實驗第一にかかるに、やはりそれにも陪席する。

實 被驗者を再び枠内に入れる。

被「前と同じですか」

實「ええ、前とちがつた取方を考へて下さい」

被　Zの前に行き立つてゐる。〔一・〇〇〕

「立つて取らうと思つても屆きません」手を伸ばし、「少し横からでも手が屆かぬ。前から取つたらなほ遠くなる」右手をZの臺につき、「かうして、前からまつすぐには、體が短いから屆きません」又右手をZの臺につく。「斷崖を通る時、ずつと體を伸ばしても取れない。やつぱり何か考へて取ります」後向き背をZに向け左肩からZの方を見やうとし、「かうしても取れない」やはり色々體を使ひ分けて說くさきの位相をあらはす。右手を水平に伸ばし、「茶碗を取らうとしても水はこぼれるだらうと考へて取る」

前竹を取り上げ、その先にZを引つかけて引き、「それで考へて取る。かうして取つたらこぼれません」前竹を原位置に返してそつとおく。「横で取らうとしたらこぼれるし、まつすぐでも………」着物か何かこわれないものを取る時、かうして取ります」伏してAの解をくり返し右手にZを取る。「かうして取つたら大丈夫です」暫らく立つてゐる。〔五・三〇〕

Sを持つて來てZと枠との間におき、それに手をかけ、まん中に高い所があつて、下から品物を取るには、やつぱり臺をおいてかうして取ります。自分のはどれかと探して」とZの筒の横に一寸手をのせる。「下から見ると品物が分りませんから、上から見て取ります」Sを少し前竹の方に引き、「少し引いたら取れない。臺を近くしたら取れる」實演しながら花を取る。「こんな取方がほんとと思ひます」〔七・三〇〕立つてZに對つてゐる。前竹から一五糎位退いて。半歩右に寄る。〔八・三〇〕〔九・〇〇〕「他の人が品物をかくした時には、何處に置いたらうと考へて方々を探す」とSを角に持つて行く。「遠かつたらどうして見るかね」又Sを右に持つて來て、それに手をつく。又SをZの方へ寄せる。「何か考へてやらうとかうして」とランプの鍵にバンドをかけ、Sに左足を載せる。「色々こんなやうなことをして取ります」とバンドを體に返し、Sを原位置に返し、Zの前に來て立つてゐる。〔一一・〇〇〕

「人と喧嘩をする時、人が何故喧嘩をしやうとしてゐるか考へる。自分の方では喧嘩をしない方がいいと思つても、喧嘩をするから來なさい、遠い所から取りなさいと、向ふの人がつむじを曲げて、どうしてもするといへば、喧嘩をしたくないけど、あなたが無理に追つかけて來るから喧嘩をするが、どうしても行けなければ、死んでも行つて見ませう。下から行つて喧嘩をしやうと、やつぱり橋をかけて斷崖をのぼつて、かづらも傳つてのぼつて行つて喧嘩をする」Aの解のかたちに伏し片手を崖の前面につけ、攀ぢのぼるやうにその手をのぼらせながら、「もう渡つて來たんだから、喧嘩をしたければできるですが。二人なら、一人は斷崖の方に居て引つぱつてやる。かづらでも棒でも」這つたまま右へ寄り、左へ寄り、Zにかかる。正面からかかり、「かうしたら近いけど」〔一五・〇〇〕

「橋をかけるにも道を作るにも、曲つてゐるものはまつすぐにしなければいけない」「何かかづらでも棒にくくつて引つかけるか、あつちの方の人が引つぱつて橋をかけるか、唯手で取らうと思つても手は短いから屆きません」〔一七・三〇〕暫らく立つてゐる。〔一八・〇〇〕手を見る。土がついてゐる。〔一八・三〇〕「もう別に考はありません」とZと通譯との間の方を見る。その向ふの壁に時計がかかつてゐる。それへ。「何か小鳥が木の上に巢をかけたのを取る時はどんなことをしたら取れるかね。石を投げたら死ぬし、どんなことをして取つたらいいか、考へて見ませう」Zを見、兩手に前を掻く。「慌てたら逃げてしまふ。死なぬやうにつかまへやうと思つたら、巢を持つて來て」とSを持つて來る。それをZと枠との間において、手をついてかがみ、「かうしてそつと取らう」少しSを出し、それに手をついて、Zの花を片手にぼかつとつかみ、指の間に閉ひ、「大切にして家へ持つて行く。そしたら死にません」Sを原位置へ返す。〔二一・〇〇〕「魚を取る時も深かつたり、池が深かつたりしたら、どうして取りますか。木でもつて刺さうと」と前竹を取り上げ、「刺して取る」とそれにZの花を引つかけて入手する。その竹を原位置へ返す。〔二二・〇〇〕腕組みZを見てゐる。前竹から少し退いてゐる。二〇糎か三〇糎位。「もう別に考がありません」左の方へ

顔を向ける。〔一三・三〇〕
「山豚や山羊や鹿が川を渡つて逃げて行くと、犬が追ひかけてとう〳〵つかまへたら、どうして行けるかと考へる。取らうと思つても取れない。取らないで歸らうと思ふが、折角犬が行つて取つたのだから、何か木を取つてかつらで輪を作つて」と又前竹を取り上げ、バンドをはづしてそれにくくり、「斷崖で行けないから輪を作つて」と輪を作る。〔一五・三〇〕

ここで實驗を休止する。

この被驗者は自分の方から流れに流れ、情勢の發展に實驗者の指示を多く必要としない。その點やや異例に屬するが、しかし努力度の多い情勢を示すには最もよい例となる。

註三 實驗情況の擴融の一例は註二の例の中に含まれてゐる。

註四 巜及び屮の例。やはり註二の例と同樣の修理を加へて示す。

例一、マカザヤザヤ、被一三。

實 〔一〇・〇〇〕「よく考へなさい」

被 すぐはいはず。「私はよく考へてますけどこんなのはどうしてもできません」

實 「幾通りも取方があります」

被 左かしぎを立て通譯をきき、目的を見てゐる横顏こちらへ下げ（首かしげ）「幾通りも取方があるといふことは私には氣づいてありません」左腰に手。Zを見る横顏。〔一一・三〇〕少し見居やがて實むき。實見るにまたたき。その眼右へ、床を輪邊を右へ見行き實の所へかへる。右手も腰に。そして兩手さげ實むきのまま。〔一三・三〇〕目的の方少し上眼に見。實の方へ。〔一四・〇〇〕少し右わき床へ。實へあがる。右から外へ、否花2へ、教壇へ、目的へ。〔一四・三〇〕そして實へ。左手動かんとして實見るにためらひ、やがて兩手少し後へ・實むきのまま。〔一五・〇〇〕實、髮掻くに、目的の方へ、ノートにこつちむき。〔一五、三〇〕

實 「同じ所にばかりゐる必要ありません」〔二六・一五〕

被 「そしたら私は何處へ行きますか」實、答へざるに「オー」と引き、足開き立ち、目的の方見てゐて、やがて腰掛にかける〔二七・〇〇〕前手合ひ、下眼。〔二七・三〇〕右を見、實の方見來目的方へまわしかけ、右にかへし、目的方、そして目的をすかし見に、次いで右隣室とのさかひ戸へ顔、實に横顔に。〔二八・三〇〕暫しあり實方見、眼近く下眼。〔二九・〇〇〕實方上眼、實上方。

實 「よく考へなさい」〔二九・三〇〕

被 「考へてゐますけどどうしてもできません」足ずらしいふ。氣力あがらず。氣組なし。不導體的。場に浸み込まず。〔三〇・〇〇〕

そして、遂に腰掛を使ふ解法もなく、その他の解法もない。評價さるべき努力もなく第一表に於て第六時限まで努力度に於て零が羅列する。

例二、マカザヤザヤ、被七

實 〔一:〇・二〇〕「さつき何か使ふといつたがどうするのですか」

被 すぐは答へず。「何か棒でかうしたらできます」（手を左右にする）

實 「さうしてはいけないのですか」〔一:一・三〇〕

被 少し笑ひ、「そんなのはよくはありませんけど、屆きませんからどうしますか」

實 「どうしていけないのですか」

被 「そしたら花が散つてしまひますから」〔一:二・二〇〕前に手を合せる。目的と通譯との間を前方見に見てゐる。〔一:三・三〇〕

床に花散り居るは明に見たかどうか、それはなかつたと思ひ居るに、目的の臺の下の敎壇の上に花瓣散り

落ちある所を下眼に見る。〔一：四・〇〇〕

實 〔一：四・三〇〕「そこに花が散つてゐるからそんなことをいふんですか――花が散つてしまふと」

被 目的の方にむき體ゆり、通譯に少しの顏の笑ひにいひ終る「ちがふけど取ることできませんから私そんなことといひました」

實 〔一：五・四五〕「使ひたいものがあれば使つてたらどうですか」

被 やがて〔一：六・〇〇〕「できません」と實の方を見る。「使ふものないから取ることできません」目的の方むきに立つてゐる。じつとにはあらず。體ゆれなどす。〔一：八・〇〇〕〔一：九・〇〇〕

實 出 「體は自由に使つてもいいですよ」

被 やがて、「できません」と目的と實との間むき。〔一：九・三〇〕體ゆれ目的の上の方むき。目的むき。〔一：一〇・〇〇〕

この被は、これよりさき第二時限で、立つてばかりゐる必要はない」といはれてゐる。又第四時限では「手だけで取りなさいといふのではない。手で取りなさいといふのですよ」といはれてゐる。それに對して被は「だからとどきません」と答へる。實はさきの指示をくりかへす。この指示はしかし通譯のいふには難解であらうとのことである。「氣がつけばちがひが分るけど、氣がつかなければおこつてゐると思ふ」とのことである。とにかくこの被はいくつかの暗示にもついて來ず、何らの解法もない。努力度も第一表に見る如く、第六時限まで一又は零の羅列である。

例三、下パイワン、被一二

被 〔一〇・四〇〕「手を下につけたらいけませんね」

實 「いいか惡いか よく考へてごらんなさい」

被　左から後見。後へ急ぎ去り、後の枠竹近く腰掛の右に立ち、「ここから走つてもとどきませんね」〔一一・三〇〕〔一二・〇〇〕まだ立つてゐる、何か構へ。手は、右手前に指曲げ、左手パンツに指まげ。〔一二・三〇〕〔一三・三〇〕實方へも眼くばりながら。

實　〔一三・二〇〕「こちらのいふことはこれだけ、その中から歩いて出ないといふこと、あの花を手で取るといふこと」

被　「分りますけどとどきません」さきの位置にて。〔一四・〇〇〕眼を右から後窓へ。後窓に土掘る人あり。

爪先實方むき、顔もむいてゐる。

實　出　〔一五・二〇〕「手をついて取るといつたのはどうするんですか」

被　「短いです」と歩き歸り來り「手をついても短いです」目的、その床見てゐる。〔一六・〇〇〕「やつて見ませう」と伏し進み届き取り、筒ごと、そこに立つ。

實　〔一六・四五〕「取れたでせう」

被　「オーイ」額やや皺む。

實　〔一七・二〇〕「それが一つの取方ですね」

被　「前からそれ考へてたけどあれ惡いと思つてやらなかつたのです」〔一七・三〇〕

實　「まだちがつた取方ありますから、ちがつた取方考へて取つて下さい」（通譯花を受取り臺にかへす）

被　取つた位置に立つたまま目的を眺めてゐる。竹と足竹四〇糎はなれてゐる。〔一八・二五〕

被　「まあ手をついてよりほかにはないでせうね」

實　「まだありますよ」〔一九・〇〇〕（通譯外出、目的左方室隅戸より。戸外には農作物展アーチ立つ賑はひあり、二一・三〇歸る）〔二一・〇〇〕

被　またたき目的方を見てゐる。右手つき左手に取る。

賓「それはさつきと同じでせう」

被「これしか私できません」やはり右足後へ引き立つてゐる。

賓「ちがつた取方考へて下さい」

被「外にはもうないでせう、足を出さぬと」

賓「ありますよ」

被 取つた時のまま猶持ち立つてゐる。目的臺方に顔向く。〔二四・〇〇〕向いて動かず。〔二四・三〇〕（通譯立ち尚を受取る）と同時に賓むきの爪先きになり畏まらうとし、畏まらず、右足やや前へ出し顔此方むき、爪先き通譯方むきに開きあり。〔二五・〇〇〕

この例は暗示といふよりは明示で效果もあつたのだが、それが如何に緩徐に來るか、そして發展性がないかが分る。

例四、コチャボガン、被一二

この被は第一時限で、臺に飛びつき取る解法に成功する。そしてその時限にそれをなほ二度くりかへす。次の時限にもそのくりかへしが二度ある。第三時限でも以上のくりかへしはいづれも、「ちがつた取方を考へて取りなさい」又は「あの花を取るには幾通りも取方があります。今あなたがやつたのも一つの取方です。だがもつとちがつた取方で取つて下さい」又は「もつと靜かな取方で取つて下さい」などの指示に次いで起る。第三時限に於けるくりかへしは三五・〇〇に起り、その後またしばらく立ちつづける。

賓「その四角（枠）の中に何があるかよく見なさい」〔四二・〇〇〕

被 賓方から後へ輪の竝び添ふ竹に沿ひ見かへり見かへるが「この竹の中に腰掛あります」〔四二・三〇〕腰掛の方のやうに深く顔廻る。目的むきとは反對にむいた横顔に床見廻はしあり、賓方へもゆれかへり、ゆれ去

り、次第に輪の添ふ竹の方を、それに沿ひあり。又、腰掛方へも深まる。足も目的前の枠竹に沿ひ並ぶやうになる。〔四五・〇〇〕

なほ、「ちがつた取方を考へなさい」の指示を、このとほりに、または「手を飛ばして取る取方でなく……

……」と敷衍したりして與へるが、それに應ずるものは、やはりさきの解法のくりかへしだけである。五〇・〇〇と一・〇・〇〇とに。

例五、コチャボガン、被一〇

はじめに、「もし竹で取るなら取りますけど」といふことがある〔一・四五〕。それは試みず。手を伸ばす試みがはじまる〔一二・〇〇〕。解法とならず、つづかず、第一時限だけでやむ。はじめから指示は次第に重なるが被験者を力づけることができない。

實「立つてばかりゐる必要ないです」

被「考へたけど外の人だつたら取るかも知れません」かかと閉き腕たれ、立つてゐる。〔五二・〇〇〕體目的方にゆり「ほかの人は取るときはいつもここでふみましたか」腕ぐみ自然に少しづつ體動かしゐるに、

實「取方を考へなさい」

被「考へますけと取ることできません」やがて目的方を見る、暫らく見るが通譯方から實方へかへり來る。〔五六・〇〇〕

實　もう投げる。〔五六・一五〕「體の使方考へてごらん。もう大分長く立つてました。長く立つてる必要ありません。その四角の中に何があるかよく見なさい」

被〔五二・三五〕腰掛の方見るが〈手の指合せ〉「分りません」と實方に、前に、又腰掛へ、そして實左枠內床を探すやうに停まる。通譯笑ふに合せて輕く笑ふ。

實　〔五九・一〇〕出「その四角の中にあるものは使つてもいいんですよ」

被　腰掛を見、通譯に「仕方ない、もしとどきませんなら仕方ありません」〔一：〇・三〇〕目的前床指し〔左指に〕「それから……杖としてこの中へ入れてあれを取りますか。外の人は取れば一等になるでせう。私は駄目です」

實　〔一：一・一五〕腕組み「何を杖とするといふんですか」

被　「仕方ないできません」

實　〔一：二・五〇〕「考へたらいいでせう」

被　左爪先立て、右へかしぎゆれ、目的むきになり、左手伸ばす。「さつきやつて見たができなかつた、今やつても取れません」なほ左手伸ばし試み見せる。「コワッ！　外の人ならとどきますが私は取れません。人は色々ありますから」〔一：五・〇〇〕

實　「それよりもちがつた取方考へて下さい」

被　「またどうしても考へてもできません、やつて見てもできません、取らうと思つてもできません」

實　「あなたはかうやらうとばかり思つてゐるから取れない、ちがつた取方を考へなさい」

被　「それではどうするかな」

實　「それを考へなさい」

被　「考へるけどやる方法分りません」目的の方にゆれる、その方にむく動きに云ひ、通譯、實方におさまる。

コチャボガン被九、一〇のときは、第一の通譯が病氣で缺場し、第二の通譯が代つた。この例五の通譯は第二の通譯である。第二の通譯は第一の通譯よりはまづいが、そのためばかりに、かく不得要領なのだとはいはれない。枠の中のものは使つていいといはれても力づかないのである。

【分化度】

解法一種類を分化度の一度とする。

實驗結果に就て、解法の種類を次のA—E五種とする、その内、第五の代償的解法は分化度とするには適しないから、分化度の限度はそれを除いて四であり、四種の解法成就は分化度一〇〇%なのである。

分化度の大きさをきめる時間は努力度と同じく一五分とすることもできるが、解法種類數には右の限度があるので、それを全實驗時間とすることもできる。ここでは後述の事情により全實驗時間の方を取る。

A　目的の前に目的と、枠との間の床に片手をついて、腹を下向きに伏して、片手を目的にやり、それを入手する。又は腹を上向きに仰向けに伏し、片手を床について、片手を目的にやりそれを入手する。

B　枠内の腰掛を目的の前に持つて來て、枠外又は内の床に置き、それに片手をつき、又は片膝をのせ、又はその上に立ち上がり、手を伸ばして目的を入手する。枠外の生徒用机又は同ベンチを持ち込み、それに依る右と同巧異曲の解法。この類の解法にも仰向けの體形をとるのがある。

C　枠内、目的前に、枠竹に爪先を當て目的に向つて手を伸ばし、體を進め、目的に又はその臺に飛びかかり、目的を入手して飛び退く。

目的の臺はこの解法並びにその試みの手の衝き動かすのに堪えて立たなければならない。そのためにこの臺の向側は壁に押しつけてある。目的の臺を構成する教卓の長さと教壇の幅とが一致してゐて、教卓を向ふの壁に押しつける所要の設備が自然に出來た所と、教卓の長さが足りなくて、その向側と壁との間をうめるのに生徒用ベンチで丁度間に合つた所とがある。

この解法は最も短絡的な解法であるが、輕々しくは成功しない。飛びつくのにも飛び退くのにもさきの圖解(第二圖)の通り、容易とはいへない。飛びつけても、目的を入手してからうまく退けないで、棹竹を轉がし出したり、床に手を叩きつけたり、危く頭を臺に打ちつけさうになつたりして退くことになるのが多い。時々、通譯を救援に出さなければならないことがある。飛びつくにも、それだけの彈みがつくまでには何度も試みられなければならない。又、その變法を出さうとして、臺につかまらずに、目的だけを如何にか取上げやうとすると、一段と冒險的の試みとなる。

目的に向つて後向きになり、仰向けざまに目的に手を伸べることも試みられるが、この試みは成就されない。

D

棹の竹を取上げ目的の前に杖づき、又は目的の臺に立てかけなどしてそれに體を支へ目的を取る」後むきに目的に向つて杖づいて目的を取る」その竹の端で目的を彈き飛ばして受取る」持つてゐる煙管のくさりに目的をからみ上げて受取る」帶、タオルなどのさきを臺にのせふり上げて目的を彈く」枠外から洗面器、又は花2の臺の蓋などを取つて來てそれを目的の家におしつける、床に立てるなどして取る」天井から下つたランプのかぎにつかまつて取る」など。竹の利用とその他の雜解とをDとする。

E　代償的解法。大體既述。

第五表は、解法のあつたすべての被驗者について、時限毎に、その解法種類を示したものである。

解法符號A―Eの下に括弧内に付した數字は、その繰返し回數。ある解法がはじめて成就されたよりも後の時限に、その繰返しが起るときには、解法符號を小文字に替へる。この場合は、繰返しが二回及びそれ以上のときだけ、そのくり返し回數を付す。

第五表

全被驗者(被)の解法の種類とそのくり返し回數

一、ヤカザヤザヤ

被＼時限	一	二	三
4.	C(4)		
5.	C(2)	c(2)	c(2)

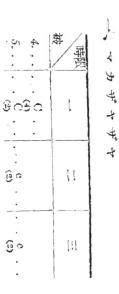

二、下パイワン

時限 / 被	一	二	三	四	五
1. . .	. . . . .E (1)				
4. . .	A (1)	. . . . .E (1)	a		
6. . .	A	. . . . .E	. . . . . .	. . . .	. B . .
8. . .	. . C . .	. . . . .E	. . C . .		
10. . .	. . C (1) . .				
12. . .	. . . .	A (1)			

三、マ　ヌ　ル

時限 / 被	一
4. . .	. . . . .E
6. . .	. . . . .E (2)
8. . .	. . C . .

四、コチャボガン

時限 / 被	一	二	三	四
1.		C . E (1)		c
2.	C (3)	c (2) r	c	c (3)
3.	C			
4.		C	c (3)	
5.		C (3)	c (3)	
6.	C (1)	c (3)	c	
12.	C (2)	c (2)	c (2)	c (2)
13.	A			
14.	A (1) . C (2)	c		

五、ブ　ダ　イ

時限 / 被	一	二	三
4.	B (2)	A (2) b	
5.			B
6.	C		
7.	A	a . C	B c
9.	A (1) . C		

六、ト　　　　ナ

被＼時限	一	二	三	四	五	六	七
1. . .	A . C . .	. B . . .	. b . . .	. . . . . .	. . . . . .	. b . . .	
2. . .	A(1) B C(2) D .	. b(1) c(5) d(1) .	a b . d E	a(2)	a . c . .	a	. . c . .
3. . .	A(1) B C . .	a . c(2) . .	a . c D(2) .	a(2)	. . . d(4) E	a	
4. . .	A(1) B C . .	. . c D .					
5. . .	A B(1) . D .	. . . d	. . . d(2) .	a . C(2) . .			
6. . .	A(2) . C(1) D .	a B . . .	. b . . .	a b . . .	. . . . . .	. . . . . .	a . . . .
7. . .	A . . D(1) .	a(2) . . d(2) .	. B . . .	. b(3) . . .	. b(3) . . .	a(3)	a . . . .
8. . .	A(1) B . D(2) .	a . . d .	a . . d . .	. . C . .			
9. . .	A(1) B . D(2)	. b . . .	. . C . .				

七、マ　　ガ

被＼時限	一	二	三	四	五	六	七	八	九	一〇
1. . .	. . . . E(2)	. . . D e								
2. . .	. . C(1) . .	. . . . . .	. . . . . .	. . . . . .	. . . D .	A . . d .				
3. . .	A(2) . . D .	a(5) . C . .	a B(2)(2) . . .	a(3) b c d .	. . . d .					
4. . .	. . C(1) . .	. . . . E	. . c(2) . .	. . c . .						
5. . .	A(1)	. . C . .	a . c(2) . .	a . c . .						
6. . .	A B(1) C(2) D .	a(3) . c(4) d(2) .	a . c(8) d(3)	. b(9) c(4) . .	a b(3)(6) . d .	a b(5) . d .	a b c(2) . .	b(5) c(2) d	a . c(2)	. d
7. . .	. . C(6) D .	. . c(6) d .	. . c(7) . .							

第　六　表

各種族的群の(一)各解法種數についての人數、及び(二)一人當り解法種類數

一

略符	社＼人數＼解法＼時限		一					二					三					四					五					六					一～六計				
			A	B	C	D	E	A	B	C	D	E	A	B	C	D	E	A	B	C	D	E	A	B	C	D	E	A	B	C	D	E	A	B	C	D	E
Pb	マカザヤザヤ	11			2																														2		
	下パイワン	12	2		2		1	1				3												1									3	1	2		4
	マヌル	11			1		2																												1		2
	全體				5		3	1				3												1									3	1	5		6
R₁	コチャボガン	14	2		5					3		1																					2		8		1
	ブダイ	9	2	1	2			1		1				2																			3	3	3		
	全體	23	4	1	7			1		4		1		2																			5	3	11		1
R₂	トナ	9	9	6	6	6			2		1			1	1	1	1			2							1						9	9	9	8	2
	マガ	7	3	1	4	3	1			2	1	2		1												1		1					3	2	6	5	3
	全體	16	12	7	10	9	1		2	2	2	2		2	1	1	1			2						1	1	1					12	11	15	13	5

略符	社	時限一 A～D計	時限一 一人當り解法數	時限一～六 A～D計	時限一～六 一人當り解法數
Pb	マカザヤザヤ	2	0.2	2	0.2
	下バイワン	4	0.3	6	0.5
	マヌル	1	0.1	1	0.1
	全體	7	0.2 (5)* (8)**	9	0.3 (7.5)* (9)**
R_1	コチャボガン	7	0.5	10.	0.7
	ブダイ	5	0.6	9	1.0
	全體	12	0.5 (12.5)* (21)**	19	0.8 (20)* (25)**
R_2	トナ	27	3.0	35	3.9
	マガ	11	1.6	16	2.3
	全體	38	2.4 (60)* (100)**	51	3.2 (80)* (100)**

*解法數4を100とする、各群の解法率。　**R_2の解法數を100とする、各群の解法率。

第六表は、第五表から被驗者別及び繰返しを取除いて、種族的群としての解法種類の多少を示すものである。なほEは除き、表中に、A－D四種につき、各群の一人當り解法種類數、卽ち分化度の大小を比較してある。その比較は第一時限だけについてしたのと、第一―第六時限の合計についてしたのとある。

新解法の成就される時限は、第一から第六に亙つてはゐるが、大勢は最初の時限内でほぼ決定される。最初の時限の一人當り解法種類數は、

Pb……〇・二

R_1……〇・五

R_2……二・四

となる。六時限合計の上では、

Pb……〇・三

R_1……〇・八

R_2……三・二

となる。（第六表參照）

これらを、分化度の極限値を四として、それを一〇〇とする百分比に直すと、最初の時限だけについては、

Pb……五

R_1……一二・五

R^2……六〇

六時限合計に於ては、

Pb……七・五

R_1……二〇

R_2……八〇

となる。（第六表參照）勿論六時限合計の方が何れの群にとつても有利な筈ではあるが、首位を占めるR_2に對してR_1、R_2が相對的に、どの方が有利であるかを見るために、假りにR_2を一〇〇としてR_1、Pbのこれに對する百分比を出すに、最初の時限については、

Pb……八

R_1……二一

（R^2……一〇〇）

六時限合計に於ては、

Pb……九

R_1……二五

$(R_2$ ……… 一〇〇$)$

となり、後の方がPb、R_1に有利である。この方を分化度の代表とし、後に言及するのもこれとしておく。何れにせよその差はR_2を他の二群からはげしく引離し、かつPbの極度の沈滞をあらはすことにかはりはない。

【場面の情勢】

努力度並に分化度のかかる著しい差異に相應する夫々の場面の情勢の大綱は次の通りである。

努力度並びに分化度が低いのは、解法が全面的に拒否されるのである。その高い者に於ても解法は拒否されないことはない。それは「もう取方がない」といふ拒否である。その低い者の拒否の根本理由は「あまり離れてゐるから」である。

被驗者の肢體が短いのではなく、意欲の方向力又は行動的積極性としての觸手が短いのである。それで早期に人と目的との間の距離を到達できない距離となし、そこに致命的な障壁を成立せしめる。そしてそれを人と目的との間の唯一の又はすべての通路を塞いでゐるものの如くに見做して、その障壁的消極性を場面全空間に瀰漫したものとする。そこには、その因をなす身體行動の一部の禁止をその全面的禁止の如く過大視して、その消極性をまづ身體的に瀰漫せしめるものもある。後日、下パイワン、被八は「手や體の出ることも禁止された。」と語つてゐる。(註一)ともあれ、人は非到達性を自分で作つてその氾濫の中に自分と共に場面の分節性を全く埋沒してしまふのである。そして人と目的とを接觸させることを努めての實驗者の被驗者への勸誘の累積も、その分節性を見極はめさせることとはならない。そしてその消極性は結局一擧手一投足の迂路を取ることをも許さぬ程の壓倒的なものだつたのである。(註二)そしてその下に人の行動的積極性は極度に頽廢し歪められて、もはや、課題はそれの試練とはかかはりを失ふやうになる。後日マカザヤザヤ、被三と一〇とは、「あれは確かに泥棒が上手かどうかを試したのだ。」と語り合つてゐる。(註一)

努力度並に分化度の高いのは健全な行動的積極性が自己を保證しやうとして事態を卽事的に克服したのである。隨所に難點はあり(非到達性もその中に含まれる)、やはり絕間なく障壁的消極性に泥みながらも、全力を盡して、全力を張つて、それを切り止めてそれに自分の力の場を讓らぬのである。(註三)

かかる情勢の、又その示標の相違は、さきの諸表に依れば被驗者の種族的所屬が、それを惹起したのである。さう結論できる。

次に、その點について、實驗方法の中に、二三吟味を試みる。

一、ブダイとマヌルとに於ては二、三の要點に就て既述の通り設備の寸法を變更した。その要點の對照に於てもブダイは同じRのコチャボガンと、マヌルは同じPbのマカザヤザヤ、下パイワンと、群としての特性を分け、あつてをり、その中でも、それを强勢する役割をもつてゐる。そのことは第四及び第六表の表面に明らかである。

二、通譯の優劣も、單にそれだけで、結果を左右するとも考へられるが、實際にはさほど重大な差は起つて來ない。彼等の經歷が既述の通りほぼ一樣なのも、それを裏書きしてゐる。しかし全く同等といふことはできない。それは、要領を先きに授けて、それを傳へるのに誤りないやうに計つたことで、重大な差となることを免れてゐるであらう。

マガに、於ては第二の通譯として、本島人醫手(高砂族化したものとはいへ)が現れても、マガに於ける群としての勢を替へてはゐない。コチャボガンに於ても、第二の通譯は、第一の通譯にやや劣つたけれども、群としての特性に例外をもたらしたのではない。マヌルの通譯は、經歷と同樣何れの通譯よりも優るやうに見えたが、Pbの群としての特性が改まるのではなかつた。

三、被驗者の社會的地位、年齡の相違、教育所の學歷の有無等に應じた特性があつたであらうか。第二表を參照して第三表(實驗第二に關しては第七表)を點檢すれば、既述の群としての特性はこれらによつては動かないやうに見える。併し選んだ主として三〇歲以上の姿をそのまま若くすれば直ちに今の若い層が出て來るかどうかは言明の限ではない。主として三〇歳以上を選んだのは、群の古い成員であることを欲し、從て「ニッポン」との境界現象に古い經驗をもつてゐるものを欲したからである。

四、被驗者同志の通謀について。各被驗者に、實驗終了後、そのことのないやうに一々口止めし、確かに肯かせる。それでそれを防ぐことができたと信じてゐる。實驗者の言葉は常に「私も貴方がどんなことをしたかは誰にもいはないから、貴方も自分のしたことは話しするな。貴方より外の人はどうするか見たいのだから」となつてゐる。

七五糎竹押あけの特異な代償的解法が、下パイワンだけに、被四と六の二人に起つた。しかしこの二人は一月も前から一度も出會つたことのないことが確められた。

分化度は、通謀によつても、一律性を得て來る。R^2に、それが高いのが、通謀によるのなら、意味のないものである。然るに、トナ被二は、最後の時限に、自分から云つてゐる。「これを代る〴〵やるならば、多くの人に話してはいけない。自分々々で考へて取るんだから。自分は間違つても仕方がない。」この被驗者には、實驗者の口止めは自明のこととして受取られたに違ひない。この被驗者がいひふらして歩くだらうか。多くの被驗者の氣持は、この被二と同じか、又は同じになるやうに實驗者から導かれたと私は信じてゐる。（註四）

註一 調査行を終へて臺北へ歸つてから、又改めて依頼狀を發し、被驗者が實驗に關して强制されずに自然に發することあるべき言動を問はうとした。その回報の中、右に擧げたマカザヤザヤ、下パイワンの言動のやうな趣をもつものは他には殆どない。唯同じPbのマヌルで被一が、「自分は何も悪いことをした覺えはないのに」といつてゐるのが、わづかにそれに類するだけである。

マカザヤザヤ、下パイワンの他では、言動は駐在所警察官が被驗者と個別的に應對して得たもののやうである。ともあれ、トナ被二には、實驗場では歯をくひしばるやうな屈辱をはね返さうとしたらしく思はせる言葉がある。マガ被六は、「誰が一番頭がよいのかを知り度い」といつてゐる。そして又さう云つてゐるのはこれ一人だけである。

回報を殘らず、原文のまま示せば次の通りである。從て實驗第二に觸れた所もここへ出る。採集時、報告時はそれが回報中に明らかなものだけを示す。

マカザヤザヤ　採集者、巡査、宮園恒義、報告時、四月十二日

一　言動者　被三、被一〇

二　時　所　四月十日駐在所構内整理出役中

三　對　者　マカザヤザヤ駐在所警手　ラウリヤン・ブナ

四　内　容

自分等ノ心ノ善惡ヲ調ベテ吾等ガ窃盜ガ上手カ下手カヲ確カニ試サレタノダ夫レデ實際ニ行ヘバ出來ルト思ツタケレ共若シ出來レバ窃盜ガ上手ダト思ハレテ恥シイカラ出來ナイト言ツテ實際ノ事ハ行ハナカツタ

亦種々ナ繪ヲ見セラレタガ之レモ中ニハ解ルモノガアツタケレ共本當ノ名ハイハナカツタ

下パイワン　採集者、下パイワン駐在所、報告時、四月十二日

一　一般的言動

一寸困ツタ注文デ有ツタ出來ナイトハ思ツタガ取ツテミロト云ハレルノデ種々思考シテミタガ結局駄目デ有ツタ然シ誰モ出來タモノハ無イデアラウト思ツタ

等ニシテ代表的トモ言フベキ言動ニ付テハ其之後十數日ノ夜酒宴中ニ於テノ會話左記之通

被六「私ハ種々考ヘテミタガドウシテモ屆カナイト思ツタ其ノ時ニ先生ガ良ク考ヘテミナサイト云ハレタノデ後方ノ椅子ニ氣ガ付イテ之ハ必ト使用スル爲メニ有ルノデアルト思ツテ其ニ腰ヲ卸シテ取ラウトシタ」

被八「私モ其ニハ氣ガ付イタガ手ヤ身ヲ出シテハイケナイト云ハレタノデ飛ンダアノ椅子ハ憩フ爲メノ椅子デ有ルト思ツタカラ使用シナカツタ」

被四「私ハ手ヤ足ヲ出シテハイケナイト云ハレタノデ膝ヲ屈シテ取ツタ椅子ノ有ツタ事ハ有ツタガ其ニ氣ガ付カナカツタ竹ヲ徐々ニ押シテ行ツテ接近シテ取ツテモ良イト思ツタガ止メタ」

被六「彼レハ必ズ私共ノ心ヲ調ル爲メニ故意ニ遠イ處ヘ置イテ有ツタノデアラウ實ニ難シカツタ

採集者、巡査、稻富觀之助、報告時、四月二十日

マヌル

被一

1無面識ノ人ガ私共十人許リヲ一人一人一室ニ閉ヂ込メテ調査サレルノデ初メハ如何ナル事ヲ聞カレルカト自分ハ何モ惡イ事ヲシタ覺エハナイノニ全ク不思議ニ思ツテイタ

2愈々呼バレテ調査サレルト譯モナイ容易ナ事ヲ調査サレルノデ子供アツカヒサレル樣ナ氣モシタガ自分ノ頭ヲ絞ルダケ絞ツテ花ヲ取ル事ニシタガ何故ニソンナ事ヲサセラレルノカ全ク腑ニ落チナカツタ

被四

1私ハ花ガアツタノデ神樣ト信ジカシワ手ヲ打ツテ拜シタ後ニ其ノ花ヲ取リマシタガ後デ考ヘ違ヒダツタノニ氣ガツキ恥カシカツタ

被八

1私共高砂族ノ頭ガ發達シテヰルカ智慧ガドレダケアルカヲ驗サレタカモ知レナイ

被九

1此ノ後調査ニ御出ニナル頃ハ私共高砂族モ最少シ智慧ガツキ今度ノ調査ノ様ナ馬鹿ナ答ハシナイ様ニナルダロウ

通譯

1私ハ自分モ調査サレ當日ハ通譯モシマシタガ吃度私共ノ知能ノ發達ヲ調査サレルノダロウト思ッタ與ヘラレル問題ハ容易イ様ダガ花ヲ取ル方法ノ色々アル事傍觀シテイル私ハ全ク可笑シクナリマシタ、タヤスイ取リ方ガアルノニ態々六ケ敷ク取ル人ガ多イ様デシタ私ハ私ガ取ッタ腰掛ヲ應用シテ取ル方法ガ一番適切ダト思ッテイマス、外ノ人々ガ餘リ智慧ガナイノデ當社ノ高砂族ノ無智サガ調査者ニアリ〳〵トワカル様デ全ク恥カシカッタ

2調査者ハ被調査者ガ如何ニ可笑シイ方法ヲ取ッテモ顔面ニ色ヲ現ハズ本當ニ眞摯ナ態度デシタコレニハ全ク私ハ敬服シマシタ、大學校ノ先生方ハ矢張リ偉イト思ッタ

3教育所事務室(調査所)ニ掲ゲテアッタ年中行事豫定表ノ文字迄書イテ行カレタガドウサレルノカ全ク不可解デス

4皆ニ取ル様ニ指ササレル花ハ一束ダケデヨイ筈ト思フガ右斜前ノ箇所ト後トノ二箇所ニモ置イテアリマシタ、コレモ何ノタメカ不思議ニ思ヒマスガ屹度被調査者ノ眼ヲ引ク様ニ態々幾ツモ置カレタノダロウト思ッタ

コチャボガン　採集者、巡査部長、山村政一、採集時、三月四、五兩日、報告時、四月十五日

被一

先生ガ調査サレル事ニウマク答ヘレバ賞與デモアルモノト思ヒ一生懸命ニヤッタ。然シ私ガ調査サレル者ノ一番最初(コチャボガン社ニテノ)デハアルシ、ドンナ事ヲサレルカト思ヒ不安デアッタ

被三

當日私ハ生憎手ガ痛クテ花ヲ取ルコトガ出來マセンデシタ

被四

モウ老年ニ近クナッテ力ガ無イカラ、ドウシテモ花ガ取レナカッタ

被六

先生ハ潮州郡ノ「マカザヤザヤ」及「下パイワン」社等デモ、ズット其ノ事ヲ調査サレテ來ラレタサウダガ一體何ニセラレルノデアラウカ

被九

先生ハアンナ調査ヲシテ何ニセラレルノデアラウカ、サッパリ譯ガ分ラン

竹ノ筒ニ這入ッテ居ッタ花ヲ取ラウト思ッテ努力シタガ、ドウシテモ取レナカッタガ、外ノ人ハ果シテ取レタデアラウカ

ブダイ　採集者、巡査、馬場竹二、報告時、四月二十一日

要旨

難シイ試驗ヲセラレタガ、勉强ヲスレバ、同ジ仕事ヲスルニモ、樂ニ效果ノアル仕事ヲスル事ガ出來ルト言フ事ガ分リマシタ

被一

花ヲ取ラウト思ッテ、延バセルダケ手ヲ延バシテ見タガ、ドウシテモ屆カナイ、之ガ取レル人ハ餘程體ノ大キナ者デナケレバ、駄目ダト思ヒマス

被二

幾ラ考ヘテモ花ヲ取ル方法ガ分ラナイノデ、傍ニアッタ椅子ニ腰ヲカケテ、煙草ヲ吸ッテ考ヘテ見

タガ矢張リ分ラナカッタ、後デ聞イタラ、「マルガン」ハ私ガ腰ヲカケタ椅子ヲ使ッテ花ヲ取ッタサウダ、使ヒヨウニ依ッテ椅子モ、色々ニ使ヘルモノダト思ッタ

被三

臺北ノ先生ハコンクリートノ上ニ丸ヲ書イテ、丸カラ足ヲ出サナイデ、丸ヨリ五尺バカリ外ニアル花ヲ取リナサイト言ハレマシタガ、私ハ幾ラ考ヘテモ、取ル事ガ出來マセンデシタ、コレハ取レナイノガ當然ダト思ヒマス

被四、被七、

色々考ヘタ末漸ク丸ト花ノ中間ニ椅子ヲ置ケバ、其ニ片手ヲ突イテ取ル事ガ出來ルノガ分ッタ、考ヘルマデハ難シイト思ッタガ、考ヘテシマヘバ何デモナイ、易イモノデアッタ

被五

私ハ色々考ヘテ見タガ、ドウシテモ花ヲ取ル事ハ出來ナカッタ、然シ青年團長ノ「チョボ」ハ色々ノ方法ヲ考ヘテ取ッタサウダ、矢張リ教育所デ勉强スレバ、私達ニハ出來ナイ事デモ、出來ルヨウニ賢クナルモノダト思ッタ

被六

幾ラ手ヲ延シテモ倒レルバカリデ、花ヲ取ル事ハ出來ナカッタ、然シ後デ聞イテ見ルト、何ダソンナ事カト思ッタ

被八

私モ色々ニヤッテ見タガ、體ガ倒レルバカリデ花ヲ取ル事ハ出來ナカッタ、然シ後カラ、出來タ人ノ話ヲ聞ケバ、ソンナ事ガドウシテ分ラナカッタラウト思ッタ

被九

始メハ一寸吃驚シタガ、色々考ヘテ見テ、丸ノ中ニ足ヲ殘シ、花ノ方ニ向ツテ腹這ヘバ良イ事ヲ思ヒ付キマシタ、尙先生ガ他ニ方法ハナイカト言ハレルノデ更ニ考ヘテ、傍ノ椅子ヲ丸ト花ノ中間ニ置イテ之ニ左手ヲ突イテ更ニ右手ヲ延セバ花ヲ取ル事ガ出來マシタ、他ノ人ハ殆ンド出來ナカツタソウデスガ私ハ矢張リ教育所デ勉强シタカラデセウ

トナ　採集者、巡査、織田廣進、採集時、四月十三日

被一

一、私共ノ頭ノ働キガ良クナル樣ニムヅカシイ事ヲ澤山要求サレタト思ヒマス、彼樣ナムヅカシイ事ヲシテ頭ヲ何時モ使フト吃度立派ナ頭ニナリ自然ニ腦ノ働キガ鋭敏ニナルト思ヒマス

机ノ上ノ花取リモ、寫眞ノ判斷モ實ニ困ツタ難解ノモノバカリデアツタ

被二

吾々高砂族モ人間故ニ內地人ト、ドノ位頭腦ノ働キガ違フカ比較サレタノダト思ヒマス、吾々高砂族ハ何モ判ラヌ、犬ヤ猫ト同等ノ者ダト思ツテ調査サレタノデナイデセウカ、私ハ少シモ判ラヌノデ今考ヘルトアノ時程恥シイメニ會ツタ事ハアリマセンデシタ。寫眞ハ吃度犬ヤ猫、人間ノ骨、蛙、蝶、蝙蝠等ノ寫眞ト思ヒマス

內地人ノ頭ノ働キハ實ニ感心デス、汽車、自動車、飛行機ノ如キモノヲ作製スル腦力アル者ト、何モ判斷スルコトノ出來ナイ吾々トヲ比較サレタ事ハ本當ニ恥シカツタ、吾々モ何時ニナツタナラバ內地人ト同ジ樣ニナルデセウカ

被三

如何シテ彼樣ナコトヲ調ベラレタノカ不思議デス、私ノ考ヘデハ机ノ上ニアル花ヲトルノハ人ノ身長ノ大小ヲ調ベラレタリダト思フ、又吾々同族ハ皆々內地人ニ比較シテ著シク頭ノ働キガ鈍イ、ド

ノ位劣ッテ居ルカヲ調査サレタ様ニモ思フ、花取リハ實際私共ノ生活ヲ對照トシテ日常生活ノ其儘ヲ應用シマシタ。然シ寫眞ニハ困ッタデス、私ハ度々平地ニモ旅行シテ色々見聞シタデスガ彼様ナ寫眞ハ未ダニ見タコトガ有リマセン、蝶ヤ、蝙蝠ヤ人間ノ關節、蛙等ノ寫眞ノ様デシタカラ思ッタ通リ答ヘマシタガ何ノ寫眞カ敎ヘテ下サイ

被四

一、私ノ頭ノ働キ具合ヲ調査サレタノダト思ヒマスガ唯々ムヅカシカッタ事ノミデス　以上

被五

一、吾々同族ノ花取リ競爭ヲサセラレタノデセウ、其ノ證據ニハ何回モ取レ、モウ取レヌカト强要サレタノデ判ル

又答辯出來ナカッタノハ寫眞デアノ時程困ッタコトハナカッタ

被六

一、彼様ナコトヲ調査サレタ理由ガ判ラヌ、竹園ノ中デ遠イ所ノ机ノ上ニアル花ヲ色々違ッタ方法デ取ル様命ゼラレ五、六回違ッタ方法デ取ッタ、未ダニ見タコトノナイ寫眞ヲ示サレタノニハ參ッタ、動物ノ骨ノ様ニアルモノ、蝶ヤ蝙蝠ノ型ヲシタルモノ、又人間ノ内臟ノ様ナモノガ様々アッテ今尙不思議デナラヌ

被七

一、私共高砂族ノ頭ノ働キ工合ヲ調査サレタノダト思ヒマス、其ノ證據ニハ机ノ上ニアル花ヲ色々違ッタ方法ニテ取ッテ見ヨト命ゼラレタノデ判ル

吾々ハ内地人ト違ッテ頭ノ働キガ鈍イノデ迚モムヅカシカッタ

變ナ寫眞ノ様ナ繪ノ様ナモノヲ見セテ色々尋ネラレタガ、何デアッタノカ今尙不思議デナリマ

セン

被八

一、這般大學校ノ先生ガ御出ナサレテ机ノ上ニアル花ヤ寫眞ニテ色々尋ネラレタガ、机ノ上ニアル花ノ取方モ今考ヘルト色々ナ方法ガアルガ、アノ時ハ咄嗟ノ場合デ良イ方法ガ浮バナカツタ

二、內地人ハ小供ノ時カラ一生懸命勉強スルカラドンナコトモ良ク判斷スルコトガ出來ルガ、私共ハ今日迄親達カラ作物ノ作リ方ヤ狩獵ノ方法其他色々ナ自慢話シカ教ラナイノデ寫眞ヲ示サレテモ何ダカ返答スルコトガ出來ナカツタ

被九

一、私ハ內地人ト高砂族ノ頭ノ働キヲ比較サレタト思フ、机ノ上ニアル花ノ取リ方ヤ、家ノ型シタリ、蝶ヤ蝙蝠ノ様ナ寫眞ヲ見セテ色々御尋ネニナツタノデ、私ノ思ツタ通リ答ヘタガ全部間違ツテ居ルト思ヒマス

マガロ採集者、マガ駐在所

被三

一、臺北カラ度々先生ガ色々ナ調査ニ來レマスガ今度ノ様ナ調査ハ初メテデス

二、種々繪ヲ見セテ貰イマシタガ教育所邊デハ見タ事ノナイ繪デシタ、之ハ私共ガ何ニモ知ラナイカラ見セテ下サツタノデシヨウ

三、机上ニ花ヲ置テ之ヲ取セラレマシタカラ、他人ニ負テハナラナイト思ヒ一生懸命考ヘテ他人ヨリモ色々ナ方法デ取リマシタカラ私ガ一番頭ガ良ク亦一等賞デシヨウ

被六

一、私共高砂族ハ何モ知ラナイカラ色々ナコトヲ教ヘテ下サルコトト思ツテ居タラ私共ノ話ダケ聽

イテ少シモ教ヘテ下サラナカツタノデ、不思議デナラナイノデ駐在所ノ職員ノ方ニ聞イテミタラ臺北ノ先生ハ高砂族ノ心理學ノ研究ニ來レタノデアルト言レタデスガ心理學トハ人ノ言動ヤ行動ヲ見ル勉强デスカ

二、机ノ上ノ花ヲ取ル方法ヲ考ヘテ之ヲ取ラセラレマシタガ色々考ヘテ見マシタガナカ〳〵取ルモノデアリマセン、之ハ私共ノ頭ノ働キヲ試驗セラレタノデショウガ、誰ガ一番頭ガ良イカ之ガ知タイモノデス

註二　その例は、努力度の節の註四の例がそれを兼ねてゐる。

註三　その例は、努力度の節の註二の例がそれを兼ねてゐる。

註四　本稿校正半ばに、私はマカザヤザヤ、下パイワン及びトナに再び行くことができ、この通謀のなかつたことをなほ一層確實にし、それを確定することができた。因みに今回の調査行の目的は、これだけであつたのではない。

五、實驗第二……偶然圖形の解釋

實驗第一に於ては、Pb の殆ど全部と R_1 の多くは、瀰漫的な障壁的消極性の下に行動的積極性を頽廢させたが、その因をなす場面條件を取り外したならば、彼等の意欲は動くであらうか。

その條件は實驗第一の重點であるからそれを取り外したならば又別途に境界現象を摸さなければならない。それはやはり自分の手法で分化しなければなら

第三圖　偶然圖形（Ⅰ－Ⅹ）

Ⅰ

Ⅱ

III

IIII

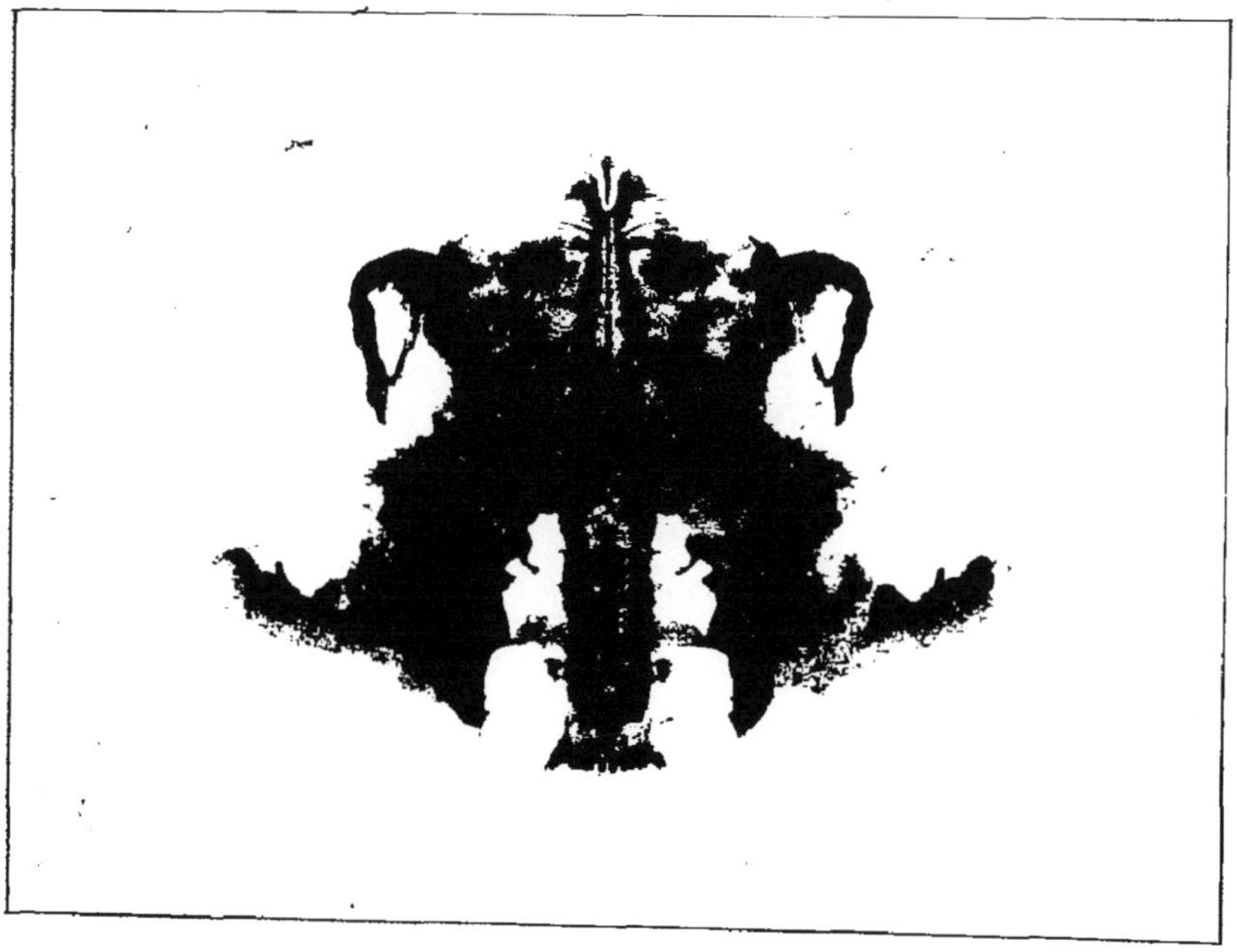

V

VI

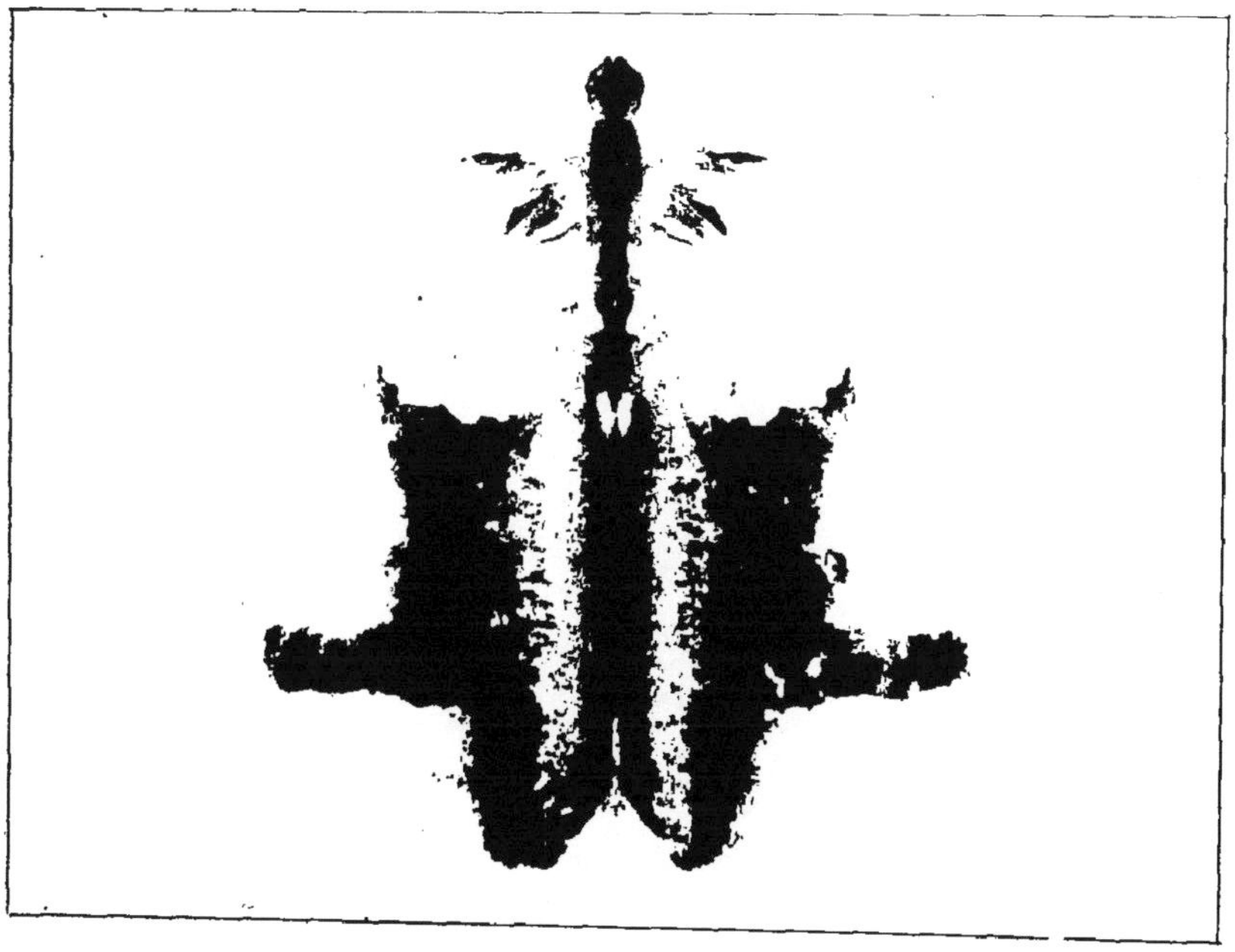

VII

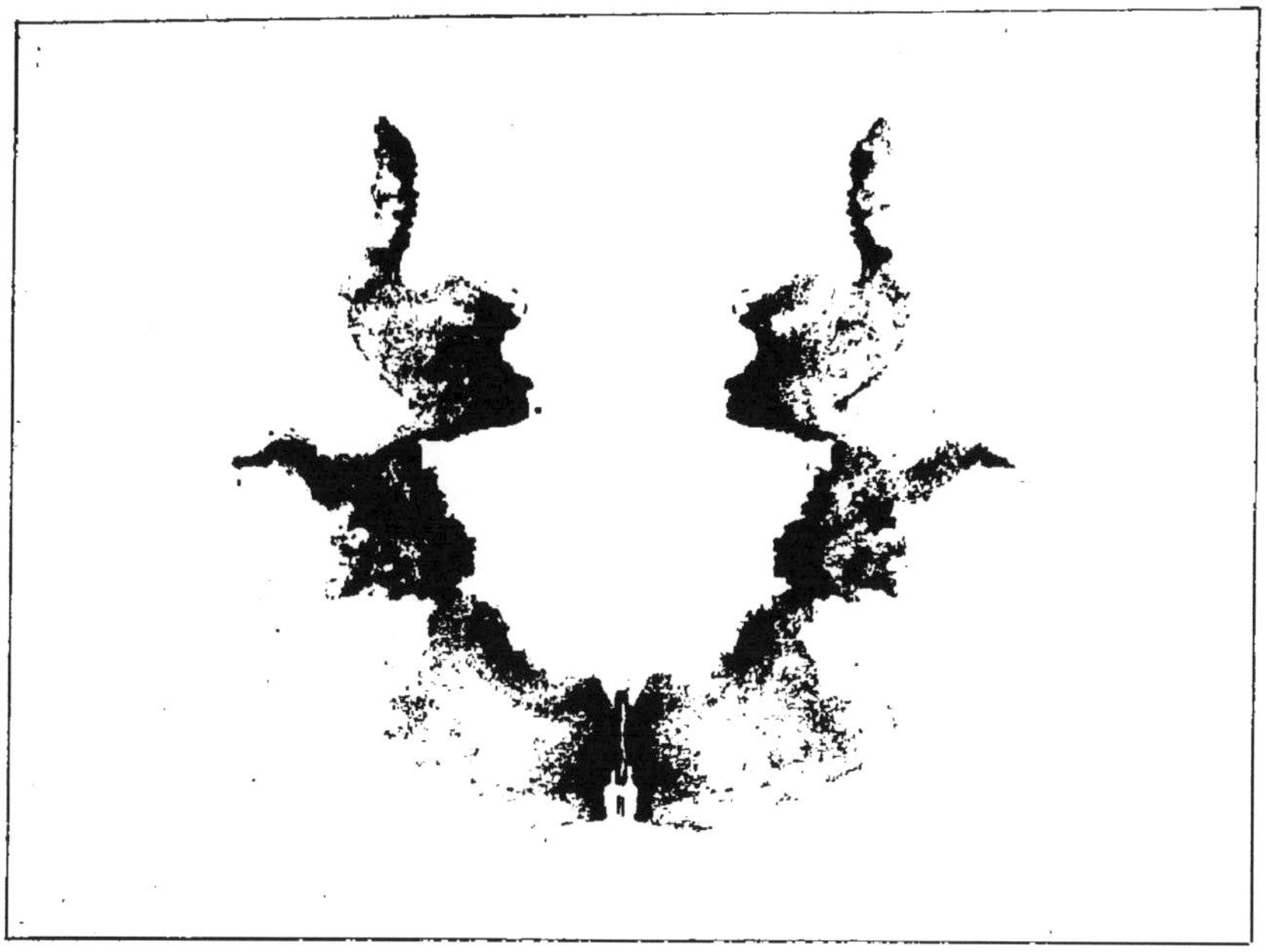

VIII

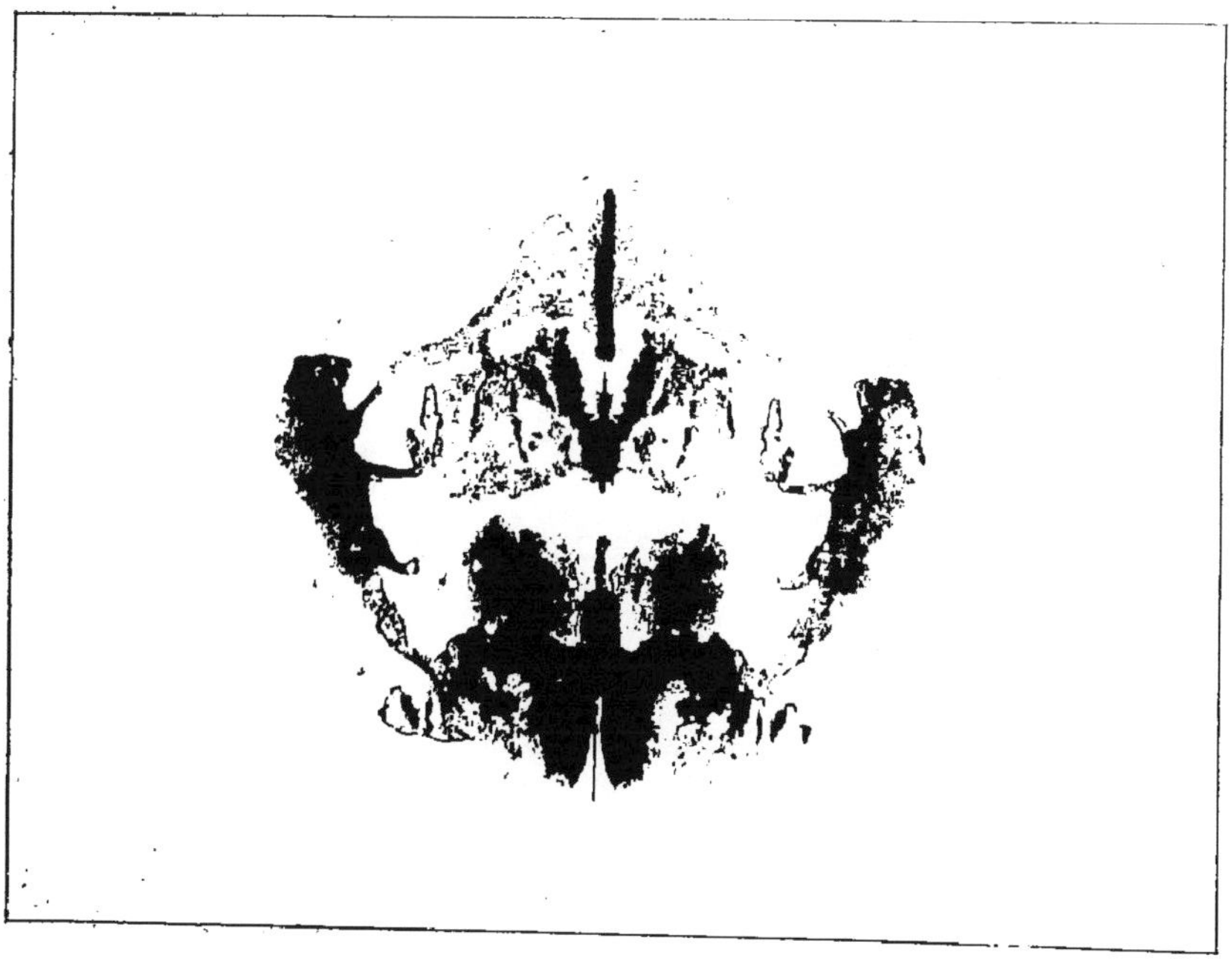

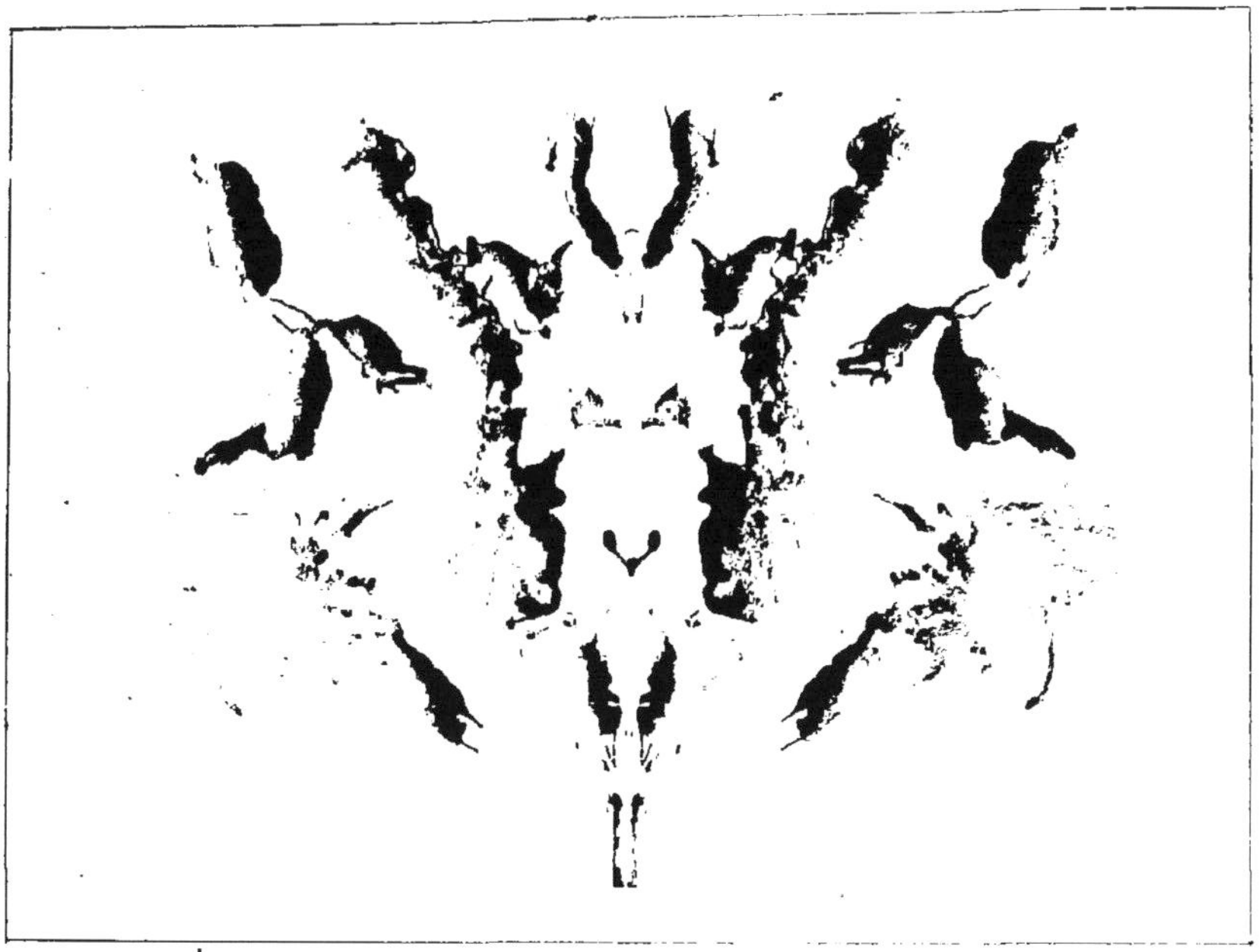

X

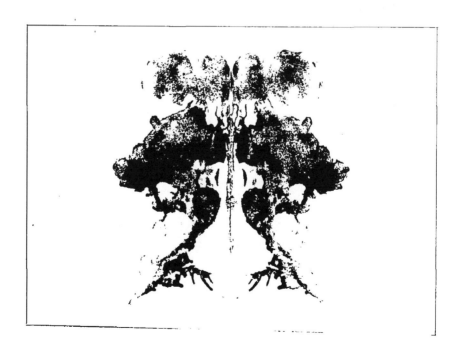

ない分化未了の問題領域であり、人の深層を緊張せしめるに足る問題でありたい。そ、のために私は實驗第二を選んだのである。

一、方　法

第三圖のやうな、Iから X までの一〇枚の圖形を、Iから順次一枚宛被驗者に渡して、夫々何のやうに見えるかをきく。その際の被驗者の動き、言葉を、時間と共に詳しく記録する。

【圖形呈示法】 ロールシャッハに倣ふ。被驗者が各圖形を手に取る前に、それが遠くから被驗者に見えないやうにする。圖形が見える時は、常にそれが既に被驗者の手もとにあるやうにする。

【指示】 情況に應じて、種々變形したり敷衍したりするが、大體次の範圍を出ないやうにする。要は、なるべく漠然と問ひ、解釋の態度方法が、被驗者のものであるやう、被驗者の氣のついたことは、總て實驗者がきくことができるやうにと望んだのである。

1 「これは何だらう」又は「それは何だらう」
2 「何だと思ひますか」
3 「何のやうですか」
4 「これは」又は「それは」
5 「あなたは何のやうだと思ひますか」
6 「あなたはどう思ふかときいてゐるんですよ」
7 「氣のついたことは皆いふんですよ」

8 「何もいふことはないですか」
9 「何も氣のついたことはないですか」
10 「氣のついたことはそれだけですか」
11 「それだけですか」
12 「物を見て何にも氣のつかないといふことは死んだ人でなければないはづですが…………」

1だけで答へが得にくいと、2又は3をいふ。二枚目(Ⅱ)以下では、4だけで事足りることが多い。被驗者が「敎へてくれればわかる」とか「見たことがないから分らない」などといふときに、5、6などを使ふ。12などは、無限に無言がつづくやうな場合にやむなくいふに過ぎない。

被驗者は、相次ぐ未分化領域へ、いふまでもなく「ニッポン」から驅り立てられてもここにはさきのやうな非到達性は崩す筈はない。而して各圖形の直接表象とそれを究極的表象となすべき既存の記憶心像との間のギャップとその越え方とは、多分に人の深層を緊張せしめるものとなるであらう。

二、結　果

まづ、如何なる答が得られたか、その内容を表示れば、第七表の一―七の通りである。

第七表　全被驗者の偶然圖形の表象

一、マカザヤザヤ　　（圖形欄 I, II, III,………は圖形名であると共に呈示順である）

被＼圖形	I	II	III	IV	V	VI	VII	VIII	IX	X	10枚中解答枚數
1…	蝙蝠 (1.00)	何か川の所にあるもの,「蝶」,「鶴」,(外側凹) こゝに羽が二枚あつたら蛾でせうね, 蛾でないですか (4.00)	(兩側黑部最上部) 蜥蜴; (中部內側黑突起)植物 (3.45)	熊, (上部外側垂れ; 外側部下方內側黑) 魚, 海の (3.50)	川に住む蝶, (中央上端)その角, 頭 (2.00)	× (1.20)	この中に白いもの (下部中央白線) がなかつたら雲と同じ, (上部前額) 平地の建物の最高部にあるもの (5.00)	猿が木にのぼのてゐる, 尾があつたら猿, 豹 (4.30)	川附近に咲いてゐる花, 根はない (9.30)	(外側上部青)蟻; (外側中部內方) 鼠の毛の色 (5.00)	9
*2…	蝙蝠; (中央最上部空白) ランプ (4.00)	大人 (タイジン) が好むくらついた木・(上方[illegible])爬蟲の[illegible] (下方赤[illegible]) 蝶, 尾の[illegible] (6.25)	人の頭; (上方赤) 兎, この長いのがなければ; (下半部外側) 木を切つたみたいに枝がある (3.40)	(中央部)鶴; (上部外側垂れ)[illegible], 口の先き[illegible]度同じ; (中央下端內側突起) 人の足 (3.00)	蝙蝠, (左右) その翼; (左右先) 人の脹脛 (3.15)	× (1.40)	雨が降つてゐる時に降りる雲 (2.30)	この雨はじの體はライオンと同じ, 赤くなければ; (中央上部より側方への垂れ) この雨はじの細長いのは人の手がライオンを引上げてゐるやう; ライオンが山を登つてゐるやう (4.30)	(下部側方より中央への突起) 豚の脚; (中央上部)人の頭; (上部兩側) 本島人の家の上にある飾り (ボラガラガス…本の枝); (中央中部) 人間の鼻 (12.3)	(中央最上部) 煙突 (7.30)	9 (9) ****

	(XI) *** ランプ (1.20)	(XII) (上方赤)飯臺の脚；(下方赤)揚羽蝶 (1.25)	(XIII) (兩側黑部最上部)人の頭；(下半部外側)木の枝，切つた木と同じで葉がとれてゐる，(上赤)兎，長いのがなかつたら (1.30)	(XIV) (上部外側垂れ)虫；(中央下部內側突起) 一寸出た小さな人間の足 (1.40)	(XV) 蝙蝠，もしこの頭の方と，(左右先)足の方の，細長いの四本なかつたら丁度蝙蝠と同じ (1.10)	(XVI) × (1.15)	(XVII) 雨降る前に雲がこんなに黑く散つて飛びます (1.15)	XVIII (外側赤から中央上部へのつながり) このライオンは人が引上げてゐるやうでそして山にのぼつてゐます (1.30)	XIX (上部枝多い所) ボラガラガス；(その下)人の頭(側見してゐる) (下部側方より中央への突起)豚の脚 (2.05)	(XX) (中央上方空白內黃橙小形) 木の實；(その上)煙突；(中央下方左右黃小形)猿の體 (2.10)	
3. . .	× (2.00)	× (2.00)	「人」 (3.00)	× (1.10)	× (2.30)	× (1.30)	× (1.40)	兎，耳がない (3.40)	鹿の顏 (中央寄り上部と中部との滲み合ひの左右) (3.30)	× (1.30)	3
4. . .	× (7.15)	× (4.00)	× (6.00)	× (3.30)	× (3.30)	× (2.00)	× (5.00)	× (15.30)	× (3.00)	× (2.00)	0
5. . .	人 (4.55)	家 (0.30)	人；(下赤；上赤)鳥 (4.00)	× (0.50)	× (0.35)	× (0.35)	× (0.35)	猿 (1.50)	鳥，鳥が木にとまつてゐます (1.25)	家 (0.30)	6
6. . .	× (5.00)	× (4.00)	× (5.00)	× (6.30)	× (6.30)	× (3.30)	× (5.50)	× (5.00)	× (3.00)	× (3.30)	0
** 7. . .	蝙蝠 (1.00)	× (1.00)	× (2.00)	× (1.30)	× (1.10)	× (2.00)	× (1.00)	兎 (2.00)	× (1.00)	× (1.05)	2
8. . .	蝙蝠 (3.30)	(下方赤)揚羽蝶の羽 (4.00)	平地にある神社 (3.40)	食用になる蛙，海にゐるララカルンゑびのやうなもの，切つて，日に乾す (8.00)	× (2.00)	× (4.00)	「戸」 (8.40)	× (5.30)	家 (6 00)	× (6.00)	6

9. . .	蝙蝠 (1.00)	(下方赤)蝶,(黒部上方中央)口 (3.35)	(上赤)雞;(黒部) 動物のやうでも何のやうでもない (3.37)	ラワ(動物名),(下部外側)足,(上部外側垂れ)翼,(下部中央) 尾;(上部中央)頭;齒;口;顎;(下部外側) 膝;足の親指;腿(上部外側)肱;肩;(中部)胴 (8.30)	蝶,(中央下部)尾,(左右先)脚;(中央上部)肱;肩;(中央下部)口;(中央上部白點)金玉;(その上空白)尻;(左右)翼;(中央)胴;胸;(中央下部)首;嘴;眼 (7.45)	(下部外側突出)足,(下部中央)尻;(中部外側突出)手;(上部)肩;首;顔;眼;口;毛;(手の中央)胸;(下部左右)臀肉;(全部)體 (3.05)	(逆形下突出)足;(中部突出) 腕;(上部) 胴;頭;胸;(內空白)腹;(上部)肩;頸;眼;顎;口;鼻 (6.40)	(逆形)子供,(正し,中部中央三角)女陰;(上部左右垂れ)手;(その中央)胸;(上部) 眼;耳;口;鼻;(外側下方)尾;(その上)脚;(その上)手;(外側上部) 口;眼;頸;腹;肩胛骨;(外側下部側方)尻;(その上)背中;(その上)後頸;(その上)頭 (7.40)	(逆形下部枝)足;(中部)翼;腹;頸;眼;口;鼻;體;(上部)頭 (6.00)	(外側上方)蜘蛛;脚;胴;眼;毛;口;鼻;(中部外側內方)蟻;(下部外側)魚 (4.30)	10
**10. . .	蝙蝠 (3.00)	鼠 (4.00)	猿,蟻 (2.30)	× (3.00)	× (2.00)	龜 (1.00)	× (2.30)	狐,猫 (4.00)	× (2.00)	× (4.30)	5
11. . .	飛んでゐる,家,木の枝,山 (3.00)	龜,(上赤)家鴨;(中部側方)鳥,(下部赤突起) 足;(上赤)雞,尻 (5.00)	猿 (3.00)	× (1.30)	頭を合せてゐる,「豹」,熊 (3.00)	× (1.30)	(上部)兎 (2.00)	豹が木の實を食べてゐる,何の木の實か分らない,馬 (3.45)	(逆形上部)蜜(四匹);(下部)家鴨 (2.35)	(下部外側)兎 (2.15)	8
12. . .	× (1.00)	× (1.30)	× (1.30)	× (1.00)	× (1.00)	× (1.00)	× (1.00)	× (1.30)	× (1.30)	× (1.00)	0
12人中解答者數. . .	8	7	8	4	4	2	5	8	7	5	1人當56/12枚

*實驗第二だけ　**實驗第二が先き　***再テスト,Xの次ぎに第一に呈示したのがXI,以下順にXII,XIII,……　****再テストによる解答數

二，下　パ　イ　ワ　ン

圖形 被	Ⅰ	Ⅱ	Ⅲ	Ⅳ	Ⅴ	Ⅵ	Ⅶ	Ⅷ	Ⅸ	Ⅹ	10枚中解答枚數
1…	蝙蝠 (4.10)	× (4.30)	人のやうに見えるが下の方はおかしい；(上赤)雞 (1.30)	× (2.00)	× (3.30)	× (2.10)	(逆形，中，下部) 猿，(中部外方突起；中部と下部のつながり) こゝが細い，顔は丁度猿 (2.00)	× (7.00)	(下部外側)人の頭 (2.50)	(下部外側)鼠 (3.00)	5
2…	× (3.00)	× (7.00)	× (7.00)	× (2.00)	× (3.00)	× (5.15)	(上部内側下)「ロ」(獸の口でもないけど丁度何かの口です) (5.00)	× (7.00)	草を考へても獸を考へてもこれと同じやうなものはない…… ⊗ (5.30)	× (6.30)	2
3…	こんな獸はない ⊗ (2.10)	山にはこれと同じやうな形の獸はない ⊗ (3.30)	山にはこんな獸はない ⊗ (4.30)	× (3.00)	鳥 (3.00)	× (2.10)	× (2.30)	(側方)猿 (2.00)	× (1.35)	× (1.10)	5
4…	蟹，(逆形)山 (3.30)	「鳥」，山にはこんなものないから知らない，(黑部中央上)ロ (4.00)	蒔，これが(黑部上半側方への出つぱり)根元でこれが(その內側斜下方への突出)枝と思ふ (2.00)	水 (2.00)	蝙蝠 (1.00)	すつぽん (1.00)	木，(上部上方，中部側方各突出) これがあるから蒔と思ふ (2.00)	(側方)鼠；(上部)木，何か食べてゐる，上の方に何かかうなつてゐる，これ鼠の顔です (2.00)	(上部中央)橋 (4.00)	(中部中央)橋；(その下左右)木の花 (3.00)	10

5...	× (2.00)	× (3.30)	これは何かね首の長い奴首が長いばかりで分らぬ (2.20)	× (1.10)	鳥 (0.40)	平地の衝立 (0.30)	鳥か何か (0.45)	豚，猿，臺北の赤い猿，胸の上に何か袋みたいなものあれと同じ (1.20)	何ですか角がありますね (0.30)	× (0.30)	6
6...	「山の獸」，（中央側方突起）角，鹿の角の出かかり，「山」 (8.15)	× (4.00)	人の形 (1.30)	× (6.40)	山 (3.20)	× (2.20)	「雲」 (3.00)	（側方）「山猫」「人」「獸」 (3.10)	× (3.15)	× (4.00)	5
7...	× (10.00)	× (2.00)	山にはこんな獸はない ⊗ (2.40)	× (2.50)	× (2.30)	× (5.30)	× (2.00)	× (5.30)	（下部右部内）毛はちがふが犬，（一匹） (3.30)	× (1.00)	2
8...	蝙蝠，クララオ（口，脚，眼みな有るといふ鳥） (5.00)	× (2.00)	× (4.00)	ナガイ（鳥，年一回里芋の收獲のときしか啼かない，頭は，人間と同じ，もとは人間， (4.00)	まん中は體ですか ⊗ (4.30)	山で見てゐるのだけでせう，平地のではないでせう ⊗ (1.30)	（下部）蝶 (5.00)	（側方）猿 (3.00)	× (2.30)	（下部外側）ゑび (4.00)	7
9...	蝙蝠 (1.30)	「蝶」，「蝙蝠」，（下部側方）脚，（黑部上部中央）すつぽんの頭 (2.50)	獸，蕗，人間 (2.00)	どぶ鼠，尾がない (2.30)	（中央上部）頭，蝶 (2.45)	（中央上部）頭，コラコラ（動物名），ひげ，（下部側方突出）脚 (5.00)	獸，（下部中央）細いのは體；この上の方に行つてゐるのは羽，體が小さい割合に羽が大きい，羽の方に體が行つてゐる (4.00)	（側方）獸，引つついてゐるのは；（上部）遊ぶ所，兩方とも上の方に登るやう (3.20)	「人間」，農作物，人の形なら頭のやうな所（下部）あるけれども，これ頭ですか (2.00)	特別に獸多い，（中部外側内方）頭，（上部外側青）農作物；羽（下部外側）鼠，（中央上部）獸なら頭，鼠がかうなつてゐる，ちぢこまつてゐる (5.00)	10

*10. . .	すつぽん (1.00)	蝶 (2.00)	木の根元 (3.10)				雲 (1.30)	毛 (2.40)	× (4.15)	煙突 (1.00)	未完
11. . .	× (1.05)	× (1.30)	これは何の獸ですか，曲つてるもの多くある⊗ (1.20)	これはきつと名前があるでせうね，何の獸ですか(⊗) (1.10)	× (1.20)	× (1.15)	× (1.30)	× (1.10)	× (1.00)	× (1.00)	2
*12. . .	木，(葉のついてない) (1.00)	獸，(黑部中部側方突起)耳 (2.30)	(中央下部)ボク(石灰原石，檳榔の實と噛む石灰を作る，年々この位のボクが出來る) (5.45)	× (2.00)	どぶ鼠 (1.20)	× (1.00)	ルガビラン(しやぼてんの一種) (3.40)	木，猿，今登つてゐる (2.00)	× (1.30)	煙突 (0.45)	7
**11人中解答者數. . .	7	4	9	4	7	4	8	7	6	5	1人當61/11枚

*實驗第二が先き　**被10(未完)を除いたから11人となる

三，マ　ヌ　ル

圖形 / 被	I	II	III	IV	V	VI	VII	VIII	IX	X	10枚中解答枚數
1. . .	「動物」「植物」 (6.30)	(下赤)蝶 (4.10)	人，かがんでゐる，手を腰に(下半部側方は含まず) (7.30)	動物にはこんなものない⊗ (1.55)	蝙蝠 (1.30)	× (0.50)	× (5.15)	何の動物か，(側方下部)尾，豚，山の中にゐる狸 (7.40)	人の顔，(中央中部)鼻；(中部側方白斑)眼；(上部中央)額 (6.35)	× (3.30)	7

2...	動物 (5.30)	鳥，馬，牛 (8.30)	(黒部上端だけ)人，兵隊(上赤)逆立ち (6.30)	× (0.50)	× (1.00)	鳥，頭は人のやう，上の方に口がある (1.50)	× (1.00)	× — (3.00)			未完
3...	こんな動物，鳥類，見たことない (4.00)	(中央上部)すつぽん，頭だけ (8.50)	(黒部)馬，かうして顔を上げてゐる馬 (下半外側は含まず) (15.15)	× (2.45)	× (1.40)	× (1.30)	(下部)蝶 (4.20)	(側方)犬，頭があつたら (2.20)	× (2.00)	× (1.20)	5
4...	何の鳥か，「蝙蝠」，蝶 (2.30)	すつぽん，(中央上部)口，頭だけ (5.50)	(黒部上端以下)木；(黒部上端)動物 (9.10)	何の動物か⊗ (1.40)	蝙蝠，足はちがふ (1.00)	× (0.50)	動物か木か (1.45)	(側方)動物，木に登りかける (1.30)	動物の形も何も見えない × (2.30)	(上部中央)煙突 (2.00)	8
5...	蝙蝠 (1.00)	(中央上部)鳥の鼻，テイカイカイといふ鳥 (8.30)	「栗鼠」，山猫(下半側方除き) (7.05)	梟 (0.50)	蝙蝠 (0.40)	アリスといふ鳥 (0.30)	(逆形)リラバイといふ鳥 (0.40)	(内部)梟 (2.10)	(逆形)ダラバツクといふ鳥，(中部)羽，(上部)頭についてゐる羽 (5.00)	(外側を除き)コユルといふ鳥，とても廣い (3.15)	10
6...	鳥 (4.30)	× 答へず (8.40)	× 答へず (5.00)	× 答へず (3.05)	× 答へず (2.10)	× 答へず (1.30)	× 答へず (2.25)	× 答へず (3.30)	× 答へず (1.45)	× 答へず (3.45)	1
7...	× (5.00)	(下赤)蝶 (6.00)	× (4.25)	× (1.50)	鳥 (1.00)	× (1.05)	× (1.20)	(側方)犬 (2.10)	(中線)木 (4.30)	(外側下部)豚；(外側上部青)虫 (6.10)	5
8...	× (5.25)	× (3.10)	動物か人間か，逆さまになつたり立つたり (26.00) (なほⅧの次ぎに9.40)	× (8.00)	× (2.55)	× (2.20)	× (1.45)	動物か何か (3.25)	× (1.15)	× (2.35)	2

9. . .	何の動物か，どんな土地か，お宮，内地の (6.20)	こんな動物はない，大人(タイジン)のお宮 (3.10)	こんな動物はない，あなた方のお宮，動物は(上赤)(10.00) なほXの次ぎに (7.00)	こんな動物見たことない ⊗ (0.55)	こんな動物見たことない ⊗ (1.50)	× (1.00)	× (3.10)	(側方)動物 (1.40)	× (1.30)	山奥の人には分るだらう，私たちのゐる山脚地帯は動物が少くて，どんな動物か分らぬ ⊗ (3.30)	7
10. . .	× (3.00)	× (3.30)	× (2.40)	× (1.15)	こんな體は見たことがない ⊗ (3.30)	× (2.00)	何の動物か ⊗ (2.15)	× (2.40)	× (1.20)	× (1.10)	2
11. . .	動物 (3.00)	何の動物のやうになつてゐるか ⊗ (4.45)	何の動物か ⊗ (6.40)	お宮 (0.55)	×. (1.45)	× (1.15)	× (3.30)	× (4.30)	× (1. 7)	× (3.00)	4
* 10人中解答者數. .	7	7	7	5	6	1	4	7	3	4	1人當 51/10 枚

*被2(未完)を除いたから10人となる

四，コチャボーン

圖形 / 被	I	II	III	IV	V	VI	VII	VIII	IX	X	10人解答者數
1. . .	蝶 (3.45)	蝙蝠 (1.30)	(黒部上半)ハルババボイ，台北へ行つて見た；(黒部下半側方)蒋 (7.00)	(逆形)アラワ(むささび) (0.30)	蝙蝠 (0.30)	猫 (1.00)	むささび (脚も頭もあり，一匹) (4.30)	(側方を除き)蝙蝠，蝙蝠は霧頭山に多い (2.30)	むささび，霧頭山で見ると(上部)これが木について(中部)こつちがぶらさがる (1.15)	(外側小形を除き)むささび (2.00)	10

2…	蝙蝠 (1.30)	むささび (3.15)	(黒部上半)アラキチ(燕) (8.00)	ボボウ(栗鼠), 臺北で見た (3.20)	蝙蝠 (0.40)	むささび (0.30)	(全部) 蝙蝠 (一匹) (3.00)	むささび (全部一匹) (3.00)	ボボウ (1.00)	むささび (全部) (1.30)	10
3…	蝙蝠 (1.05)	ゴリシ (8.00)	× (4.30)	何の獸か ⊗ (1.20)	× (1.05)	× (1.35)	× (0.50)	× (3.00)	× (1.30)	× (1.00)	3
4…	蝙蝠 (1.00)	蝶 (1.45)	飛行機 (6.00)	蝙蝠 (1.05)	× (1.30)	× (1.00)	× (3.30)	× (4.00)	× (1.35)	(側方上部青) むかで (2.10)	5
5…	× (3.30)	草の花でも生き物でもまだこんなもの見たことない (6.30)	犬か鳥か人か分らぬ，生きものか草か分らぬ，人のやうなものも見えない (4.15)	草か生き物か人か何か分らぬ (1.00)	蝶か山羊の皮か人の着物か分らぬ (1.05)	生きものか草か何か分らぬ (2.00)	雲か水か分らぬ (1.30)	「猿」，「犬」 (1.10)	草か水か土か分らぬ (1.00)	雲か水か生きものか分らぬ (3.30)	9
6…	鳥，口尖つてるが顔少しまるい (1.30)	(下赤)蝶 (2.00)	蝶，山の人が神様といふ蝶(アイリリガン) (9.30)	蝶(タルレレン)，(上部)頭 (2.10)	蝶(リアリワラン) (5.00)	龜，(下部)こゝを見ると，(上部)こゝを見るとちがふ (1.35)	(逆形上部)コイチ (2.30)	猿が壁に上る，木につかまり (2.30)	× (2.00)	家の屋根に花がさしてあるやうなもの (2.00)	9
…	× 實驗者が何ときいても答へず (7.00)	× 答へず (4.30)	× 答へず (4.10)	× 答へず (1.00)	× 答へず (1.40)	× 答へず (1.00)	× 答へず (2.30)	× (3.00)	× (6.00)	× (1.16)	0
8…	× (3.15)	× (3.00)	× (1.25)	× (1.00)	× (0.45)	× (0.35)	× (1.15)	× (2.15)	× (2.35)	× (1.10)	0

*9...	こんな生きてるものは見たことない，木でもない生きてゐるものでもない，水の中にあるやうなもの，海の中に (4.00)	するめ；（下赤）蝶 (5.30)	（黒部下半部除き）鳥，（黒部上部）これが鳥のやうな口の形してゐるから；（側方上赤）これとこれとは歩いてゐる (3.00)	× (1.30)	蝶 (1.20)	× (1.00)	× (3.10)	（側方）生きてゐて歩いてゐる，それで毛がついてゐる，二匹とも (2.00)	（下部）雲 (0.50)	× (1.30)	6
*10...	× (6.30)	蝶 (5.30)	× (3.15)	× (1.35)	× (2.00)	× (0.50)	× (1.30)	× (1.30)	× (3.15)	× (1.00)	1
**11...	× (5.30)	（下赤）蝶 (5.00)	（黒部上部右だけ）山羊，髭はないロだけ，かうしただけで山羊に見える（肩すぼめ顎あげる），山羊のやうな顔；（黒部下半部側方）魚；（側方上部）犬，寝てゐる (14.20)	鳥が休む時はかうするでせう，とまつてゐる時のやう（肱引き，して見せる） (1.30)	蛙が岩の上へ上がるとき（肱つけ顔垂れて見せる） (4.30)	手拭を被り手をかうするやう（両手指曲げ顎近くにあげて見せる，上部ぎざぎざが手拭） (2.00)	（逆形下部）豚，子供はその中にある，あまり腹が大きいから；（上部中央）ぼたんかける所（して見せる） (8.30)	二つとも檳榔樹をのぼるとき（のぼり方色々あると，して見せる）；（上部）蕃人が被る帽子にさした鳥の羽 (5.00)	（上部）平地の家；屋根の上にかういふ面白いもの多くつけてゐる所 (1.15)	前IXと同じ，神様の家 (5.10)	9
12...	（側方下部）兎，猿 (8.00)	（上赤下部）雞 (3.30)	（下半部側方）魚；（上赤下部）犬，猿，（上赤上部）尾 (7.20)	× (2.05)	蝙蝠 (1.35)	飛行機 (1.20)	× (1.00)	牛（二匹） (0.50)	（上部）「鹿」，（二匹） (3.20)	（中央上部）猿，（二匹） (3.10)	8
13...	龜（上の方と尾の方を見ると） (2.30)	蝶（尾の方似る） (3.30)	生き物でこんなもの見たことない ⊗ (2.30)	鳥も生き物もこんなの知らない ⊗ (1.15)	蝙蝠，羽だけ見ると (0.55)	× (1.05)	草でもまだこんなのは見ない ⊗ (2.30)	（側方）蟻食ひ (1.30)	× (3.00)	× (2.00)	7

14. . .	蝙蝠 (1.05)	× (1.30)	「人」,(黒部上半)木；(下半部側方）若角 (4.00)	すつぽん (1.50)	蝶（タコララワ） (1.00)	こんな生き物は知りません⊗ (0.40)	土地 (0.55)	あがるのは猿のやう，中は知らぬ (1.20)	× (0.45)	大人（タイジン）の家が屋根に花をおいてあるやう (2.10)	8
14人中解答者數. . .	9	11	10	9	9	7	7	9	6	8	1人當85/14枚

*通譯第二　　**實驗第二が先き

五，ブ　　ダ　　イ

圖形 / 被	Ⅰ	Ⅱ	Ⅲ	Ⅳ	Ⅴ	Ⅵ	Ⅶ	Ⅷ	Ⅸ	Ⅹ	10枚中解答枚數
1. . .	熊，(中央上部側方突起）かうしてゐるから熊のやうです，飛行機の乘る所 (10.10)	蝶（タクレレン） (4.30)	平地で見た馬みたい (3.00)	鳥 (0.55)	× (4.20)	× (4.05)	× (2.00)	(側方)馬 (1.00)	× (1.20)	× (1.10)	5
2. . .	蝙蝠 (1.10)	（黒部下部側方）足は蝙蝠みたい；(上赤下部）この邊は猿のやう (6.30)	× (3.10)	(下部側方；上部中央）この足とこの足と頭は晩に啼く鳥 (2.30)	蝙蝠 (2.30)	飛行機 (0.30)	雲，霧，足もある (4.00)	(側方)兩方とも犬；(上部)山 (1.30)	土地，木，(上部)角 (1.00)	(外側上部綠)魚；(外側下部橙)鳥；(外側上部靑)木(外側下部灰）人間 (1.30)	

		(腿の次)(上赤)雞;(黒部上半部側方)頭は人間やうだが足は猿か,(黒部中央)これとこれとは豚みたい,犬か;(中央赤)この二つは雞の雛か,家鴨か,(黒部下半部側方)鹿の角 (7.00)								(10) ****
3...見え方異状 *	*									
4...大蝙蝠	(黒部)人,龜,(中央上部)手か足か頭か,何の獸か,人ふたり押合ふ,能押合ふ	(黒部上端)ロオ(晩啼く鳩);(それを除き黒部上半)犬;(黒部下半部側方)魚;(中央赤)蕃刀の紐;(上赤)木の花	挑蛙	(左右)蝶;(中央)キラソラブガソ(毒蟲の名)	(上部)狐の尾;(中央下端)サナ(栗鼠)の口;(廣部上部側方突出)獸の脚	石を並べた火焚場;(下部)火をもやす所;(側方突出)坐る所;(その內側)鍋を置く所;(下部と中部のつながり)煙の出る所;(上部突出)病氣の時火をもやすのに手をつくつもり	(逆形側方)狐;(上部)油蟬;(下部)魚,鳥がとまつてゐる;(下部中央)頭の骨	(中部)草;(下部)しやくなげの花;(上部)ラカイヤンの花	(逆形外側下部青)蕃人の女の頭の飾;(外側と中央との間大形)あかざ;(中央中部青)人間,手をつないで歩いてゐる;(外側中部內方)狐,木の上にのぼつてゐるやう;(中央上部)蕃人の網袋かける所;(中央下部空白內小形)リピリピの花;	10

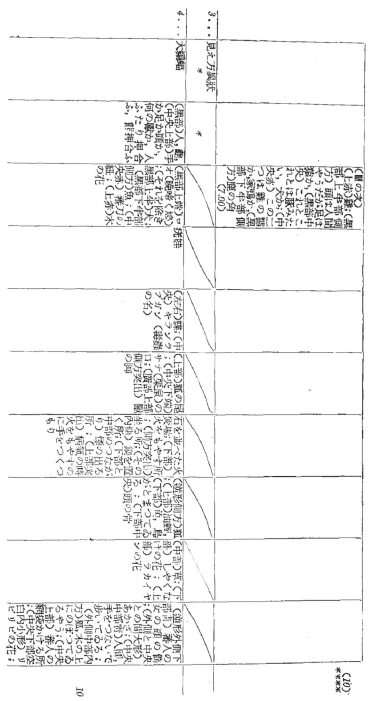

	(3.50)	(5.00)	(8.00)	(1.30)	(2.45)	(4.50)	(7.30)	(3.30)	(3.30)	(外側下部)本島人の庖丁 (6.00)	
5...	着物の飾り (16.20)	獸，鳥 (3.15)	「鳥」,「魚」(側方下端)魚の尾；(中央下部)獸二；(上赤)足，顔 (12.30)	蝶 (2.30)	尾はどれも枝多く分らぬ (2.30)	× (2.00)	この動物の形はどうも分らぬ ⊗ (1.45)	(側方)猿 (1.20)	× (1.20) (圖の紙が「大きかつたら蓆にしたらい丶」と云ふ。睡りかける)	× (睡りかける) (2.00)	7
6...	蝙蝠，(外側下部下方への突起)足；(外側上部側方突出)羽 (2.30)	(下赤)蝶(蕃地にはない) (2.00)	(黒部下半部外側方)魚；(黒部上半部)分らぬ (2.30)	何の人間，食べるものだらうが山にはない，こんな鳥はない，何の獸か (1.30)	蝶(ラルバラ) (1.00)	(下部側方大突出)足，何のか分らぬ (1.45)	(下部中央)蝶の腹 (2.00)	(側方)狐；中は分らぬ (1.45)	(逆形垂直中線から上部)書；(下部)平地の魚 (1.45)	(中央下部)蛇のやうな魚，長い平地の魚；(外側中部内方)象，この口は (4.00)	10
7...	蝶か子供か蝙蝠か (2.30)	(黒部)鼠か家か道路か；(上赤)人間；(下赤)蝶(レリワラヌ) (5.00)	(下半部側方)木か魚か (上赤)狐；(黒部)「人間」，首みたら人間，下みたらさう見えない (5.00)	家 (1.00)	蝶(レアルバラン)か蝙蝠(アバビラウ)か (1.25)	× (1.00)	蕃，山か (1.25)	狐，草を食べてゐる (0.50)	日本の土地と支那人の土地 (2.40)	(中央上部)煙の出る所 (1.50)	9
8...	× (6.10)	× (4.00)	(下半部側方)木，この枝を木と思ふ (2.40)	× (1.10)	(側方)人間の脚，脹脛 (2.20)	× (1.55)	× (1.45)	猿，尾がない (1.45)	× (2.15)	× (1.05)	3

9...	(中央上部側方突起)角；(上部)蝙蝠 (0.50)	(下赤)蝶；山 (6.00)	(下半部側方)木，この枝あるから；(上赤)雉；(黑部上端)本島人みたやう；(中央赤)山の草の花；(黑部上半部)からしてゐる人間(手を腰にやる)，(中央下部)木の根 (6.30)	本島人の彫刻 (1.[illegible])	蛙 (1.15)	蕃人が石(石盤石)を取りに行つたら上等でない石はこんな形 (2.00)	芋の蔓みたい寄集めて眞中は燃やした所みたやう (1.20)	(側方)鼠；(內部上，中)木，木につかまる；(內部下)しやくなげの花 (2.10)	(上部)本島人の神様の家みたやう；(中)芋の葉，破れた；(下)南瓜 (1.30)	(下部內部側方小形)犬；(中央下部)蕃人の掛金；(中央上部空白內小形)花；(中央上部)住のやう，根元に何か集めてゐる；(外側上部靑)破れた着物；(外側と中央との間大形)血，石の上にある；(外側上部小形)御馳走，竹か何かにさして棚の上にある；(外側下部)魚，死んだ；(外側中部外方)遊んでゐる雉；(その內方)とかげ；(中央中部)ビリ(犬の鼻に入る虫) (8.45)	10
**8人中解答者數..	7	7	7	7	7	4	6	8	5	5	1人當 63/8 枚

*被3は特殊な眼疾らしく見え方が異狀なのでⅡまでで中絕の餘儀なきにいたる　**被3を除いたから8人となる　***再テスト
****再テストよる解答數

六、ト　　　　ナ

圖形 / 被	Ⅰ	Ⅱ	Ⅲ	Ⅳ	Ⅴ	Ⅵ	Ⅶ	Ⅷ	Ⅸ	Ⅹ	10枚中解答枚數
1...	地圖，外國の (2.00)	蝶 (1.40)	何か腐つたやう (3.15)	海の中に住むもの (1.40)	空を飛ぶ鳥，蝙蝠 (3.10)	(最下端左右突起)齒 (2.00)	角；鳥 (2.00)	(側方)獸，何か引張り上げた (3.30)	(上部)このつながつてゐるのは何だらう，兩方とも同じ形，色が色々塗つてある，獸，(下部)赤も綠もある，赤は何だらう，赤からすじが通つてゐる何だらう (7.00)	人の骨，胸の骨，のど，肺 (2.30)	10
2...	鳥 (1.30)	蝶 (1.30)	蛙 (1.20)	蝙蝠 (1.20)	蝙蝠 (1.10)	(最下端左右突起)齒 (1.20)	鳥 (2.15)	兎，犬，猫の內部，獸の內部の骨；(側方)獸が何か引張り合つてゐる (3.30)	獸，まん中から二つに切り剖いたもの (1.30)	人間の中の骨 (2.15)	10
3...	鳥，飛ぶもの，飛ぶ鳥，人が食べる鳥，「蟹」「飛行機」建物，飛行機，何か見て家を作つた，(左右外側の點を指し)こはれた飛行機，海の上を走る船，飛行機，兩方は翼 (4.30)	今飛んでゐるやうな形，船，飛行機，船，頭も尾もある，魚，鳥，鳥 (2.15)	人；(側方赤)蛸，猿；血があるし頭があるし人の形 (2.15)	人間，鳥，私たちが見たことのない獸 (1.10)	いつも襲はれてゐる蝙蝠，臺北の動物園にゐる (*)	いつも川の上を飛ぶやうな形がする (2.30)	雲，鳥，池 (*)	(側方)獸，二匹 (*)	鳥，併し中に通るすじは何だらう，(下部)赤いのは何だらう，花 (0.45)	人の骨；(中央上部)のど，空氣の通る (4.00)	10

4...	蝙蝠 (1.00)	蝶 (2.15)	蛙，「牛」 (3.30)	龜 (1.35)	蝙蝠 (1.30)	× (1.30)	× (2.00)	犬の骨 (2.00)	(下部)豚，子豚が乳を飲んでゐる；島 (3.00)	(中央左右大形)人間の肺 (1.30)	8
5...	蝶 (2.00)	蝶 (0.30)	蛙，赤いのは何だらう (1.00)	× (0.40)	蝙蝠 (0.40)	× (0.30)	島；左右同じ形する (0.50)	(側方)獣 (0.50)	「獣」,[illegible],人間」 (1.00)	たとへやうもない，いくつもつながつてゐて何でせう ⊗ (1.40)	8
6...	(上部側方)雲；(中央上部側方突起) 角；(中部側方)島；このまん中の左右に四ケ所穴のあいてゐるのは何でせう (4.30)	(下赤)蝶；(上赤)雞冠 (3.00)	蛙，赤いのは何だらう (3.30)	雲，建物の火事；(中央)こんなのは何だらう，(その下端)足；(その上端)尾；(その下部)頭，首，すつぽんの頭；(側方下部)「その足」 (4.15)	(側方下部)脚，獣の；(中央)蝙蝠；(側方下部)「脚」 (2.35)	(中央)背骨；(上部)頭 (1.45)	(上部左右)雲；(中部左右)兩方とも同じやうな恰好；(中部左右下側凹み)齒 (3.10)	(側方)尾，足，(中央部)を引張り合つてゐる，二匹とも (1.40)	(上部)門；(中央垂直線) 平地の家の門に大概電燈がかういふ風に作つてある；(上部) 平地の廟の屋根の飾り，(中央垂直線) 工場で見た (3.40)	(左右外側)島；(中央)骨；飾物；蝙蝠 (3.45)	10
7...	(中央上部側方突起) 角；(中央)蝶 (1.40)	(上赤除き)蝶 (1.20)	人間の頭の骨，猿，猿を剖つて內を寫した (5.00)	海に住んでゐる (1.30)	蝙蝠，羽 (1.15)	島 (1.05)	雲，煙 (1.00)	(側方)熊，狐 (1.40)	× (1.00)	兩はじに同じやうな形がする，つながつてあるのは何ですか ⊗ (2.00)	9
8...	蝙蝠，雲 (2.15)	(下部)蝶の尾；(中央空白上の線)橋；犬の腹の內部；眼も足もないから分らぬ (3.45)	(下半部側方)手のやうだがまん中にまたがある (3.50)	すつぽん，頭は；島；(側方下部) すつぽんの脚；尻 (2.30)	蝙蝠，その足 (2.45)	× (1.35)	× (1.00)	犬，眼も足もない，「鼠」 (4.00)	× (1.25)	× (4.00)	6

9...	家 (1.30)	蝶 (1.00)	蟹 (1.00)	× (1.25)	蝙蝠 (0.40)	カロツクツアン(鳥名) (1.45)	雲 (0.35)	(側方)犬 (1.40)	× [illegible] (0.32) (XI)** × (1.30)	× (1.10)	7 (7) ***
9人中解答者數...	9	9	9	7	9	7	7	8	6	7	1人當 78/9 枚

*記錄缺　**再テスト　***再テストによる解答數

七, マ　　ガ

圖形 / 被	I	II	III	IV	V	VI	VII	VIII	IX	X	10枚中解答枚數
1...	空 (2.50) (XII) 皆空と思ふがこゝに穴があつて少しおかしい，ずつと曇つて所々穴があいてゐるのだらう	× (2.30) (XI) 熊,「鴨」しやがんで頭あげてゐる，熊が死んだのは，足でくくつて血が下から出るだらう，赤いのは血，犬にも豚にも象にも似てゐる	人間，空,「人間」,「空」 (3.20)	草が生えて雲がかかつてゐたらう (1.40) (XII) 前の通り	蝙蝠，蝶 (3.20)	× (3.00)	山，まん中に木，禿山，空 (5.20)	× (3.30)	(下赤と綠)頭；(上橙)血 (4.20)	(どれか小形)蝶;(中央上空白內黃橙小形)蕾，(外側上方靑)きりぎりす，(中央大形)人間，首切られて頭がない (3.30)	7 (8) **

2...	蝶 (3.50)	蝶，象 (4.50)	人間，形が少しちがふけど (2.30)	蝙蝠 (2.30)	蝙蝠 (1.00)	× (1.40)	（上，中部左右）この四つは頭，人間とちがふ (4.00)	（側方）兎，鼠，兎ならどうして耳がないか (3.00)	× (2.00)	（中央最上部）この二つは頭 (4.30)	8
3...	蝙蝠 (1.30)	頭（人間の，頭が額までで下がない (1.30)	死んだ人間 (1.30)	熊 (0.30)	蝙蝠 (0.30)	すつぽん (0.40)	平地にゐるゴリラ (1.00)	猿は木から上りました (1.00)	家，平地の (0.30)	平地の鵬 (1.15)	10
*** 4...	× (3.30)	女の局部，月經の血が出る (3.30)	兩方人，まん中は御飯を入れる所，二人は御飯を食べてゐる (1.35)	熊，足を擴げて（巡査E氏熊の皮をもつてゐる，それから思ひつくと (2.30)	（中央下部）脚，（中央上部）頭 (2.30)	鹿の皮 (3.10)	（上部左右）頭 (1.00) （上中部間）（首）（中部側方突起）（手）	（側方）山猿，（中央上部）この邊は木；この猿はこれをのぼるつもり (2.15)	（上部）火事 (1.30)	（外側方）鳥 (2.00)	9
5...	蝶 (1.00) (XI)* 蝶	（下部）蝶，蒔の中へ入る (1.00) (XII)* 蝶	× (1.00) (XIII)* （下半部側方）脚，この中は分らぬ，何の脚か分らぬ(7.00)（黒上部左右）頭，頭も脚もあるから人と思ふ	× (1.00) (XIV)* 熊 (0.30)	蝙蝠 (1.00) (XV)* 蝙蝠	× (0.30) (XVI)* アラバ（むささび） (1.30)	× (1.00) (XVII)* バブラオ（蝙蝠） (0.40)	× (1.00) (XVIII)* × (4.00)	× (1.00) (XIX)* 頭がないから分らぬ，（上，中，下三部）同じくないから分らぬ，頭と足があつたら分る，（上部）足 (7.00)	× (1.00) (XX)* 人と同じくないからいふことできぬ (4.00)	3 (9) **
6...	小鳥 (0.30)	蝶 (0.15)	人間，眼がない (0.20)	「人間」 (1.30)	水牛，馬 (2.00)	軍艦 (1.15)	猿 (1.00)	狐 (1.10)	「橋」 (1.30)	（外側上方青）蟹；（下部中央）兎；（外側中部二形）小鳥，鶏；（中央最上部）猿；（中部中央）獸，人間 (4.30)	

(XI)* 鹿,(中央上部側方突起) 角	(XII)* 熊(二匹, 上向いてゐる)	(XIII)* (黒部兩側)この二つは人間;(外側上方左右赤) 獅子;(中央中部赤) 小鳥,鶏;獅子の頭ははつきりしない	(XIV)* 人間	(XV)* 馬(二匹), 人間が乘つてゐる (少しかがんで)	(XVI)* 獅子, 象, 熊	(VII)* 猿 二匹	(XVIII)* 狐と豹 (兩方にのぼつたのが豹, 坐つてゐるのが狐)	(XIX)* (下部赤)人間の頭, 四箇, (逆形)人間, 四人	(XX) (外側上方青)蟹;(その上下) 小鳥,(下部中央) 兎;(中央最上部) 蟹;(外側中部内方)蛙,えび;(外側最上部及び最下部) 魚	10 (10) **
(1.40)	(1.30)	(7.00)	(0.50)	(2.30)	(1.30)	(0.30)	(2.30)	(2.00)	(3.10)	
蝶 (0.40)	蝶(赤いのが蝶) (3.00)	× (4.30)	人間 (1.30)	人間 (6.00)	家 (1.15)	家 (1.15)	木と山か;犬 (4.00)	× (3.00) (XI)* (牛)	馬,(中央最上部)(馬の頭)(一匹) (XII) 馬	8 (9)
[illegible]	6	5	6	7	4	6	5	4	6	1人當り55/7枚

ストによる解答數　***通譯第二

答が各圖形のどの部分に關するかは(　　)内に示す。それには、被驗者がその部分を指さしながら答へたから分つたのと、實驗者が質問してそれが分つたのとがあるが、表中にはその區別を略す。

表中に、部分を示してないのは、被驗者が指ささなかつたのをそのまゝにして質問もせずに過ぎた所である。それは答が全體概括的であるか、又は部分的でも、どの部分か自明であるかの二つの場合だけのつもりであつたが、必しもさうは行つてゐない。所々、怠慢も見出される。

答のいひ方には「――と同じ」「――でせう」「――みたい」「――多分」「――ではありませんか」「――かね何かね」等々確からしさに色々あるが、表中には略す。なほ「――とも思ふ、――とも思ふ」といふのは、二つでも三つでも、表中には唯並べておく。その間にはコンマ , をおく。はじめの答とその補足とを並べる場合にもコンマを用ゐる。

セミコロン ; は、明らかに別の部分に關する答を並べる場合に用ゐる。「――でもない」「――でもない」「――でもない」などの答は「　」をつけて示す

各圖形の上下は、第三圖の通りであり、被驗者に渡すときは、この上下を保つやうに受取らせるが、見てゐる内に傾けられ、廻はされ、逆さにされることは屢〻ある。そしてそれは任意にさせて咎めない。表中所々に(逆形)とあるのは、逆さに見ての見立てなることを示す。但し逆さの見立て全部にさう記したのではない。さう斷つた方が分りよいと思はれるものだけに記したのである。

「どうも氣がつきません」「何にも似たやうなものはありません」「何を考へてもこれと同じものはありません」「このやうなものはまだ見たことがないから分りません」「たとへやうがない」「こちらにはない」「臺北でも見なかつた」「敎育を受けた人でなければ分らない」等々と、應ずるだけで、有效の答のない符號は×である。應ずる言葉さへ、ないのはの符號×に答へずと附記する。

答の言葉の中に(　)を附したのは、質問して分つたこと、身振り等を示す。

(　)内の數字は、見はじめてから、それを次のと換へるまでの時間を分・秒にて示す。これには「分らない」又は「もう分らない」といつて、返して來るのを受取るまでの時間もあり、質問を以

て長びかせた時間もある。返しもせず、應じもしない場合も勿論、何れにせよ、もうこれ以上時間を費しても、答は更められたさうもない、又は、答は出ない、と受取れるまでの時間なのである。

各圖形に就て、一つ一つ答を見て行けば興味は一、二に盡きない。

一、圖形Ⅲの答に、蛙の出るのはトナだけで、こゝに九人中四人にその答がある。

二、圖形Ⅱが、その黑部下半部側方が上方から離れて、上方は、人又は動物と見られ、下半部側方は木の枝とか魚とかに見られる。かく下半部側方が分離して答の要項となるといふことは、トナ、マガにはなく、マカザヤザヤに始まり、以後屢々ある。

三、全部の答を見渡して、これだけの範圍内で獨創的な答を拾ふと次のやうなのがある。コチャボガン、被一 一、圖形Ⅵ、

手拭を被り、兩手を顎の邊にあげて指を曲げてゐる。

ブダイ、被四、圖形Ⅶ、

火を燃す所、坐る所、鍋を置く所、煙の出る所、病氣の時火を燃すのに手をつく所等のある―室内の石を並べた火焚場。

ブダイ、被九、圖形Ⅵ、

上等でない石鹸石。

同、圖形Ⅶ、

芋の莖を集めて燃した燃え殘り。

トナ、被 一、圖形Ⅱ、

何か腐つたやう。

【分化度】

併し、全體として、かかる内容又はその表象形式の上に種差を見ることは、そしてそれによつて、分化度を精しくすることは困難である。そして、各被驗者の圖形一〇枚中の解答枚數を以て、分化度として差支へないやうに思はれる。その分化度を各種族的群に就て比較すれば、第八表の通りになる。その中の一人當り解答枚數が、各群の分化度となる。それは部族群としてPbに最も少く五・二(枚)で、次いではR_1に、六・七(枚)、R_2に八・三(枚)で、R_2に最も多い。R_1はPbより一・五多く、R_2はR_1よりまた一・六多い。R_2はPbに較べては三・一多い。

而して、答の極限値は一〇枚なのであるから、それを一〇〇とした分化度は、

Pb……五二
R_1……六七
R_2……八三

である。

第八表

各種族的群の偶然圖形の(一)各解答枚數についての人數、及び(二)一人當り解答枚數(分化度)

一　　　　二

略符	番社 ＼ 解答枚數	0	1	2	3	4	5	6	7	8	9	10	全解答枚數	人數	一人當り解答枚數
Pb	マカザヤザヤ	3		1	1		1	2		1	2	1	58	12	4.8
	下パイワン			3			3	1	2			2	61	11	5.5
	マヌル		1	2		1	2		2	1		1	51	10	5.1
	全體												170	33	5.2
R_1	コチャボガン	2	1		1		1	1	1	2	3	2	85	14	6.1
	ブタイ				1		1		1		2	3	63	8	7.9
	全體												148	22	6.7
R_2	トナ							1	1	2	1	4	78	9	8.7
	マガ				1				1	2	1	2	55	7	7.9
	全體												133	16	8.3

【場面の情勢】

答が澁滯し又はそれを出すことができないのは、それに伴つて被驗者の理由とする所に依れば「見たことがない、山にはないものだから分らない」のである。卽ち「見た」所に忠實であらうとするのである。奔放な表象機能は少くとも境界現象に於ては彼等のものではない。その非表象性がこの場面の障壁的消極性となる。そして全く答がないのはこの消極性の瀰漫的效果によるもののやうである。

六、概　括

實驗第一、第二の兩場面の分化度を摘記すれば、第九表の通りである。その極限値に對する百分比に於て、實驗第二の分化度が實驗第一のそれにどれだけ倍するかを見れば、

Pb……………六・九

R_1……………三・四

R_2……………一・〇

となる。

第九表

實驗第一と第二の分化度の比較

實驗 / 分化度 / 略符	第一 實數	第一 %	第二 實數	第二 %	實第二% / 實第一% 比
Pb	0.3	7.5	5.2	52	6.9
R_2	0.8	20	6.7	67	3.4
R_1	3.2	80	8.3	83	1.0

實驗第二に於て、Pb及びR_1の分化度はかく倍大する。實驗第二に於ける障壁的消極性は、實驗第一のそれよりは、行動的積極性を遮蔽することをそれだけ少くしたのである。そして、依然としてR_2、R_1、Pbと落ちて行く分化度の順位に變更はなくても、それらの間にさきのやうな開き方の激しさがなくなり、R_2とR_1との間、R_1とPbとの間の各間隔がほゞ等しくなる。

PbとR_1とは、第一の場面に於てはその障壁的消極性によつて廢頽せしめられた行動的積極性を、第二の場面に於ては、その障壁的消極性をかき分けてさきに七倍(Pb……六・九倍)し、三倍(R_1……三・四倍)して現はしてゐる。しかし分化度はなほ五〇%

(Pb……五二%)と七〇%(R$_1$……六七%)とに止まる。(第九表參照)

R$_2$に於ては事情は異り、分化度はどの場合に於ても等しく八〇%(第一……八〇%、第二……八三%)となつてをり、さきに擧げた倍數に於て一・〇となつてゐる。(第九表參照) これは、どの場面でも顯現される行動的積極性を等しくしそれにつれて排除される障壁的消極性を等しくしたのである。 のみならず、その分化度はどの場面でも三群中に抽でてゐる。

Pb と R$_1$ とは、障壁的消極性の種類により、行動的積極性を或ひは蔽ひ、或ひは現はす。 その起伏は特に Pb に甚しい。 R$_2$ には、そのやうなタクティクスがない。

上述の行動的積極性について筆者の考へてゐる所は、力學的概念であつて種概念ではない。 その相違も種差であるよりも先に、境界現象の事差である。 そのことは本稿のはじめから述べてゐる所を考へ合せれば明らかである。

こゝに知慧又は知能の問題も、できれば對照しなければならないのに異論はない。 卽ち、第一、第二何れの場面に於ても分化度の順位が R$_2$、R$_1$ Pb と落ちるのは、知能にその順位であるためではないか、どうかが問はれるからである。 しかし間接的にその順位を知ることができればよいが、ある行動を通して直接にそれを測らうとし、その測るものが「ニッポン」である時の知能なら、その事態は本來境界現象なのである。 知能も、その内に分析さるべきもので、そのためにも、まづ境界現象が如何にか處理されなければならない。

境界現象を通さずに間接的に、習俗や日常生活の內に知能順位を浮び上がらせるといふことは、それらが、業績としては殆ど同程度のものと見做さざるを得ないやうなので甚だ困難といはなければならない。

直接に現在の境界現象を通して諸種族的群の知能を分析しやうとすれば、その作業は本實驗的研究の派生的考察の中に自ら含まれることゝなる。何となれば、本研究は諸種族的群に個別的に現在の境界現象の內在的特性(事理を含む)を見定めることを直接の目標としてゐるが、しかし、本研究がその目標に達して止まる所に、即ち、現前の境界現象の內在的特性を擧げた所に、その種族的契機と「ニッポン」的契機とを分析しようとする試みが、本研究の結果を照考しながら出發しなければならないと考へてゐるからである。そこで、本研究が二、三の種族的群について果される度に、それを承けて、一方、その種族的契機と覺しき材料(「ニッポン」の影響に先立つて形成されてゐた所謂人種心理學的特性の如きもの、又はその民俗學的對應)他方、その「ニッポン」的契機と覺しき材料(各種族的群に與へた「ニッポン」の諸種の影響の特性)を蒐集して、それらの中を、現前の境界現象の個別的特性に對する契機性について、各種族的群對照的に、或ひは打消し、或ひは取立てて見る。しかし二、三の群を對照しただけではそれは澁滯し勿論最後的決定には至らない。しかし本研究が擴大し、對照群が增加すれば漸次その最後的決定に近づけるであらうと考へてゐる。

Pb、R_1、R_2について對照して見た材料の中には次のやうなものがある。

一　ルカイ族とパイワン族とが言語を異にすることは、ルカイ族を立てるのに重要な理由となつてゐることはいふをまたない。それぱかりではなく、ルカイ族はパイワン族とは「習俗*に於ても又其根底に相違するものあるを發見する、例へば Paiwan 族の祭祀に五年祭なるものがあり、五年に一度相會して、一種の祖靈祭を行ふのである。然るに Rukai 族に在つてはこれが無い、只だ Kochapongan 社に Machipurin Puchahuri（……）**と呼べる行事ありたれども、これは Rukai 族本來のものに非ず、數十年前隣接の Paiwan 族 Butsul 蕃に倣ひたるものの由であり、嘗て此祭の際、社内に死者を出し、神の祟りとして、以來此行事を中止せりと云ふ。

習俗の變化は僅かに年と共に加はつて、昔の俤が薄らいで行く事實は爭はれないとは謂ふものの、既住に於ける或る痕跡を、生活の何れかの部分に、貽してゐる場合が多い。社會慣習の一たる相續制度の如き、Paiwan 族に在つては、男女に拘はらず長子相續制が通則であるけれども、Rukai 族に在つては、元來直系尊屬である（註二）***。又死者の埋葬に於ても Rukai 族と Paiwan 族との間に相違點が認められる、何れも屋内葬たる點に就いては同一であるが、Rukai 族に在つては墓壙淺く、屍體は顏の向に上向、南向、西向等社に依り差異はあるが、壙内に仰臥の姿勢にして膝頭を立てさすか、或は伸展葬であつたらしい、然るに Paiwan 族の慣習としては、墓壙極めて深く、屍を蹲踞の姿勢にして、壙内に納むるか、又は壙内一方の側面より石板石を一枚突出させ、これに腰掛けさするか、その何れかの埋葬方式に據るものにして、竪式屈葬法と謂ひ、Rukai 族の横式仰臥若しくは伸展葬とは類を異にするものである。

……****

Rukai 族は Paiwan に比して、更に原始的である。彼等發祥の地と稱するカリアラ（Kaliala）と呼べる所は中央山脈の山中に在つて、附近にはダロアリンガ（Daloaringa）テアデグル（Tiadigul）（……）**及びバロコホク（Yurokovok）といふ三つの湖がある。Kaliala の地は神住の神秘幽玄の境であつて、此處を通過する者は白裝束でないと神の怒にふれる。赤い頭巾や、トンボ玉の首飾、赤毛布、黑い着物、乃至は、米、烟草なぞも禁忌であると一部の蕃人は考へてゐる。

我國に於ても、神事には白裝束の風習が行はれてゐるが、これは單に、純白が淸淨を表象すると云ふ意味から出發せる觀念に基くばかりではなしに、神事には古い風習を尙び、新奇外來の風を忌むからで、白裝束は所謂古風なのであり、外來のものでないのである。着物は染料の乏しかつた太古には、多くは無色であつたであらう。Rukai 族間に在つて有色の着物が神意にそはぬと云ふのも、矢張古くは白衣が一般の風であつた事と推考される。それは今日猶ほ Paiwan 族の間に、自製の短い白裙を着用する者の存するを見ても明かである。トンボ玉の首飾なぞが無かつた昔の姿が髣髴する。

家屋は Paiwan 族やブヌン族のそれと同じく、低い石板石造であるが、住家の外に杭上式茅葺の倉庫 (Ku-vao) の存ずる部落と、全く此設備を缺いてゐる部落とがある。適當の茅が無いからだとダデル社 (Dadel) の蕃人は云つてゐるが、古い蕃社 (Dadel, Labuan, Adel, Kinuran, Budai, Kochapo'ngan) の如き蕃社には無く、比較的新らしい蕃社 (Kanamodisan, Kabadanan, Tamarakao, Shiderao) には存在する處から見て、杭上式倉庫は Paiwan 族の影響を受けて出來たもので、古くは住家內に貯藏するか、若しくは下三社に於けるが如く穴藏式倉庫であつたかと思はれるのである。而して雜も元來は禁忌されたものであらう。

一半は交通不便なる奧地なるが爲めにも依るであらうけれども、風儀其他の點に關しても Paiwan 族なぞより遙かに嚴然たるものがあり、貞操觀念强く、禁忌制度の如きも又堅いものがある。」

ここにパイワン族よりルカイ族の習俗の方が一層原始的であり、素樸であり、乃至は純潔であることが認められてゐるのは、人種心理學的にも相對應するもののあることを思はせるので、種族的契機材料として取上げる次第である。

＊ 臺北帝國大學土俗・人種學硏究室、前揭書一三〇―一二頁。

＊＊ この內の割註は引用を省略する。

＊＊＊　原著註一。引用は略す。

　＊＊＊＊　この間の原著四行引用を省略する。

二　Pb、R_1、R_2の符號は、ブツル蕃の又はルカイ第一類、第二類の夫々の全蕃社を示すのではなく、夫々の部族又は類の中の前掲蕃社のみを示す。すると、R_1は近隣のパイワン族に化せられ、R_2は近隣のブヌン族に化せられ、夫々近隣の氣風に染んでゐるといはれてゐる。R_1の近隣のパイワン族の中にはPbもある。R_2の近隣のブヌン族の中には、大正十一年威嚇飛行の對象となつたものもある。

三　被驗者所屬蕃社の中、ブダイ（小社を含む）及びトナとマガとは討伐膺懲を受け、その他は受けてゐない。

マヌルは操縱し易いといはれ、警察官の任に行くことを希望する所となつてゐるときく。

ブダイは大正三年官の銃器引揚の督勵に反抗して蜂起し討伐を受けた。＊以後大正一五年まで駐在所を置かなかつた。その前の駐在所は明治四五年から置かれた。もと勢力四隣を壓し、原社コチャボガンとは互ひに犯さず、制肘するものがなかつたので、官命をも喜ばなかつた。その點コチャボガンも同樣で、ここに駐在所を置くことができたのは漸く昭和四年のことである。昭和二年頃威嚇飛行の對象となつたときく。

マガは明治三六年一二月トナと「共謀し官憲に反抗し」討伐を受けた。三七年四月銃器五〇餘挺を提出歸順。社の死傷一二。討伐隊の負傷二。＊＊

「番族慣習調査報告書」＊＊＊には次のやうに記載されてゐる。

マガ（忙仔）は「明治三十六年十二月警察隊ノ討伐ヲ受ケタリ。是本社民ノ本社ニ駐在セル警察官ヲ殺シタリシニ因ル（理蕃誌稿三一〇頁）。之ガ爲メ本社ハモト二百戶モアリタル大部落ナリシモ今日ノ如ク減衰シテ五十戶ト爲レリ（蕃社此時ノ狀況ヲ述べ且辯ジテ曰ク『日本ノテンサイト云フ大人當駐在所ニ在リタルガ平地ニ降ランドテ二埤仔ニ出ヅル途中ニテ尾庄ノ平埔蕃チヨテンノ爲ニ殺サレタリ。日本ハ之ヲ以テ我社民ノ所爲トシ我等ヲ討伐セリ。我等ハ之ヲ防ギタレドモ勝ツコト能ハズ。前方ノ山ニ逃レタルニ日本ハ我等ノ社ヲ砲擊シタル後更ニ墩仔ニ向テ進擊セリ。墩仔社ニハ斷崖ノ上ニ石ヲ置キ日本兵其下方ノ路ヲ來ラバ一度ニ之ヲ落サント待受ケタルニ何故カ日本人ハソコ迄往カズシテ引返セリ後ニテ聞ケバ日本ハ其砲破損シ且負傷シタル者アリシニ因ルト』」

トナ（敏仔）に關する限り討伐は被討伐者の攻勢を挫かずに終り、最近までそのことを誇るものがあつたときく。

＊　「阿里港支廳長脇田儀一、監督警部補小林政勝外十數名ノ警察官諸氏」を斃した。（「番族慣習調査報告書」第五卷ノ四。大正一〇。一九六頁以下。）銃器一四二挺、銃身二九を押收され、社の死傷四。討伐隊の死傷一六。（臺灣總督府警務局「高砂族調査書」第五編、昭一三。一二七頁。）

＊＊　「高砂族調査書」第五編、一九七頁。

＊＊＊　「番族慣習調査報告書」第五卷ノ一。四八頁。

四　前掲、宮内悦藏氏に依ればマガの頭蓋指數は高砂族の諸種族的群の中それが最も短頭であることを示してゐる。しかしトナはブツルその他とその指數に於て選ぶ所がない。（第二表參照。）

業報（昭和十三年九月一日より同十四年八月三十一日まで）

哲學科講義題目　昭和十四年度

【東洋哲學】

今村教授　特殊講義（支那上代政治思想史）

同　講讀（禮記）

後藤助教授　東洋哲學史概說（日本儒敎史概論）

【西洋哲學】

岡野教授　哲學概論

同　演習（Aristotle; The physics, tr. by P. H. Wicksteed and F. M. Cornford.）

淡野助教授　西洋哲學史概說（古代中世哲學史）

同　講讀（Hegel: Grundlinien der Philosophie des Rechts.）

【倫理學】

世良教授　倫理學概論

同　東洋倫理學概論

同　講讀及演習（Kant; Kritik der Urteilskraft）

柳田助教授　西洋近世倫理學史

【心理學】

飯沼教授　心理學概論

同　演習

飯沼教授
力丸助教授　實驗演習

力丸助教授　講讀（Boring, et al.; Psychology;

a factual textbook）

中村讓講師　特殊講義（精神病、犯罪心理學）

【教育學】

伊藤教授　教育學概論

同　特殊講義（各科教授論の哲學的基礎）

同　演習（教育に於ける民族的自覺）

福島助教授　教育史概說

同　講讀（Dewey: Democracy and Education）

【社會學】

岡田講師　社會學概論

出講

【理農學部】

岡田講師　農村社會學

【醫專】

今村教授　東洋道德概說

飯沼教授及び柳田、後藤兩助教授の分（九月以後）は掲載を省く。

學位授與

伊藤教授に對し、三月四日附、文學博士（京大）の學位が授與された。提出論文は「教育學の方法に就ての一考察。」

學會・講演會

【哲學會春季公開講演會】十四年五月二十七日、五番教室に於て

世良教授……「人間存在の歴史性、社會性に於ける超越と國家」

【金曜會】

第十五回（十三年九月二十三日、大學倶樂部に於て）

柳田助教授……「英雄と天才」

第十六回（同十一月四日、同倶樂部に於て

伊藤教授……「日本教育學の論據に就て」

【開學記念日記念講演會】十四年五月十七日、臺日講堂に於て

今村教授……「三民主義批判」

【心理學談話會】

第四十四回（十三年九月十九日、高校に於て）

力丸助教授……「歐米心理學界の現狀」

第四十五回（同十二月十日、北研究室階下特別教室に於て）

飯沼教授……「支那旅行談」

第四十六回（十四年一月二十一日、心理學研究室に於て）

久保教授（醫學部）……「病的酩酊に就て」

第四十七回（同二月二十八日、高校に於て）

山本禮（大每從軍記者）中野三郎（總督府屬、歩兵伍長）兩氏……「戰場心理に就て」

第四十八回（同五月八日、高校に於て）

飯沼教授……「童乩（タンキー）の心理學的批判」

第四十九回（六月二十六日、高校に於て）

藤澤助手……「記憶研究の一面」

【日本心理學會大會】十四年四月三―五日、東京帝大に於て

（四日）

飯沼教授……「臺灣の童乩に就て」

（五日）

藤澤助手……「パイワン・ルカイ兩族と『ニッポン』との境界現象の對照」

【日本社會學會】十四年八月九日、北海道帝大に於て

岡田講師……「原始母系家族に就て」

講習會

【國民精神文化講習會　昭和十四年度】

講師を委囑された哲學科教官竝にその講義題目

〔總督府主催〕

後藤助教授……「朱子學と日本精神」（八月十四日ー九月二十日）

今村教授……「三民主義、協同主義、全體主義」（八月二十一日ー九月十五日）

世良教授……「東洋倫理の根據に就て」（八月二十五日ー九月八日）

飯沼教授……「心の本質としての生命」（九月十一日ー二十三日）

【臺北州主催】（中等教員に對する講習）

伊藤教授……「國民精神と現代思潮」（八月二十一日ー二十六日）

【臺北州羅東郡主催】　後藤助教授　（七月中旬）

【臺中州主催】　後藤助教授　（七月下旬）

【高雄州主催】　同　（七月中旬）

【澎湖廳主催】　同　（八月中旬）

【南支方面進出者養成講習會】　總督府主催

講師を委囑された哲學科教官及び擔當科目

〔昭和十三年度〕　七月から十四年三月まで、高商に於て

今村教授
後藤助教授 ……修身公民科

〔昭和十四年度〕　七月から高商に於て

後藤助教授……修身公民科

【支那時文講習會】 總督府主催、昭和十四年七月

哲學科からは、今村教授(七月五日—十日)及び後藤助教授(七月五日—九日)が講師を委囑された。

【大亞細亞主義夏季講習會】 大亞細亞協會主催、昭和十四年八月十日—十五日山中湖畔

今村教授……「大亞細亞主義と國民教育」(十四日)

【廣東小學校教員に對する講習】 昭和十四年八月下旬、草山に於て

後藤助教授……「中日親善の本義」

著書

柳田助教授……「辯證法的世界の倫理」 岩波書店、昭和十四年二月

同 上……「日本精神と世界精神」 弘文堂書房、昭和十四年二月

岡田講師……「原始社會」 弘文堂書房、昭和十四年八月

海外出張

今村教授は昭和十三年十月十一日出發、東洋哲學資料蒐集のため滿洲國及中華民國(河北、山東、江蘇の三省)へ出張、十一月十三日歸任した。

また飯沼教授及藤澤助手も今村教授と同時に出發、同じく滿洲國及中華民國(河北、山西、山東、江蘇の四省)へ心理學資料蒐集のため出張、十一月二十七日歸任した。

海外通信

【ブエノスアイレスから】

同地の Las Facultades de Filosofia y Teologia から、それ 主催してこの十月に開く哲學文獻展にこの「年報」の最近號を出品するやう誘勸があつた。同展の名稱は Muestra Bibliografica de la Filosofia catolica y de su posicion en la Filosofia Universal.

【ニューヨークから】

この十月上旬創刊號を出す PHILOSOPHIC ABSTRACTS (Editor: Dagobert D. Runes, Ph. D. A quarterly review of philosophical books and periodicals in form of brief excerpts and synopses)の編輯者から、そのことをこの「年報」の最近號に掲載されたいと懇請して來た。同時に同誌とこの「年報」との交換を懇望してゐる。

哲學科研究年報

第七輯

臺北帝國大學文政學部

臺北帝國大學文政學部 哲學科研究年報 第七輯

目次

教授作用と辨證法

伊藤猷典

目次

序說

辨證法的態度の方法は哲學界に於ては、殊に實踐に關係を持つ倫理學、教育學等の研究方法に於ては通說の如くに見られて居り、中にはこの方法以外に方法なく、他の方法を取るものは時代遲れ、乃至は邪道のやうに取扱はれてゐるが、しかし自分はこの辨證法なるものが、教授作用に取つてそれ程有效なるものなりや否やについて疑問を抱くものである。ある國語學者は限定百王說が思想上では承久の亂といふわが國民の歷史にその比を見ない不祥事を出したことの原因と見られることから、この限定百王說の信奉者を反國家思想の親玉であると評してゐるが、自分は所謂辨證法なるものにも限定百王說にも比すべき恐るべきものが含まれないかを恐れるものである。このことは國民精神との關係を考慮するとき一層その感を強くする。勿論辨證法凡てがさうであるといふのではない。辨證法は多義である。有效なるものもあれば有害なるものもあるといふのである。正宗の銘刀も用ひられる場所により殺人劍ともなり、活人劍ともなる。辨證法も亦同様でなからうか。仍つて自分は最初にその多義性と妥當領域について考察しようと思ふ。

第二　辨證法の多義性とその妥當領域

辨證法といふ概念は種々に用ひられており、その内包は同一哲學者にしても前後によつて差異あるようである。仍つて自分はその中最も共通的乃至基礎的要素と思はれるものから漸次に、特殊的なもの、上構的なものへと說き及ぼし、併せて吾人の立場に取つて有益なりや否やを檢討しようと思ふ。

い、矛盾性と綜合性

a. 矛盾性。辨證法的思惟の行はれる場合には必ず二種の概念乃至命題を豫想し、この二種は互に相矛盾し、拒斥し、否定しあい、普通の形式論理に於ては所謂矛盾原理により絕體的に相對立するものである。例へば「この世は地獄なり」といふ命題と、「この世は極樂なり」といふ命題の相矛盾するが如きものである。

り綜合性。普通の形式論理に於ては全然合一することなき前述の二種の概念乃至命題が、辨證法に於ては綜合せられ、兩者を特殊として含む普遍の中に止揚せられ、前者は後者の限定分化として思惟せられる。例へば前項で例にのべた、この世は地獄である。又は極樂であるといふ相矛盾した命題は至れる宗教者に取りは同一物の兩面として止揚、相卽される如きである。

今假りに辨證法をば今述べた矛盾性と綜合性の二特徴を有するものとして、これの妥當する文化領域を求め、且つ媒介者の差異によつて區別すると、最初に思ひ浮ぶものは科學的辨證法と、宗敎的辨證法の二種である。更に矛盾せる二者の綜合のみを取上げて見るならば藝術的辨證法をも擧げうるであらう。

ア、科學的辨證法

「林檎は落下す」といふ命題と、「星は落下しない」といふ命題とは常識にては全く相容れない命題であり、互に矛盾するものであるが、ニュートンによる萬有引力といふ法則の發見によつて兩立しえた。かく相反する二命題が普遍に於て止揚、綜合される場合の媒介者は、學者の推理、論證である。その適用の範圍は自然科學、實證科學である。思惟の典型的なる辨證法的展開、卽ち所謂正反合の移行はこの領域に於て最も完全に行はれる。

イ、藝術的(假象的)辨證法

善惡、美醜等と相對立、矛盾した現實と理想の二世界をば、現實が恰も理想であるかの如くに、理想が恰も現實に存在するかの如くに、繪畫とか彫刻とか、乃至は詩歌小說等の表現作用を媒介として、現實と理想の二世界を恰も止揚統一したるかの如くに假象に於て止揚統一するものである。假りに名附けて藝術的又は假象的辨證法と呼ばう。

論理的辨證法に於て止揚せらるゝものは、實證的、實在的なるものについての論理的判斷なるに反し、藝術的辨證法に於て止揚されるものは實在についての假象に於てゞある。

しかしながら藝術に於ては、現實と理想の二者を假象に於て綜合するのみであつて、現實、理想の二者が綜合されたる假象の限定、分化と見られない點で、前述の綜合性の特質を充分に充たすものと云ふを得ず。從つて私のいふ藝術的辨證法なるものは、眞の意味の辨證法の名に値しないものといふべきであらう。

ウ、宗教的(觀想的)辨證法

天上と地獄、迷と悟等の相反した、現實の世界に於ては全く相容れないものが、宗教者に於ては、自力宗にありては悟道、他力宗にありては救濟といふ媒介作用によつて同時に兩立する。否兩立するのでなくして相卽し、合一する。威儀卽佛法、作法卽宗旨、煩惱卽菩提、生死卽涅槃等は佛家の茶飯事である。

この辨證法に於て止揚せられるものは、論理的ではなく、單なる觀想に止まる點で科學的辨證法と區別せられ、單なる假象に於てゞはなく實感なる點に於て、藝術的辨證法と區別される。但し、實感なるもそれは觀想たるに止まり、歷史的行爲の世界に於ての如くに實在に變化を起さない點で後に說く歷史的辨證法と區別されるも、しかし單なる觀想に止まらず、實世間に於ける生活中の指針となり、活動の原動力ともなる點で、尙後に說く如く多樣なる特性を含むものと見るべきであらう。この點に關しては後に今一度觸れるであらう。

ろ、實在性

普通の形式論理に於ては思惟が實在についての所謂論理的形式的なる性質を單に抽象、反省するに止まり、從つて論理的關係はたゞ思惟し反省する主觀に對する限りに於て成立し、妥當するに止まるものであると考へられてゐるのと異り、辨證法に於てはそれが直ちに實在の本質的發現であると考へられてゐる。卽ち單に思惟の論理に止まるものでなく、同時に實在其物の發展の內面的理法であると標榜するのである。純粹論理の立場で成立するのでなくして、具體的なる意志の體驗に基く精神生活の論理と見るのである。(2)

思惟し反省する主觀に對する限りに於て成立し、妥當するに止まるものでなく、それが直ちに實在の本質的發現であると考へられなければならないとすれば、前述の科學的辨證法は、辨證法の名に値しないことゝなる。何故ならば、科學上に於ける命題立言は、特殊否定判斷の定立に遇ひて否定せられ、この兩者がより高次の立場に於て綜合定立せられ、かくして無限に連續するとあるも、換言すれば存在を地盤とし、自然に裏付けられた思惟の原理であるとはいへ、それは單に思惟し、反省する主觀に對してのみ妥當するもの、存在から抽離せられた思惟の自己發展の原理なる故、辨證法の名に値しないことゝなるであらう。しかし名前は如何樣にもあれ、科學の進歩はこの思索法によるものなるものなるが故にこの思索法は教授者の立場に於ては常に尊重さるべきであらう。

今この實在性を辨證法的思惟の主要なる要素と見、これに前述の矛盾性と綜合性の二要素を加へた三要素を具備したものを擧げるならば、鬪爭の辨證法と和解の辨證法との二者を擧げうるであらう。(3)

ア、鬪爭の辨證法

個人と個人、黨派と黨派、階級と階級、民族と民族、國家と國家との間に於て隨處に見出される鬪爭の場合に行はれるもの、この辨證法の特色は對立者は同時に存在し、相互に否定しあふことであり、その辨證法的媒介作用者は他を己の支配下に服せしめんとする政治的力である。

戰爭は萬物の父とも見られ、新らしき自已が構成され、自他の高き統一が成就せられる場合もあるが、反對に自他共に衰弱して遂に絶滅に歸する場合も少なくない。從つて鬪爭の辨證法が必ず進步と創造を齎らすとの保證は出來ない。

又闘爭の辨證法は正反の止揚ではなくして、勝敗を結果する。卽ち對立者は同等の資格に於て新らしき統一の内に止揚せられるのでなくして、一方の優位が他方の劣位を統一するのである。相對立する二者が闘爭場に於て相闘爭する場合には他を否定することによつて自己のみを肯定せんとするのである。矛盾した二者を普遍の立場から新らしく統一するのでなくして、矛盾した二者の一方が他を併合するのである。

闘爭の辨證法が、兩者を疲弊せしめて共に壞滅に導くか、又は一方が他を否定併存するのであつて、普遍の立場から兩者を止揚、統一するのでないとするとき、かゝるものは眞に辨證法の名に値するであらうか。

イ、和解（愛）の辨證法

高橋里美教授は歴史に於ける辨證法の第三の基本的類型として、和解の辨證法、愛の辨證法を說かれてゐる。この辨證法に於ては、相對立する存在が闘爭の關係に立たずして、協同の關係に立つのであり、例として男女の愛、親子の愛、民族愛、祖國愛、人類愛等の現象を擧げてゐる。辨證法的媒介者は他の爲に身を犧牲にせざるを得なき社會愛である。氏は曰く、この辨證法は宗教的乃至形而上的關係を理解するに必要なるのみならず、社會存在的關係を理解するにも必要である。家族、民族、國家、人類等は矛盾對立の辨證法のみを以てしては到底十分に理解しうるものでなく、愛及び和の辨證法によつて始めて理解しうるものが頗る多い。殊に我が國體の理解の如きは最もこれを必要とするものであらうと(一)

高橋教授が現實の社會存在的關係が矛盾對立の辨證法のみを以て十分に理解しうるものでない點を指摘されたこと、殊に國體の理解の問題に觸れられたことは、自分の平素氣掛りにしてゐた點を明快に摘發されたる感を生じ、大にわが意を強くすることとなるも、矛盾對立でなくして、それと全く正反對の、愛、和解なる作用を辨證法と呼びうるであらうか。男女兩性の闘爭、親と子の相反等の對立は後に詳說するであらう如き、否定によりて生じたるものでなく、又高次の立場で止揚せられて、更に否定者を生み、無限に繰返すといふごときものと全く性質を異にする。高橋教授の云はるゝ和解の辨證法なるものは、墨ならざる石灰粉の固りを白墨と呼び、辰砂粉の固りを朱墨と呼ぶと同様の用法から見れば辨證法と呼ぶことも差支へなからんも、他に適當の表現法あらば、これを採るべきでなからうか。この説につきては更に細説するであらう。

は、發展性

普通の形式論理に於ては、思惟は所與の對象に就いてたゞ一回限り肯定又は否定の判斷を下すに止まるが、辨證法的思惟に於ては、それが實在の本質的發現であるが爲に綜合定立された判斷は更にその反對定立を必然的に喚起し、この定立と反定立とは綜合性に從つて止揚統一せられ、この綜合は更に新たなる定立として自己の否定たる反定立を喚起し、無限に繼續する。之を暫く發展性と名けよう。

この場ヘ吾人の特に注意すべきは、(1)、如何にして反定立が生ずるかといふこと、(2)、如何にして綜合が生ずるかといふことである。(1)、については次に説く發出性に於て説かうと思ふ。(2)、について説くに當つて必要なることは、辨證法に於て説かるゝ否定性なるものは辨證法特有の意味を有するといふことである。

その第一に異なることは定立Aに對する反定立非Aは形式論理のオイラーの圖解に於て說明される如き、A以外の全實在を意味する不定性のものではなくしてAに對しては積極性を持つ否定性であり、その妥當の範圍は双關的對立の範圍に限られてゐる。(5)

第二に普通と異なり且最も重要なることは否定は肯定と同列的に對立するものでなく、反定立は單なる定立と同じ次元に立つものでなくして、否定、反定立は單なる肯定定立よりも高次なる立場に立つものであり、後者の成立する地盤となり、背景となるものを、積極的に綜合に於て顯現する前に、それに先だち、消極的にこれを暗示するものなることである。所謂綜合が行はれるのは矛盾、否定が右に述べた如くに原動力となり、媒介者となりて綜合せしめるからである。兩者が單に同列的に對立するものであつたならば、否定、反定立が斯かる機能を有することが出來る筈がない。非有は有より高次なる、後者の根源に對する媒介として、より高き綜合的有への途を暗示するものでなければならない。(6) 辨證法に於ていふ否定性はかゝる綜合への發展の地盤をなすものと見なければならない。

發展性を考慮に入れるとき、此處に前述の諸特質には見られなき時間なるものが插入される。卽ち、闘爭並に和解の辨證法に於ては對立者は同時的に存在したのであるが、この場合には對立者は時を異にして存在する。否定作用は相對立する相手の否定ではなくして自己自身の否定であり、而も否定されるものは二者擇一的ではなくして、時間的に前に存するものが、時間的に後に存するものによりて否定されるのである。而して發展の方向が一極なるか多極なるかに從つて次のやうに分たれるであらう。

ア、有機的辨證法

い、ろ、に於て述べたる特性に更に發展性となる特性を加へ、且つその發展の方向を一極に限定するとき次のやうな例が考へられる。卽ち澁柿が甘柿となり、瓦礫が磨かれて寶石となり、或は鈍才が天才に、鼻垂小僧が陸軍大將に出世する場合の如く、甲の狀態から形態、性質全く相容れない乙の狀態に轉化するものである。稻の發芽から結實に致る過程、昆虫が卵、幼蟲、成蟲と轉化する樣態、乃至人間が幼兒より大人に到る過程は、この假定に最も適合するもの故、假りに名けて有機的辨證法と呼ばうと思ふ。その辨證法的媒介作用者は內から見れば有機體の發展作用であり、外から見れば培養乃至敎育(廣義)作用である。但しこのものは否定、綜合といふ特色は有するもその否定、綜合は一極に限定されてゐるのみならず、又一定點に限定され、否定、綜合を無限に繰返さない點で眞の辨證法の名に値しないものと云ふべきであらう。

イ、回歸的辨證法

有機的辨證法の如く發展の方向が一極でなく、多極であり、且次元を異にしつゝ多極を回歸的に發展するものなるとき、例へば我國の文化形態が古代日本形態より、印度形態、支那形態、西洋形態、日本形態と、否定抗爭を繰返しつゝも而も前者の長を後者の中に活かし、回歸的に、次元を高めつゝ發展する如きである。その辨證法的媒介作用者は延びんとする個的乃至種的生活力である舊い經濟組織が行詰つて新らしい經濟組織が發生し、一つの國家が衰亡して他の國家が興隆するといふ如き現象、時代や時代精神の變遷といふ如きものはこの辨證法によつて最も明快に說明しうる。

嘗てリットが教育學の方法論で提唱した「嘗て」より「今に」に進み、更に「高次の嘗て」に進展すると稱した辨證法もこれに該當するものといふべく、其の他至れる宗教者の告白に見る悟の絶えざる改訂の如きこれに屬すと見るべきであらう。辨證法本來の意味はかゝるものであり、その妥當領域も前揚の例に見る如きものであらう。

に、發出性

自分は先きに發展性を說く場合に、吾人の特に注意すべき事項として、如何にして定立が生ずるかといふことゝ、如何にして綜合が生ずるかといふことの二點を擧げ、前者については發出性を說く場合に說くと云つたのであつた。今その責を果さう。

哲學專門家の言によれば綜合を單に外來の制約に基く一回限りのものとせず、一般に論理其物の本質に基く純粹性に於て解する限り、必然にそれは否定性を要求し、綜合否定の兩性相俟つて無限の過程を發展するものであると云はれてゐる。かゝる否定性は如何樣にして起ると解すべきか。この點に於てこの問題は辨證法の最も核心に觸れるものと云ひうるであらう。辨證法の立場として、客觀を主觀の所產とし、現實存在を觀念の發出に歸する觀念辨證法、客觀が表現の性格を有することから客觀の主觀に對する獨立性を維持尊重し、常に主觀を度外視し、主觀の作爲を含むことを無視し、客觀の分裂對立の消長運動に偏する唯物辨證法、乃至は現實は自然と精神との矛盾的統一であり、存在と思惟とは一が他を規定し、他が一を反映するが如きものでなく、兩者は獨立的に相對立し現實の不可分離なる兩契機として互に媒介し合ふことによつて現實發展の自覺原理となるのであると見る卽物辨證法の立場(8)の如き、凡てこの發出性を遶つての問題と解すべきであらう。

田邊博士によれば、辨證法の論理の特色の中、他に對し根抵的位置を占める發出論的性質なるものは實は辨證法的論理に必然なる規定でなくして、ヘーゲル哲學に特有なる、汎論理論の合理主義的世界觀に由來するものなることを暴露し、この假定を棄てると同時に辨證法は發出論的論理性を失ひ、同時に之を根據とする他の特色も脫落する外無いと。(9)

辨證法の名の下に普通の論理と對立せしめられる特異性が、實は論理の特異性でなくして地盤の特異性、對象の特異性であり、辨證法が普通の論理的に對立して自己の特異性を主張しうる根據が、論理が存在の根抵の全部であるといふ論理以外の假定を提起することに歸着するとするならば、吾人は先づこの問題を解決しなければならない。

自分は辨證法の多義性とその妥當領域を檢討するに當り、矛盾性、綜合性より調べ初め、實在性、發展性を經て發出性に到り、その中途、科學的辨證法は假令、辨證法の名に値しなくとも、教授法上極めて有用なるものなること、藝術的、鬪爭、和解、有機的辨證法の四者は眞の辨證法の名に値しないものであること、回歸的辨證法こそ眞の意味の辨證法であること、尙、宗教的辨證法については說くべきことの殘存せることを知つたのであつた。仍つて自分は項を改め、辨證法の批判と題し、發出性の論據の妥當なりや否や、回歸的辨證法の妥當領域の再檢討、並に宗教的辨證法について說かうと思ふ。

第三　辨證法の批判

い、論理と存在

辨證法の特色として第四に擧げた發出性が成立する爲には、論理が存在の根抵の全部であるといふ論理以外の假定を提起するものであることは前項の最後に述べたことであつた。今吾人はそのことに對する態度を決定しなければならない。

論理が存在の全部なりや否やの問題は、こと既に形而上學問題領域に屬する限り、その最後の決定は體驗に基く自己の心證と、有名なる哲學者の學說による傍證との綜合に待つ外はない。

初めに傍證として田邊博士の說を引用しよう。氏によれば、「論理は所詮現實の全體を構成する原理でなく、現實が自己を展開し、形成する一樣式たるに止まる。その實在性はたゞ實在の活動の一面を構成するといふ意味に於てのみ成立するのみであつて、實在の全體を構成する原理であるといふ意味をそれに賦與することは出來ない。實在は論理に盛り切れない。而も論理をもその一面に含むところの超論理的者である[10]。」「ヘーゲル哲學に於ける論理から自然への轉向は明かに論理の實在性の制限を示すものといはなければならない。(11)」「論理の完結なる絶對的イデーそのものが直接態に於て直觀に轉ずるとき自然となるといふヘーゲルの思想は、斯かる超論理的叡智的空間が論理の背後にあつてこれを寫すと考へるとき始めて理解せられるであらう。(12)」之れを要するに博士によれば、實在はロゴスの發展と見る假定の下に於てのみ、辨證法的思惟は實在全般に妥當するが、ロゴスは所詮現實の全體を構成するものでないと見るとき、辨證法的思惟は所詮單に實在の一面の說明をなしうるに過ぎないと見るべきであらう。

現象論的立場に屬し、如何なる體系が最も實在に近いかを常に問題とする敎育者ベーンが、「人間性は本來何であるかといふ」は合法則性の認識や觀察や分解や、個々の內容の綜合といふやうなものからはえられない。(13)」「人間の人格性についての一層明瞭なる、一層適當なる概念は、精神並に身體の形而上的實在性を承認する時にのみ初めて建設されうるといふことが益々明かとなる。(14)」「遊戲をなすべき多くの可能性は凡ての健全なる兒童に公開されてある。多くのものは登山、乘馬、漕艇等を學ぶ。けれども勇氣とか、天賦とかの凡ての精神上の特有性から離れても、乘馬をなすものはその中の先天的の騎者のみである。又大膽なる熟練なる騎者は如何なる馬をも御しうる筈なるも、彼の愛馬たりうるものは多くある馬の中たゞ一匹のみである。(15)」等と述べた句に自分は深き共鳴を感ずるものである。

人間は生殖作用といふ聖業に與かることによつて、鑿一丁、鉋一個持たずして、能く萬物の靈長を作り得る。この點から見るとき世界は神の攝理にあるとか、乃至はロゴスの發展とも見られうる。けれども他面に如何なる天才的科學者と雖も、人間は未だ蟲螻一匹、草の葉一枚創造するの能力を與へられてゐないことを知るとき、自己の頭の中にロゴスが透徹せりや否やを疑はしむ。況んや吾人の行動の常に事志と違ひ、行路に障害多きを思ふとき、合理的の部分の少なく、非合理的要素の如何に多きかを思はしむ。

之を要するに存在と論理の關係については存在の中には論理にては截り切れなき多くの非合理的要素ありと見るべく、從つて實在の全部は論理よりなるとの假定の下に立つ辨證法なるものは、實在の全部を説明しうるものでないことが明らかとなつた。

尚一歩進めて考へるならば實在の本體は何であるかといふ吾人の認識能力の

彼方にある形而上の問題に拘泥するよりは、この不可知なる實在は如何様にして現はれるかを知ることが教育學徒に取つては寧ろ一層必要なのであるまいか。

ろ、辨證法と有目的行動

實在の中には辨證法的思惟を以て説明しえぬ多數のものが殘存することは既にのべた。今これ等の説明しえぬもの、別して日本民族にとりて不便を感ずるもの、否單なる不便ならば忍びうるも、非常に有害なるものなるが故に極力排斥すべきもののあることを擧げよう。

ア、絶對否定性と各人の立場

辨證法的思惟に於ける否定性を承認し、且つ否定と綜合とが無限に繰返へさるゝとの假定を許し、吾等の立脚地もこの假定の下に服せしめるとしたならば如何様になるかに就いて高橋教授は巧みに説明されてゐる。今その句を借りて自分の論證に替へよう。(36)

かゝる場合には、吾々はたゞ他を否定し、かく他を否定する自己を否定し、また自己否定を更に否定して底止する所を知らざるべく、結局自己の立言を終局的に主張することも出來ぬ筈である。またそこには自己の最後の立場といふもの、從つてまた、自己の哲學的體系といふものも成立しえざる筈である。故にかくの如く決定的な自己の主張と立場とをもたないものゝ主張と立場に對して眞面目に論難することは凡そ無意義といふ外ないであらう。それで吾々のそれに對して取るべき最も賢明なる態度は、この絕對的否定論者をしてその欲する迄自己否定を重ね行かしめ、一切それに取り合はぬといふことである。

辨證法も絕對的方法として樹立せられるや否や旣に非辨證法に自己を止揚する外ないのである。

絕對否定性の立場が如何樣の結果になるかは右の引用文によつて明白のことと思ふが、更に目的論との關係に於て如何樣になるかを述べよう。

否定による自己分裂性は辨證法の過程を無限の過程たらしめることを要求するに反し、目的が達成せられる爲には全體が豫想せられ、而してそれが辨證法的思惟によつて行はれるとすれば、辨證法の過程に由つて最後にその全體が綜合的に思惟せられるのでなければならぬ。此處に論理としての辨證法と目的定立の爲の辨證法との間に矛盾撞著が生ずる。(17)

而して右の撞著が單に槪念の領域內に留まるものならば恕しうることである

が、辨證法が實在性を有するものであるとき容易ならぬ事態の生ずることを看過してはならない。殊にこのことは我々大和民族に於て痛切に感ぜられるのである。

イ、辨證法の無限性とわが國の國體

辨證法の立場に於ては思惟は如何なる定立をなすも同時に他の立場から見れば否定を行ふのであつて、定立と反定立とが必然に相伴ひ思惟は兩者の間に分裂し、これを綜合に於て統一するも、新なるも定立をなす限り再び分裂して止まることなく、その本性上終結を許さゞる無限の過程である。辨證法的論理の完結といふことはそれ自身自家撞著たるを免れない。從つて我國の國體の現狀に對して否定的態度の現はるべきことはこの立場からは當然に認められなければならないことである。

誤解を避くる爲に、否定性について說明を附加へるならば、既に先きにも說明した如く、辨證法に於ての否定は、意志體驗に關する限り、雙關的對立性を意味し、「欲する」の反定立は「云々でないことを欲する」といふ意味であり、單なる消極でなくして積極性を意味するのである。所謂積極的志向と全く同等に限定せられたものである。(18)從つて辨證法的立場から見れば現實のわが國體に對して積極的に否定的態度を取ることが是認せられなければならないのである。これ自分が本章の冒頭に於て辨證法にはわが國民精神にとりては限定百王說に比すべき恐るべきものが含まれてゐはしないかを豫告した所以である。

教育學に終始する自分としては尙述べたい。教育に關する勅語に於て

斯ノ道ハ實ニ我カ皇祖皇宗ノ遺訓ニシテ子孫臣民ノ俱ニ遵守スヘキ所之ヲ古今ニ通シテ謬ラス

とある中の皇祖皇宗の遺訓にして子孫臣民の俱に遵守すべきといふことゝ、辨證法の特色たる否定作用とは如何なる關係に立つと見るべきか。

更に戊申詔書、國民精神作興に關する詔書、乃至は支那事變一週年に當り下賜せられたる勅語等に對し奉りては如何。臣下のなすべき道は遵奉以外にはないのではないか。

ウ、少數の指導者と多數の協同者

時代の尖端を行く人、例へば實業界の巨頭、政界の領袖、思想界の指導者といふやうな人は、所謂傳統の否定者、新進路の開拓者として常に辨證法的發展を、而も絕對無に立つ絕對辨證法的でありうるであらう。北畠親房の云つたやうに「天地《アメツチ》の初《ハジメ》は今日を初《ハジメ》とする理あり」との立場を取りうるであらう。一般大衆も同様であるべきであらうか。實業會社の重役は辨證法的でありうるであらう。けれども平社員も重役と同様に辨證法的でありうるであらうか。寧ろ彼等は重役の機械たるべきでなからうか。政界の陣笠、官界の事務官、屬官、初等、中等教育者の行動は、普遍によりて定めたる規定を、否定反抗するといふよりは、寧ろ從順に遵奉すべきでなからうか。即ち人間の數の上より見るときは、小數の先覺者、指導者を除きたる殘餘の大多數は、對者の否定に立つよりは寧ろ、先人又は上より示されたる道に從ふべきでなからうか。

極めて小數の政治家、極めて稀なる思想家を除いては、各人は世界の支配者でもなく、宇宙の中心でもない。各人を宇宙の中心と見る思想上のコペルニクス的轉回は嚴密なる制限の後許さるべき命題である。各個人が現實の世界に於て許されたる、自由、自律は無限ではない。包括的な全體に對しては、別けても戰時下に於ける國家民族に對しては依存的である　又依存的であるべしとの要求は熾烈である。かゝる際に各人の依るべきものは否定の否定と呼ぶよりは寧ろ先覺者によりて、又は先達によりて示されたる道と呼ぶことが妥當でないであらうか。

エ、日本人の沒我性と辨證法

山田孝雄博士の說によると日本の言葉が一元性であることは沒我性の表はれであり又この言語によつて沒我性が培はれたとのことである。(19)次に同氏は日本語に敬語の多いことは禮儀の正しい國なることを示すものだと評されてゐるが、(20)自分はこの日本語に敬語の多いことも亦日本民族に沒我性の多いことを示す證左でないかと信ずるものである。蓋し敬語の多いことは對者を尊重する場合の多いことの證左であり、對者を尊重する場合には自己は對者以下に卑下する。たか〴〵同等に置くのみ、即ち我を沒くすることである。詳言すれば日本に於ては古來から、二人相會した場合に、對等又は目下のものに對する場合よりも、長上に對する場合の多いといふことを暗示するものでなからうか。往昔アテネ人は自分達に四倍する人口の奴隷を有してゐた。すればアテネ人の常用語には敬語を用ひる場合よりも、用ひなくてよい場合が多い筈である。羅馬人はその盛時には自國に數倍する領土を有してゐた。羅馬人は此等の領土人に對して敬語を用ひる理由はなささうである。これに反し日本人は古來、皇室に、將軍に、領主に、師長、父兄に敬語を用ふべき場合は頗る多く、又日常の生活は此等の身上の方の示されたる道を歩めば足りるのであり、指示されたる道を否定することは五逆罪を犯すことになるのである。即ち日本人の生活には古來沒我の場合が多かつたのである。この沒我性は辨證法の特質たる對立性、否定性と相容れぬものである。

上來辨證法と有目的行動との關係につき知りえた點を要約するならば、辨證法の持つ無限の否定性なるものは、吾人の有目的行動とは全く相容れぬものであり、わが民族性と相容れぬ點あるのみならず、わが國體に取りては許すべからざる邪說と云はなければならないことが明かにされたと思ふ。

は、辨證法と宗教

東洋の宗教思想には、全く相反した二種の概念を相即する思想の多い點で辨證的思惟を多量に包含すると考へられてゐる。例へば時間に關しては信心銘には「一念萬年」、證道歌には「彈指に圓成す八萬の門、刹那に滅却す三祇劫」と說く。空間に關しては、信心銘に「極少は大に同く境界を忘絶す。極大は小に同く、邊表を見ず」と、樣態に關しては同じく信心銘に「有卽ち是れ無、無卽ち是れ有」と。性質に關しては、證道歌に、「一性圓《マドカ》に一切の性に通じ、一法徧く一切の法を含む、一月普く一切の水に現じ、一切の水月一月に攝す、諸佛の法身我が性に入り、我が性還つて如來と合す、一地に具足す一切地」と、思惟の方法に關して道元は「箇の不思量底を思量せよ、不思量底如何が思量せん、非思量、此乃ち坐禪の要術也」と說く。後僞山和尙が二十年間水牯牛を牧得してゐたこと、(21) 乃至は乞食桃水が富豪の招聘を卻けて癩病の乞食を世話した。(22) 勝躅は行も亦禪、坐も亦禪なる祖訓を實踐したものである、所謂沙婆卽寂光淨土の境地は此處に到つて如實に味得しうるであらう。しかしこれ等はあくまで宗教者の立場であつて實在性を持つた歷史の世界とは相容れぬものである。歷史の世界に於ては、刹那と劫、大と小、有と無、如來と凡夫、思量と非思量とは全く相反したものであり、石牛者が何れも後僞山と同樣の悟道の達人ではない。宗教的實在性と歷史的實在性とを混同し、歷史的實在性を取扱ふ論理と同一論理を以て宗教的實在性を取扱ふならば、それは宗教の抹殺を意味するものである。宗教獨持の立場を救ふ爲にはこれを實在的、歷史的論理から解放して、信仰に獨立の地位を與へなければならない。

換言すれば實在的歷史的行爲の世界に妥當すべき辨證法と宗教的實在に於て行はれる相卽の作用とを混同してはならぬ。實在的歷史的生活に對する宗教的心情の意義は、人間精神の知的活動の規制的理念たる意義を賦與するに止めなければならぬと見るべきであらう。(二三)

第四　辨證法と道

道の特色は先人の歩んだ跡を再び歩むことである。先人の所業を肯定し、それに追從することである。辨證法の特色はこれとは全く正反對に他者の否定である。先人の所業を否定することである。肯定するとしても、それは單なる肯定ではなくして否定して、後に肯定するもの卽ち止揚でなければならない。

しからばかく相反する辨證法と道とは歴史的社會的現實に於て如何樣な關係に立つと見るべきか。

哲學者はいふ、歴史はそれの本質に於て偶然と必然との統一たる辨證法的構造を有する。これに依つて主觀と客觀との合一、自然と精神との綜合も行はれるのであると。いふ所の主觀と客觀との合一、自然と精神との合一は如何なる樣態に於てなされるのか。客觀が主觀に、精神が自然に阿諛的に融合するのでなくして、主觀が主觀性を保持しつゝ客觀に、自然が自然性を保持しつゝ精神に綜合されるためにはそれは辨證法を必要とするであらう。しかし自然が主觀の目的的契機によつて綜合される場合には道を必要としないであらうか。更に重要なることは、歴史進展の道程に於て看却することを許されざるものは偶然的實存としての個別的者である。この偶然的實存としての個別的者が歴史の立場に於て、反省的普遍の全體に於ける特殊として目的論的に必然化されるための契機となるものこそ道でなからうか。

或は云ふ、歴史に於て自然は偶然性の契機を代表し、精神は必然性の契機を代表するのであると。この場合にいふ精神の代表する必然性の契機をば道と呼び得ないであらうか。

歴史の進行中には絶へず轉化する部分もあるが、又千古變らぬ部分もある。わが國の精神文化に於て、印度型、支那型、西歐型と轉化した部分も嘗てあり、今後もあるであらうが、萬世一系の皇室を奉戴する國體は、萬古變らず又變つてならぬ部分である。轉化する部分については辨證法的であらねばならぬが、轉化しない部分については道によるのでなければならぬ。

假りに歴史の進行中に進歩と保守の二面を考へ得るとするならば、進歩の守るべきものは辨證法であり、道は保守のものと云ひうるであらう。但しこの場合にいふ辨證法とは前述の四特徴を有するものでなくして、單に所與の課題に即して、それに喚起せられたる範疇的構成に由る方法的支配にあり、單に現在に於て行爲を媒介とする歴史の運動の極徴的豫料に對する方法と解する。(34)

又一世の指導者と隨順者との區別に從ふならば、辨證法は指導者の執るべきものであり、道は隨順者の取るべきものと云ひうるであらう。

兩者の關係の理解の便の爲に具體的の例を擧げよう。

國語學者の說によると言海に載せた語の總數三二、一〇三語の中、和語は六割、漢語は三割八分、その他の外來語は二分の比である。

「今日は結構なお天氣ですね」の中國語は「は」「な」「お」「です」「ね」である。かく國語は外來語の輸入同化によつて語彙を豐富にし、無制限にその流入を許してゐるやうなるも又嚴密なる境界線ありてその線內へは一歩も外來語の竄入を許さない。境界線とは、接續の副詞「また」「或は」の類、感動の副詞「あゝ」「おゝ」「いざ」の類、助詞「人が」の「が」、「花は」の「は」等の類の三者は外來語の侵入を斷じて許さない區域であり、形容詞、動詞にありては外來語を語幹として用ひることあるもその儘の形を用ひた例はない。名詞にありては本國語の性數格等の文法的性格を脫却し、わが名詞と同樣に助詞によつて操縱せらるゝ時に用ひることを許される。これを要するに外來語によつて觀念內容は增加するも國語の法格には何等の影響を及ぼさない。

かく要塞地帶を設けて國語の生命力を維持する點こそは、國語の守るべき道とかふべく、外來語の無限の攝取作用こそ辨證法に比すべきでなからうか。

第五　辨證法と教授作用

發達即教育論者、生活即教育論者は、歷史の發達が辨證法によることが哲學者によつて論證されるや、直ちに辨證法を取つて教育法に適用せんとするも、此等の人々は人間各自に誕生と死亡のあることを忘却し、個人の發育と人間史の發達とを混同したる沒曉漢と評すべきであらう。

成程世相は日日に變り、文化は夜々に進展する。けれども歷史の推進者であり、文化の運載者である人間は、人類としては歷史と共に生くるも、個々の人間としては、生れて丁年迄は修學に、それより活動期に入り、眞に社會人として有效なる活動の出來るのは四、五十歲前後であり、七、八十歲に到れば老耄死亡す。人は常に千載の憂を抱くも生年は百年に滿たない。遺されたる仕事の完成は次代の個々人に待つ。かくして人類は世代の交替によつてその命脈を維持するのである。而して交替する各個人の生活を教育といふ立場から大別すると充實面と進展面の二面に分ちうる。充實面とは人間生れて文化については零の狀態より、一人前の人格者として社會に立ち得る迄の修學期を指し、進展面とは、一社會人として歴史の流れに一滴たりとも貢獻し得、文化を進展する活動期をさす。修學期と活動期との別は相對的のものにて截然たる區別なく、吾活動期にも修學あり、修學は一生息まざるものなるも、大凡、自己の修學に資するを充實面と呼び、他者に貢獻するを進展面と呼ぶ。吾々に取つて辨證法的發展の持つ重要なのは充實面に於てゞはない。人間の充實面に於て、例へば人間の身體の發育過程が數千年來大した變化のないと同樣に、精神の發育過程に於ても大差ないと見るべきでなからうか。學習作用の始まるのが大腦皮質の固定し始めた滿六歲頃からであり、道德意識の組織的發達が思春期以後であることは、古今東西餘り變りない樣である。人間の社會的生活の基礎的要素である讀、書、算も年每に重大なる變化を受けるのは比較的小部分である。人間が誕生より一人前の人間として社會生活に入る迄の敎養の過程は正反合といふ辨證法的過程を經るのでなくして、凡それとは對蹠的な、無なるが故に有を求めるのである。一般生活にあつては各人は社會に對して何物かを貢獻するのであるが敎育作用にありては、被敎育者は社會又は社會員から何物かを與へられるのである。シエプランガーの用語を借りるならば、敎育作用にあつては客觀の文化は主觀へ逆流するのである。

一般教育作用に於て然り、況んや認識の敎育を目的とする敎授作用に於ては尙更のことである。勿論敎授作用に於ても古來より慣用されたる方法に試行錯誤法なるものあり、その過程は辨證法的とも云ひうる。又「生活は敎育す」と云ふことも先哲によつて云ひ古されたことである。けれどもこの試行錯誤法といふも、「生活は敎育す」といふも共に、先哲によつて試驗濟の、云はゞ型にはまつた方法であり、所謂敎式の一種として採用さるべきものなるも、辨證法から演繹され、乃至は辨證法によつて基礎づけられるべきものではない。

勿論、本章、第二、でのべた科學的辨證法が、科學敎授の際の、別して眞理探究の際の規範として役立つことは前述の如くであり、又辨證法的な過程が試行錯誤法の如くに、敎授作用の中の敎式の一種として存在價値を有することはありうるであらう。けれども辨證法が敎授作用の根柢をなすべしとは考へられない。

之を要するに辨證法と敎授作用の關係については辨證法的思惟の方法は敎式の一方法として敎授作用中に取入れらるゝこともあるも辨證法が敎授作用の基礎

たることはありえないであらう。

(1) 山田孝雄著、國語尊重の根本義、三〇頁以下參照
(2) 田邊元著、ヘーゲル哲學と辨證法、二三七頁參照
(3) 高橋里美著、歷史と辨證法、六頁以下參照
(4) 同上、一五二頁―三頁
(5) 田邊元著、前掲の書、二六二頁―三頁參照
(6) 同上、二三九頁參照
(7) 同上、二三六頁參照
(8) 同上、九七頁參照
(9) 同上、三六七頁參照
(10)、(11)、(12) それ〴〵同上、三四三頁、三四八頁、三五〇頁參照
(13) Behn, Siegfried: Kritik der Padagogischen Erkenntnis. 1923, S. 39.
(14)、(15) それ〴〵同上、四二頁、四四頁
(16) 高橋里美著、前掲の書、一五九頁―一六〇頁參照
(17) 田邊博士著、前掲の書、三六四頁參照
(18) 同上、二六二頁―三頁參照
(19) 山田孝雄著、前掲の書、一五三頁以下參照
(20) 同上、一五三頁以下參照
(21) 道元、正法眼藏行持卷
(22) 曹洞宗全書、史傳、下、三三一頁以下
(23) 田邊博士、前掲の書、三四二頁參照
(24) 同上、三七二頁參照
(25) 山田孝雄著、前掲の書、一六七頁以下參照

周易の政治思想

今村完道

目次

一　周易經傳の內容

周易經傳が、いつの時代に何人の手に成つたかは未だ明でない。十翼が一人一時の作でないことは勿論、彖傳や文言傳や繫辭傳なども、一人一時の作であるまいと思はれる。それ故、周易の思想を論ずるには、嚴格には各篇ごとにその思想を明かにし、然る後、概括的に考察すべきであつて、初めから概括的に論ずることは穩當でないけれども、然し經傳各篇の思想には共通するものがあるから、それによつて經傳の思想、特に政治思想を考へてみようと思ふ。また周易には、古來多數の註釋があるが、こゝでは成るべく後人の說によらないで、經傳の文によつて經傳の思想を見ようと思ふ。

まづ周易の性質を考へてみると、周易は本來卜筮の書であつた。卜筮の書としては、周易の經の出來た當時の社會の疑問に答へたのであつて、社會の疑問は多種多樣であるから、從つて周易には各種の問題を含んでゐる。中について旅行や結婚や治安や狩獵や賓客や祭祀などが多く問題になつてゐるが、この他、各種の問題を含み人事百般に亙つて吉凶を判斷してゐるのである。六十四卦三百八十四爻の數からいへば、約五百種類の人事に解答してゐるのであつて、かやうに人間生活の全般に亙り、吉凶を判斷して去就進退の道を敎へてゐることは、他の經と趣を異にする點である。他の經が說くところの人事には自づから範圍があるけれども、周易は人事百般に解答する百科辭典の如きものであつて、こゝに周易の特色がある。

而してこの周易を孔子の徒が玩ぶに及んで、之を哲學的並に道德的に解釋した。かの乾の元亨利貞は本來占辭であつたが、彖傳象傳は之を以て天道並に人道を說くものとし、文言傳は之を仁禮義貞の四德とした。かやうに哲學的並に道德的に解釋するに及んで、周易は占筮の書であると同時に道理、義理の書となつたのである。繫辭傳に君子居則觀其象而玩其辭といふのは、周易を道理義理の書としてみたのであり、動則觀其變而玩其占といふのは、占筮の書としてみたのである。かやうに周易を見るに及んで、周易は遂に人事百般の義理は勿論、哲學的な道理をも含む書と考へられ、繫辭傳には、易之爲書也、廣大悉備、有天道焉。有人道焉。有地道焉といひ、天地人三才の一切の道理義理を含むとした。

即ち周易はあらゆる道理の百科辭典となり、一切の人間生活を道理上指導する書となつたのである。それ故、繫辭傳には、夫易何爲者也。夫易開物成務、冒天下之道、如斯而已者也といふてゐる。易は天下の一切の道を包籠し、人事の疑問を開通して、事務を成し遂げしめる開物成務の書だといふのである。

而して開物成務といふことは、廣くは個々の民衆自身についていふことが出來るけれども、然し周易は元來、個々の民衆の開物成務のために作られたものでもなく、また個々の民衆が之を利用して開物成務するほとに文化が進んでゐたのでもなく、周易は指導者階級が指導者階級のために作り、指導者階級の開物成務に利用したのであつて、從つて開物成務といふことは、指導者階級が、或は周易の占筮により、或は周易の道理によつて、自己を修め人を治むることとであつて、周易に說くところは、修己治人の道、道德、政治に關することである。

二　周易の社會と秩序

周易の經に現はれた社會を見るに、屯の卦辭、屯初九の爻辭、豫の卦辭に利建侯と爲り、師卦上六の爻辭に、大君有命、開國承家とあるから、周易の社會は封建社會であるといふて可い。而して封建社會に於て、治者階級に屬するものとして、天子、王、王侯、大君、國君、公の名が見へてゐる。このうち天子の語はたゞ一箇所、大有の卦の九三の爻辭に、公用亨于天子とあるだけであつて、天子の存在は經に於ては、あまり重要視されてゐないやうである。王侯の語もたゞ一箇所、隨卦の上九に不事王侯、高尙其志とあるだけであつて、王侯の地位が如何なるものかは、經だけでは明かでない。大君の語は三箇所あつて、大君命有り、國を開き家を承くといへば、大君は天子のやうであるけれども、履卦の六三爻辭によれば、武人が大君となり得るやうであるから、大君は周の天子とは異り、諸侯の大なるものと思はれる。國君は一國の君主であり、公は諸侯の最高の身分のものであらう。王といふ語が最も多く出てゐて、その存在が重要視せられてゐる。王三たび命を錫ふといひ、王庭に揚ぐといひ、王明ならば福を受くといひ、王以て帝を享すといひ、王臣蹇蹇といひ、王事に從ふといひ、王の語は凡そ十數箇所に出てゐて、王は政治の主體として重んぜられてゐる。然らば王の地位如何といふに、此れまた經だけでは明かでないが、察するに王は天子とは別であつて、諸侯の有力者を意味したのであらう。これらの治者の名は、他の經を始め先秦の書に多く出てゐるのであつて、それらと關聯してその資格を考ふべきである。而してこれらの治者には臣があり、官を設けて政治したのであつて、これが治者階級である。この他に大人君子が出てゐる。大人の語は乾卦の九二、九五を始めとして、多く出てゐて、政治的主權者についても大人といひ、臣についても大人といふてゐる　大人はつまり道德的大人格者であると同時に政治的手腕を有つた大人物をいふのである。君子の語は、乾卦の九三を始めとして最も多く出てゐて、君子も道德的人格者であり、同時に政治的手腕も有るけれども、之を大人に比すれば、大人の性格は政治的手腕が主となり、君子の性格は、道德的人格が主となる異りがある。これらの大人君子は理想的人格者であつて、大人君子による政治を理想としてゐるのである。以上あぐるところのものが、經に見ゆる治者階級であり指導者階級であつて、これに對して民衆がある。民衆は治者の對象としては民であり、大人君子の對象としては小人である。

治者たる王は都城内に宮庭丘園を設けて住み、官を設け、臣妾を畜へ、宮人をひかへてゐた。これに對して被治者の民衆は邑をなし、農耕に從事してゐた。社會組織は家族、宗族社會であつて、王は祖先を崇ひ、宗廟を守り、祭祀を重んじたが、一般民衆も同樣に祖先を崇拜してゐたことゝ思はれる。而して家族と家族は血緣を以てつながつてゐたのであつて、同人卦の初九に同人于門无咎に對して、六二に同人于宗吝といふのは、宗族のみ團結するを偏狹にして吝なりとしたものと思はれるのであつて、宗族社會のあつたことが知られる。經に見ゆる社會形態は、大要右の如く、家族、宗族社會であり封建社會である。然らばこの社會に於て何が問題になつたかといへば、それは多種多樣であるけれども、中について重大視された問題は、前述の如く、遠く出かけること、結婚すること、治安のことなどであつた。大川を渡つて向ふに行くことは相當問題であつたし、結婚に關しては、咸、姤、漸、歸妹の卦を始め、その他に結婚を說くところが多いが、これは家族制度に於ては當然のことである。軍事に關しては師の卦を始め說くところ多く、經の時代もしば〳〵師を動かしてゐたやうであり、寇に關しても數箇所に說いてゐて、當時の治安が惡かつたことが想像される。要するに經の時代は、政治的には天子はあれども重きをなさず、地方には王が居て、しば〳〵軍を動かし、土匪の侵掠も多かつたのであり、社會的には家族宗族社會であつた。此に對して傳は如何なる見解を有ち、如何なる社會を說いてゐるかを考へてみよう。

十翼は經の家族制度、封建制度を更に强化するものであり、その强化の基礎を哲學的に天道においてゐるのである。即ち十翼の思想では、天地自然界を道德的に觀て、天尊地卑による一大秩序調和の世界としてゐるのである。天尊地卑の思想は彖傳にもあつて、彖傳が乾について萬物資始乃統天といひ、坤について萬物資生乃順承天といふのは、天を先とし坤を後とするのであつて、そこに天尊地卑の意味があり、また保合大和乃利貞といふのは、世界を一大調和の世界と觀てゐるのであるが、天尊地卑を最も明瞭に述へたものは繫辭傳である。繫辭傳は冒頭に

天尊地卑、乾坤定矣。卑高以陳、貴賤位矣。動靜有常、剛柔斷矣。

即ち天尊地卑に效ふて乾坤の卦が定まり、萬物が卑高各々その所に居るに效ふて六爻貴賤の位が定まり、天地萬物の動靜變化に常があるに效ふて各爻剛柔の變化が定まるとして、天地の道を卦爻に現はしてゐるといふのであつて、こ

ゝに天尊地卑の思想や、萬物が各その所に居り、貴賤に位して、秩序ありといふ思想が明かになつてゐる。而してかやうに天尊地卑、卑高以て陳して秩序ある天道を卦爻に表現してゐるといふのは、卦爻によつて人に天道を知らしめ、人間社會もまた當に天道の如く尊卑貴賤の別を明かにし、各その所にゐて秩序がなければならぬとするのであつて、即ち天道に根據して社會秩序を說くのである。

然らばそれを如何やうに說いてゐるかといふに、まづ家族社會についていへば、周易には家族の卦として家人の卦がある。その卦辭には、利女貞とあつて、家族社會に於ては、女子に貞節を要求してゐるのであるが、彖傳はそれを更に敷衍して、家人、女正位乎內、男正位乎外。男女正、天地之大義也。家人有嚴君焉、父母之謂也。父父、子子、兄兄、弟弟、夫夫、婦婦、而家道正。正家而天下定矣。といふてゐる。卽ち家族社會に於ては、女子は內にありて家事を治めて、その地位本分を正しくし、男子は外に働いてその地位本分を正しくし、男女內外にその位を正しくするのが天地の大義であるといふのである。また父母が嚴君として上に位し、親子兄弟夫婦が、それぞれその本分を盡せば、家道正しくなり、家正しくて天下定まるといふのである。即ち家族社會に於ては、親は嚴君として上に立ち、男女は内外に別れ、家族のそれぞれが義務を履行するのである。更に夫婦の關係については、恒卦の六五の象傳に、婦人貞吉、從一而終也。夫子制義。從婦凶也。即ち夫が義を制して婦を導き、婦は一なる夫に從ふて終るべきであつて、その反對は凶であると、所謂夫唱婦隨を說いてゐるのである。かやうに親子、夫婦、男女の別を明かにして一家に秩序あることを要求し、それを天地の大義としてゐるのである。

更に之を一般社會についていへば、未濟の卦の象傳に、火在水上、未濟。君子以愼辨物居方といふてゐる。即ち火が上にあり水が下にあり、火が水上にあるのは天道である。それに效ふて君子は愼んで物を辨別し、上に居るべきものは上に居らしめ、下に居るべきものは下に居らしめ、各をしてその所に居らしめるのである。また履卦の象傳にも、上天下澤履。君子以辨上下、定民志といふてゐて、天が上にあり澤が下にあるは天道であつて、それに效ふて君子は上下を辨別して民心を安定する。上下を辨別するといふのは、封建思想からいへば、既定の封建的身分の上下貴賤の差別を禮法によつて明かにするのであるが、彖傳や象傳の思想からいへば、彖傳や象傳は人格を重んずるのであるから、人格の上下を別ち、人格に應じて各その所に居らしめて差別するのである。かやうに傳は上下の差別を重んずるのであつて、そのことは後に述ぶる正當、不正當の思想も同様であつて、彖傳に正といひ、象傳に當といふのは、人格の差別に相應して居るべき所に居ることであり、不正といひ不當といふのは、人格不相應の所に居ることであつて、彖傳や象傳が、正當を貴び不正當を排斥するのは、正當なる上下の差別を重んずるのである。かゝる差別によつて始めて民心は納得し安定し社會の秩序が立つのである。而してかゝる上下差別の基本となるものを序卦傳は君臣の差別においてゐる。

有天地然後有萬物。有萬物然後有男女。有男女然後有夫婦。有夫婦然後有父子。有父子然後有君臣。有君臣然後有上下。有上下然後禮義有所錯。

君臣ありて然る後上下の別がある。君臣の差別が一切の上下の差別の基本となる。君臣の差別が立つて禮法も確立するのであつて、君臣の差別が亂れては、禮法も行けはず、秩序は立たないとしてゐるのは、蓋し至論であらう、かやうに傳は君臣の別を重んじてゐる。

更に天下の秩序について考ふるに、卦爻の辭には、前述の如く天子はあまり重視されないで、王が重視せられ、天下一統の事實も思想も明かに現はれてゐなかつたが、彖傳には天下一統の思想が明かに現はれてゐる。即ち彖傳は乾に、ついて、首出庶物、萬國咸寧とし、乾德の君が首として萬民を統治し、萬國みな安寧であるとしてゐるのも、天下一統思想である。彖傳が問題としてゐるのは、個々の封建君主や國家ではなくて、聖人であり天下であつて、聖人による天下一統を說いてゐるのである。彖傳は履卦には、帝位を履みて疚しからずといひ、需卦には天位に位すといひ、觀卦には聖人神道を以て敎を設けて天下服すといひ、頤卦には聖人賢を養ひ以て萬民に及ぶといひ、咸卦には聖人人心を感ぜしめて天下和平なりといひ、恒卦には聖人その道に久しうして天下化成すといひ、豐卦には天下を照すといふてゐるやうに、聖人が天下を統治して萬民の和平なるを望んでゐるのである。而して卦爻の辭にいふ王公や丈人は聖人の下に屬するものゝ如くにいふてゐるのであつて、坎卦の彖傳には王公設險以守其國といひ、師卦の丈人については、以て王たるべしといふてゐるのは、蓋し聖人一統の下に於てのことである。かやうに一統を說くことは、象傳も同樣であつて、師卦九二の王三錫命の王は、前述の如く、その地位が明瞭でなかつたが、象傳は之を解釋して、萬邦を懷くるなりとして、一統思想を以て王を解釋してゐる。たゞし象傳は一統の主を過去に求め、先王は易理によつて天下を一統したとしてゐるのであつて、比卦には先王以建萬國親諸侯といひ、豫卦には先王以作樂崇德、殷薦之上帝以配祖考といひ、觀卦には先王以省方觀民設教といふやうに、先王は一統の主であつたとしてゐるのであつて、彖傳が單に聖人を說くのと少し異るところがあるけれども、一統を理想としてゐることは同じである。このことは彖象以外の傳も同じである。思ふに卦爻の出來た時代は、天子はあつても十分なる、一統の政治なく、また一統の思想も無かつた時代であり、傳の出來た時代は天下一統の思想の存在した時代であるといふて可いと思ふのである。要するに傳は上述の如く家族の秩序を說き、社會の秩序を說き、天下の秩序を說き、全體としての秩序統一と理想とし、それの基礎として天尊地卑の世界觀があるのであつて、これは要するに經の思想を整頓し强化したものである。

三　政治と感應

周易は人道の本原を天道におき、人道は天道に則るべしとするのであるが、然らば天道は何かといへば、前述の天尊地卑による世界秩序もその一つであるが、また天地は天尊地卑にて相對しながら、相感應して萬物生成の營みをなす、それも天道である。從つて人間も當にそれに效ふて相感應し、生成の營みをなすべしとするのである。まづ天地感應、萬物生成について説くところを考へてみよう。周易は占筮の書としては、⚊と⚋の關係によつて吉凶を判斷するのであるから、二元的であり、それを哲學的に解釋する傳の思想も二元的である。即ち傳は天地を氣と考へてゐて、天地二氣の關聯交渉によつて萬物が生成するとしてゐるのである。但し傳には一元的思想もあつて、彖傳の乾元は天地を包括するところがあり、繋辭傳の一陰一陽の根本には一氣を豫想してゐて、一元的なところがある。さういふやうに一元的な思想もあつて、傳には二元と一元の兩思想があるが、天地感應は二元思想であつて、天地、陰陽、剛柔の二元的存在の關聯交渉によつて、世界を説明するのである。即ちわれ〳〵の經驗する天と地、陰と陽、剛と柔が對立しながら感應することによつて萬物が生成すると說明するのである。

然らば二元を以て如何に世界を說明するかといへば、彖傳は、まづ初に乾坤二元を以て萬物の生成を說明してゐる。卽ち天を成せる剛健なる陽氣を乾とし、地を成せる柔順なる陰氣を坤とし、かゝる乾坤二元にて萬物の生成を說明するのであつて、卽ち乾について大哉乾元、萬物資始といひ、坤については、至哉坤元、萬物資生といふてゐる。卽ち萬物は乾元に資つて始まり、坤元に資つて生れる。乾元が生命の始めを施し、坤元がそれに形體を與へて生み出すといふのである。そのことを益卦の彖傳には、天施地生といふてゐる。また乾については、雲行雨施、品物流形といひ、乾道變化、各正性命といふに對して、坤については、乃順承天といひ、坤厚載物といふてゐる。かやうに乾を男性にして積極活動的とし、坤を女性にして消極靜止的とし、この二者の交渉によつて萬物の生成を說明することは、男女兩性によつて人間が生れ出づる眼前の事實と、天界の日月星辰風雨の活動的にして、大地の靜に萬物を育み載せてゐる事實から類推したものである。而して乾坤二元の交渉について、咸卦の彖傳に、柔上而剛降。二氣感應以相與。止而說。男下女。是以亨（中略）天地感而萬物生といひ、乾辭傳にも、乾道成男、坤道成女。乾知大始、坤作成物といひ、乾靜也專、動也直。是以大生。坤靜也翕、動也闢。是以廣生といひ、また天地絪縕、萬物化醇といふてゐて、殆かも男女が交るやうに、天地乾坤の二氣が感應するのであつて、男性剛健の天の氣が降り、女性柔順の地の氣が上り、兩者交感して萬物が化生するといふのである。彖傳ではこの感應を非常に重んずるのであつて、泰卦の彖傳には、天地交而萬物通也といひ、その反對に否卦には、天地不交而萬物不通也といふてゐる。また姤卦には、天地相遇而品物咸章也といひ、咸卦には、觀其所感而天地萬物之情、可見といふてゐて、感應によつて萬物は存在し、感應が天地萬物の實情であるといふのである。而して感應は、たゞ乾と坤、天と地、陰と陽、剛と柔のやうに、性質の異つたもの丶間に行はるだけでなくて、同じ性質のもの丶間にも行はれる。乾の九二と九五は共に陽であるけれども、相感應するのであつて、文言傳には、同聲相應、同氣相求。水流濕、火就燥。雲從龍、風從虎。聖人作而萬物覩。本乎天者親上、本乎地者親下。則各從其類也と說明してゐる。かやうに感應には、異氣の感應と同氣の感應とあるが、要するに感應は天地の道であり、感應によつて萬物は生々化々して存在するといふのが、易の哲學である。而してこの感應を或は交易ともいひ對待ともいふてゐるのであつて、對待といのは、天尊地卑にて相對しながら、相待ち相感應して存在すると觀るのである。さういふ意味に對待を解釋して差支ない。卽ち天地萬物はそれ〴〵特色を有つてその所に居り、相對しながら、相感應し相待つて存在すると觀るのであつて、さういふ對待的世界觀は、之を次に述ぶる流行論に對して空間的世界觀といふことが出來よう。而してかやうに世界を觀ることは、人間社會の經驗から類推したことであつても、一旦かやうな世界觀を得ると、それに根據して人道を說き、人間も當に各その所に居りて相對しながら、感應すべしと說くのである。

傳の中では、彖傳が最も感應を重んじ六十四卦中二十六卦に感應を說いてゐる。而して彖傳は、陰を柔といひ、陽を剛といひ、感應を應といひ、剛柔の應不應を說いてゐるのであるが、その說き方は、まづ卦體の上で應不應を說明して、然る後、人事に及ぼしてゐるのである。卦體の上の應不應とは、內卦の第一爻と外卦の第一爻の一方が剛であり、一方が柔であれば應であり、共に剛又は柔であれば不應である。同様に第二爻と第二爻、第三爻と第三爻が剛と柔なれば應、共に剛又は柔なれば不應である。また應には、一爻と一爻の應の外に、大有䷍の卦や、比䷇の卦のやうに、六爻中のたゞ一爻が剛又は柔なれば、その剛又は柔に他の全部が應ずるのである。また乾の九二と九五のやうに、共に陽であつても應ずる場合もある。かやうに卦體上にて應を說明して、然る後、人間社會に於て、內外上下、陰陽剛柔相應しなければならないとするのである。卽ち貴と賤、貧と富、智と愚、强と弱などの陰陽剛柔が、相感應し、互相對待するによつて人事は成り社會は成立すると考へてゐるのである。特に政治に於ては、人心の感應が肝要であつて、泰卦の彖傳には、上下交而其志同也といひ、否卦には上下不交而天下无邦也といふてゐて、上下の人心が交感し、一致する時、天下は泰平であり、上下の人心阻隔して感應しなければ、天下否塞して國家無しと極言してゐるのである。この感應を重んずることは、他の傳も同様であつて、象傳は應を與といひ、與の有るを貴び、文言傳も聖人作れば萬民之に感應するをいひ、六龍悔有るは、民衆も無く、之を輔くる賢人も無きためとしをり、繫辭傳も、中孚九二の爻辭の、鳴鶴陰にありて其の子之に和すに關して、君子その室に居り、その言を出す。善なれば則ち千里の外、之に應ず、況やその邇きものをや。その室に居り。その言を出す。不善なれば則ち千里の外、之に違ふ。況やその邇きものをや。言は身に出でゝ民に加り、行は邇きに發して遠きに見はる。言行は君子の樞機、樞機の發は榮辱の主なり。言行は君子の天地を動かす所以なり。愼まざるべけんやとして感應を說いてゐる。而して政治は統一作用であつて、主權者たるものは人心を自己に感應せしめ、歸一し統一しなければならないのであるが、然らば如何にして統一するかといへば、彖傳は主權者の道德を以て人心を感動せしむべきを說いてゐる。彖傳は大有の卦をば大に天下を所有する卦として說明し、柔得尊位而上下應之曰大有としてゐるのは、君たるものは剛柔宜しきを得た中の德を以て上下に感應せられなければならないとしてゐるのである。また姤の卦には、剛遇中正、天下大行。姤之時義大矣哉といひ、萃の卦には、剛中の君と六二の臣が相應じて、人心君に萃聚するを說いてゐて、感應の根本を君主の道德においてゐる。それ故、道德無くば感應は出來ないのであつて、聖人の德ありて、始めて人心を感ぜしめて天下和平なのである。

而して感應の力は極て强いものであつて、たとひ時運が惡くても、感應の力を以てすれば、事を成し得るのであつて、睽䷥は火澤乖離の時運を示す卦であるけれども、六五の君は九二の臣の感應があるから、小事は吉としてゐる。また未濟䷿は六爻皆その所を得ないけれども、六爻皆應ずるが故に事を成すべしとするのは、人民がその所を得なくとも、感應あれば、事を成し得るとしてゐるのである。かやうに感應を說くことは、旣に經にもあるのであつて、咸、泰、否、姤、中孚などの卦は、皆感應を說いてをり、また感應の根本となる德を孚卽ちマコトとしてゐるのであるが、象傳等は、その經の精神を一層明瞭にし、且つそれの根據を天地の感應においたのである　以上說明したやうに、易は經傳共に感應を重んずるのであつて、不應を排斥する。卽ち陰陽剛柔の感應によつて人間社會は存在し發展し、陰陽剛柔の不應相克は社會を破壞するとする。卽ち調和を重んじて、鬪爭を排斥するのである。

四　政治と時運

周易は時を重んじ、時に合する道を敎へてゐるのであつて、個人生活に於ても、時に合すれば吉であり、時に反すれば凶であるが、特に政治は時の狀況に從ひ、時運の推移を見て政策を立てなければならないとしてゐる。而して傳はその根據を矢張り哲學的に天道においてゐるのであつて、前述のやうに天尊地卑、卑高以て陳すとか、天地相交り上下感じて世界が存在すと觀ると同時に、世界を時間的に變易してゐると觀るのである。彖傳は豐卦に、日中則昃。月盈則食。天地盈虛、無時消息といひ、剝卦に、消息盈虛、天行也といひ、革卦に、天地革而四時成といひ、蠱卦に、終則有始、天行也といひ、復卦に、反復共道。七日來復。復、其天地之心といふてをり、繫辭傳にも、日往則月來、月往則日來、日月相推而明生焉。寒往則暑來、暑往則寒來。寒暑相推而歲成焉。往者屈也。來者伸也。屈伸相感而利生焉といふてゐる。かやうに推移往來する自然の事實に着目し、而して繫辭傳は之を包括的に、一陰一陽之謂道といふてゐるのである。即ち日月の盈つるは陽であり、虧くるは陰であり、春夏は陽であり秋冬は陰であり、暑は陽であり寒は陰であつて、日月も四時も、自然界は凡て陰となり陽となり陰となり陽なり、陰陽循環往來してゐる。それが一陰一陽であつて、一陰一陽して萬古不息に萬物を生々化々して、その生命を全ふしてゐる、それが天道であるといふのである。乾卦の彖傳に、乾道變化、各正性命といふのも同じことである。かやうに一陰一陽することを、古來變易といひ、流行といひ、或は屈伸往來といふてゐるが、世界を變易流行の世界と觀るのは、世界を時間的に觀るものである。それ故、易には前に述べた空間的世界觀と、こゝにいふ時間的世界觀の二つがある。卽ち交易對待の世界と觀るのと、變易流行の世界と觀るの二つある。而してこの二つの關係は、哲學上極めて重要な問題であるけれども、それを易には說いてゐない。後世もこの關係について考慮はされたけれども、深き考察が拂はれてゐないのであるが、對待と流行のいづれを主とするかといへば、古來流行變易を重んじてゐるのである。そのことは元來、易といふ字が變易を意味してゐることからも當然のことであつて、易といふ字には、變易、交易、不易の三義があるといはれるが、易の本義は變易であり、易經も變易を知るために出來たものであるから、易經が變易を主とすることは當然である。繫辭傳にも、天地變化、聖人效之といひ、天地の變化に效ふて易を作つたとしてゐるが、後世も變易流行を主とするのである。而して對待との關係について、流行中に自づから對待ありと考へてゐるのは、つまり一陰一陽の流行の世界にありて、その流行の或る時間に、世界を空間的に眺むれば、天地萬物は對待して存在してゐるといふのであらう。

傳はかやうに天地の變化を説いてゐるが、變化のことは、經にも既に説いてゐるのである。卽ち經は人間界の時運の推移、大勢の變化に着目し、それを六十四卦の配列に現はし、その時運の推移に應ずる道を説いてゐるのであつて、傳は經が說くところの時運の變化の基礎として、天地自然界の變化を説いたのである。そこで今六十四卦の配列について考へてみる。六十四卦が出來たのは、八卦を組み合せて出來たのであつて、それは恐らく八卦を色々重ねてみたら六十四になつたまでゝあつて、六十四卦が出來た過程に深い意味があつたとは思はれない。然し六十四卦が出來た後、之を如何に配列するかといふことについては、深き考慮が拂はれたことゝ思ふ。六十四種類の卦を列へるのであるから、色々考案されたことであらう。而してその結果、周易は乾坤に始まり、既濟未濟に終る配列となつたのであるが、この配列と異つた配列も考へられることである。左傳によると占筮に用ふる書は、周易だけでなくて、周易と異つた易があつた。それは卦義を説明する辭が周易と異つてゐた。周易といふのは周室使用の易であるか、周易とは卦辭の異つた易が別にあつたので、それは六十四卦の順序も周易と異つてゐたかも知れない。周禮に連山、歸藏、周易の三種の易の名が見えてゐて、その三易について連山易は艮に始まり歸藏易は坤に始まるといふ説があるが、さういふ配列も考へられることである。配列は色々考へられようが、周易は新しい易であつて、卦辭が他の易と異り、配列も他の易と異つてゐたかも知れない。他の易に比して、餘ほど合理的なものであつたと思はれる。然らば周易の配列は、どうなつてゐるかといふと、徹底的に變化推移の意味を現はしてゐるのである。卽ち相反した卦を對偶にして配列してゐるのであつて、乾と坤、屯と蒙、以下皆相反したものを對偶にしてゐる。相反するといふのは、卦體についていへば、甲卦の內卦の顚倒したものが乙卦の外卦になり、乙卦の外卦の顚倒したものが甲卦の內卦になつてゐるのである。例へば咸䷞と恒䷟のやうに、內卦がヒツクリ反つて他の外卦になり、外卦がヒツクリ反つて他の內卦になつて相反してゐる。それを對して列べてゐるのは、世の中の事は凡て顚倒變化するといふことを明に現はしたものである。また卦德の上からいへば純陽剛健の乾と、純陰至柔の坤とを對偶し、泰平の卦と否塞の卦、剝落の卦と復活の卦を對偶してゐる。かやうに相反した卦を配列したのは、世の中は變化して泰平の後に否塞の世あり、剝落の後に復活があり、絶えず推移することを示してゐるのである。從つて一つの卦の意味は固定した不變のものでなくて、卦は活物であつて、泰の卦は否の卦に向つて動かんとしつゝあり、否の卦は泰の卦に向つて動かんとしつゝあるのであつて、固定した泰平も否塞もなく、時運は不斷に推移する、そのことを卦の配列に示してゐるのである。更にかやうに對偶したものを列べた六十四卦の順序にも、勿論意味があつて、こゝにも推移變化の趣を示してゐるのである。六十四卦の順序の意味を説明したものが色々あつたやうで、漢代易學者にも、この順序を説明したものがある。現在の序卦傳は、漢代易學者の序卦の文に似てゐて、餘ほど新しいものと思はれるが、現在の序卦傳も變化推移を以て配列の順序を説明してゐる。即ち天地ありて然る後に萬物生ずるが故に乾坤の次に屯が位し、始生の物は蒙であり、蒙は養はれなければならないから、蒙の次に需が位し、飲食から訟が起り、訟の結果師が起るといふやうに説明し、また泰者通也。物不可以終通。故受之以否。物不可以終否。故受之以同人。（中略）致飾然後亨則盡矣。故受之以剝。剝者剝也。物不可以終盡。剝窮上反下。故受之以復といふやうに說明してゐる。要するに六十四卦の配列が既に自然界や人間社會が一陰一陽して推移變化することを現はしてゐるのであるが、傳は、その推移變化の基礎として一陰一陽の天道を說いたのである。而して一陰一陽の變化に應じて身を處さなければならないのであつて、そのことは經にも既に說いてゐて、乾の初六に潛龍といひ、九二に見龍といふやうに、時に應じて潛見躍飛すべきことを說いてゐるのであるが、傳はそれを更に强張して、彖傳は艮卦に、時止則止。時行則行。動靜不失其時とし、時運を見て出處進退し、行藏宜きを得なければならぬとしてゐる。隨卦や遯卦の彖傳にも、隨時の義を說き、時と與に行くことを說いてをり、象傳も否卦に、天地不交、否。君子以儉德避難。不可榮以祿といひ、文言傳も乾の九二に、君子知至至之、可與幾也。知終終之、可與存其義といひ、九四には、及時行志。(中略)上下進退无常といひ、繫辭傳も、君子藏器於身。待時而動といふてゐる。而して繫辭傳は之を總括的に述べて、一陰一陽之謂道。繼之者善也、成之者性也といふてゐる。卽ち一陰一陽して萬物を生成するのが天道であるが、その天道を承け繼ぎ、天道に卽應して自他の生命を全ふするが善であり、それを成し遂げるものは人間性であるといふのである。即ち陰陽消長の理を知り、陽の時には陽に處し、陰の時には陰に處して、自己の一身一家を全ふすると共に、民生を全ふするを善とするのである。また繋辭傳には、天地大德曰生といひ、天地の大德は、天地が萬物を生み出し生かし、その生命を全ふするにあるが、そのやうに人間も人を生み出し生かし、その生命を全ふしなければならないとするのであつて、特に政治を行ふ者は、一陰一陽の道に則り、天地の大德に則つて、民生を全ふしなければならない。即ち時運に應じて政治して、民生を全ふしなければならないのであつて、彖傳が損卦に、損益盈虛、與時偕行といふのは、政治的には、時に應じて政策を損益盈虛すべきといふのである。彖傳は解卦に、雷雨作、解。君子以赦過宥罪といひ、噬嗑の卦に、雷電噬嗑。先王以明罰勅法といふが如きは、政治が自然の時運に順應すべきことを說いたものであつて、要するに周易は、經も傳も時運を重大視してゐるのである。

五　治者の道德

周易が開物成務の書であることは、前に述べたが、繫辭傳はまた、夫易聖人所以崇德而廣業也もいふてゐる。崇德は卽ち修己であり、廣業は治人であるから、周易は修己治人の書であるといふのである。而して修己と治人の關係は、修己が基礎となり根本となつて、その上で人を治めることはいふまでもない。卽ち聖人君子の德を修め、德を以て人を治めるのであるから、政治は德治主義の政治である。たゞし周易は元來占筮の書であり、占筮の書としては、吉凶利不利を說いてゐるから、之を解釋する傳も、全然利の字を無視することは出來ず、利の觀念がつきまとふてゐるけれども、然し傳の精神は利にあらずして義にある、義理を身に修め、義理を以て人を治め、義理の社會を建設するにある。然らば傳は如何なる義理を說き、如何なる義理を以て政治せんとするのであるか、こゝにはまづ經傳が說くところの道德について述べよう。

周易の經は占筮の書であるけれども、然し凶を避け吉を得るためには道德が必要であつて、その意味に於て、經にも道德を說いてゐる。卽ち六十四卦は一面からは德を象徵してゐるともいへるのであつて、特に乾、坤、比、謙、巽、恒、節、中孚などは明かに德を示してをり、また卦爻の辭には德を說いてゐて、貞と孚が最も重んぜられてゐるのである。貞は何かといふと彖傳は貞を正と解し、文言傳は固と解じてゐて、貞には正の意味、固守の意味、正しきを固守する意味があつて、貞なれば一般に有利であり吉であるとしてゐる。然し貞が必らずしも常に利であり吉であるとは限らず、不利であり凶である場合もあげられてゐる。卽ち單に固守する執一の貞は、必らずしも利でないのであつて、時處位に應じて宜きを得たものでなければならないのである。孚は誠であり信であり實であつて、誠實、信實ありて他を感動せしむるを貴んでゐる。經はかやうな貞と孚を貴んで、之を以て身を處することを敎へ、人を治むるにも之を以てすべきことを敎へてゐる。

而して傳は經の精神をうけて、各種の德をかゝげ、それを以て己を修め人を治むべきことを說いてゐるのであるが、德を修むるについて、まづ要求することは、自己を反省することである。乾の九三の爻辭の、君子終日乾乾、夕惕若、厲无咎について、象傳は終日乾乾を反復其道也とし、文言傳は進德修業とし、その時に因りて惕るとしてゐるが、蓋し兢々業々として反省戒愼するのであらう。象傳は謙卦の初六に、卑以自牧也といひ、家人卦には身に反すといひ、蹇卦には君子以反身修徳といふてゐて、君子たるもの丶反省修徳をすゝめてゐる。而して反省して徳の足らざるを恥づる時、おのづから自己以上の人格者に隨順して徳を崇むることになるのであつて、升卦の象傳に、君子以順徳積小以高大といふてをり、益卦の象傳には、君子見善則遷、有過則改といふてをり、また徳を崇うするには先哲に學ばなければならならないから、大畜の象傳には、君子以多識前言往行、以畜其徳といふてゐる。かくして崇徳の結果は、豐卦の象傳に、宜照天下也といひ、離卦の象傳に、大人以繼明、照于四方といひ、晉卦の象傳に、君子以自照明徳といふてゐるやうに、明徳を以て天下を照し、民衆をしてその徳化に浴せしめるのであつて、かゝる大人格を文言傳は次のやうに述べてゐる。

夫大人者與天地合其徳。與日月合其明。與四時合其序。與鬼神合其吉凶。先天而天弗違。而況於人乎。況於鬼神乎。

つまり天地の道と一致し、天人合一の人となるのである。かゝる天人合一の大人格者にして、能く財成天地之道、輔相天地之宜、以左右民し得るのであつて漸卦の象傳にいふやうに、君子以居賢徳善風俗し得るのであり、小畜卦の象傳にいふやうに、君子以遏惡揚善、順天之休命のである。

かくの如く自己反省に始まり、自彊不息の修養を積んで、漸次高大なる人格者となり、德の進むにつれて治人の業が始まるのであるが、その修己治人を通して要求さるゝ道德として、彖傳象傳は、中、正、剛健、巽順、和悅、包容などの德を說き、文言傳は、元亨利貞を仁禮義貞の四德として說き、忠信を說き誠を說き、學、問、寬、仁を說き、敬內義外を說き、繫辭傳は、易簡を說き、仁知を說き、知禮を說き、說卦傳は仁義を說いてゐる。かやうに傳には各種の德を說いてゐるのである。これらの德目を他の書にある德目に比較すれば、傳が出來た時代を推察する一助になるわけであるが、要するにこれらの德を修己治人の德としてゐるのであつて、いづれの德も深き意義を有つ重要な德である。例へば乾九三の文言傳は、君子進德修業。忠信所以進德也。修辭立其誠、所以居業也といひ、九二の文言傳は、庸言之信。庸行之謹。閑邪存其誠。善世而不伐。德博而化といふやうに、信誠を以て進德修業を一貫する道德としてゐる如きも、深き意義のあることであり、また繫辭傳の易簡も、極めて深い意義を有つてゐるのであり、また仁義は政治の原則であつて、王道政治なるものは、要するに王者が仁義の政治を行ひ、仁義の國家を建設するに外ならず、また敬內義外や禮知が古來重んぜられたことはいふまでもなく、これらの道德は、皆修己治人の道德として重要である。然しこゝにこれらの道德と政治との關係を一一說明することは略し、たゞ二三について次に說明するに止めるけれども、要するに傳の思想は、これらの德を修めた天人合一の聖人君子が政治することを理想としてゐるのである。

然し聖人君子が政治することは理想であつて、血統相續制にありては君主は必らずしも聖人君子たり得ず、またたとひ民間に聖人君子があつても君主たり得ない。傳の理想を實現するには、聖人君子が君主になるか、君主を聖人君子にしなければならないが、聖人君子が君主になるには、禪讓や放伐の手段があるけれども、それは容易に實行し難いから、君主を聖人君子にする手段を採る外ないのであつて、傳もそれを說き、後世もそれを行ふた。それは卽ち賢人を以て君主の輔佐として、君主の德の缺ぐるところを補ふのである。大畜卦の象傳に賢を尙ぶといひ、賢を養ふといひ、臨卦の象傳にも賢を養ふといひ、鼎卦の象傳にも聖賢を養ふといふてゐるのが、それであつて、聖賢が君主に侍して輔弼しその德を補ふのである。これがよく行はるゝ時、德治主義の政治がよく行はるゝのである。

六　剛健の德

經傳に說く諸德は皆政治と關係する德であるが、その中こゝに剛健を說き、次に巽順、中正を說かう。剛健は天の德であり、巽順は地の德である。說卦傳は八卦に多種多樣の意味を有たしてゐるけれども、彖象二傳は乾を天とし剛健とし、坤を地とし柔順とし、兌を澤とし說とし、離を火とし明、文明、聰明とし、震を雷電とし、動くとし、巽を風とし巽順とし、坎を水とし險とし、艮を山とし止まるとしてゐるだけである。而してこれらの關係によつて、吉凶を判斷し進退を敎へてゐるのであるが、中について天の剛健と地の柔順を主として重んじてゐる。また天と地、剛と柔については、天、剛を地、柔よりも重んじてゐるのである。そのことは、六十四卦の配列に於て、乾卦を第一位におき、坤卦が之に次ぐによつても明かである。而して乾について彖傳は前述のやうに、乾元が萬物の始をなし、乾元が天を統べ、乾元の作用によつて雲行き雨施し品物流形し、萬物が各性命を正して大和を保つとしてゐが、同時に乾を聖人の卦として、聖人は乾德を備へて天下を統御し、萬民に首出して萬國は皆安寧であるといふてゐる。これは天德の剛健なる活動によつて萬物が生化し、その性命を全ふするやうに、聖人の乾德による剛健なる統治は萬民の生命を全ふすることを述べたものである。卽ち聖人の政治は、天の造化の營みにも比すべく廣大剛健なものであることを述べたのである。象傳が乾について、天行健。君子以自彊不息といふてゐるのも、同じく乾の剛健性を說いたものであつて、天の運行が剛健不息、一時の間斷無きやうに、君子も修己治人の兩方面に、一時の間斷あるべからずとするのである。而して天行健といふことは、間斷無く屈撓なく、不息に進むことであり、それは常恒に進むことであるから、恒卦の象傳には

天地之道、恒久而不息也（中略）日月得天而能久照。四時變化而能久成。聖人久於其道而天下化成。

といふてゐる　卽ち日月天にかゝりて恒久に照り、四時の變化恒久にして能く萬物を生成するやうに、聖人も天下統治の道に恒久にして天下が化成するとい

ふのである。即ち聖人は萬民の首として先頭に立ち、自己の理想を以て剛健恒久に指導し統治しなければならないといふのである。蓋し聖人にかやうな剛健不息の指導性を認むるのは、聖人が乾德即ち天德を備へてゐるからである。凡そ政治といふものは、治者の人格が民衆より優り、治者が先覺者として民衆を正しくする作用であるから、天德を備へた聖人は順らく剛健恒久に民衆を指導して、政治を全ふしなければならないのである。

然し剛健は不斷の進展であつても、盲進ではない。剛健は進步發展を期してゐるけれども、靜に守るが進展する所以である場合には、靜に守ることが剛健である。乾に潛龍を說くのは、その意味であつて、剛健には忍び守る方面もあるのである。この點に於て剛健に陰柔な方面がある。陰柔を伴はぬ單なる剛健は、文言傳にいふやうに、知進而不知退。知存而不知亡。知得而不知喪。結局亢龍悔有りとなるのである。大壯の卦も剛健の卦であつて、彖傳は、大者壯也。剛以動。故壯といひ、大過の卦も剛健の卦であるけれども、共に剛健が中正を得て、活動宜きを得るのであつて盲進ではない。この他、小畜卦も健而巽なる卦であり、泰卦も內健而外順なる卦であるやうに、剛健は盲進でなくて、巽順であるべき時には、巽順なのである。要するに政治は天德を備へた先覺者によつて行はるべく、政治は民衆に先んずべきであつて、その限りに於て政治は剛健でなければならないのである。

七 包容と從順

治者は天の剛健に則ると共に、地が靜に萬物を載せ、萬物を育て養ふに則らなければならならない。坤卦の彖傳には、坤厚載萬、德合无疆。含弘光大。品物咸亨といひ、象傳は、地勢坤。君子以厚德載物といふてゐるやうに、君子は敦厚の德を以て民衆を載せ、包容撫育しなければならないのである。この包容については、他の卦にも說き、師卦の象傳には、君子以容民畜衆といひ、臨卦の象傳にも、君子以敎思无窮。容保民无疆といふてゐる。而して包容は、勿論全體を包容し、公平に全體の福祉を計るのであつて、一部を顧みて他を棄て、一部に厚くして他に薄くするのでない。そのことは謙卦にも說いてゐて、謙卦に、虧盛益謙といひ、象傳は、君子以裒多益寡。稱物平施といふてゐる。即ち盈ちたるところから取つて足らぬところに益し、多いところから取つて寡いところに益し、分配を平かにするといふ。損卦の彖傳にも、上を損じて下を、益す。民悦ぶこと疆なしといふてゐる、社會主義的なところがある。この思想は、彖象傳時代の社會狀勢を反映し、貧困なる民衆を救はんとしたものであるが、また古今に通ずる民間の思想である。

更に君主は民意に逆はず、民意に順でなければならぬとしてゐる。順もまた地の德であるが、順を說くのは民本思想である。同人の彖傳に、君子爲能通天下之志といふのは、能く民衆の意思を察して、それを遂げしめるのであつて、民意尊重である。師卦の彖傳に、剛中而應。行險而順。以此毒天下而民從之、吉又何咎といふのは、將帥についていふことであるけれども、また政治が民意に順であれば、天下の人を毒しても、民衆はそれを承認し、それに從ふといふのであつて、政治が民意に順なるべきをいふのである。また豫卦の卦辭に利建侯行師とあるのは、蓋し豫卦は、內、柔順にして外、動であり、五陰が一陽に順ひ、一陽が五陰に順ひ、上下互に順にして動くから、建侯行師に利なのであり、彖傳は之を解して

順以動、豫。豫、順以動。故天地如之。而況建侯行師乎。天地以順動。故日

月不過而四時不忒。聖人以順。則刑罰清而民服。豫之時義、大矣哉。順は本來順序の意味であるが、それからまた逆はず、無理せず素なほに從ふ意味がある。この順を以て天地の道とし、天地は順を以て動き、日月の運行も過たず、四時の變化も誤らない、そのやうに聖人も順を以て動くといふのは、時運の動き社會の大勢に逆はず、素なほに民意の趨向に從つて動くのである。要するに民意の重んずべきを主張し、政治は民意に順なるべしとするのである。

八　謙巽の德

天は上にあり地は下にあり、天先づ施して地は後れて承ける。それが天地の道であるやうに、人間社會に於ても、陽剛の人が上に在りて施し、陰柔の人が下に在りて順ふ。それが人間の道である。巽卦䷸はそれを說いたのであつて、内卦も外卦も、陰は陽の下にある。彖傳は柔皆順乎剛、是以亨といふてゐる。また恒卦䷟の彖傳に、剛上而柔下といふてゐるのは、外卦の陽剛は内卦の初爻から上り、内卦の陰柔は外卦から下つたのであつて、陽剛が上りて上に行き、陰柔が下りて下に行く。それを常恒の道であるといふのである。かやうに陰が下にありて陽に從ふことを當然の道としてゐるが、また蒙卦䷃の六五の如く、君位の尊に居りて、その位は陽であつても、人格が陰柔であれば、矢張り巽順でなければならないとし、彖傳は順以巽也といふてゐる 卽ち巽順の心を以て、陽德を備へた九二の賢人に聽從し、その輔佐を受けなければならないとするのである。

かやうに社會的地位に於ても人格に於ても、陰は陽に下り陽に從ふべきであつて、たとひ君主の尊を以てするも、人格が陰なれば陽に聽從しなければならないが、更に周易は陽が陰に下ることを說いてゐる。このことは既に感應のところでも說いたのであつて、咸卦の彖傳に、柔上而剛下といひ、聖人人心を感ぜしめて天下和平なりといふてゐるやうに、陽剛の聖人も民衆に下るによつて民心を感動せしめ、天下の和平を致すのである。聖人の心が民衆に下らず、民衆に感得せられなくては、天下の和平を致すことは出きない。それ故、聖人も下るところがなければならぬ。觀卦䷓は二陽が上にあり、九五陽剛の君主が、下陰柔の民衆から瞻仰せられてゐる卦であるけれども、然し卦德は、內、順にして、外、巽であるから、彖傳は順而巽、中正以觀天下、といふてゐる。卽ち九五の君主は陽徳を備へて高位にありながら、巽順の徳を以て下に臨むから、天下萬民に瞻仰せらるといふのである。かやうに君主の尊に居り、陽剛の徳を備へてゐても巽順にして下に下るところがなければならない。

かやうに經も傳も謙巽を説き、周易は剛健よりも寧ろ謙巽を多く説き、謙巽を主としてゐるやうに見える位である。而して傳は謙巽を天道に本づいて説いてゐるのであつて、謙卦の辭に、謙、亨。君子有終とあるのは、君子は謙だから終を全ふするといふのであるが、彖傳はそれを解釋して、謙亨。天道下濟而光明。地道卑而上行。天道虧盈而益謙。地道變盈而流謙。鬼神害盈而福謙。人道惡盈而好謙。謙尊而光。卑而不可踰。君子之終也といふてゐる。卽ち天の日月の光も雨露も、下り來りて萬物を濟すのであり、天道は盈滿を虧いて謙虛に益す。人情も盈滿を惡んで謙巽を好む。謙巽は踰ゆべからざる尊さがあるとしてゐる。かやうに天道に關聯して謙巽を說いてゐるが、周易の世界觀からも、また社會の經驗からも、盈滿をきらふて謙巽を貴ばなければならぬ。そのわけは、盈つれば虧けなければならないからである。一陰一陽の理によつて、盈つれば虧け、極まれば變じ、亢龍には悔があるから、虧けず悔無きためには、常に盈滿を極めないで虧けてゐなければならぬ。常に謙巽、謙虛にして虧けてゐれば、常に盈ち益す方に向つて發展の可能性がある。周易は常恒の向上充實を期するから常に虧けて謙巽でなければならないとするのである。また之を人情の方面からいへば、盈滿して謙巽せざる人を惡みて、謙巽の人を好むのである。それ故、謙巽といふことは、一身を全ふする所以でもあり、一身の發展を期する所以でもあつて、一般的に謙遜は貴いのであるが、特に人の上に立つ治者は、一身一家を安全に保つためにも謙巽でなければならず、民衆統治の政治道德としても謙巽でなければならないのであつて、益卦の彖傳にも、損上益下。民說无疆といひ、また自上下下。其道光大なりとして、上たる治者が自らを損じ下して、下民衆を益すれば、萬民悅んで服すとしてゐる。また蠱卦にも、巽にして止まれば、天下治まるとし、屯卦には、貴下賤。大得民也といふてゐる。咸卦には以虛受人といひ、泰卦否卦にも、陽剛が下れば天下泰平なりといふてゐる。かやうに君主の謙巽を說いてゐるが、然し謙巽が君主の主德ではない。君主の主德は剛健であつて、剛健の德の實現のために謙巽が必要なのである。單なる謙巽は消極に偏して、たゞ僅に一身一家の現狀を守り、事を爲すにも僅に小事を爲し得るに過ぎないのであつて、小事には吉であるけれども、大事を成すことは出來ない。謙巽は剛健と關聯して始めて大なる意味があるのである。卽ち剛健と謙巽との關係をいへば、剛健は天德の君主が政治して、政治が民衆に先んじてゐる場合であるが、その場合でも、堯舜が芻蕘に問ふたやうに、貴を以て賤に問ひ、能を以て不能に問ひ、賢を以て愚に問ひ、多を以て寡に問ひ、君主は謙巽にして民衆に下らなければならない。何となればそれは絕えず君德を新にして充實して、政治の指導性を確保する所以でもあり、また君主が民衆に好感され、政治が民衆に理解納得せられて、政治が成立する所以でもあるからである。然し前述のやうに、君主が常に天德を備ふとは限らず、陰德にして政治を行ふ場合がある。その場合には、政治が民衆に後れるのであつて、かゝる場合には、君主は最も謙巽にして賢者に聽從し、政治が民衆の聰明に聽かなければならぬ。卽ち謙虛にして、民意に聽いて、始めて自己に剛健なる指導性が得られるのである。かやうな意味に於て、周易は剛健と謙巽を說いてゐるのであるが、理想は勿論聖人による剛健なる政治にある。

九　中正の徳

周易は各種の徳を說いてゐるが、最も重視してゐる德は、中正の德であつて、剛健といひ巽順といひ、それは中正でなければならないのである。中を重んずることは、既に經にもあるのである。卽ち貞には固く守る意味があるが、それは執一ではなくて、時處位に應じた時中を固く守るのである。たとひ理論上正しきことであつても、それが時處位に適合しない偏したものである場合に、それを固守すれば吝とし凶としてゐるのであつて、貞の固守には中を含んでゐるのである。また乾卦の九二、九五を大人といふのも、中爻を貴び中を貴んでゐるのであり、また乾の初九より上九に至る六位によつて行動に相違があり、潛見躍飛するのも、時中を意味してゐるのである。かやうに經に於て既に中を貴んでゐる。然し彖象二傳に至つて特に中を貴び、彖傳は六十四卦中、三十六卦に中を說き、象傳も三十餘爻に中を說いてゐる。然らば中は何かといふに、卦體についていへば、第二爻は內卦の中央、第五爻は外卦の中央であるから、この位を中といふのであつて、卽ち中は場所的に中央、中心を意味する。而して二と五を比較すれば、五は二よりも上にあるから、五の中を二の中以上に貴ぶのである。之を人間社會についていへば、二の中は社會の中心、即ち社會を左右し得る中心の地位を意味し、五の中は國家を左右する中心地位、即ち主權者の地位、君主の地位である。而して彖傳も象傳もこの二、五の位にゐるものを中だから吉なりとしてゐるだけであつて、中そのものゝ意味内容を説いてゐない。例へば需卦䷄を解釋して、位乎天位、以正中也といふてゐるが如きであつて、正中そのものを説明してゐないのである。然し正中といふのは、たゞ中央の地位に居ることだけを意味するのでなくて、同時に中なる德を有つてゐることを意味してゐるのである。即ち九五の君主は、天下の中央に位し、中の德を備へてゐると考へてゐるのである。即ち傳にいふ中は、中なる地位と中なる德を意味してゐるのである。

然らば如何なる德を中と考へてゐたかといふと、陽剛に偏せず、陰柔に偏せず、陰陽剛柔が宜きを得るを中と考へてゐたのである。之を卦德についていへば、内卦の德と外卦の德と相待つて宜きを得るを中とした。例へば小畜卦䷈の彖傳に、健而巽。剛中而志行。乃亨とあつて、内卦の德は健であり、外卦の德は巽であるから、この卦の德は健に偏せず、巽に偏せず、健にして巽、中庸を得た德であつて、之を中と考へてゐるのである。また觀卦䷓の九五は、陽剛であるけれども、卦德が内、順にして外巽であり、また九二が陰柔であるから、九五の君は中なる德を備へてゐる。かやうに陰陽剛柔相待ちて一方に偏せざるを中と考へてゐるのである。之を實際の行爲についていへば、例へば蒙卦䷃は、内、險にして外、止であるから、彖傳は險而止、蒙。蒙、亨。以亨行。時中としてゐて、九二の陽剛は險に遇ふて冒進せず、止まつて適切なる行動をなす。それを時中としてゐるやうに、時處位に適合する行爲を中としてゐる。需卦、訟卦などの卦も、止まるべき時には止まるを中とし、益卦は上を損じて下を益し、平均するを中としてゐる。中の具體的内容は、勿論多種多樣であるが、政治的には君德が偏しないで、政策が時に適するをいふのである。

正は卦體の上でいへば、陽の位に陽が居り、陰の位に陰が居るのが正である。即ち六爻の位のうち、一・三・五の位は陽の位であり、二・四・六の位は陰の位であるから、一・三・五の位に陽が居り、二・四・六の位に陰が居る場合は、皆正であり、然らざる合場は不正である。正不正を彖傳は、當不當といふ。例へば既濟卦䷾は、陰陽皆正當の位に居り、未濟卦䷿は皆不正當である。而して象傳は彖傳以上に、この位の正當不正當を重視し、また位のうちでは、三·四·五の位を重視してゐる。

而して傳の世界觀に於ては、前に述べたやうに、天尊地卑、卑高以て陳じ、萬物は各その所を得て、その生命を全ふしてゐると觀てゐるのであつて、從つて人間もまた當に天地の道に則り、各その所に居るべしとするのである。卽ち陽德のものは陽位にをり、陰德のものは陰位にをる、それが各その所を得たものであり正當であるとするのである。而して六爻の位は、下は卑しく上は尊く、同じく陽位であつても、初位より三·五の位は貴く、同じく陰位であつても、二より四·六の位は貴い。また人の德の方面に於ては、同じ陽德にも程度があり、同じ陰德にも程度がある。それ故、人の德を廣く比較して、德に相應して位を得、德と位と均衡を保つを正當とするのである。かやうに位地が正當にして、各その所を得るといふことは極めて重要なことであつて、政治はかゝる正當を目的とし、萬民をしてその所を得しむるにある。之を象傳が特に力說してゐるのであるが、此は管子も孟子も荀子もその他の諸子も說き、支那の政治で最も重んずるところである。

地位の正當といふことが、政治の理想であつても、個人の側からいへば、個人は必らずしも正當の地位を得ることは出來ない。特に封建時代に於ては正當の地位を得ることは容易でない。人格高くして卑き位地にをり、人格卑くして高き位地にゐる。例へば乾の初九は、乾の陽德を備へた人格者であつて、初九の陽位にをることは、正當のやうであるけれども、その德の高に相當しないのであつて、九五の位に至つて始めて正當の地位を得るのである。かやうに正當の地位を得ることは容易でなく、從つて不正當の地位に居なければならないが、その場合には、現に居る地位に相應して行爲しなければならぬ。たとひ不正當の地位にゐても、現にそこに居る限りは、その地位に相當した行爲し、潛見躍飛するを正當とするのである。卽ち正當といふ語にも、地位に關する意味と、行爲に關する意味とあつて、現に居る地位に相當した行爲が正であり當である。この行爲上の正當は、內容的には中と同じである。要するに中正には右に述べたやうな意味があつて、彖象二傳は、之を最も重んじてゐる。他の德も說くけれども、中正を根本としてゐるのである。特に中正は君主の德の根本中心をなすものであつて、君主たるものは、中正の徳を備へて天下の中心に居り、時中の政治を行ふて、萬民をして各正當を得しめなければならないのである。

朱子の禮論

後藤俊瑞

目次

第一章　禮の本質

第一節　禮の概念

朱子の禮論を述べんとするに當り、先づ注意すべきは彼の謂ゆる禮、に二概念の存すること是である。蓋し性中の一理、卽ち仁・義・智と對稱せられて恭敬辭遜の情へと自展する、四德の一理たる禮は其の一であり、人類文化の相として社會現象中の客觀的存在たる禮俗は其の二である。朱子は曾擇之に答へた書に「禮、卽理也但謂之理則疑若未有形迹之可言制而爲禮、則有品節文章之可見矣」(朱子集卷五八)と言へるが、その初の禮の字は前者を意味し、後の禮の字は後者の概念に屬する。禮は本來は人類の有つ社會的客觀的現象を意味するのであるが、孟子出で、辭讓の心を禮の端と主張してから、程朱は禮を理とも見て禮にかく二樣の概念ありとするに至つたのである。孟子に依據した朱子に在つては、四德の一なる禮の理は恭敬辭遜の本源であり、此の恭敬辭遜の情を社會的客觀的禮俗の最も重要なる實踐的原力とし、理なる禮の客觀的自展が社會的禮俗の實踐とする。朱子に在つては一切の道德行爲卽ち所當然の萬理の實現は、性中の萬理の自展とせられるから、禮俗の實現は當然にその中の禮の一理と聯關せしめられたわけである。然るに個々特殊の諸禮俗の有つ天理は所當然の萬理にして、此の萬理は我が性中の萬理の外的顯現とせられるから、諸禮俗の成立は獨り禮なる一理のみに由らずして、凡そ性中の萬理が之に參與してゐるわけである。諸禮俗の理が性中の特殊萬理の顯現であるところからも、禮俗がひとり禮の理のみからの自展ではなく、實に性中萬理の自展であることが言へる。又後にも明かとなるやうに其の諸禮俗の實踐と結び付ける主觀は萬情である。然るに萬情の自展は萬理の自展を意味し、萬理の自展は萬情の自展を意味すること既に「朱子の德論」に於いて述べた所である。故に諸禮俗の實踐は獨り禮の理の自展に伴ふ恭敬の一情のみの限定ではなく、實に萬理の自展に伴ふ萬情の限定であるわけである。然るを恭敬を以つて專ら禮俗の實踐的原力とし、それの自己限定が即ち禮俗の如くに言ふは、恭敬が禮俗實踐の主觀的原力として特に顯著なるものであり、且つ古來學者の說く所が又左樣であつたからでもある。禮の理と禮俗との關係は以上に止め、本論文では朱子が其の闡明に力めた禮俗に就いて朱子の觀る所を明かにして見たいと思ふ。

抑々朱子が人類の文化相としての客觀的禮俗に下した定義の中最も完全なる形態と考へられるものは、論語學而篇の集註に謂ゆる「禮者天理之節文人事之儀則也」であらう。禮の定義として説ける所は獨り是のみでなく、「禮者天理之節文也」（論語顏淵註）「禮即理之節文也」（同爲政集註）や「禮謂義理之節文也」（論語衞靈公註）などがあり、或は「禮節文也」（論語學而註）「禮謂制度品節也」（同爲政註）などをも擧げ得られるし、語類卷九八の「又問禮先生曰以共事物之宜之謂義義之有節文之謂禮」（枚二）などをも擧げられ得るでもあらう。しかし此等は何れも禮の節文の方面は言ふも、禮の規範の方面は擧げられて居らぬ。故に定義としては未だ完きものとはいへぬので、節文儀則の二面を併せ述べた最初のものを以つて全たしと爲すべきである。蓋し禮俗の構造を語れば禮は天理の節文といふべく、其の社會的規範性を語れば禮は人事の儀則といふべきであつて、二者其の一を缺けば定義としての完全性を失ふ恐れがある。陳北溪も其の字義卷上に於いて「言禮須兼此二者意乃圓備」と云つて居る。

朱子によれば、天道も天理であり、人道も亦天理であるから、嚴密には禮は人間社會に於いて存するは勿論、天地自然の世界に於いても亦存すると見なければならないわけである。禮記樂記に「禮者天地之別也」とも、「樂者天地之和也禮者天地之序也和故百物皆化序故群物皆別云々」とも或は「天高地下萬物散殊而禮制行矣流而不息合同而化而樂興焉」ともあるは、皆天地自然に禮をいへるもので、此の場合天地萬物各々宜しきを得て秩序正しく燦然たる嘉の會が天理の節文とせらるゝわけである。かゝる天地自然の禮は朱子に於いては太極の自覺自展であり、それは本體の天地自然への自展を意味する。そしてそれ自體としては人事の儀則たらんとする意圖を有するものではないこと勿論であるが、人間が進んで之に法象し以つて自己の行爲の規範を其處に求めんとする限り、それは人事の儀則となり得るのである。禮記樂記に禮は天の經地の義民の行で「天地之經而民實則之」といふは、天地自然の禮が人事の儀則たるをいふものである。かくて自然界の禮にも上述の定義は通用するわけである。しかし朱子に在つては人倫道德を常に重しとするが故に、その謂ゆる禮も殆んど常に亦人間社會の禮俗を指して言を發せるものと見るべきである。そこで陳北溪の如く「蓋天理只是人事中之理而具於心者也天理在中而著見於事人事在外而根於中天理其體而人事其用也」(性理字義上)とて、禮に言ふ所の天理をば專ら人道のみに限定する觀方が起つて來るわけである。

然らば朱子の謂ゆる天理の節文とは如何なる意味であらうか。語類卷四二に曰ふ「天下有當然之理但此理無形無影故作此禮文畫出一箇天理與人看教有規矩可以憑據故謂之天理之節文」(枚九)と。是れ天理を節文する所以と其の方法とを略言したものであるが、更に節文の意義については同卷に「節者等級也文者不直截而回互之貌」(枚九)といひ、卷三六には「禮者天理之節文節謂等差文謂文采等差不同必有文以行之」(枚四)とあり、卷五六には「間節文之文曰文是裝裹得好如升降揖遜」(枚一)と說いてある。故に節とは等級差等のことで、事々物々各々差別有つて分の明かに立つことである。差等有つて分の立つ所に天理の節を認める所から、論語憲問篇の「子曰上好禮則民易使也」の集註にも、謝氏の文「禮達而分定故民易使」を援用して居る。然るに差等有つて分の立つは各々其の序を得ることに外ならぬから、論語子路篇の集註には范氏の語「事得其序之謂禮」を借用し、陽貨篇の集註には程子の語「禮只是一箇序」を舉て參考に資して居る。分の最もよく定まり、序の最もよく立つ所ほど美なるはなく文なるは無い。春秋繁露に節の在る所そこに文の存することを述べて「禮制節故長於文」(枚五)といへる如く、文は本來節の中なるものであるから、唯だ節の一字を擧げて文は自ら其の中に在るのである。故に分の定まる所に禮をいひ、序の立つ所に禮を說いた上引の謝・范・程子の諸說は朱子の文をいへると共の意は相通ずるものである。しかし禮は文采のある所に甚だしい特色を有つものである所から、特に節の外に文の字を提擧して節文といつたのである。朱子に在つては禮の文は禮の具體的內容たる動容周旋器械等が直截簡約でなく圓滿周密なる所に存すると爲し、文の字の義を「不直截而回互」とか「等差不同必有文以行之」とか或は「裝裹得好如升降揖遜」などと解するのである。陳北溪は文彩質に勝たず、文の過ぐること無きを節となし、質文彩に勝たず、文の及ばざるなきを文といふと爲して、「節則無太過文則無不及如做事太質無文彩是失之不及末節繁文太盛是流於太過天理之節文乃其恰好處恰好處便是理合當如此更無太過更無不及當然而然便是中故濂溪太極圖說仁義中正以中字代禮字尤見親切」（字義）と言へるは、文質の彬々を以つて節文と解するので、之は必ずしも朱子の節文の意を適切に表はし得たものとはいひ難い。

周易の離の卦に麗の意味があり、禮もその離と相通じて亦麗の義を含む。禮を五行に於て火に配し、方位に於いて南に配し、季節に在つて夏に配するは、麗の一意の相通ずる所あるに由ると思はれる。白虎通にも「禮者履也履道成文也」

(性情)といふ。禮俗に介する行爲は文を成す所に其の著しい特色が見受けられる。此の事は注意せらるべきことである。道徳的に正しければ、如何なる行爲も禮を履めるものとはいひ難い。直情徑行の如きも正しい場合が多々あるであらうけれど、其處には必ずしも禮は無い。文の在る所に禮が在る。後にも觸れるやうに、禮は人情の過ぎたるを制して及ばざるを足らしめる活らきを有つ。人に於いて過ぎ易きは禽獸の欲、自然の情であり、屢々及ばざるは道義の心である。過不及何れの情に從ふも其處には眞の道はない。禽獸自然の心に任せて奔放自在に振舞ふ所、殊に道を違ること甚だ遠い。本來内に義の理があつて自他の惡を羞惡する人類は、自他のかゝる振舞を快しとせぬ。さりとて禽獸自然の情を人間に於いて絶滅するわけには行かぬ。かゝる心あるが故にこそ人類の生命は維持せられる。此の心の滿足は必要であるが、さりとて奔放自在禽獸に墮するは羞惡する。其の調節を求めて而も尚且つ禽獸自然の露骨を希はざる所に禮は成立する。凡そ丱禮饗宴等皆然りである。調節を求めるとは適度に其の欲を滿足せしむべく之を節制することである。而して之を節制して宜しきに合せしむる力は義の理が有つ。義は裁割斷制の理で萬情をして宜しきを得しむる原理である。義の理の自展は羞惡の情の自展を意味するが、羞惡の情の自展が又萬情をして宜しきを得しめることを意味する。所が禽獸自然の露骨を希はざるも亦義の理に本づく。蓋し義の端・羞惡の情は、善を愛し惡を惡む心であるが、此の心はやがて美を愛し醜を惡む心であり、露骨を希はざる心とは此の美を愛し醜を惡む心に外ならぬ。それは羞惡の心が美の世界に活いたものである。蓋し一源の羞惡が道德の世界に活らく時調節を欲する心であり、美の世界に活らく時露骨を希はざる心である。二者は固と一である。而して禮は此の兩界に活らく心の合一して調節と美との統一する所に成立するが故に、禮は道德藝術の融合調和の世界といふべく、禮に文なる特質の存するも所以あることである。周易乾卦文言に「嘉會足以合禮」といつて、衆美の會集する所、文采の燦著する所、始めて禮に合すると爲すも此の故である。かく禮は一見文を以つて勝れるかの如き感がある。しかし文に過ぐるも反つて及ばざると一般であるし、質に過ぐるも亦野の弊を免れ難い。文質彬々たる所に眞の禮がある。春秋繁露玉杯にも云ふ「質文兩備然後其禮成」と。されば朱子八佾に注して曰く「禮貴得中奢易則過於文儉戚則不及而質二者皆未合禮」と。

抑々天地の間物有れば必ず則が有つて、一物として當然の理を具有せざるは無い。故に君臣には君臣の當然の理があり、父子には父子の當然の理があるが、理は形而上的で、形影の見るべきものが無い。唯だ理といへば純形式的にして無內容である。故に當然の理そのものは未だ以つて人類行爲の規矩準繩となることは出來ぬ。それが規矩となり準繩となるには、かゝる理が具體的內容を有たねばならぬ。當然の理が正しき內容を伴つて、時處位に卽する威儀度數制度文爲を爲し、等級を明かにし、分立ち序定つて、而も直截ならずして圓滿周密に其の理を具體現せしめる所に始めて禮は成立する。之を語類卷八七には「然這天理本是儱侗一直下來聖人就其中立箇界限分成段子云々」（枚二六）といふ。此こに至つて所當然の理は人類一般の規矩となり準繩となる。凌廷堪が復禮上に「因父子之道而制爲士冠之禮因君臣之道而制爲聘覲之禮因夫婦之道而制爲士昏之禮因長幼之道而制爲鄕飲酒之禮因朋友之道而制爲士相見之禮」といひ「是故知父子之當親也則爲醴醮祝字之文以達焉其禮非士冠可該也而於士冠焉始之知君臣之當義也則爲堂廉拜稽之文以達焉其禮非聘覲可該也而於聘覲焉始之知夫婦之當別也則爲笄次帨鞶之文以達焉其禮非士昏可該也而於士昏焉始之知長幼之當序也則爲盥洗酬酢之文以達焉其禮非鄉飲酒可賅也而於鄉飲酒焉始之知朋友之當信也則爲雉腒奠授之文以達焉其禮非士相見可賅也而於士相見焉始之」と說けるは、朱子の此の意に外ならぬ。然るにかゝる當然の萬理とその一切の內容とは、本體の自覺自展的內容であり、それ等は本體の純なる自展の方向に一致するものであるから、禮の節文は本體の自展の當然的內容として本來自ら然るものである。故に語類卷八七には「如云天高地下萬物散殊而禮制行矣流而不息合同而化而樂興焉皆是自然底合當如此」(二十七枚)といひ、「禮樂者皆天理之自然節文也是天理自然有底和樂也是天理自然有底云々」(二十六枚)と言ふ。陳北溪の「仁中有箇敬油然自生便是理見於應接便自然有箇節文云々」(字義上)も、禮の節文が自然に存することをいふものである。朱子は其の倫理說に於いては、本體的太極は自然界に在つては常に自然に完全に自展して眞實無妄とするから、其の自展は常に誠で當然であり、從つて禮の節文も亦自らにして存すると考へられるが、之に反し人間界に在つては、太極の自展は必ずしも常に眞實無妄ではなく當然的ではないから、本來自らにして存すべき筈の禮の節文も、必ずしも常に自然の存在ではなく、幾分か人爲による補正を俟たねばならぬとする。しかし本體の自展は全然の不誠ではなく、その間僅かに偶然不正の混入を免れざるが故に、節文も其の大體は自然に存し、その間僅かに人爲の補正を加ふべき餘地が存するに過ぎぬ。そこで唯だその僅かなる偶然不正を補正すれば足りるのである。其の偶然不正を補正して具體的なる個々の場合の威儀度數制度文爲を完うし以つて天理を純に具體現せしめる所に禮は成立する。若し節文に僅かでも偶然不正が混ずれば、それだけ節文としての純粹性を缺くので、かゝる禮に從ふ行爲は嚴密には完全とはいへぬ。節文が一點の偶然不正を容れず、純粹に當然的なる場合、それが卽ち中であり、かゝる具體的中を節文として有つ禮は禮の極まれるもの、これこそ眞の禮である。語類卷九四に「中是禮之得宜處」（八枚）とあるは是をいふ。しかし禮なる名稱は必ずしも常にかゝる完全なる節文を有つものに於いてのみ與へられるわけではない。時には多少の偶然不正を混ずる節文を有つものも亦禮と呼ばれる。非禮の禮が卽ち是である。朱子曰く「且謂之禮尙或有不中節處若謂之中則無過不及無非禮乃節文恰好處也」（語類卷九四、八枚）と。しかし「且中者禮之極」（同、八枚）であり、「禮貴得中」（論語八佾註）で、非禮の禮は禮とはいへ眞に完きものではないのである。

以上によつて知られる如く、禮は天理と節文との二方面に抽象し得るが、もとより判然二者を爲すのではない。當然の天理とその內容たる節文とは、具體的には渾一である。此の二者の不可分的統一が卽ち禮である。嘗て游誠之が「禮者理也文也理者實也本也文者華也末也理是一物文是一物云々」なる程伊川の說を擧げて教を張南軒に請うた時、南軒之に對へて「程子之意謂禮字上有理有文理是本文是末然本末一貫通謂之禮也」（南軒文集卷三十、答游誠之書）と言つた。これが又朱子の意でもあるのである。かくて禮に從つて節文を履むことが、天理人道に從ひ道德に從ひ道德仁義を行ふことであるから「只是合禮處便是天理」（語類卷四十一、二十五枚）といふ。其の行爲は天理を履行して文采の燦然たるものあるが故に、白虎通には「禮者履也履道成文也」（性情）ともいつてある。若し氣禀の拘、人欲の蔽によつて其の行ふ所過不及あるを免れ得ざる者は、宜しく禮に從つて己の行爲を道に合せしめ、以つて人間奥底の本體の正しき自展を實にすべきである。禮が人類行爲の具體的規範とせらるゝ所以は此こに在る。禮記の「禮所以修外也」（文王世子）や「道德仁義非禮不成敎訓正俗非禮不備云々」（曲禮）や、左傳の「禮所以整民也」（春秋、莊二十三年）は、暗に禮の規範なることを言へるものであり、禮記經解篇に「禮之於正國也猶衡之於輕重也繩墨之於曲直也規矩之於方圜也」と云ひ、荀子天論篇に「水行者表深表不明則陷治民者表道表不明則亂禮者表也」といふ類は、禮の規範なることを明言せるものである。禮が規範なる故に論語の「道之以德齊之以禮有恥且格」(爲政)も「博我以文約我以禮」(子罕)も、禮記禮運篇の「故聖人以禮示之故天下國家可得而正也」も、左傳の「禮經國家定社稷序民人利後嗣者也」(春秋、隱十一年)も可能なのである。朱子が禮を「人事之儀則」と定義することを忘れなかつた所以である。

第二節　禮の起源

社會的客觀的な禮の起源に關し、支那に於いては古來異說が行はれた。荀子が聖人創作說を採り、程朱が自然發生說を主張せるは世の禮學者の遍ねく知る所である。荀子は禮論篇に云ふ「禮起於何也曰生而有欲欲而不得則不能無求求而無度量分界則不能不爭爭則亂亂則窮先王惡其亂也故制禮義以分之以養人之欲給人之求使欲必不窮乎物物必不屈於欲兩者相持而長是禮之所起也故禮者養也芻豢稻粱五味調香所以養口也(中略)故人一之於禮義則兩得之矣一之於情性則兩喪之矣」と。其の性惡篇には「古者聖王以人之性惡以爲偏險而不正悖亂而不治是以爲之起禮義制法度以矯飾人之情性而正之以擾化人之情性而導之也使皆出於治合於道者也」といひ、又「問者曰人之性惡則禮義惡生應之曰凡禮義者是生於聖人之僞非故生於人之性也」とも「故聖人化性而起僞僞起而生禮義禮義生而制法度然則禮義法度者是聖人之所生也」とも主張して居る。此等の語は禮の起源に關する荀子の思想の代表的表現として從來多くの學者の引用する所のものであるが、要するに人類無限の欲望は人生をして鬪爭場裡と化せしめる恐れあり、かくては反つて徒らに欲望を犧牲とし人生を不幸に終らしめる結果となる。聖人之を惡み禮義を創制して欲望を節し、以つて廣く一般人類の幸福を增進せしめんことを期した、といふのが荀子の禮の起源論である。我國に於いても荻生徂徠の如きは「先王之道古者謂之道術禮樂是也」(辨道)とか「道者統名也(中略)非離禮樂刑政別有所謂道」(同)と述べて、禮樂を以つて道としたが、しかも其の道たるや先王の造爲せる所なりと爲して、「先王之道先王所造也非天道自然之道也蓋先王以聰明睿知之徳受天命王天下其心一以安天下爲務是以盡其心力極其知巧作爲是道便天下後世之人由是行之豈天地自然有之哉」(辯道)と主張して居る。是れ禮の起源を自然に求めずして人爲に置くもので、荀子の説と一致するものがあるのである。

然るに此等とは異つて禮の自然發生說を主張する者に程子がある。兄明道は

「禮者因人情者也人情之所宜則義也」（遺書卷一〇枚）と述べ、弟伊川は「禮亦出於人情而已」（同卷七）とも「禮之本出於民之情聖人因而道之耳禮之器出於民之俗聖人因而節文之耳」（同卷二五、一枚）とも說いて、禮を專ら聖人の人爲に係るものとはせず、寧ろ人情の自然に發生せる風習を、僅かに聖人が損益節文したものに過ぎぬとするのである。朱子は程子の說を承けて亦自然發生說を主張した。其の講禮記序說を觀んか、其處には次の意見を見出し得るであらう。卽ち「然古禮非必有經蓋先王之世上自朝廷下達閭巷其儀品有章動作有節所謂禮之實者皆踐而履之矣故曰禮儀三百威儀三千待其人而後行則豈必簡策而後傳哉其後禮廢儒者惜之乃始論著爲書以傳於世今禮記四十九篇則其遺說已云々」といふのである。之と同樣の意見は語類卷八五にも出て居る。卽ち「儀禮不是古人豫作一書如此初間只以義起漸々相襲行得好只管巧至於情文極細密極周經處聖人見此意志好故錄成書」（一枚）といふのがそれである。されば朱子は禮のテキストは聖人の創作せるものではあるが、そのテキストに載れる具體的禮俗に至つては其の始め義を以つて人情の自然に從ふ所に自然に發生せるものであると爲すのである。孟子は滕文公上篇に、古昔親の屍を放棄し、他日其の子之を過ぐるに悲慘言ふべからず。其の子泚然として遂に其の屍を掩覆した。是れ人情の自然であつて決して人の爲めにしたのではない旨のことを述べて居るが、朱子之に註して「此葬埋之禮所由起也」と云つて居る。人の子が親の屍を見て遂に之を掩覆したのは、人情の自然から出たものなることは疑ひなき所である、此の自然に生起した掩覆の事實が、歳月と共に相襲行せられて自ら一つの風習となり、此の風習が只管巧となつて遂に情文極めて細密極めて周經なる所に達し、其の動容器械に品節文章あるに至つた。此の好き風習が卽ち禮であり、此の風習を錄したものが禮書であると考へたのである。かくて朱子に在つては禮の具體的客觀的內容は自然的に發生して風習の形を爲すものである。此くの如き禮の自然發生說は、慥かに動かすべからざる眞理を有つと思はれる。

蓋し禮の字はもと豐の字があつて、之に示が附加して禮となつたものである。然るに豐は說文には「行禮之器也从豆象形」と見えて居る。惟ふに、其の豆は禮器であり、曲の凵は物を貯へ盛る器である。その器中の丰は貯へ盛られた品物である。此の品物を鉶芼の屬の食物なりとする說がある。然るに王安靜は之を玉と考へた。古は丰と珏と同字であるから、曲は二玉が器中に在る形である。故に豊は玨が凵の中に在るに从ひ、豆に从ふ、會意の字である。古昔禮を行ふや玉を以つてした。されば豊は玉を盛つて以つて神人に奉ずる器であると言ふのである[註一]。丰が毛菜の類か將た又玉であるかは暫らく措くとしても、兎に角、豊は禮物を盛つた禮器を表象する文字であることは疑ひ無い所である。そこで豊は即ち禮器であつて、禮器の外何物をも意味せぬと一應は考へられるのである。しかし豊は單に禮器のみを表現せんとする意圖から製作せられたものではないであらう。それは禮物が盛られた禮器であり、既に禮物が盛られて居る限り、それは其處らに放置せられてあるやうな單なる禮器ではなくて、神人に事へる爲めに神人の前に供奉安置せられた禮器である。故に豊の字は單なる禮器のみではなく、禮器を安置して神人に奉事する意味までをも表現せんとする意圖の下に作られた字と思はれる。禮器禮物を神人に供奉するは、神人に對する人類固有の敬愛の情に動かされての事である。既に敬愛の情に動かされて神人に禮器禮物を供奉する限り、それに伴ふべき升降拜跪動容周旋の如き謂ゆる敬虔なる神事の特殊儀容が全然無視せられてそれが行はれ得るとは考へられぬ。敬愛の情に動かさるゝ限り、全然敬虔なる儀容なくして禮物を神人に供奉することは不可能に屬する。穗積博士はスペンサーが禮の起源に關して自然發生說を採つてゐることを指摘して、彼がその著社會學原理の中で、高等動物の中にも既に禮が存する例として、强狗に逢へる弱狗が、仰臥して四足を空に擧げて無抵抗の姿勢を示し、或は鞭撻を怖るゝ狗が尾を垂れ首を下げて服從の狀態を表はすが如きは、皆强者に對して畏敬を示し、其の心を慰和するものであつて、其の意義は決して人類の拜跪匍匐叩頭脫帽と異なることはない。獸畜の類さへ既に此くの如くであるから、太古の原人の政法未だ定まらざる時代に於いても、禮義は既に存在して强者弱者の分を定めたものであるといひ、禮の起源を人爲に歸するは國家の起源を人爲に歸する民約論に等しい謬說である、と論じた點を指摘して居られる。註二スペンサーの擧げた狗の例は、禮容の自然發生を暗示する好資料であるは勿論、更に原始人に於いてさへ神人に事へては必ず一定の儀容を有つてゐたであらうことを類推する好資料である。禽獸でさへも畏敬の情に動かされてはかゝる一定の儀容を取るのである。況んや太古の原始人が神人に事へて禮器禮物を供へるに當り、自ら其の動容周旋を整へたであらうことは想像するに難くない。然もその動容周旋が神人に對する敬愛の共通感情に基くものであつて見れば、そこに自ら一般共通の一定儀容が形成せられたであらことは考へられる。文字は人類文化の或程度發達した時代に至つて始めて創作せられ得るものであるから、豐の字の創作せられた時代は、既に神人に奉事する儀容も遠い原始時代に比して恐らく大いに整つて居つたであらう。從つて其の頃は猶更ら儀容なき唯だ禮物のみを以つてする神人への奉事は存在しなかつたであらう。されば其の頃に創作せられた豐の字は、神人への奉事現象の中特に重要にして代表的な、而も最も形象し易い一要素たる禮器禮物を表象することによつて、以つて奉事の風習全體を表現せしめたのであると思はれる。恰も博覽會のポスターが、會場のほんの一部の代表的な建築物を畫くことによつて、凡そ博覽會の全內容を表現すると一般である。ポスターの畫は一部の建築物であつても、それが唯だその一部の建築物のみを表はさずして、實に博覽會の凡てを表象するやうに、豐の字は單に禮器禮物の形象であつても、豐は禮器禮物のみを意味しないで、神人への奉仕全體を表現せるものである。それは禮器禮物と之に伴ふ禮容とを併せたもの、換言すれば、神人への奉仕的禮俗の全體を意味して居るものといはねばならぬ。既に饒炯は其の說文解字部首訂に於いて、又、王靜安は其の禮説に於いて、共に此の事を明言して居るのであつて誠に傾聽に値する論と思はれる。

次に禮の字を見るに、説文には「禮履也所以事神致福也从示从豊豊亦聲」と說いてある。それが示と豊との合字であることは改めていふまでもない。示については說文に「示天垂象見吉凶所以示人也从二三垂日月星也觀乎天文以察時變示神事也」と述べてある。蓋し其の二は上で天を表はし、三垂の小は日月星の三辰を表はすものである。豊の字よりも稍や後れて此の字が出來たのであるが、それは豊に示を附加することによつて豊が神事即ち祭祀の禮俗なることを明瞭に表現したのである。されば禮の字も亦祭祀の禮俗全體を意味し表現せるものである。かく禮の字が祭祀の禮俗を表現する所から、古代原始民族の日常生活は凡て祭祀の範圍に入らざるものなく、一切の風習儀禮が唯だ祭祀の禮俗以外に出でず、祭祀の禮俗の外には何の禮俗も存在しなかつたもので、禮の字の創作もその故に唯一の存在たる祭祀の禮俗に象形したのであらうと考へられ易い。此の思想は、如何なる原始民族も其の文化の起源を尋ねると悉く宗教的儀禮に始まるもので、道德も政治も藝術も經濟も凡そ一切の文化はその宗教的儀禮の中から次第に分化し來つて獨立し、ついに今日の如き多方面の文化相を構成するに至つたと見る觀方が基礎を爲してゐるのであつて、一應は首肯せられる節が無いわけではない。しかし原始民族の社會には唯だ祭祀の禮俗のみあつて、祭祀とは何等直接の關係なき諸他の禮俗が全然存在しなかつたと觀ることは果して當れる觀察であらうか。西博士は禮の起源に關して次の如き意味のことを述べて居られる。即ち、原始的人生にも親好とも畏敬とも呼ばるべきウブな本然的感情が遍滿して居つて、此の感情が自然と人生との萬般の事象に對應して動く所に、それ〴〵の事物に對處する諸樣式が起つて來る。禮の原始的成形は即ち此の處理の樣式に外ならぬであらう（註一）、と。原始人の生活範圍に入り來れる自然と人生との事象は、誠に個々萬殊であつて、獨り祭祀の對象たる神のみではないであらう。禮記禮運には「夫禮之初始諸飮食」とあり、朱子も語類卷二五には禮が飮食に始まることを述べて居る（八、九枚）。飮食の事は人生に於いては終始須臾も離れ得ぬ緊密一貫の事象である。たとひ素朴の原始人と雖も、父子兄弟相會して歡談和諧の裡に飮食せんと欲するは人情の美はしき自然である。其處に自ら此の飮食に即應する一定の樣式が生れて來る。食事と共の禮とは人類に於いて初めから決して離れ得ぬ。禮に於いて飲食し、飲食に於いて禮を履むのが人である、胡坐して酒を飲むにも禮の意を存し、偏袒抓食の中にも禮の道は含まれて居る。必ずしも祭祀と直接の關係はなくとも、飲食の禮は原始人には獨自に起り得るものである。飲食の禮を禮の始めとするは、それが人生處理の様式として獨自的に、しかも最も早く生起するものであるからのことゝ思はれる。男女の禮と雖も獨自的に生起し得るものなることは飲食の禮と同樣である。原始人と雖も既に此の世に生を享ける限り、己との關係に入り來るものは必ずしも鬼神の如き祭祀の對象のみでは無いであらう。眼前に生ける親もなり兄弟もある。隣人朋友も亦周圍に在つて己と交渉を保つ。此等の人倫と離れて唯だ鬼神との交渉の中にのみ生を送り得たであらうとは考へられぬ。されば此等人倫相互の間に處する特殊個々の様式が、宗教的風習とは別趣の形に於いて獨自的に生まれて來たであらうことは想像するに難くない。支那古代人の間には、後世大いに發達して完全な形態となり得るやうな各種の風習禮俗の萠芽が、不完全ながらも既に並び存し、宗教的禮俗の如きもその諸禮俗中の一として存在したものと思はれる。禮に五經有りといひ、或は六禮といひ、九禮などゝ明瞭に分類するは、禮の組織の大いに整うた後世に據つたことであるが、支那原始民にも、たとひかく明瞭に分類は立たず、後世程にそれが整頓はしてゐなかつたにしても、それ等は不完全な原形に於いて固より存してゐたことと思はれる。しかしそれ等幾多禮俗の中、彼等にとつて最も重大關心事であり、且つ最も形式の整頓したものは祭祀の禮俗であつたから、諸多一切の禮俗中特に祭祀の禮俗に象形して豊禮の字が制作せられ、以つて祭祀の禮俗は勿論、其他當時の諸多一切の各種の禮俗をも此の文字によつて表現せしめたのであらうと思はれる。段玉裁が説文の禮の字の注に「禮有五經莫重於祭故禮字從示豊者行禮之器」といへるは此の間の消息を漏らせるものと思はれる。

註一　觀堂集林　卷六　禮説　參照。
註二　穂積陳重著　祭祀及禮と法律　一五一頁參照。
註三　西晋一郎著　東洋道德研究　一一二頁。

第三節　禮の內容

豊從つて又禮の文字が、本來既に禮物と禮儀との兩義を併有表現するものであるから、此の文字がかゝる本來の意義に使用せられた實例が、儒教の諸書に散見するは當然のことである。尙書洛誥に謂ゆる「享多儀儀不及物惟曰不享」は禮物禮儀合せて全きものが眞の享禮なることをいふものであり、將禮・宗禮・殷禮の類の禮の字も、此の二義を併有する。冠昏喪祭の禮と稱せらるゝものも皆その中には禮物・禮儀の二者併せ含むものである。しかし又此の二要素中、其の重んずる所の一に卽して禮を說くことも亦行はれたのである。かの詩經の賓之初筵や豐年に見ゆる百禮を、鄭玄が天下諸侯の獻ずる所の禮とし、庭に陳ぬるものと解することによつても知られ、孔穎達が牲玉幣帛の屬と解することからも明かなやうに、その謂ゆる禮の字は禮物に卽して用ひられて居るわけである。論語子罕篇の「子曰麻冕禮也今也純儉吾從衆」の禮も麻冕の禮物を意味すると考へられる。陽貨篇の「子曰禮云禮云玉帛云乎哉」によつて、孔子の當時玉帛の類を禮と考へた思想の存するを知るのである。然るに此等と同時代に、又儀容の方面に卽して禮を說くものも存したのである。詩經相鼠の「無禮」の禮の字は儀止を意味し、論語子罕篇の「拜下禮也今拜乎上泰也雖違衆吾從下」の禮が動容の儀を意味して居る。史記孔子世家に「孔丘年少好禮其達者歟」といひ「孔子去曹適宋與弟子習禮大樹下」とある禮が、同じく「孔子爲兒嬉戲常陳俎豆設禮容」と言へる禮容と相通ずることは容易に頷かれ得ることとである。以つて儀容を呼んで禮と爲すことの行はれたるを知るのである。

禮を解して履とするは、獨り說文のみではなく、白虎通の性情・禮樂、爾雅の釋言・釋名、周易の序卦等の諸篇にも見えて居ることであり、其他の文獻にも屢々發見し得る所のものである。そして其の履といふ所以は、荀子に「禮者人之所履也」(大略)といひ、禮記に「禮者履此者也」(祭義)といひ、白虎通に「履者人當履而行之」(禮樂)などあるより推して窺ひ知れるやうに、禮が人の履み行ふべきもの、人の實踐に當つて必ず依據すべき具體的樣式なるよりいふ。朱子に在つては、禮的行爲の主觀的要素は合理的な情である。四端の情とのみ限らず、廣く萬情の合理的なるものが、此の人生自然に對處する場合、外に成立する一定の樣式が禮であるとする。人間の一切行動は萬情の自展であるが、萬情は人間奧底の本體・生意の意識界への自展であるとするから、人間の行動それ自體は本體の自覺自展として無限である。かゝる無限の行動を外に固定して眺める所に一個の限定せられた有限の行動が考へられ、その固定有限の行動の中で特定の社會に共通妥當なるものが一つの樣式として捕へられる。それが卽ち禮である。それは又後に明かとなるやうに徳行ででもあるのである。かゝる禮即ち樣式的行動の純なるものは、本然の性の自展の方向と、從つてそれは本體の純粹なる自展の方向と、一致するものであるから、それが當爲性を有ち規範性を有つて「人事之儀則」となり得るのである。此の當爲性・規範性に立脚して考へるとき、禮に理があるとせられ、特にその理に即して禮を考へることも行はれ得る。禮記に「子曰禮也者理也」(仲尼燕居)とも「禮也者理之不可易者也」(樂記)ともいふは是である。禮は理なりといふは、音通假借であることは言ふまでもないが、音通假借は必ずしも唯だ單に音の相通ずるものを無造作に假借し來つて結合せしめるものではない。幾多同音の字ある中で、その意味に於いても亦相通ずる所あるものを特に選んで採り來るのが普通である。仁は人なりといひ、義は宜なりといふも、單に音通のみによつて結合せるものではなく、其の意味に於ても亦相通ずる所あるによるのである。禮を履と解するのも亦同樣であるから、陳立が禮・履・體を音義兼通と說いて居るのは易ふべからざる論である。註 更に禮を理とし離とするのも亦同樣に音義兼通である。理は本來禮の中に包含せられてあるものであるが、その禮の中なる理を特に大きく取り上げて之に即して禮を考へる所に禮は理なりとの論が立つ。禮物を禮といひ禮儀を禮といふも、共に禮の本來の內容を離れて言を爲すものではないやうに、禮を理とするも亦禮の本來の內容から離れて立てられたものではないのである。唯だ本來の內容の一を特に大きく取り上げて成れる說たるに過ぎない。理は禮の一要素に過げないから、禮を理といつても禮卽理理卽禮といふのでは勿論ない。理が禮の具體的內容たる禮物禮儀と渾一であるのが禮であるから、朱子は禮を天理とはいはずして「天理之節文」といふのである。かの禮運に「禮也者義之實也」とあり、韓非子に「禮者義之文也」(解老)といつて、禮の義を特に大きく取り擧げて居るのも亦同じ立場から來たものと見ることが出來るであらう。一體禮義と熟する語の存するのも、禮の理を特に强く意識する所から起つたものと思はれる。尤も說文に「義己之威儀也从我羊」とあつて、古くは義は儀と相通ずる字であることは、周禮肆師の「治其禮儀」の鄭注に「故書儀爲義鄭司農云義讀爲儀古者書儀但爲義今時所謂義爲誼」とあり、孫詒讓も「古凡威儀字正作義義謂威儀云々」(同正義)と說いて居るのによつても知られる。從つて禮義は卽ち禮儀であり、此の意味からはやはり禮の儀容に重點を置いた語であると考へられるであらう。禮記冠義に「凡人之所以爲人者禮義也禮義之始在於正容體齊顏色順辭令容體正顏色齊辭令順而後禮義備以正君臣親父子和長幼君臣正父子親長幼和而後禮義立」といひ、問喪に「則父在不敢杖矣尊者在故也堂上而不杖辟尊者之處也堂上不趨示不遽也此孝子之志也人情之實也禮義之經也」といへる類の禮義は、禮儀の意と爲し得るかと思はれる。しかし又義は宜であつて、宜とは等數差別が立ち、分が明で秩序正しく條理あるを意味する字である。禮儀には此の秩序條理が含まれて居るから、賈誼は「容服有義謂之儀反儀爲詭」（新書、道術）といひ、儀の此の點を特に大きく取り出せば、釋名釋典藝の如く「儀宜也」ともいひ得るのである。凡そ禮には條理があり宜がある。理があり義がある。禮を行ふは此の宜に從ひ此の義を行ふことを意味するから、曲禮には「禮從宜」といひ、左傳には「禮以行義」（成、二年）といふ。禮の本來の內容たる此の義を特に強く意識する所から、禮卽義とも考へられ、又兩者の熟した禮義の語を以つて禮を表はすことも起るのである。此の意味に於ける禮義の用法は孟荀二子の書に多く見える所である。孟子に「禮義由賢者出」（梁惠王下）「萬鍾則不辯禮義而受之」（告子上）「無禮義上下亂」（盡心下）などあり、荀子も王制に「分均則不偏執齊則不壹衆齊則不使有天有地而上下有差明王始立而處國有制夫兩貴之不能相事兩賤之不能相使是天數也執位齊而欲惡同物不能澹則必爭爭則亂亂則窮矣先王惡其亂也故制禮義以分之使有貧富貴賤之等足以相兼臨者是養天下之本也書曰維齊非齊此之謂也」といひ、禮論に「禮起於何也曰人生而有欲欲不得則不能無求求而無度量分界則不能不爭爭則亂亂則窮矣先王惡其亂也故制禮義以分之云々」といふ。此等の謂ゆる禮義は皆禮の宜に於いていふものである。蓋し孟子は「進退無禮」(離婁上)とか「動容周旋中禮者盛德之至也」(盡心下)とか「不仁不智無禮無義」(公孫丑上)とか「禮之實節文此二者」(離婁上)とか或は「禮人不答反其敬」(同)などと禮の一字を單用することも多い。又、彼は孔子の仁と併稱して多く義を說き、その義を宜とか當爲の意味に用ひて居る。かの「後義而先利不奪不饜」(梁惠王上)や「大人者言不必信行不必果惟義所在」(離婁上)や「生亦我所欲也(中略)舍生而取義者也」(告子上)や「義人路也」(同)などは其の類である。而もかゝる義はまた禮の中にも含まれてゐる所から、禮義と熟した語を用ひたのである。荀子に於ける禮義の語の用法も亦之と同樣であると思はれる。荀子彊國篇に「夫義者內節於人而外節於萬物者也(中略)內外上下節者義之情也然則凡爲天下之要義爲本而信次之古者禹湯本義務信而天下治桀紂棄義倍信而天下亂故爲人上者必將愼禮義務忠信然後可也此君人者之大本也」とあるが、義爲本而信次之とも本義務信とも棄義倍信ともいつて、共に義と信との重要性を高調して然る後その義と信とを承けて愼禮義務忠信といつて居る所から推せば、義と禮義とがこゝでは同じ概念であることが知られる。然るに禮論篇の「禮起於何也云々」の文に於いては、禮と禮義とが全然同一概念であることが分る。卽ち荀子に在つては、禮が禮義であり禮義がまた義であつて、禮と義とが同一視されて居るのである。これも禮の中なる義に特に重點を置いて其の義を大きく取り出して眺めたからであつて、禮義と熟する語もかゝる思想經路から當然に生まれて來るのである。

以上論じ來つたやうに、豊又は禮は人類社會に自然に發生し來つた風習であり、又風習の純化せられたものであつて、その文字の制作は風習の全體を表現せんとする意圖から行はれたものである。從つてその字は祭祀の禮器に象形しながら、其の意は既に物を含み儀を含み、更に又理をふくみ義を包む。此等本來の要素のいづれか一つを禮に於いて强調する所から、禮物禮儀の語が生まれ、禮義の語も生まれて來たのであつて、本來禮の中に無い此等が、後に至つて外から齎らされて禮に附加せらるゝに至つたのでは無いのである。

註一　陳立　白虎通禮樂篇疏證。

第二章　禮の制定

第一節　禮制定の規準

禮は朱子に於いては本體の自覺自展的內容である。程允夫に答へた第四書には、允夫が「禮樂者人心之妙用」といへるを賞讃して「此說甚善」と言つて居る。中庸或問には「蓋道者自然之路德者人之所得故禮者道體之節文必其人之有德然後乃能行之也」と述べて居る。語類卷二五には「問呂氏曰禮樂之情皆出於仁此語似好曰大既也只是如此」(六枚)と見えて居る。此の或問に謂ゆる道體とは德を意味して居るが、朱子に在つては、德は性に外ならぬ故、性をも亦道體といふのである。道はその性の自展顯現なる故に、性を道の體といふに對して道を道の用といふ。かの中庸第一章の朱註に「大本者天命之性天下之理皆由此出道之體也」とあり、「達道者循性之謂天下古今之所共由道之用也」とあり、語類卷六二には兩者を合して「性是體道是用」と語つて居るのが此の思想である。されば道體の節文といふは、性の節文のことであり、禮を性の節文といふは、禮が性の具體的自覺內容たるをいふのである。然るに既に「朱子の德論」に於いて明瞭にせし如く、性の自覺は本體の自覺を意味するが故に、禮は本體の自覺の具體的內容である。而して性卽ち仁一般の自覺內容は、意識界に於いては萬情であり、此の萬情の限定が禮とせらるゝ故、上揭の例に見る如く、禮の情は仁より出づといひ、禮を人心の妙用といふのである、若し本體の自覺內容がそれの當然的自展の內容であるならば、それは純粹性を有ち當然性を保持するが故に、かゝるものは其儘にして完全なる禮である。其處には本體の正當なる自展の方向とは少しでも異なつた方向を有つ何ものも存在しない。此の偶然を混入せずして悉くが眞實無妄である。故に其處には之を補正して以つて本體の眞の自展の方向に一致せしむべき何ものも存しない。かゝ節文を有つ禮は禮として其の極である。然るに禮には非禮の禮が存することは既述の如くであり、語類卷八四にも「古禮繁縟後人於禮日益疎略然居今而欲行古禮亦恐情文不相稱不若只就今人所行禮中刪修令有節文制數等威足矣」(枚一)といひ、同卷八七にも「如鄉飲酒禮節文甚繁今強行之畢竟無益不若取今之禮酌而行之」(枚二)といひ、更に卷一〇八には「問先生所謂古禮繁文不可攷究欲取今見行禮儀增損用之庶其合於人情方爲有益如何曰固是」(枚五)とある。その「今人所行禮」「今之禮」「今見行禮儀」といふは、現行の非禮の禮をいへるもので、、非禮の禮は其の節文の禮を純化して眞の禮と爲すべきを說いたものである。非禮の禮は其の節文が必ずしも中を得ない。本體の自展に幾分の偶然が混入して、本體の眞の自展の方向からそれだけそれるのである。是れ人間奧底の本體の自覺內容たる禮が、その儘では完き禮として存立し得ない場合である。かゝるものに對しては、共の偶然を去り、その邪妄を除いて、本然の性の自然的發現の方向、本體の自展の眞の方向に一致せしめねばならぬ。禮が人爲を俟つて純化せられねばならぬ餘地の存する所以である。非禮の禮を純化するとは非禮の禮を眞の禮にまで高めることである。それの不純なる內容を整理して、之を本體の正しい眞の自展の方向に合一せしめることである。眞の禮は非禮の禮の純化によつて得られる。そこに眞の禮が單に自然にのみ生ぜずして、人爲による人間の制定を俟つて始めて成立するとせられるいはれがあり、眞の禮の講習が必要とせらるゝ所以も存するのである。然らば朱子は禮制定の根本規準はどこに置かれねばならぬと爲したのであらうか。此の答は眞の禮が本體の自覺自展の正しい眞の方向と一致するものであるといふ朱子の思想から容易に求め得られるであらう。卽ちそれは「本體の正しい眞の方向に一致せしめること」是れである。嘗て「朱子の徳論」で述べたやうに、生は天地の大徳であつて、本體は唯だ生々的である。人間奥底のかゝる本體・生意の自展が一切の意識であり、その生々的なる意識の限定に成るのが一切の文化である。かくて一切の文化は生々的なるを以つて眞なるものとする。禮は本體・生意の自展の迹に反省して抽象的に捕へられたものではあるが、等しく本體の自覺に成り、生々的なるを以つて眞なるものとする。荀子が禮論で「禮者養也」と斷じて禮が耳目口鼻を養ひ、性情を養ふものなることを主張したのも之に關るのであり、左傳に「能者養之以福不能者敗以取禍（成十三年）」とあつて、禮が吉凶禍福の係る所、死生存亡の因る所と爲すのも、亦禮の生々性に關るものである。そしてその生々の純なるものほどが至れる禮である。不純の禮を純化するとは、禮を專ら生々的たらしめることである。そしてそれは禮を本體の自展の正しい眞の方向に一致せしめることである。禮を生々的たらしめることと、禮を本體の自展の正しい眞の方向に一致せしめることとは同一事である。そこで「生々的たらしめること」がまた禮制定の普遍的な根本規準であるわけである。諸他一切の特殊規準は此の根本規準からの派生であり演繹であつて、之を根柢として、其の統一の中に在るものである。以下諸他の特殊規準の主なるものを擧げて見よう。

一、人情を合理的に盡さしめること。禮記には「凡禮之大體體天地法四時則陰陽順人情故謂之禮」(喪服四制)とも「禮者因人之情而爲之節文以爲民坊者也」(坊記)とも見え、荀子には「禮以順人心爲本故亡於禮經而順人心者皆禮也」(大略)といつてある。かく禮は人情に因順するものであるが、禮が人情に因順するとは、禮が人情の限定によつて成立するものであり、人情に從ふ所に禮が實現せられることを意味するのである。朱子によれば、行爲は萬情の限定であり、その行爲を外に抽象固定化して様式として捕へたものが禮であるから、禮なる様式の實踐に於いては人情が其の主觀的要素となるのである。しかし如何なる人情も禮實踐の主觀的要素となり得るといふのではない。禮は本體の正しき自覺の方向に一致するものであるから、禮へ様式化せられる行爲は必ず合理的な人情に從ふものであり、それは合理的な人情に因順する所に禮の實踐があることを意味する。人心の任意に從ひ情に任せて行ふ所に禮はない。禮記檀弓下に子游の語として「禮有微情者有以故興物者有直情而徑行者戎狄之道也禮道則不然」とあり、同上篇の子路姉の喪に服して喪期過ぐるも、兄弟寡なくして忍びざる心のまゝに除服せざるを、孔子が戒めて「先王制禮行道之人皆弗忍也」と云へる、皆此の旨であり、荀子が禮經に亡くとも人心に順ふ者は皆禮なりといへるも、決して不正の情に順ふ所にも禮ありとするのでないことは、彼が性惡論を固持した事實からも容易に知られ得るのである。そして禮がかく合理的な人情に從ふ所に成立するといふことは、外禮に從ふことが、內人情を合理化することを意味する。禮記樂器に「禮節民心」とあり、「先王之制禮樂也非以極口腹耳目之欲也將以教民平好惡而反人道之正也」とあるも是であり、禮運に「孔子曰夫禮先王以承天之道以治人之情」と見え、檀弓下に曾子親の喪を執るや悲哀極まつて水漿口に入らざること七日に及べるを、子思評して「先王制禮也過之者俯而就之不至焉者跂而及之故君子之執親之喪也水漿不入於口者三日杖而後能起」とあるも、亦禮が人情を節する所以なるをいふのである。彼の凌廷堪が「…父子當親也君臣當義也夫婦當別也長幼當序也朋友當信也五者根於性者所謂人倫也而其所以親之義之別之序之信之則必由於情以達焉者也非禮以節之則過者或溢於情不及者或漠焉過之云々」(復禮)と論じて居るのも此の點をよく闡明せるものである。既に禮が人情の過不及を節して正しく之を盡さしめる所にその特質があるとすれば、禮制定の規準が亦其處に在るとせられて、禮は此くの如くに制定せられねばならぬとするは當然のことである。朱子は語類卷八九の僩の錄に於いて、古の喪禮は極めて繁縟である。所が親の死に際しては子の哀戚は極めて痛深である。此くの如く哀苦荒迷の時に如何にして能く古禮の繁縟を行ひ得よう。古に在つては扶けて禮を行はしめる者があつたから、その禮もよく人情を盡さしめることが出來たが、今は左樣では無いから若し强いて之を實行すれば心は之に奪はれて反つて哀戚の情は消失するに至るであらう。故に簡略に改めて以つて其の情を盡さしめるやうにすべきである旨を主張して居る。是れ人情を盡さしめる所に禮制定の規準在りとするを表はすものであるが、その盡さしめる情は合理的でなければならぬこと勿論である。禮記問喪に、人死して直に斂せず、三日の後始めて斂するは死者の復た甦らんことを欲するからである。既に死す、共の甦らざること三日を俟たぬ。然るに猶且つ三日の後斂するを以つて禮とするは、蘇生を希うて止まぬ人情に順へるものなる旨がのべてある。儀禮喪服の鄭注には「前有衰後有負板左右有辟領孝子哀戚無所不在」とあつて、孝子が前後左右に衰負板辟領の禮物を用ふるも、その衰戚の情に從ふのであるとする。朱子は語類巻八九に「禮壙中用生體之屬久之必燋爛却引蟲蟻非所以爲亡者慮久遠也古人壙中置物甚多以某觀之禮文之意太備則防患之意反不足要之只當防慮久遠毋使土親膚而已」(一三枚)と述べ、山陵議伏には「蓋聞之葬之爲言藏也所以藏其祖考之遺體也以子孫而藏其祖考之遺體則必致其謹重誠敬之心以爲安固久遠之計使其形體全而神靈得安則其子孫盛而祭祀不絶此自然之理也」と主張して居る。此等は死者久遠の幸福を實現せしめるやう禮の制定せらるべきを主張するのであるが、これとても死者永遠の幸福を希うて止まぬ深き人情を盡さしめるに外ならぬ。かゝる例は禮の細節に於いて極めて多く發見し得る所である。かの皮錫瑞が「聖人制禮情義兼盡專主情則親而不尊必將流於褻慢專主義則尊而不親必至失於疏濶惟古禮能兼盡而不偏重」(三禮通論)といへるは最も備はれる論といふべきである。

大戴禮記本命篇に恩が禮制定の一規準なることを述べて「恩厚者其服重故爲父斬衰三年以恩制者也」と云つてある。しかし恩に從ふは情に順ふに外ならぬことは三年問篇に述べられてある通りであるから、この恩の規準も亦本規準の中に包攝せられるものといふべきである。又、同篇に節が規準なる旨を述べて「三日而食三月而沐期而練毀不滅性不以死傷生也三年苴衰不補墳墓不坏同于邱陵除之日鼓素琴示民有終也以節制者也」とある。是れ禮が情に順つて制定せられ乍ら、しかもその情は合理的に節せられねばならぬ所に禮制定上の重要な意味が存する故で、合理的に人情を盡さしめることに變りはないから亦本規準の中に包含せられるものである。そして本規準は更に前述の「生々的ならしめること」或は「本體の自覺の正しい眞の方向に一致せしめること」といふ根本規準によつて統一せられ得るものである。蓋し情を合理化することは其の不純偶然を除去して本體の眞の自覺內容に一致せしめることで、そこに眞の生々が見られるのであつてかゝる結果を將來する所の禮は從つて生々的であるといはれ得るからである。

二、本始を忘れず古を存すること。尙古的精神の强い支那民族が、あらゆる文化界に本を忘れず古を存せんとするは自然の勢であつて、禮の世界に於いても亦此の傾向が顯著にあらはれて居る。荀子が禮論篇に「大饗尙玄酒俎生魚先大羹貴食飮之本也饗尙玄酒而用酒醴先黍稷而飯稻粱祭齊大羹而飽庶羞貴本而親用也貴本之謂文親用之謂理兩者合而成文以歸大一夫是之謂大隆故尊之尙玄酒也俎之尙生魚也俎之先大羹也一也利爵之不醮也成事之俎不嘗也三臭之不食也一也大尸之未發齊也大廟之未入尸也始卒之未小斂也一也大路之素未集也郊之麻絻也喪服之先散麻也一也三年之喪哭之不反也淸廟之歌一倡而三嘆也縣一鐘而尙拊之膈朱絃而通越也一也云々」と云ひ、禮記禮器篇に「禮也者反本修古不忘其初者也故凶事不詔朝事以樂醴酒之用玄酒之尙割刀之用鸞刀之貴莞簟之安而藁鞂之設是故先王之制禮也必有主也故可述而多學也」とあり同樂記篇に「是故樂之隆非極音也食饗之禮非致味也淸廟之瑟朱弦而疏越壹倡而三嘆有遺音者矣大饗之禮尙玄酒而俎腥魚大羹不和有遺味者矣是故先王制禮樂也非以極口腹耳目之欲也將以教民平好惡而反人道之正也」と言へるは、本始を忘れず古を存する細節の禮に存するものを明かにしたものであるが、朱子も亦「爵弁亦少黑多如今深紫色韠以皮爲之如今水檐相似蓋古今未有衣服時且取鳥獸之皮來遮前面後面後世聖人制服不去此者示不忘古也」（語類卷九一、六枚）と說いて禮中古を存する例をあげて居る。しかしかゝることは唯だ單純な尙古の精神のみがその唯一の動機では決してない。禮記檀弓上には「禮不忘其本云々」といひ、禮器には「禮也者反本修古不忘其初者也」とも「禮也者反其所自生」ともいつてある。更に樂記には「樂也者施也禮也者報也樂樂其所自生而禮反其所自始樂章德禮報情反始也」とある。故に其處には報本反始といふ大きな動機が活いて居ることを忘れてはならないのである。支那に於いては一切の禮中最も重要なるものは祭祀である。周禮大宗伯の職には五禮を述べて邦國の鬼神示に事ふる吉禮を先づ第一に擧げて居り、禮記祭統篇には「禮有五經莫重於祭」と論じてある。更に其の祭祀の禮中最大なるものは祭天の郊禮であり、之に次ぐものは祭地の社稷の禮と、祭鬼の嘗禘の禮とであるが、此等は孰れも報本反始を以つて根本の動機とするものである。されば郊の祭に關しては禮記祭義篇に「郊之祭大報天」とあり、郊特牲篇に「郊之祭也中略大報天」とも「萬物本乎天此所以配上帝也郊之祭也大報本反始也」とも云つてある。社稷の祭に關しては郊特牲篇に「社所以神地之道也地載萬物天垂象取材於地取法於天是以尊天而親地也故教民美報焉家主中霤而國主社示本也唯爲社事單出里唯爲社田國人畢作唯社丘乘共粢盛所以報本反始也」と見えて居る。更に父祖の祭祀に關しては祭義に「君子反古復始不忘其所因生也是以致其敬發其情竭力從事以報其親不敢弗盡也」とある。蓋し父母は己の由つて生ずる所の本始である。故に敬謹を致し心力を竭して之を祭り、以つて己の本に報じ始めに反らんとするのである。しかし其の父母も亦天地を以つて本とし始とする。天地は實に一切の生の本であり萬物の根源である。加之、天は象を垂れ地は萬物を載せる。人は天に則り地に取つて始めてその生を完遂し得る。故に天地を尊びその恩惠を謝し、大いに生の本に報ひ始に反らんと欲して之を祭るのである。尤も禮記郊特牲篇に「祭有祈焉有報焉有由辟焉」とあつて、月令篇に「是月也天子乃以元日祈穀于上帝」といひ、左傳に「孟献子曰夫郊祀后稷以祈農事也」(襄七年)とある如く祈を以つて動機とするものもあれば、四時を祭つて民の和せざるを禳ひ、寒暑水旱時に違へば又之を祭つて其の害を禳ふ等由弭を以つて動機とするものもある。しかし天地人の三大祭に至つては皆報本反始を以つて根本の動機とするのである。祭祀に玄酒を尚にし大羹を先にし黍稷を食ひ、生魚を俎して本を忘れず古を存するは單純なる尚古思想からのみ來るのではなく、更に我が生の根源に報謝し我が命の本始に歸一せんとする心からも來るのである。我國に於いても大嘗の祭に新穀を供へ縉衣荒衣を薦め給ふは、天皇の報本反始の御精神から本を忘れず古を存し給ふのである。祭られ給ふ天祖は天皇の御祖にして然も一切を生み給ふ天神なるが故に、天祖は天人の二義を兼ね有したまひ、大嘗の祭が郊禘の二實を兼ね有するものなることは先賢の夙に説ける所であつて、神武天皇御卽位の四年春二月靈畤を鳥見山に立てゝ天祖天神を祭り給うた詔にも「我皇祖之靈也自天降鑒光助朕躬今諸虜已平海内無事可以郊祀天神用申大孝者也」(日本書紀卷三)とあつて、天祖にも郊祀の文字が用ひられ、會澤正志齋も新論に「而天朝大嘗之禮祀乎天祖而事天祀先之意並存焉亦猶郊禘之義也」(卷下)と述べて居るのである。稻は天祖が植えて天神に薦め給ひ、且つ蒼生の食ひて生くべきものとして、御手づから皇孫に授けて民の生を榮えしめ給へるものであり、衣服も亦天祖御手づから織つて天神に薦め給ひ、且つ以つて民の寒さを免れしめ給へるものである。大嘗の祭に新穀衣食を薦め給ふは、一には天祖の廣大なる恩惠に報謝し給ひ、一には天祖の厚生愛民の深遠なる大精神を反省してその自覺を一層新たにし、以つて天祖の大精神を自己に於いて具現し給ふのである。本始の天祖に復歸合一し給ふといふも之より外には無いと思はれる。

以上の如く凡そ祭祀は報本反始を以つて其の根本動機とし、その禮物禮容に於いて本を忘れず古を存するのである。此の事は獨り祭祀に於いてのみ然るのではなく、諸他の禮に在つても亦あり得ることである。前引の荀子を始め禮器・樂記の文によつてもその一斑を知り得べく、朱子が後世衣服を制して韠を存する旨を指摘せる類も亦その一例である。故に凡そ禮を制するに當つては、報本反始の義に本づき、本を忘れず始めを存するやうにすることが禮制定の一規準となつて居るわけである。本を忘れず古を存する禮は、之を履む者をして生命の本始に報ひ反るべき機會を得しめるものである。報本反始は自己の生命の根源に報謝歸一することで、それは生々的なる本體に合一することで、具體的には父母祖先への報謝歸一によつて然るのである。我の根源たる本體に歸一することは、自己に於いて本體の眞の自展を具現することに外ならず、自己が最も生々的となることに外ならぬ。かくて禮に於いて本始を忘れず古を存することは、禮をして生々的たらしめる所以である。こゝにも生々的が禮制定の根本規準なることを知るのである。

三、往來を尙ぶこと。禮記曲禮篇に曰く「禮尙往來往而不來非禮也來而不往亦非禮也」と。往けば必ず來り來れば必ず往く所に禮の一特質がある。献じて必ず酬し、酬して必ず酢する類は燕禮に於ける往來であり、主人出でゝ迎へば客固辭し、客東階につけば主人固辭する類は際接に見なれたる往來である。而して往來を貴ぶは報を貴ぶことに外ならぬと考へられる所から、儀禮經傳通解禮樂器第二十五に朱子は禮の往來を述べて「禮也者報也」と說いて居る。往來は施と報との交錯であるが、施は對者に恩惠を與へることで、對者の生を養ふことであり、報はその恩惠を謝し、その養生に報ゆることである。そしてその報が復た對者に恩惠を與へ、對者の生を養ふこととなる。往來は相互に彼我の生を養ふ意味がある。報といへば第二の規準の報本反始も報であるから、勿論兩者の間に一味相通ずる所あるは言ふまでもない。報本反始も亦生の本源に報ひ反るのであるから往來の意味がある。しかし同じく報であつても、溯つて生の本源に報反歸一するのが報本反始であり、對等に生の培養者に報謝するのが往來である。尤も報本反始と雖も空間的左右關係に於ける報謝の意味を有ち、往來と雖も時間的前後關係に於ける報反の意味がないわけではない。唯だ其の主として考へられる所が一は時間的直線上に在り、他は空間的平面上に在るの差があるに過ないのである。而して報本反始の規準が生々的なるより推して、本規準も亦生々的を以つてその根本規準とするであらうことは容易に理解し得られるかと思ふのである。

四、天の時に從ふこと。禮記禮器篇に「禮時爲大」とあり、左傳にも「禮以順時」(成十六年)とあるは、禮は時の宜しきに從つて制定すべきものなることをいふので、朱子も亦「禮時爲大（中略）古禮如此零碎繁冗今豈可行亦且得隨時裁損爾」（語類卷八四、二枚）といつて居るのは此の時の規準を承認したものである。禮器篇ではその時を「堯授舜舜授禹湯放桀武王伐紂時也」と說明して居るから、之は禪讓放伐を時に從へるものとして、之を禮として容認するものである。禪讓放伐は時勢の赴く所に順へるものであるから、こゝでは時勢を時と爲したかと思はれる。しかし時の字の內容は單にそれのみではない。禮記禮運に「夫禮必本於天」とあり、或は「孔子曰夫禮先王以承天之道以治人之情」とあり、左傳には「禮以順時天之道也」（文公十五年）とあつて、禮が天に順ひ天道に從ふことをいへるが、かゝる天や天道は天地自然の運行の類で是れ亦時に外ならぬ。故に禮器篇は「禮也者合於天時」とて特に時の字を加へて天時とも云つてある。かゝる天の時に從つて禮が制定せられねばならぬと考へたのであり、又事實此の規準に從つた禮が少なくないのである。周禮六官が天の時に從つて分れ、其の職亦多く天の時の變化に順應して分掌せられて居る。冠昏喪祭朝聘賓主鄉飲酒軍旅等の諸禮の細節に至つては、天地運行の自然の變化に隨順するものが決して少なくはないのである。

五、處に從ふこと。禮記禮器篇に禮は地の財を設くべきを說いて「故天不生地不養君子不以爲禮鬼神弗饗也居山以魚鼈爲禮居澤以鹿豕爲禮君子謂之不知禮」と云つてある。又、王制には「凡居民材必因天地寒暖燥濕廣谷大川異制民生其間者異俗剛柔輕重遲速異齊五味異和器械異制衣服異宜修其敎不易其俗齊其政不易其宜云々」ともある。是れ禮は國土山川鳥獸草木の狀態變化に順ふべく、處の宜しきに依據せらるべきをいふもので、朱子は之を「夫三王制禮（中略）皆合乎風氣之宜（朱子集巻二四、答張欽夫書）と述べて居るのである。

六、位に從ふこと。大戴禮記本命篇に禮が義を以つて制せらるべきを述べて「門內之治恩掩義門外之治義斷恩資于事父以事君而敬同貴々尊々義之大者也故爲君亦服斬衰三年以義制者也」と云つてある。貴を貴び尊を尊ぶは義の大なるもので、義を以つて禮を制するとは、人倫の貴賤尊卑の位に從つて制することに外ならず、それは各々の分を明かにし別を立て秩序を保つ所以である。更に又、同篇に禮が權を以つて制せらるべきを述べて「資于事父以事母而愛同天無二日國無二君家無二尊以一治之也父在爲母齊衰期無二尊也（中略）凡此以權制者也」と云つてある。子の父母に對するや其の愛同じきが故に、その情に從へば母にも亦斬衰三年なるべきを、天に二日あることなく家に二尊のあるべき筈なければ、權を以つて制して齊衰期とするといふのであるが、禮記坊記に「子云天無二日士無二王家無二主尊無二上示民有君臣之別也」とあるによつても知られる如く、是れ亦父を尊んで上とし母を卑しんで下として父母の分を明かにし別を立てる所以であつて、是れ父母の位に從つて禮を制定するに外ならぬ。更に禮記曲禮上に「夫禮者所以定親疏決嫌疑別同異明是非也」とあり、同坊記には「子云夫禮者所以章疑別微以爲民坊也」とあつて、此等も亦禮制定の個々の規準たるを示すものであるが、かゝる規準と雖も畢竟するに分を立て別を明かにするを以つて目的とするものなることは、その孔穎達の疏によつて明かなるのみならず、坊記にも右の文を承けて「故貴賤有等衣服有別朝廷有位則民有所讓」と説いてあるのに觀ても推察し得られる所である。されば坊記に君に天を稱せずといふは、王との別を明かにする爲であり、大夫に君を稱せずといふは、諸侯との別を明かにするに外ならぬ。又、君は同姓とは車を同じくせず、異姓とは車を同じくするも服を同じくせずといふも、亦君の分を立て別を保つを目的とするもので、やはり位に從つて宜しきを制したものに外ならぬ。以上の諸例は畢竟するに禮は人倫の位に從つて制すべしと爲す本規準に屬するものであると思はれる。

以上は禮制定に當つての主なる規準を列擧して其の大要を略敍したのであるが、その人情を盡さしめること、本始を忘れず古を存すること、往來を尙ぶこと、の三規準が「生々的たらしめること」といふ根本規準を根柢とせることは、その各條に於いて述べた如くである。而してその天の時に從ひ、處の宜しきに從ふは、天地自然の運行變化狀態に逆はずよく之に隨順し、その法則に從つて生々の大德に流入するのであつて、それは人間自らが福を致し生を養ふ所以であるはいふまでもない。分が立つは特殊が特殊を維持して本來の面目をよく顯はすことであり、特殊が特殊化に徹すること、卽ち本體が自覺自展に徹することに外ならず、是れ最も生々的たるのである。天は上に在つて覆ひ、地は下に在つて載せ、天施して地之を成すの分の立つ所に天地の生成が行はれ得る如く、人倫の分の立つは反つて人間の幸福を增進し平和を將來して生々を實にする所以である。故に孔子も先づ名を正さんことをいひ、君君臣臣父父子子たる所に一國の治が在るとした。而して人情といひ、天の時といひ、或は處といひ、位といふも、皆天地自然の所與にして廣義に於ては齊しく之を時といふべく、此等自然人間兩界に於ける主客兩觀の一切の所與に順應するのが亦時に從ふことで、禮はそこに成立するから、喪服四制には「凡禮之大體體天地法四時則陰陽順人情故謂之禮」ともいつてある。それは天地の大德生に合流することであつて、朱子に於いては本體の自覺の方向に合一して生々的たる所以である。かゝることを實にせしめるやうに制定せられた禮は亦生々的であるといふべく、禮記禮運には夫禮先王以承天之道以治人之情故失之者死得之者生」といつてある。かくて此等の規準も亦生々的を以つて其の根本規準とするのを見るのである。蓋し嘗て「朱子の德論」に於いて論明した如く、人間社會の一切文化は人間の造建に係る限りそれは人間自身の自覺內容であり、それは人間奧底の本體の自覺內容である。然るに本體は唯だ生なるが故に、一切の文化は生々的なるを以つて眞なるものとする。生々が本體の自覺の眞に正しい方向であるが故に、此の方向に合致する文化にして始めて眞の文化である。生々的本體は人生に於いては人間の生を遂げ性を盡くすべき方向を取つて自展する。從つて一切の眞の文化も亦遂生盡性の點に其の本質がある。苟も遂生盡性を齎らさゞるか、或はそれを妨害する底の文化ならば、それは本體の純なる自展の方向に合致せず、かゝるものは眞理性を有たずしてやがては滅亡すべき運命を荷ふものと思はれる。眞に生命ある文化は本體の純なる自展の方向に合一して、人の生を遂げ性を盡さしめるものである。故に宗教も人を生かし、倫理も人を生かし、教育も政治も經濟も藝術も畢竟するに人間の生を完遂するものであると思はれる。眞の禮が生々的であり、禮制定の根本規準が亦生々的なる點に在るとせられるのも當然である。禮が人生自然に對處する所に成立するものである如く、凡そ人間の一切文化といふも人間の此の人生自然に對する處理のことで、文化界とは處理の世界のことであるともいへる。文化界は宗教道德教育藝術政治經濟等諸種の分野に分れるけれども其等は畢竟處理行爲である。一つの處理行爲を種々の立場から眺める所に文化の諸分野が成立すると思はれる。故に處理行爲は一切文化の未分渾一の世界である。然るに處理行爲を外に抽象固定して樣式化したものが廣い意味での禮の世界であるといつてよいから、禮の世界は諸文化未分の渾一界の樣式化であつて、一切の文化は禮の中なるもの禮の統一を離れぬものといへる。支那民族は文化界の諸分野を各個獨立に捕へたのではなく、寧ろその未分渾一に於いて之を捕へたのである。しかも未分渾一の處理行爲そのものよりも、寧ろそれを客觀的樣式に於いて捕へた所に彼等が禮の民族であるといはれる所以がある。そして其の禮の中なる文化相の倫理教育政治の分野を主として開拓し、之を禮の世界との關聯に於いて闡明したのが卽ち儒教であると思はれる。

第二節　禮の改變

孔子曰く「麻冕禮也今也純儉吾從衆」(論語子罕)と。是れ麻冕の古禮が孔子の當時既に義に稱はざるに至れるを示すものであるが、朱子も「古禮繁縟後人於禮日益疎略然居今欲行古禮亦恐情文不相稱」(語類卷八四、一枚)といひ、「古禮於今實難行」とか「三代之際禮經備矣然其存於今者宮廬器服之制出入起居之節皆已不宜於世云々」とその家禮序に述べて居る。朱子の當時古禮が適せざるに至れるを知るのである。蓋し禮は時に從つて制定せられたもので、主客兩觀の所與に順應する所に成立することは上述の如くであるが、かゝる所與は本體の自展內容であり、その自展は無限故、禮も亦之に應じて變化しなければならぬ運命に在る。上述の諸規準によつて制定せられた禮は、一般的規範としてよく當時の人々を規定し得るが、それは永久に妥當なる規範ではあり得ない。時代の推移はやがて之を今の宜しきに改良せしめねば止まぬのである。そして禮のかゝる改變は古來既に行はれて來たのである。老を養ふに有虞氏は燕禮を以つてし、夏后氏は饗禮を以つてし、殷人は食禮を以つてし、周人に至つては修めて之を兼ね用ひたことが禮記王制に見えて居る。或は唐以前に在つては父在ませば母の爲めに期、婦は舅姑の爲めに期であつたものが、唐以後に及んでは何れも三年の喪に服するに至つたことが皮錫瑞の三禮通論に見えて居る。又、宋末に於ては唯だ喪服のみ古禮に從ふ風があつたが、吉服は悉く既に古禮を變じて新禮に從つてゐることが朱子語類卷八九の諸所に說かれて居るのである。しかし當に改變せらるべくして然も未だ改變せらるゝに至らずして尙ほ世に行はれつゝあるものも存するわけである。かゝる非禮の禮は禮たるを失はぬにしても眞の禮の名に當らず、當に改良純化して眞の禮と爲すべく、それには上述の諸規準に憑據せらるべきである。禮の天理は永遠に不滅なる故にその改變は唯だ具體內容たる節文に於いてのみ可能である。禮記大傳に「立權度量考文章改正朔易服色殊徽號異器械別衣服此其所得與民變革者也其不可得變革者則有矣親親也尊尊也長長也男女有別此其不可得與民變革者也」といふは是である。論語爲政篇の十世知るべきやの子張の問に對へた孔子の語の朱註に、禮の大體たる三綱五常に至つては永久に變化せず、夏殷周の損益し得るものは其の制度文爲に過ぎぬ、周より後損益する所あるも亦殷周に類すべく、かくて百世と雖も知り得る旨を云つて居る。語類卷二四にも「綱常千萬年磨滅不得」（枚三〇）といひ、「所因之禮是天做底萬世不可易所損益之禮是人做底故隨時更變」（枚二八）とも「所因謂大體所損益謂文爲制度那大體是變不得底雖如秦之絕滅先王禮法然依舊有君臣有父子有夫婦依舊廢這箇不得」（枚三〇）とも云つてある。

唯だ如上の諸規準によつて今の行はるゝ所の禮の節文に改變を加へるのであるが、さうすることは要するに天理を最もよく實にすることに目標がなければならぬから、語類卷二四には「所謂損益者亦是要扶持箇三綱五常而已」（枚三〇）といふ。然も天理を實にすることは畢竟本體の純なる自展を實にすることで、從つて最も生々的となることに外ならぬ。一旦かく改變せられたる禮も、やがては復た當に改變せらるべきものとなるのではあるが、禮が禮として一度び廣く世に行はれて居る間は、たとひそれが嚴密には世に適せざる所あつても、各自が任意氣儘に何時でも之を改變すべきものではない。一旦禮として成立したからは當分は固定性を有つことは言ふまでもない。一旦成立した禮が、著しく時代に適合せず、從つて其の改變が當然に是認せられた結果、或一定の方法によつて之が改良せられ、その改良せられたものが一般に是認せられるに至れば、此こに始めて禮は變化する。決して個人の任意自由に容赦もなく變化せしめることは許されないものである。變化までには相當の年月を要するのが常である。たとひ現行の禮が時風に合はず、時中に於いて缺くる所あるも、若し未だ改變せられずして其のまゝ世に認容せられて居る間は、之に背馳し之を蹂躙することは許されない。かくてこそ禮が一般共通の樣式であり得るのである。この時風と相容れざる所の存する禮を、正禮として暫らく維持せねばならぬ所にも禮の講習は必要とせられるのである。禮の正當なる變革は許容せらるべきであるばかりでなく奬勵せらるべきものであるが、しかし之を行ふには自ら條件が存すると考へられた。朱子は禮の改變は聖人を俟たねばならぬとする。蓋し聖人に非ざれば當に損益すべき所を誤認して遂に天理を滅却するに至る恐れがあるからである。語類卷二四に「惟聖人能順得這勢盡得這道理以下人不能識得損益之宜便錯了壞了自是立不得云々」(枚三〇)といふは是である。しかし其の改變も單に一部人士の間に於いてのみでなく、廣く一般社會に徹底するのでなければならぬから、此の點からは聖賢にして爲政者たる人の手によるのが最も必要にして效果的であるとするのである。之を語類卷八九に「一人自在下面做不濟事須是朝廷理會一齊與整頓過」（校五）といひ、卷六四には「有位無德而作禮樂所謂愚而好自用有德無位而作禮樂所謂賤而好自專」（校三二）といふ。これ中庸に「非天子不議禮不制度不考文（中略）雖有其位苟無其德不敢作禮樂焉雖有其德苟無其位亦不敢作禮樂焉」とあるに本づいた論であることは言ふまでもない。

第三章　禮と規範

第一節　禮の規範性

天地宇宙の普遍にして絶對、唯一にして無限なる自覺自展的本體は、朱子に在つては太極・一氣の渾一體と考へられ、太極は之を「所以然之故」とも呼んだ。太極なる理は其の自覺自展によつて、理の世界に於いては客觀的理へと特殊化し、其の理の中內容の純粹當然なるものに於いて當然の理が考へられた。然るに太極の自覺自展は渾一的本體の自覺自展を意味してそこに一氣の特殊化が考へられ、氣の世界に於いては一氣が一切の形骸物象へと特殊化すると考へられた。しかしそれ等一切は、實は本體全體の自覺自展的內容であるから、單なる氣のみから成らず、必ず理と統合渾一である。形骸物象と渾一の理は「所以然之故」卽ち性で、形骸物象の外に性はなく、性の外に形骸物象は無い。然るに其の形骸物象の有つ狀態又は活動變化等の特殊內容は、所以然之故なる性の自展に伴ふものであつて、それに卽して又「所當然之理」が一體である。山の性は山と一體であるが、山の所當然の理は山の峙つことゝ一體であり、子の性は子の形骸と一體であるが、子の所當然の理は親に對する孝行と一體である。峙つことや孝行等の內容に於いて性は自展の方向を見出して所當然の理が成立する。故に性はかゝる內容に於いて自己を顯現し特殊化する。されば人は人としての當然な特殊內容を執つて失はぬことによつて性の純なる自覺を體し、從つて本體の純なる自覺を實にする。而して倫理道德を重しとする朱子が、かゝる特殊內容をば主として人倫の上に於いて說けるは當然の事であつた。人倫の上に於いて成立する特殊內容とは、君臣父子夫婦長幼朋友等の關係に於ける特殊の行動の類である。それは人道に關する限りに於ける特殊である。一男子は內に在つては父でもあり、子でもあり、夫でもあり、兄弟でもあり得る。又、外に在つては隣人でもあり、同胞でもあり、主でもあり、從でもあり得る。人倫關係の異なるに應じて同じ一人でありながら其の執るべき立場は夫々に異ならざるを得ぬ。其の各々異なる立場に於いて始めて夫々の所當然の理は己を自展する。畢竟所當然の理の由つて以つて己を顯現すべき內容は夫々異ならざるを得ぬ。故に同一人と雖も其の時々に己の執つて立つ所を錯ることなくよく正しく固く執るべきで、是れ所當然の理の內容を固持して之を實にすることであり、本體の純なる自展の方向に合一して最も生々的となることである。そして本體の純なる自展を實にする者ほど獨立絕對の趣をそなへ、間斷寸隙の乘ずべきなく、嚴乎として犯すべからざる威を備へる。人間の最も偉大なる尊嚴崇高性は人間奧底の本體・生意の最も純なる自展に於いて見出されるものである。人が固く執つて以つて普遍絕對の本體・生意の純なる自展を實にすべき個々の此の立場が、是れ大學に謂ゆる人の當に止まるべき所の地、至善である。此の至善に止まる觀念は今日の謂ゆる義務意識とか、當爲の意識とか、規範意識とか、或は職分の意識などと呼ぶものであらうが、朱子の立場からは當然の意識とも、至善の意識とも呼ばれ得るものである。所當然の理は具體的特殊內容を離れて存在するものではなく、從つて當然の意識は所當然の理と具體的內容との渾一意識である。

そしてそれは人道の意識に外ならぬ。此の人道の意識に忠實なることによつて、絶對的本體生意の純なる自覺を實にすることが可能である。人道に忠實であるとは人倫に於ける特殊の立場を固く執つて之を失はぬことであり、特殊の立場を固く執つて人道を實現することは、人間各自が己に於いて本體生意の純なる自展を實にして最も生々的となることを意味する。人間各自が夫々至善の地に止まること愈々忠實なれば、社會はひたすら生々的となり、愛の浸潤透徹するものとなる。温かき愛の潑溂たる統一に在る社會か、朱子にとつては理想の社會であり、道德の王國と考へられた。孟子に「無禮義則上下亂」(盡心)といひ、荀子が「國無禮則不正禮之所以正國也」(王制)といひ、禮記哀公問篇に「禮其政之本與」といひ、左傳に「禮經國家定社稷序民人利後嗣者」(隱公十一年)とある類、其他古來儒教に於いて盛んに禮が政の本とせられて禮治主義が强調せられた所以も後に說く所によつて明かなやうに、禮がかゝる道德の王國を建設する上に大いに貢獻する所あるが故である。故に個人の絶對性を維持して其の完成と尊嚴とを期する爲めにも、又社會國家の品位を顯著にしてその道德的完成を期し、一大生命の周流貫徹を期する爲めにも、吾人は當然の意識に忠實にして各々止まるべき至善の地に止まることから出發しなければならぬのである。

所當然の理は自然の理ではなくて當に然るべき筈の理であつて、人間は此の理を實現すべく要求せられる。かゝる要求は人道實現の要求に外ならぬ。而して人道を具體的に示現して以つて吾人に其の實現を促し迫るものは教である。教とは中庸に「修道之謂教」とあつて、朱子は「修品節之也」(註同)といふ。即ち教とは人道を修飾したものである。しかし又中庸に「自明誠謂之教」とあり。その朱註には「先明乎善而後能實其善者賢人之學由教而入者也」といへるを觀れば、教なるものは善を明かにしてよくその善を實にせしめる底のものである。故に教とは人道を修飾節文したるものといふだけではなく、更に之の實現を世人に促がし迫るものである。古の君子が子を易へて教へたのも教共者が本來人に責め求める所ある底のものなるが故である。教の字の構造からもこのことは知られる。教の古文は敎であるが、説文には之を解して「上所施下所效也從攴孝」と云ふ。又その孝には「效也從子爻聲」とあり、爻には「交也象易六爻頭交也」とあり、更に攴には「小撃也從又卜聲」と云つてある。此等から推せば先覺と後覺とが互に相交はり、先覺の父師が修飾したる人道を明示して、小撃以つて强制的に之を施し導けば、後覺の子弟は之に從ひ效うて善に移り誠に至るべき所のものが敎である。されば敎の形式は先覺者によつて後覺者の上に施さるゝ要求であり、其の內容は修飾されたる人道である。然るに修飾されたる人道とは謂ゆる「天理之節文」で、それは禮に外ならぬ。故に凡そ敎とは禮を以つてその內容とし、禮に從ふべきことを要求するものであるといへる。荀子が「師者所以正禮也（中略）無師吾安知禮之爲是也」（修身）といふ所以である。儒敎の實踐道德の立場からは、學といふも道を修めることであり、それは敎に從ふことの外にはない。學卽ち斅の字の中に敎の字が在る所から見て、學と敎とには互に共通する所のものがあることを知るのであつて、實に二者は一者の兩面に過ぎないのである。施す上より言へば敎であり、效ふ下より言へば學である。學の內容も亦禮の外には無いと考へられた。荀子は故に曰く「學也者法禮也」（修身）と。敎も學も畢竟するに禮の踐履の外には無い。禮は敎學を一貫するものである。太宰春臺が「禮は敎なり。故に此事はかく行ふ者ぞと兼ねて敎ふれば民の心にさてはかく行はでは叶はぬことゝ思ひて何の義も知らずして敎のまゝ行ふなり」（經濟錄）といひ、凌廷堪が復禮に於いて、中庸の修道の敎を「夫其所以敎者禮也」と解し、學については「禮之外別無所謂學也」といひ、更に敎學と禮との關係を述べては「三代盛王之時上以禮爲敎也下以禮爲學也」と論じて居るのなどは這般の消息を明かにせるものといふべきである。敎學と禮とが如上の關係に在る所から、儒敎倫理に於ける一切の敎は「禮に非ざれば行爲すること勿れ」とか「禮に從つて行動せよ」といふやうな一般的命題を以つて表現し得るわけである。孔子が亞聖顏淵に敎へて「非禮勿視非禮勿聽非禮勿言非禮勿動」といはれた語の如きは、此の普遍的形式を示すべき代表的命題といふべく、孔夫子の一切の道德的要求は、恐らくは此の一命題の中に包攝せられると考へられるのである。孟懿子孝を問ふや、孔子對へて「無違」と云はれた。無違とは親に事ふる禮に違ふ勿れといふ意であつたことは樊遲への說明によつて疑ふ餘地が無く、論語爲政篇の「生事之以禮死葬之以禮祭之以禮」の精神である。朱子も註して「人之事親自始至終一於禮而不苟其尊親也至矣」と言つて居る。かく親に事へて禮を盡くす所に孝がある、やうに、又君に事へて禮を盡くす所に忠がある。かくて一切の道德一として其の禮を守り其の禮を盡くす所に成立せざるはない。禮記曲禮篇に「道德仁義非禮不成敎訓正俗非禮不備」といふ所以である。

以上の如き禮の規範性は、儒敎倫理に於いて特に看過すべからざるものであり、從つて朱子の禮論に於いても亦注意すべき事項たるは言を俟たぬ。朱子によれば、若し本然の性が些の妨げらる所なければ、それは自然の儘純粹に活らき、從つて人間奥底の本體・生意は本來の方向に自展して内に在つては正しく意識界を構成し、外に在つては正しく行爲を成立するものである。即ち人間内面の諸動機は自ら正當なる秩序を保つて、過不及なき正しき心情から行爲し、その行爲は自ら當然の理を實現し得て禮と合一するのである。然るに現實に於いては種々の妨害を受ける爲めに、生意の自展の自然は必ずしも常に當然と一致せず、幾多の偶然邪妄を混じ、不善に流れて自由ではあり得ない。賢知者の過ぎ愚不肖の及ばざる所以である。此の弊を矯正せんが爲めに聖人は禮を制し敎を立てた。人は其の禮を守ることによつて、敎に從ひ道を踐履するを得るのである。禮はかく人事の儀則であり規範であるから、常人にとつては窮窟なものなのである。しかし此の窮窟を忍ぶことを繰り返すことによつて、皮錫瑞も言ふやうに、自然に囂陵放肆の氣は覺えざるに潛消し、以つて習慣は形成せられ、遂には禮の束縛の意識なく能く安んじて禮に合一する行爲を爲し得るに致る。此の境地こそ儒敎の理想とする所であつて、人をしてかく心の欲する所に從つて矩を踰えざる域にまで至らしめて始めて規範としての禮の目的は果されるのである。

第二節　禮と自由

道德的要求は必ずしも常に人間によつて充たされず、義務は必ずしも常に吾等によつて果されぬ。又、假令外面では之を充たし之を果したと思はれる場合でも、その當人のその時の心情は多様であるのが現實の姿である。或は利己心から、或は利他心から、或は利己利他相混ずる心から、其の要求に從ふなど諸種の心情から此の要求に服從する。そしてそれが如何なる心情からにせよ、苟も其の要求を充たしその義務を果たす限り、等しく皆それに服從したと一應はいへる。しかし此の場合、その服從は必ずしも道德的ではない。吾によつて實現せられた要求が道德的であり、吾によつて果された內容が義務にかなつて居るからといふだけでは、吾の爲した服從の道德性は導き出せない。問題は單なる服從に在るのではなくて道德的服從に在る。凡そ人道實現の要求は、既述の如く、敎の形を通してなされ、敎は禮への服從を要求する。故に道德的要求へも道徳的自由の問題であり、禮への道徳的服從の問題は、禮への服從の中に於いて自ら見出だされるであらう。

今他人の直接なる言語態度によつてか、或は文獻の記載によつてか、或は敎によつてか、それとも他の可能なる何等かの方法によつて、吾等の踐履すべき筈の禮が吾等の眼前に明示されたとする。そして之が實現を要求せられたとする。此の時吾は此の禮を踐履すべく執意することもあれば、又執意せざることもあり得る。執意せざることもあり得るが故にこそ、古來禮の重要性と其の服從とを高調せる幾多の聖訓も存在するのである。しかし吾がたとひ禮の實現を執意せざるにしても、禮實現の要求は一種の壓力を以つて吾に迫つて來る。吾は禮の嚴肅な促迫を感じて自ら之を實行せんとする必然的な内面的傾向を搖り動かされる。少なくとも全くの頑迷不遜な人でない限り此の事は言ひ得るであらう。禮の吾等に迫り來る此の力が、吾等をして禮に對する道徳的服從を實現せしめるのである。

吾等が禮に服從し禮を踐履する場合を視るに、極めて特殊な場合を除く外は皆其の禮の表象が我が内面の諸動機の中に入り來つて活らく所から起つて來る。

多少とも自己の動機が自發的に活いて意志決定が行はれる。若し自己の動機が全然活らかず、唯だ機械的盲目的に禮に服從する場合には、其の人の心情―人心と道心―は全然活かぬわけである。此の時本然の性は當に發動すべくして覺に眠つて發動せぬ。從つてかゝる行爲は假令外面は禮に介しても道德的には善でない。そしてかゝる服從を繰り返すことによつて、人は漸次無思慮となり、本然の性の純にして自由なる自發活動は次第に萎靡するに至る。これは明德の衰頽喪失である。是れかゝる服從が道德的に有害なる所以である。禮はそれ自身の價値の爲めに重要視せられるといふよりも、寧ろ人の本然の性・明德の完全自由なる發現を實にする上に、從つて人間奧底の本體・生意の純なる自展を實にする上に貢献するといふ點に於いてその重要さがある。聖人は生知安行にて、その本然の性は純粹自由に發現し得るとせられるから、其の生意の自展は純なる方向をとり、其の自覺內容たる一切の意識心情も、當然に秩序正しく統一調和し、外的行爲も亦自ら禮と合一する。かゝる聖人にとつては禮も其の必要がない。唯だ氣禀の拘、人欲の蔽あつて、明德明かならず、性の活動自由ならざる人、從つて正しき心情によつて行爲の動機が構成せられ得ない人は、禮に服從することによつてその心情が正され、その行爲が善となる。禮への服從の動機が如何なるものであるかは兎に角として、不正に陷るべき動作を、禮を守つて正すことは、之を放任して不正に陷らしめるよりも確かに好ましいことである。しかし禮を踐履する目的は、單に外的動作を正すといふ點にのみあるのではない。目的は飽迄も明明德に在る。我が本然の性を明かにして、その活動を純粹自由ならしめる所に在る。卽ち人間奧底の本體の純なる自展を實にする所に在る。若し禮に從ふことそれ自體を目的の如くに考へ、唯だ禮を踐みさへすればよいといふやうな無思慮な服從を繰り返し、その結果我が性の純なる自發活動を睡眠せしめるならば、それは方便の爲めに目的が犧牲となつたのである。禮に從ふ場合には本を忘れず常に我が本性の自由活動を來たすやうに心掛けねばならぬ。禮は人の情の足らざるを伸ばし過るを殺いで過不及なからしめるから、屢々禮に從ふことによつて人は自ら內に合理的なる情の生起する傾向を得、やがては外に對處するに當つても之に應ずる心情は、禮に從ふことによつて訂正せられるのではなくて、禮に從ふ以前既に自ら合理性を得、此の心情のまゝに振舞ふことによつて反つて禮と合一し、禮が實現せられるに至る。是れ性の純粋自由なる自展が自然に禮の實現となるのである。鄭玄の語を借りて之を「三百三千皆由誠也」(註禮器)といふもよいであらう。此の場合、禮は我自らの所産となり、禮への服從も我自らの立てた法に我れ自らが服從することとなつて、純然たる自律である。人をしてかゝる領域にまで至らしめるに役立つものとして、禮は道德的に高い價値を有つのである。人は禮に服從することによつてかゝる內面的自由を獲得することを目的とせねばならぬ。然らざれば禮への服從は反つて惡への導入となる虞があるのである。正しい心情—調和した道心と人心—の限定に成る行爲は自ら禮と一致して、其の外形は禮の規範に服する如くであつても、其の實吾自らが立法者であり、吾が吾に服從するのである。服從したのは禮へではなくて我へである。是れ服從したのではなくて自由に行爲したのである。

さて同じく禮の規範に服從したにしても、禮の有つ促迫力から之に服從する場合もあれば、禮への服從から來る利害を目的とする服從もある。共に自律的といへば自律的であるが、前者が道德的であり、後者が利己的であるは言ふまでもない。利己的欲求はそれ自體惡ではなく、道德的善に貢獻する意味に於いて善となり、妨害する意味に於いて惡となるものである。其の善もその惡も相對的である。之に反し、性は至善卽ち絕對善である。至善なる性卽ち明德とは、五常の理が一點の曇もなく昭々と輝いて、全く自由の狀態に在るものを意味する。善なる行爲とは、朱子に於いては、諸々の心情―道心と人心―の正しき秩序に置かれた心の狀態から發動したものをいひ、諸々の心情の秩序正しき狀態こそ、行爲をして道德的たらしめる根源となる。然るに諸心情の秩序正しき狀態とは、本然の性の純粹自由なる活動を意味し、從つて又それは人間奧底の本體・生意の純なる自展を意味する。朱子は性そのものを絕對善と認めると同時に、行爲の道德的評價に於いては、此の性の純粹自由なる狀態に最高價値を置き、之を以つて一切道德の成立根據たる道德共者と爲したのである。從つてそれは又人間奧底の本體・生意の純粹にして自由なる所に道德共者を認めるのである。苟も性の純粹自由なる活動を實にする上に貢献するものは善であり、之を妨害するものは悉く道德的に惡とせられる。補助妨害の大小は善惡の程度の大小を表はすとするのである。禮の如きも此の立場から道德的に善とせられるわけである。同樣に特殊個々の一切道德は、我の明德・本然の性の純粹自由なる活動に其の道德的基礎を有つ。中庸に「率性之謂道」とあるは實に此の意味を道破したものと見ることも出來ると思はれる。そして眞の道德的自由も性の此の狀態を除いては何處にも之を求めることが出來ないであらう。聖人は性のまゝにすとも、心の欲する所に從つて矩を踰えずともいはれて居るが、それは此の道德的自由の境地の體現を闡明道破したものに外ならぬ。此の道德的自由の境地こそ謂ゆる盡性の境地である。そしてそれは又人間奧底の本體·生意の純眞なる自覺自展を意味するから、朱子は本體の眞に生々的なる自覺自展に於いて道德的自由を見たわけである。人は自由を愛する。愛しながら或は無思慮に禮に服從せんとし易い。後世の儒者中先聖を敬愛するの餘り、先聖の制定に成る禮なるの故に之を正當視して盲目的に之に服從せんとし、又然かせんことを他に强ふるものが無いでもない。是れ反つて禮の眞義を解せぬものといふべく、先聖制禮の目的に忠なる所以ではない。自己の本體·生意の純眞なる自覺自展を實にし得る人は、眞に自己に生きる人であり、天地の大生に合一する人である。吾等は此の體驗に於いて輝き渡る潑溂たる太極其者に觸れ、內なる深き根柢の普遍絕對に復へるのである。それは天に合し神に合し、己が天となり神となることである。

蓋し天や神は道徳的に純粋に自由なる人格に於いて最もよく其の姿を示現するものであるからである。そして禮への道徳的服從こそやがて吾等を此の境地へ導いてくれるであらう。（終）

心理學に於ける刺戟と反應に就て

力丸慈圓

生物の大多數は他の生物に依存して生きて居る。生きるといふ概念のあらゆる範圍と方面とに於てさういひ得るのであるが、その最も原始的な意味に局限した、生命の保持といふ狹い意味に於ても、極く少數のバクテリヤを除いては、此の提言はよく當嵌る。狹い意味についてこの命題を換言すれば、大多數の生物は、他の生物を食物として生きて居るといふことになる。而も生物を構成する有機物質たる炭素原子又は原子團そのまゝでは食物に適しないのであつて、生活體の細胞組織の形に於て始めて之を食物として攝取するのである。之が爲めに生活體は他の生活體との關係交渉を一刻も免るゝことが出來ない。生きる爲めには他の生き物を求めねばならぬ。こゝに活動が不可欠のものとなつて來る。岩に固定して生きて居る下等動物と雖も全く無活動では生活を維持し難い。即ち生活は活動であると謂へる。但し活動とは必しも身體的運動のみに限る意味ではない。

そこで生物はその活動の過程に於て種々の外物との交渉を生ずる。その活動は他の生活體を獲得することが目的であるが、目的達成の過程に於てその目的及目的以外の種々雜多の物と事とに遭遇せざるを得ないのである。換言すれば、生活體はその生活過程に於て、他の生物を含めたあらゆる物や事に遭遇するのである。生物學者は之を約言して生物はその環境の中に生活するといふ。卽ち生物は、その環境に卽應して生活する爲めに、環境と復雜な交渉關係を有つのであるが、この相互關係を叙述する一形式が刺戟と反應なる方式で現はされる。茲に一方式と言つたのは、生物とその環境との交渉關係を叙述するのには、他にも異つた方式が存在することを示唆するものである。例へばそれを原因結果なる關係で叙述してもよい。或は目的と手段との關係、條件と結果などの關係で叙述する仕方もあるし、又現にさういふ方式を選んで居る人もあるのである。これ等の他の方式と今の刺戟と反應との比較は暫く省畧することゝして、心理學に於ける刺戟と反應との關係の意義について述ぶることゝする。

心理學に用ひらるゝ刺戟と反應

球を打てば飛ぶ。石を懸崖上に押せば落下する。打つこと、押すことは一種の刺戟であり、之に因つて起る運動は一種の反應であると謂ひ得る。併しながら此場合の刺戟と反應は假令之をこの方式で敍述することが適當であるとしてもそれは物理的機械的の刺戟と反應であつて、有機的の刺戟と反應ではないのである。心理學は生活體を對象とするものであるから(生活體の全部面ではないが)、その取扱ふところの刺戟と反應も、機械的のそれでなくて、有機的の刺戟と反應であることは言を挨たぬ。然らば有機的の刺戟と反應とは何であるか。その特質如何んといふことが當然問題とならなければならぬ。

生體の刺戟となり得るものは、生體それ自身によつて自ら制約さるべきことは當然である。刺戟は反應と不離の關係にあり、反應を豫想されぬ刺戟はあり得ないから、刺戟はその刺戟を受取つて反應し得る生體それ自身の構造的機能的特性に制約される。概括的に云ふ場合、これ以上言ふ必要は無い。

有機的反應とは何であるか。それは有機體が、その構造的機能的特性に從つて受取つた刺戟に應じた活動であると謂へるであらうか。必しもさうは言へぬ。何故ならば、人を突き落せば落ちる。その落ちることは有機體の運動ではあるが有機的反應と云ふよりも、むしろ機械的反應に近い。それは一部分その刺戟を受取る人の特性に依存する運動ではあるが、この程度ならば、落つる石の運動も、その石の有つて居る大きさ重さ形等の特性に依存するのと同程度であるといへる。落つる石の反應が機械的反應であるならば、此場合の人の反應も機械的でなくてはならぬ。但し突く力が加へらるゝと同時に此人が失神して終つた場合と、下に落ちつくまで、或は少くとも途中までは、その落つることをはつきり意識して居る場合とでは餘程その反應の樣相も意義も異るものがある。前の場合には死體の落下するのと同一であり、從つて石の落つるのと何等選ぶ所はない。それは全然機械的反應でしかない。後の場合、仕舞つたと感じ、その結果を想像し、同時にその落下の途中あらゆる努力を以て落下を防止する方策を講じたとしたら、これは前の場合とは大に異る反應である。結果に於ては同一であつても、その過程に於ては前後大に相違がある。後の場合は之を有機的反應と呼んでもよい。そこで、人が突かれて落つる場合の反應は或は機械的反應であり、或は有機的反應であるといはねばならぬ。後の場合を有機的と呼んだことから明かな樣に、有機的なる特性の中には單に受動的でなく、能動的な性質が含まれて居ることは確かである。能動的なることは有機的反應の一特色である。化學藥品が攝取されて身體內部で或る作用をする場合の如き、藥品は刺戟である。その作用は一部その藥品の作用であると同時に、一部又その作用を受けとる身體的組織の反應である。而してこれは單に藥品の作用を受取るのみでなく、同時にその組織のもつ有機的特性の反應であり、その特性によつて左右されるものである。或は又一見全く受動的と見ゆる反射運動の如きもやはり能動的である。そのことは意志的過程によつて支配され、練習によつて變化する等の事實によつて知らるゝ。

有機的反應の第二の特徴は統齊的であることである。よく統一されて全體的に活動することである。ばら／＼な無秩序な活動でないことである。殊に高等な生物になる程此の特徴の發達が顯著である。植物の如き又は下等動物の如きはやはり生物である以上その反應は此の統齊的といふ特徴を有つては居るが、高等な神經組織を有する動物程著しくはない。

Jamesは、樹木の根を斧で切つてもその枝や葉には影響はない。人の足を踏むとどんな結果が起るかといふ樣な例を擧げて高等動物の統齊的特性を指摘して居る。勿論樹木も生活體である以上その根部を傷けられて枝や葉が全く無影響ではあり得ない筈であるが、全體的影響は動物程顯著ではない。人はその最も末梢的な身體の一部に於ける刺戟が直に全身的な反應を呼び起す。卽ち統齊的特性が最も著しいのである。無生物は、その一部を毀損しても、物その物としては全體に反響を喚起しない。下等な動物はその身體の一部が切取られても、他の部分の蒙る影響は猶ほ比較的小さい。高等な動物は一局部の影響が直ちに全身に及ぶ。ある刺戟が與へらるゝと無生物は、その與へられた部分のみが變化を起すであらうが、それだけに止まる。生活體が或る刺戟を受取つた場合、その反應は、それを受取つた部分の局部的反應に止らず全統一體に及ぶのである。

第三の有機的反應の特徴は、順應的であることであると謂へよう。よく内外の物や事や情勢に即應して行くことである。

順應的なことの第一の特色は、生體がその生活に利便な刺戟に近づき、不利なものに遠ざかることである。Lewinは、生物はPositive valenceの故に物の方に近づき、Negative valenceの故に遠ざかると云つたがValenceといふ様な特別な心理的實體の存在を假定してもしなくとも、生物は有利なものに近づき不利なものに遠ざかることは事實である。これがどうして爲さるゝかの説明に至つて、諸家の諸説が分岐するのである。身體的營養物は之を攝取し消化し蓄積するが有害物は之に遠ざかる。或は後者が誤つて又は強制的に攝取さるれば、身體組織はその全機能を發揮して成るべく速かに之を無力化し又は體外に排出することを圖る。即ち順應的である。強力な光線に對するときは、瞳孔は自ら小さく、弱い光に對するときは、自ら大きく開いて、その受取る刺戟量を調節する。強すぎる光、弱すぎる光は共に生活に不利であり、適度な光が有利であるからである。即ち順應的である。而して之は無生物の機械的反應には無いことである。

順應的なことの第二の特色は、發展的、進步的なことである。之は主として、反應の範圍の時間的空間的な擴大を意味する。無生物の反應は、その存在する場所の附近の刺戟に對するものに限らるゝのであるが、生物の反應は運動によつてその範圍が擴大さるゝ。勿論固定して動かぬ樣な生活を營む下等動物もあるが、それ等の動物でも無生物に比すれば活動の範圍は猶ほ幾分擴大されて居る。高等動物になる程その運動の範圍が增大され、從つてその反應の範圍種類が甚しく增大する。それは空間的に擴大されると共に時間的にも擴大されるのである。無生物或は下等動物は、刺戟が與へられて始めて反應を起す。即ち現在刺戟にのみ反應するのであるが、高等動物は現在刺戟に反應すると共に、將來の未現の刺戟に對しても、過去既往の刺戟又はその結果に對しても反應するのである。而してこのことは動物進化の度の高まる程著しくなる特性であり、人類にありてはその最高度に達して居ると謂へる。そしてこのことは人類文化の進歩と共に愈々著しくなり、確實になり、廣範圍となるのであつて、近代の所謂る文化人の行動の凡ては、明けても暮れても將來に對する備へにのみ終始してるといつても過言ではあるまい。即ち有機的反應は、機械的反應よりはより廣い範圍の刺戟に順應する特性を有つといへるし、而も此特性は次第に發達する特性であるといへる。それだけに生物をして、より多くの刺戟に對してより能く順應することを可能にする。

順應の本質を概言すれば、生物がその環境と協應して、生命の維持發展をより能くする點にある。より能くする爲めには現に與へられた多くの刺戟の中有利なものに近づき不利なものに遠ざかる必要がある。即ちその反應は選擇的である要がありこれが上述の順應の第一特色である。更により能く順應する爲めには現在刺戟のみに止まらず、將來のそれにも遠方のそれにも過去のそれにも反應することが必要である。方に來らむとする敵襲に對し、將に起らむとする颱風に對する準備的行動を欠くものは、能き順應をなすものとは謂ひ難いのである。これは未現の刺戟に對する反應とも云ふべく、より能き順應の重大な特色であらねばならぬ。

以上は有機的刺戟と反應の一般論であつたが、以下心理學に取り扱ふ所の有機的刺戟と反應とはどんなものであるかを述べて見よう。先に述べた如く心理學に於ける刺戟と反應が有機的であることは當然であるから、以下單に刺戟と反應と云ふ場合には有機的な刺戟と反應の意味であることを含むものとする。

有機的刺戟といふ詞は少し奇妙に響くかも知れぬが、前述の如く、刺戟は反應と不離の關係にあるものであるから、有機的反應を起すものが即ち有機的刺戟である。刺戟そのものには有機無機を別つ要はない。

心理學に於て論ぜらるゝ刺戟は、普通内外の二つが擧げらるゝ、その中殊に外部刺戟は日常吾々の普通の生活環境に於て遭遇する最も普通の又最も解り易い刺戟であるから、特に重要視され、刺戟としては外部刺戟にのみ限ると明言して居る人も尠くないのである。そこで先づ外部刺戟について述べる。

外部刺戟は素より吾人の環境に存在する物と事とである。事は又事狀、情勢、狀況等と云つてもよいであらう。例へば一片の骨又は肉を投げ與へると犬が之に向つて飛びついたとすると、その骨や肉は刺戟であつて、犬の飛びつくといふ行動は反應であると云はれるのである。或は又犬に棒を振り上ぐれば蹲る行動を現はすとすると、棒は刺戟、蹲る行動は反應であるといはれる。これは甚だ平凡にして明瞭な事實の如く思はれるが、問題は見かけ程簡單ではないのである。犬の飛びつく行動又は蹲るといふ行動は、必しも肉片や棒切れによつてのみ現はれるのでなく、他の食物又は之に類似の物を投げ與へても犬は飛びついて來るであらう。又蹲ることも必しも棒切れに限らず、單に手を振上ぐるだけでも起り得る行動である。卽ち斯かる行動と、肉片や棒との間には一義的な刺戟と反應の關係は無いのである。凡ての物や事についても同樣である。卽ち特殊の物や事やは刺戟の素原になるものではあるが、刺戟そのものではない。直接刺戟となるものはその物や事に含まるゝ、或はそれ等を含む「或もの」である。この「或もの」を假に刺戟素因と名けるとするとその刺戟素因こそ吾々の知らんとする所のものである。これは物そのものでなくして、物をも含むその場合の「事」であらう。或は情勢狀況と云つてもよい。肉に限らず、何かしら食物らしく思はれるかも知らぬ物を、思はせる樣な風に投げ與へるといふ狀況にあるかも知れぬ。とにかく、物又は事情等の如き複雜な特性をふくむ刺戟にあつては、如何なるものがその反應を起す素因であるかを決定する爲めに種々の場合が實驗的に觀察されなければならぬ。そしてこれは後に述ぶる如く決して容易でない。そこで今少し要素的な刺戟として次の如きものが擧げられる。

外部的刺戟として普通擧げらるゝものは、物の有する複雜な特性から、或る簡單な物理的性質を抽象したものであつて、音、光、色、熱、電氣、重さ、擴がり、長さ等である。近世實驗心理學の最初の刺戟概念を構成したものはかゝる抽象的特性であつたが、之にも多くの反對があるのである。その最も猛烈な反對はかゝるものを刺戟とすることは、實驗室に於ける特殊硏究に於ては可能でもあり、その目的によつては是認さるべきであらうが、人の實際生活に於て遭遇する實際の物の客觀的具體的性質が閑却さるゝといふことである。更に又一部の人の反對は、凡ての物がかゝる簡單な幾つかの刺戟に分析さるゝことが理論的に可能であるとしても、かゝる方法では、それによる反應は單に辨別の程度にすぎず、それだけでは心理學は、複雜にして豐富なる人又は動物の行動を究むることは到底不可能であるといふにある。更に第三の反對は、この刺戟の意味では、刺戟とは單に、生理的機構をしてその機能を起さしむる條件に外ならぬのであつて、かゝる刺戟と反應との關係を見るだけでは、心理學は全く生理學と區別がないことゝなるといふのである。更に第四の、そして近時一般に廣く認めらるゝ形態學派の痛烈な反對は、かゝる刺戟とそれによる反應との間には必しも一定不變な關係は存在しないといふ點を擧げた反對である。例へば刺戟としての光の量と、それに對する心理的反應としての視覺(或は彼等の表言に從へば、直接經驗としての「見え」)は恒常ではない。不定の關係にある刺戟と反應であつて見れば、それが心的過程や行動等の敍述方式として用ひられた結果から何等一定の法則を導き出すことは望まれないといふのである。

心理學に於て、最も普通に用ひらるゝ外部刺戟の概念に關しても、精査すれば、滿足されないまゝ殘された問題は―そして重大な問題―數多く見出されるのである。

次に內部的刺戟として通常擧げらるゝものは、筋肉、腱、關節等に於ける所謂る筋肉感覺器官に生ずる一種の感覺、胃腸等の內臟諸器官に於ける所謂る一般感覺器官に感じられる感覺、これ等の筋肉感覺や、一般感覺やを起す刺戟となるものは身體それ自身の運動又は身體內部の狀態に因るものであるから、これ等の運動や狀態を內部刺戟と云ふことが出來る。例へば筋肉緊張の感又は紲緩の感、外物によらぬ腹痛、神經痛、齒痛等の感などは內部刺戟によつて起る反應であるとするのである。但しこれ等の刺戟の作用する部位について云へば、外部刺戟と同じく、所謂る內部的感覺器官にある神經末端を刺戟するのであるから、共に之を末梢刺戟として、外部刺戟と共通の部類に攝することも不可能ではないが、刺戟そのものについての分ち方からすれば、やはりこれ等は內部刺戟と見る方が適當であらう。それは元來これ等の刺戟は內にのみあつて、外界には存在せぬものであるからである。

すると茲に一つの困難が生じて來るやうに思はれる。身體の外にのみ存在して、體內に取入れることの不可能な事物については、これを外的刺戟と見ることに異論はないが、或種の物、例へば特殊の藥品の如きは、體內に攝取されると始めて特殊の機能を發揮して、所謂る有機的刺戟として著しい作用を起すものがある。その身體的反應は暫く別として、精神反應の側について見るも、或る藥品を靜脈注射すると劇しい臭や味を感ずること、或は體內攝取によつて內部諸器官に温覺又は痛覺又は劇しい一般感覺や情緒等を感ずることなどは屢々經驗されることであるが、これ等の物質は、上來の分類によれば内外孰れに屬せしむべきであるかは困難ではないか。之を末梢刺戟として内外の別を廢すればかゝる困難は消滅する樣に思考される。成程之は一應尤もらしい見解である。それ等の特殊な物質は外にあつては視覺的觸覺的刺戟たるに過ぎぬが、一旦體内に送らるゝと著しい作用を示すものであり、外部的刺戟であつて同時に内部的刺戟であると見ても可い樣である。或る物質の刺戟機能は必しも或種類に限られたものでは無く、又限るべき必要もないのであるから、かゝる種類の物質は内外兩方面の刺戟作用を生ずるとしても毫も不都合はなく、分類に際して若し希望ならば内外兩刺戟に屬せしめても必しも不可はないかも知れぬ。唯だ元來これ等の物質は外界に存在するものであるから、その本來の所屬に從つて外部的刺戟とすることに不合理はないであらう。

ホルモンは體内にあつて作用するときは内部刺戟、ホルモン製劑となれば外部刺戟であると謂へる。

内外刺戟の外に更に中樞刺戟なるものが擧げられることがある。例へば連續的な或る思考系列があり、前の思考が後の思考を起す場合には、この前の思考を刺戟、後のものを反應と云ふことが出來る。而して此場合の刺戟は、何等末梢的な新刺戟によるものでなく、神經中樞にその原因があるものと見なければならぬから、これを中樞刺戟と謂ひ得るといふのである（Woodworth, P. 48-49）。

思考系列の如き、その最初の思考が直接外部的刺戟から起つた場合には、中樞刺戟の概念は稍や不徹底な恨を免れ難いであらう。その最初の思考が何等外部的刺戟によらずして突然發生した場合の如き、初めて中樞刺戟の意義が徹底的であると謂ふべきである。この意味に於て、夢、幻覺等の比較的變態的な心的活動についてのみ中樞刺戟の概念が適確に適用される。勿論變態と正常との境界は嚴密には明確な劃線を引き得べき程決定的なものでないから、日常の心的活動に於ても、中樞刺戟から生ずる反應の尠からざることは承認さるべく、又事實吾々の經驗する所であるから、變態的といふ意味は例外的の意味ではなく、從つて例外的として輕視すべきではない。殊に或人の如く、所謂る決定的傾向、心的態度、要求、慾望、動向、注意、興味等をも中樞刺戟と見て（Dunlap）吾人及動物の行動的反應はこれによつて決定され、左右されるものと見るときは、中樞刺戟の機能は極めて重大なものとなり、心理學の職分が、人間及動物の行動の敍述及豫測にありとすれば—多くの學者の云ふ如く—中樞刺戟とその反應とを相關的に知ることが心理學の重要任務と見らるゝことになるが、これは刺戟といふ概念に過重な荷負を擔はす結果であつて必しも妥當な説とは云へぬであらう。

玆にも亦前と同樣な困難がある。或る藥品(殊にアルカロイド性)が吸收されると、神經中樞に作用して幻覺、譫妄等を起すものがある。刺戟部位によつて分類する仕方に從へば、これ等は中樞刺戟と目さるべきであるが、その不合理は一見して明かである。內外の別を廢して、中樞、末梢刺戟の別を取らんとする時は此の不合理に逢着する。之を前と同じく、その刺戟物の元來の所屬に從つて、かゝる物質(例へばアルカロイド)をも外部刺戟とすれば困難は除かれる。又中樞、末梢神經は機能的にそれ〴〵の特性を有つと共に又共通の機能をも有するものであり、同一の外部的刺戟が、直接末梢を刺戟しても又は直接中樞を刺戟しても同一の反應結果を生ずることも可能な場合があるから、中樞刺戟、末梢刺戟の別は、刺戟の分類題目としては曖昧であり混亂を來たす虞を多分に含む。神經系統は Sherrington が云つた樣に、動物の統齊的作用の極致であり (P. 352)、中樞に起つた刺戟作用は必ず反應機構を動かし、末梢のそれも必ず中樞を經て初めて反應するからである。それ故に中樞末梢等の分類よりは、內外の分類に從ひ、所謂る中樞刺戟をも、內部的刺戟に含ましめることが妥當であらう。

以上內外刺戟は心理的に用ひらるゝ分類として、又分類としてのみならず實驗上實際使用さるゝものとしても、重要なる刺戟であるが、更に實驗的には左程重要ではないが、生物の實際生活に於て事實上刺戟として作用するもの、從つて理論上當然心理學に於て論ぜらるべきものをも擧ぐるならば、以上の積極的刺戟に對して、消極的刺戟とも稱すべきものを擧げねばならぬ。それは經續的に存在したもの、或は事情、の急劇な消極的變化である。今まで居た人が急に見えなくなつたり、時計の音の突然の停止、燈が俄かに消ゆること、進行して居る汽車の止まることなどはその例である。

最後に一言すべきは、最近 Koffka によつて提唱された刺戟の分類である。氏の例を借用すれば、卓子は「間接刺戟」(distant stimulus)であり、卓子から來る光に因つて起さるゝ網膜上の神經興奮は「直接刺戟」(proximal stimulus)である。氏によれば、此の別を無視した爲めに、從來の心理學說は致命的な過失を犯し、問題を看過し、その提言した說明は說明を成さぬことになつたといふのである(P. 80)。これは新說であるが、屢々云はれる樣に形態學派の新說は從來存しなかつた新說でなくして、從來存在した點を新しく强調したにすぎぬといふ意見を裏書する一新說である。從來殆んど凡ての學徒は氏の所謂る「間接刺戟」なるものを口にしなかつた。それは言ふ必要を認めなかつた爲めであらう。氏の云ふ通り、同一の「間接刺戟」に對して事實無數の「直接刺戟」が存在し得るが、從來の心理學者の誰もが、當面の刺戟は、その無數の「直接刺戟」の中のどれであるかを、その場合々々に必ず、明白にか暗々裡にか斷つて居るので、「直接刺戟」となる「間接刺戟」全體について特に敍述する要を認めなかつたのであらう。「直接刺戟」のみが問題にされたのであり、それは當然のこととして一般に許された默契であつたのである。卓子の形が問題である場合に、その重さ、その色、その光澤、その軟硬粗滑、それを叩いた時の音などは、暫く問題外に除外さるべきことは當然である。卽ち氏の云ふ「地理的環境」に於ける、「卓子としての卓子」(table qua table)が刺戟機能として全體的に作用するのでなくして、それは「直接刺戟」としての機能を含むだ刺戟素原であることは、許された事實であり、取立てゝ論ずる要のないことがらである。

要するに氏の新著に提唱された所謂る「直接刺戟」と「間接刺戟」との區別は、これも新提議である所の「地理的環境」(geographical environment)と「行動的環境」(behavioral environment)の區別と共に――筆者の理解がもし正しいとすれば――敍述説明を必要以上に複雜にする無用の區別である樣に思はれる。實際に刺戟として作用せぬものを「間接刺戟」と呼び、事實環境をなさぬものを「地理的環境」の名を附する要はないと思ふ。それは刺戟でも環境でもない。單なる外界の實物であり、存在事情にすぎない(Cf. P. 28f.)。

次に反應について。

心理學に於て論ぜらるゝ反應は、一往之を精神的反應と、身體的反應(又は運動的反應)との二つに區別することが出來る。

第一に先づ精神的反應とは、云ふ迄もなく意識的の精神活動の全部を含むものである。或る刺戟が皮膚に作用して痛みを感じたとする。これは所謂る感覺の一種である痛覺である。之は注射針を刺した痛みであると認識するとすれば之は知覺の一種である。之によつて一種の不快を感ずるは感情的反應である。

或る不安、悲み等を感ずるは情緒である。腕の動きを抑制して痛みに耐ふるは意志的反應である。これと同時に前回の注射を思ひ起すは所謂回想である。注射の結果を想像するは想像的反應、合計幾本になるなどと考ふるは思考である。此の簡單な例は或る一つの感覺刺戟から出發して、種々の心的反應が聯合的に起る場合の例であるが、心的反應は必しも、此の順序に、又これだけ全部が起ると限られたものではなく、或る音を聞いて友人の聲を想ひ起す場合の如く、又は自身の運動が刺戟となりて或る筋肉に一種の壓迫感を生ずる場合の如く、精神的反應は如何なる感性經驗より出發して、如何なる知覺又はその他の精神內容に終ることも可能である。唯だ以上の諸例が示すごとく、刺戟が內外の感覺器官に作用する時は先づ感覺的反應から出發することが普通であり、前述の所謂る中樞刺戟が內部に於て中樞神經を直接刺戟する場合にのみ、感覺の門を經由しない心的反應が存在し得るのである。

第二に身體的運動的反應と呼ばるゝものゝ中最も簡單なものは所謂る反射運動である。前述の光線の量に應ずる瞳孔の大さの伸縮運動の如きも其の一例である。その他外界の物を見る場合の眼の水晶體の調節運動、兩眼筋肉の輻輳運動の如きも之に屬する。膝蓋腱反射運動、噫、咳、欠伸、その外多くの生理的有機的運動の如きもさうである。此等が前述の有機的反應の特性を具ふるか否かについて、その中の或るものに對しては稍や不明了な嫌を有つものが無いではないが、その運動についての特性を精査知悉する時は、孰れも皆な有機的反應であることが知らるゝであらう。但しこれ等の悉くが、心理學にとつて重要な役を有つものではないから、今こゝにその一々の特性を敍述することは省畧するが、反射運動の全般的特性中、他の、より複雜な運動と異る最も特異な性質は、此種の運動の生起が他のそれよりも非常に迅速であるといふ點である。

運動的反應の中、反射運動よりも稍や複雜な所謂る本能的運動から、最も複雜な所謂る目的々行動に至る迄の千差萬別の運動を何と呼ぶべきか一般的に承認された概括的な呼稱は存在しない。Tolmanは、前述の反射的運動をBehavior qua molecularと呼び、今此處に意味する如き複雜な具體的な運動をBehavior qua molarと呼んで居る。前者は所謂る神經反射弧なる、一連の神經的徑路により、一定の刺戟による一定の反應として現はるゝ最も要素的な運動と考へらるゝ、神經の生理解剖的概念に制約さるゝ固定的の運動であり、後者は全く之に反した特性を有し、固定的でなくして變化性に富み、從つて過去の學習結果によつても變化し、未來の學習をも支配するし、目的が達せられない場合には臨機應變に變化し得る行動である。從つて物理的生理的の神經的基礎概念の支配を全然脫却し去つた自由な運動であるといふのである(Tolman. P. 438)。この名稱は一般學者によつて廣く承認されたものとは云ひ難いが、前述の Koffka の著書には全幅的に承認され採用されて居る。此の名稱の可否は別として、所謂る行動主義一派の心理學者が心理學の唯一の研究對象の如く主張した、反射的運動又はそれに近い運動にしてそれに歸屬せしめ得るが如き固定的孤立的要素的運動が、心理學の攻究すべき行動の全部でなくして、むしろそれはそのほんの一部にすぎず、心理學の闘する所は、より複雜具體的な行動にあることは、現代心理學者の齊しく認むるところである。從つて早晚之に對する一般的な名稱が學界の公稱として決定さるべきである。それまでは單に行動なる名稱で呼ぶことも可いであらう。唯だ從來の所謂る行動主義心理學者の主張する行動との誤解混同を忌み避ける爲め、一々之を斷ることの煩雜さがあるが、止むを得ぬであらう。

以上は反應を精神的方面のものと身體的方面のものと各別に敍述したのであ

るが、生體は有機的であり、有機的反應は統齊的である以上、勿論此の二つの反應は實際には別々に無關係に發生するものではあり得ない。極めて簡單な心的反應である所謂感覺的反應の如きも、何等かの身體的運動を伴ふのが普通である。例へば行動主義心理學者の云ふ筋肉又は腺の反應の、何等かの形に於ける身的行動を伴ふ。何等の身體反應を隨伴しない樣に思はれる場合にも、恐らくそれは吾々のそれを捕捉する方法が不完全である爲めであることに歸せられる場合が可なり多いのではないかと思はれる。最近盛んに問題とされる大腦電波の特殊の型式が特殊な感覺刺戟に伴ふが如き現象は、從來知られなかつた方法による一新事實の存在を物語るものであつて、猶未知の方法の殘され居ることを示唆するものである。兎に角その方法の適否によるか否かは別として、實際今日一見何等の身體的反應のない樣に見ゆる場合は猶可なり多い。その極端な病的事例は所謂る硬直癡呆(Catatonic stuper)であつて、一定の身體的姿勢を保つて、長きは數箇月間、その周圍に起る一切の事物に對して身動きも瞬きさへもせぬ程の無關心振りであつて、身心共に一見全く無反應と見ゆるにも不拘、一且硬直狀態が去つた後その間の出來を何でも物語ることが出來るといはるゝ。

或は正常な場合について云へば、思考作用の如き、それは所謂內部的言語運動に現はれると云はるゝけれども、今猶ほこれを客觀的に觀察する方法は極めて不完全である。私は今茲に古來未決の問題である身心關係を論ぜんとするものではない。又それに就ての私の態度を決定せんとするものでもない。從つて一定の精神的反應は必ず一定の身體反應を伴ふべきか否かを論決ようとするのでもない。唯だ殆んど凡ての精神的反應は何等かの(必しも相對的に一定でなくとも)身體的反應を伴ふが故に、身體的反應も精神的反應と共に心理學的研究の對象となされなければならぬと考ふるものである。即ち身體的反應は、單に身體的反應であるが爲めに心理學的研究の對象となるのでなくして、精神的反應と相伴的であるが故に對象となり得るのである。先きに擧げた例を取れば、突き飛ばされて斷崖から轉落し始むると同時に失神して全く屍體の落下するが如き場合の運動は、身體的運動ではあるが、それは行動ではなくして單な移行運動(locomotion)であり、有機的反應の特性を欠ぐものであり、心理學的研究に價せぬものと考へられる。或は又有機的反應ではあつても、例へば化學藥品による身體的組織の或る反應の如き、或は消化呼吸循環その他所謂植物性機能に伴ふ種々の生化學的反應の如き、全然心的反應を伴はぬものは亦心理學的對象とはなり得ないものと謂はねばならぬ。

刺戟と反應との關係

上來刺戟と反應とを殆んど列擧的に數へ上げたのみで、その相互關係については觸れなかつたのであるが、この關係は重大な問題であり、それだけに又議論の多い問題である。

初めに先づ、前に刺戟について述べた際、問題だけを擧げて答を保留して置いた點を再檢して見よう。

外的刺戟を、具體的な「物」から抽象された特性、即ち光、熱、音等とすることに就て、四の反對意見のあることを指摘しておいた。第一に、かゝる刺戟を取扱ふと、吾々の實際生活と直接關係ある客觀的な「物」の具體性を無視することゝなり、心理學は物理學化學等の自然科學に類似したものとなり、人の實生活とは緣遠いものになると云ふ。之は尤もな議論である。心理學の取扱ふ刺戟が常にかういふ刺戟に限らるゝならば確かに論者の批難は肯綮に當つてゐる。併しながら心理學は、光とか色とかの抽象的な特性のみを取り扱ふものでなく、更にその色そのものには單獨には存在しないで、相互の關係によつてのみ生ずる特性、又は色を有つた具體的な物、物と物との關係、物と生物との關係などをも、刺戟と反應との關係に於て研究考察して行くものである。第二の批難は、かゝる抽象的な刺戟によつて研究さるゝ心理學は心的過程の極めて一小部分のみであるから、それだけに終るならば心理學は感覺的知覺的辨別の學に終るといふのであるが、之も前の第一と同じく、刺戟の種類をこれだけに局限するものとの前提の下には肯定さるゝ議論であるが、前述の如く、心理學の關する刺戟は何もこれだけに限らるべき理由はないのである。第三の難點は、心理學と生理學とは區別がつかなくなるといふのである。之も前と同樣に刺戟の範圍をより自由に擴張すれば、容易に解決する問題であるか、よし心理學の刺戟領域をかゝる抽象的特性を出ないとしても、生理學と心理學とは明かにその異つた職分を有つものでなければならぬ。

第四の難點卽ち刺戟と反應との間に恒常關係がないといふ點は、形態學派によつて最も痛烈な反對を受けた點であり、之については賛否兩論者の間に相當の誤解と混亂があると思はれるので少しく詳論する要がある。

刺戟と反應との恒常關係の否定は、刺戟と感覺との關係について、Köhlerの所謂る恒常假定(Konstanzannahme)を否定したものが最も有名である。彼はその論文(1913)の冒頭に於て次の如く云つて居る。「或る法則が一度現はれると、證明のないことまでも或は證明の不可能なことにまでも、それを例外なく適用せんとする傾向が生ずる。これは凡ての科學に於てさうである。直接觀察は全く之に反する樣な結果を示す場合にすらも、矢張りその法則の恒常を要求せんとする。恒常豫期と實際觀察との間に一致せぬものがあるときは次の如き補助假設を許してこの恒常假定を固執せむとする」而して此の恒常假定なる語に脚註を加へて次の樣に云ふ。「恒常假定とは、當面の法則が觀察を超越して、一般價値を有つといふ根本假定を表はす名辭として用ひらるゝ」と。觀察が凡ての科學に重要なものであることは云ふまでもない。從つて實際觀察された事實に符合せぬものは實證科學の事實としての價値のないものでなければならぬ。それは直に捨てられなければならぬものである。それだのに事實は或る法則が一度現はれると、凡ての現象の說明をその法則に契合させ樣とし、うまくそれに契はぬことがらまでも强ひてそれに附會させ樣とする。斯く實際觀察を超越して迄もその法則に一般價値を有つとする根本假定を恒常假定といふのである。或る現象がうまくその法則にあてはめて說明出來ぬ場合、(一)それは判斷錯誤がある爲めであるとか、(二)氣附かれない、意識されない爲めに一般法則に符合せぬ樣に思はれるのであつて、よく注意してそのことを觀察すれば、よく符合することに氣がつくのであるとか、(三)判斷にも亦氣づかれぬ判斷がある爲めに、實際觀察の結果の陳述が區々になり、一般法則に適合せぬ如く見ゆる結果が生ずる。こんな樣な補助的の假定を設けて、觀察結果と法則との不一致を强辯するのである。これが Köhler の論文の問題である。而して彼は、此根本法則は證明された確定的なものでなくして、その支持者の一人である Stumpf も認めた樣に、事實を結合するための一の可能な見解にすぎず、よし又確定的としても、論理的論駁によつて其主張を變へさすことは不可能であり、又觀察實驗からの論駁も、氣づかれぬ心性といふ樣なものゝ存在を主張するのだから、反證を擧げて見ても、そこには氣づかれぬ判斷錯誤があるとして、却つてその證明に逆用されるかも知れぬので、これも見込がないといふ理由の下に、根本假定をそのまゝにして寧ろその三つの補助假定の方を、その標準の無いことを指摘して論駁して居る。この論文は專ら論理的に議論を進めたものであり、最初に引用した樣に、ある法則が觀察を超越して一般的價値を有つといふ根本假定の攻擊排斥であつて、觀察と契合する場合についてまでもその法則を無視しようといふのでは勿論ないのである。

然るにその後いつの間にか、恒常假定の排棄が高調されるにつれ、勢の趨く所遂に、刺戟と感覺反應との間の一切の恒常關係を根本的に否定するものであるかの如き誤解を招かしむる傾向が濃厚となつたのは事實である。殊にその主唱者なる彼のその後の主著に(Köhler 1929)、特に一章を設けて、多くの實例を擧げて、刺戟と感覺知覺的心性との間の一定關係の存在を否定したことは、一層此の誤解を深むる有力な援助となつたことは爭はれぬ。彼は云ふ「內省論者の今一つの信念はかうである。見える大きさは網膜上の大きさと比例すべきである。網膜上の形の變化に比例して見える形も變るべきである。見える物の位置は網膜上に映じた位置に從ひ、見える光度は網膜上の光の强度に一致すべきである。然るに大きさ、形、位置、光度等に關する凡ての實驗はその豫期と一致せぬ。

何故彼等は驚くか。何故實驗の結果を鮮かに當然の事實として受取らぬのか。それは刺戟作用と感性經驗との間の一定關係についての偏見信念によるのである」(P. 33. 取意)。「上來の分析を今一度繰返すならば、次の樣な結論になるだらう。內省論の一の決定的動機は、眞の感覺は、主觀的態度に無關係であり、唯だ局部的經驗として局部的刺戟作用にのみ依存するものであるとの信仰である」(P. 96–7)。彼のこの結論は、多くの實驗例を擧げて外部的刺戟と感性經驗との不一致を一々指摘した結果から導き出されたものである。卒然として通讀すれば、刺戟と感覺經驗との間の一定關係の凡てを否定したものゝ如くに思はれるが、精讀翫味すればその誤解であることが發見さるゝであらう。最後の引文の脚註に次の如く斷つてある。「これが有名な恒常假定である。或る內省論者は云ふ、どの科學でもさうでなければならぬ樣に、形態心理學も、與へられた條件とそれから來る結果との間に或る恒常關係を認めなければならぬと。その通り！吾々は一般に條件と結果との間に存する恒常關係に反對論をなすものではない。唯だ局部的刺戟作用と局部的經驗との間に於ける恒常關係に反對するのみである。畧して之を一般恒常假定と呼ぶ」と(P. 97. 脚註)。こゝに明かに見らるゝ樣に、前の論文(1913)での恒常假定は、如何なる科學にも通ずる樣な又如何なる法則にも適用さるゝ樣な極めて一般的な意味を有つた恒常假定であつた。後の(1929)恒常假定の意味は、心理學の、そして刺戟と感性經驗との間の恒常關係となつて、それを排擊する狙ひ所がどこにあるかゞ一層明了にされてゐる。併し前にもさうであつた樣に今度の著書に於ても、攻擊の主點は、恒常關係そのものよりも、恒常關係の見出されない多くの、又は恒常關係のみでは說明の困難な多くの實例について、飽迄その關係を見出さねば承知せぬもの、又その關係による部分のみを眞の心的經驗とし、他は遇然的附帶的な「意味」によるものとして輕視するものを責めることに集中されて居る。卽ち恒常關係の全面的排斥といふよりも、一定の刺戟と感性反應との關係が、常に存在し、そしてそれが唯一の關係であり、その關係に據る心的反應のみが眞であり本質的であり、他は附加的一時的なものであるとすることを排斥したものと見ることが正當である。前の論文にも、「誤解されては困る、私は勿論感覺が物理的刺戟、生理的過程と全然無關係とはいはぬ。たゞ刺戟とその末梢的受領が感覺を決定する殆んど唯一の獨立した條件と見做さるべしといふことに反對するのである。その餘の條件も私には同様に生理的現實である」(P. 63. 脚註)と斷り、彼自身誤解を生ずる虞のあることを認めて居ることは明かである。之を辯解して、刺戟とその末梢的受領とが感覺決定の唯一條件と見らるゝことに反對するだけであると云ひ、「唯一」を特に間隙タイプにしてゐる。唯一といふことを特に强調するならば、何も問題はない。恒常關係も全然認めない譯では無いが、それだけに拘泥することは不可であるといふのが、彼の恒常假定排撃の眞意である。それならば何も新說でも何でもなく、舊來誰も知つて居たことである。それが特別な論文の形で明言されたからとて、特に喧しい問題とする必要はないのである。必要のないものが問題とされたのは、寧ろ恒常關係の排棄でなくて、恒常關係に契はぬ心的現象についての、又は刺戟も反應も複數である場合、恒常關係に契合せぬ部分についての解釋の相違に由るものである。舊來の心理學(Köhler, 1929)は舊心理學の代表として內省主義を擧げたと雖も、これのみを唯一の關係とし、感覺知覺等についての解釋に他を全然棄てたのでないからこそ、Köhler の所謂「意味說」が出現するのである。結局問題は舊心理學が「意味」によつて說かうとした點についての批難であり、從つて解釋についての意見の相違である。形態學派と雖も恒常關係を全然拒否したものではない。

このことは形態學派の巨匠の一人 Koffka についても同様である。前掲の彼の著書（1935）には恒常假定の攻撃を Köhler よりも一層組織的に一層詳述してゐるので、之が全面的排棄であるかの如く見ゆるが、事實は、斯々の場合にはこの假定は適用されぬから、恒常假定は唯一絶對なものではないと云ふことを指摘したものと外思へぬ。これについて少し詳論して見よう。

第三章全部は殆んど恒常假定の否定に費されてゐるが、「何故事物が現にあるか如く見ゆるか」といふ題目下に於ける論述に於て、先づ最初に、「物はあるがまゝに見ゆる」との答を假設し、例を擧げて之を排撃し、物の實際的存在の條件は、物の心理的現實的存在（知覺）の、必要條件でも充分條件でもないことを論證して居る。換言すれば、外界の實物が同時に吾々の實際の「見え」である爲めには、その外界の實物は「見え」のための必要にして充分なる條件でなければならぬのであるが、事實は、實物が無くても「見え」はあり得るから實物は必要條件でもなく、又實物があつても必ずしもその通りには見えぬから、充分なる條件でもないというのである。こゝに彼が實物と云ふのは彼の所謂る「地理的環境」に存在する「物」

であり、彼の所謂る「間接刺戟」(distant stimulus)であり、吾々の心理的過程と直接關係を有たぬ物であるから、前述の如く、かゝる議論は、論述の形式を整ふること以外には重要な意義を有しないと思ふ。とにかく彼は此の第一の答「物はあるがまゝに見ゆる」を排して、「此答は當然の樣に見ゆるが、これは全然不適當な計りでなく、多くの場合にはどこまでも誤りである」(P. 77)と論斷して居る。如何にも全幅的否定の如く見ゆるが、實は外界の實物(彼自身の意味に於ける實物をも、實物通りに受取られた直接刺戟の興奮をも)を、實物通りに知覺することを肯定した例は、本書の後章に(本章にさへも)殆んど無數に見出されるのであるから、眞意は言外にあるものと解せねばなるまい。

第二の假設的の答は、「物は直接刺戟の通りに見ゆる」と云ふのである。此の直接刺戟とは彼の所謂るProximal stimulusであり、視覺の場合ならば網膜上の刺戟(詳く云へば刺戟による興奮)である。此答を言ひ換ふれば、吾々の視覺的經驗(視知覺)は、網膜に與へられた外物の刺戟の通りであると云ふことになる。即ち所謂る恒常假定を、視覺的經驗について言ひ表はしたものと云ふことが出來る。之についてのKoffkaの論難は、稍や詳細であることを除いては、その手法も順序も全く Köhler の著書「形態心理學」と同巧であり、從つて結論も全く同じである。廣義には此答は正しいが狹義には正しくないといふことを論じたる後、Köhler の所謂る「意味說」(著者は意味說と呼ばずに特に解釋說と呼び換へてゐる)に詳細過ぎる程論駁を加へて居る。廣義の肯定といふのは、網膜刺戟に或る變化が起れば、吾々の「見え」にも何等かの變化は起る意味。狹義の否定とは網膜刺戟に或る變化が起つても、「見え」の變化はそれと同じ種類の變化ではない。變化の種類といふことまでを含めた意味では、刺戟と實際知覺との間の一定關係を認むることは「誤」であるといふのである。(P. 80ff.) この部分の論述は、その議論の結構にも擧げられた例の解釋にも可なり大きな論理的矛盾や自家撞着があるが、後段意味說の反駁に至つて論鋒は急劇な鋭さと冴えとを見せて居る。蓋しこれは當然のことであらう。何故ならば、Köhler に於てもさうであつた樣に、著者の主眼とする所は意味說の攻擊であつて、恒常關係についてはその一般的否定を目的とするものでなく、寧ろ必しも恒常關係はないといふのが眞意の存する所であるからである。

形態學派の人々による恒常關係排擊の眞意が、その全的拒否でないことは、彼等の論著の隨所に窺ふことが出來るが、私は今前揚の最近最も組織立てられた Koffka (1935) の好著に其の例證を拾つて見よう。

空間的方向の心理的基礎として、視空間の場合、空間的立體枠 (spatial framework)が擧げられる。此の枠は「正常の位置」では、觀察者の顏に平行に直面した垂直面 (frontul parallel plane) と、前に延びた水平面とできまり、之によつて吾々の空間方向が決定されるのである。そして網膜上の線は、此の空間枠の決定とは一定の關係を有たず、却つて網膜上の線の方向づけが、此の空間枠によつて左右されることになると彼はいふ。これは非常に重要なそして興味ある說であり、吾々の網膜上に倒まに映つて居る外界の物の像から、どうして吾々は倒立してゐない物を見ることが出來るかといふ古くからの疑問を解決する一の示唆としての一役を勤むるものである。それは兎も角、茲に所謂る「正常の位置」とは、吾々が地面の上に立つてゐる位置であり、その場合の外界の物の方向を決定する標準となるものは、著者の所謂る normal framework である。地上にある場合地面は一定であるから暫く考慮の中から除くとすると、所謂る frontal parallel plane (假に竪正面《たてしやうめん》と呼ぶ)に物を見る場合が正常であり、之が標準となる。此場合には外的刺戟が正方形ならば正方形の網膜像を投じ、その網膜像は正方形の「形」の知覺を與へる。卽ち外界の刺戟と直接戟刺(Koffka の proximal stimulus)と實際直接經驗なる「見え」とが完全に一致するのである。著者は之を特殊な或は標準的な場合 (special, or unique case)と呼んで居る。併し特殊といつても、極めて稀に起る意味ではなくして、正常な場合を謂ふのであり、正常なるが故に屢々起るのである。屢々起るが故に正常になるのでなく、正常なるが故に頻繁に現はれると特に附加へて居るところは、形態學派一流の心的過程を過程それ自身によつて説明し、舊來の經驗説を斥ふ全般的傾向の一片鱗を閃かしたものである(PP. 221-222)。竪正面に於ける「見え」が正常であり標準であり、それによつて方向、形等が決定され、實驗に於てもそれを標準として、それからどれだけ外れると、どれだけ知覺の變化が見られるかを測るのである。卽ち刺戟と、その反應である「見え」との一致を認めなければ、實驗は標準を失ふことになるであらう。代表的正常の場合として著者も之を認めてゐることは、隨所に現はれた文脈から明かに窺ふことが出來る (Cf. P. 97, 227, 228, 231, etc.)。竪正面の場合には刺戟と反應との恒常は殆んど問題はない。正常ならざる位置(著者の所謂 non-normal orientation)に問題が起るのである。卽ち問題は正常ならざる場合を如何に解釋するかにある。その場合の解釋を猶ほ恒常關係一本槍で行かうとすることを形態學派の人は責めるのである。そこで恒常關係の排擊は實は所謂る意味說の排擊(Köhler)であり、解釋說の排棄(Koffka)であつて、恒常關係そのものゝ全的拒否ではないのは當然である。このことは、普通恒常關係反駁の有力な證明の如く云はるゝ、大きさの「見え」や明るさの「見え」等の實驗についても形の知覺の場合と同樣であるが、今之についての論述を略することゝする。

刺戟と反應との關係の一定な場合は勿論上述の「正常な位置」の如き、刺戟も反應も共に比較的簡單な場合であるが、生物の日常經驗に現はれるところは兩者ともにさう簡單ではあり得ない。刺戟にしても、物の大きさ又は形とか、それから反射される光の量とか、反應にしても、形や大きさや明るさの如き簡單なものではない。仍で斯々の刺戟によつて斯々の心的反應が起るといふ兩者の關係は學問的には重要な意義を有つて居ても、實際生活上直に役立つ程に生活と密切な關係を有たぬ場合が多いのである。生物の日常生活に於ける還境との交涉は、その精神活動が大きな作能を有つことは無論であるが、その精神活動と共應する外部に現はれた行動が一層直接な交渉の形式でなければならぬ。日常生活に於ては、行動から精神活動を推するより外はないのであり、從つて行動の起る刺戟と場合とを行動と結びつけて知ることが非常に重要なこと丶なるのである。勿論その場合には刺戟も反應も簡單ではあり得ないのであるから、此刺戟とその反應として此の行動といふが如き簡單な方式では表はせない。多くの人々は刺戟系統反應系統、又は刺戟事情反應事情などと云ふ呼び方を用ひてゐる。孰れにしても此關係は複雜であるが、比較的簡單な場合から始めて此間の關係を究めようとすることが、殊に近代心理學の一般的傾向である。前に擧げた、犬と肉片又は棒との例の如き、何故に犬は飛びつく行動をするか。何故躊る行動をするか。其間の關係は複雜である。肉でなくとも骨でも飛びつくかも知れぬ。或場合には肉や骨が與へられても同じ行動を現はさぬかも知れぬ。子供が犬を見て恐怖的行動を示したとする。犬は刺戟でありこの行動は反應であると簡單に結論することは誤である。此行動は犬以外の動物からも起るかも知れぬ。動物以外の刺戟からも起り得るかも知れぬ。或は又同じ犬についても、子供が保護者と共にあれば單獨の時の樣な行動は現れないかも知れぬ。此場合單一な物又は物から抽象された物理的特性と特殊の行動とを結びつけることが出來るか否か。假令出來るとしても、前述の比較的簡單な精神的反應と刺戟の場合の如く簡單な恒常的關係の存在は豫期し難いことは容易に推測される。如何なる方式で、如何なる關係が樹立され得るかゞ問題である。

Klüver が猿について行つた實驗に例を取つて見よう。幾回かの練習の後、動物が光度のみを異にする同大の圓を誤りなく區別することが出來たとする。例へば常に光度の强い方の箱を檻の中に引き入れる樣に訓練されたとすると、此動物は光度の異りに反應したものと判定することが出來るであらうか。もし此の同じ猿が次に、同じ光度の異りを有する二つの三角形を區別することが出來なかつたとすると、此の動物は前にも光度の相異に反應したものとは斷じがたい。之に反して長い練習の後、完全に波長の長い方の色に積極的に反應する樣になつた後、此の同じ動物が、次に前とは色を異にする長短波長の光波に遭遇した時、直に波長の長い方の色に反應したとすると、之は何に反應したことになるであらうか。刺戟そのものについて見れば、後の場合には訓練の時と次の檢試 (Critical test) とはその特性を異にするにも不拘、刺戟相互は同じ「關係」を有つて居るので、動物はこの關係を識別して長い方に反應したものと見ねばならぬ。して見ると訓練によつて固定された行動(長い波長を選ぶといふ行動)は、刺戟の有つ特性そのものへの反應でなくして、その間の「關係」に反應したものと見なければならぬ。このことは Köhler の行つた同じ樣な動物實驗以來常に主張される所である。然らば前の場合、三角形の檢試に於て訓練時と同樣な關係が存在したにも拘らず動物が失敗したのは何故であらうか。Klüver は「或る刺戟に對して或る反應の起るのを見て、此の反應に含まるゝ所の基本的機能は何であらうかとの疑問が起る。ある刺戟と反應の關係の存在することを知るだけでは滿足出來ない。この反應を決定するに與かる機構についての或ものを知ることが要望される。卽ち單にこの刺戟に對してこの反應が起るといふことを知るのみでなく、如何なる心理的·生理的·神經的機構によつて起るかを知ることが望ましい」と云つて居る。併しながらこれは希望であつて、實際彼がこの論文で企圖してゐるところは、刺戟狀況の如何なる部面が動物の行動を決定する主要なものであるかといふ點である。彼はこの爲めに次の三段の手法をとつた。(a)二つの刺戟の有つ或る一つ又は一つ以上の差光度、大さ、形等)に正しく反應する樣に動物を訓練する。(b)訓練に用ひたのとは異つた或る特質を有つた刺戟、或は全然異つた刺戟、を以て檢試を行ふ。動物の反應が一様で訓練時の繰返しである時に、この檢試刺戟を訓練時の刺戟と同等(equivalent)とする。もし反應が一の刺戟に50%、他の刺戟に50%となるときは(卽ち一の刺戟にのみ一様に反應せず半分々々なる時)、檢試刺戟は前の刺戟と不等(non-equivalent)と考へられる。或は又反應は一様であつても訓練時の條件に合致しない反應であるとき、(例へば前にはより大なる方に反應する様訓練されたにも不拘、檢試では常により小なる方にのみ反應するとき)、同じく之を不等刺戟と見做すこと勿論である。かくして得た同等刺戟を彼は客觀的同等性を有するものと呼んでゐる。(c)は著者の最も重要視する段階で、前段の手法によつて實驗的に得られた多くの等·不等刺戟を檢討し、客觀的同等性を與ふる機能を見出さんとするものである。換言すれば客觀的同等から機能的同等を見出さうといふのである。此の手法に從つて著者は十匹のジャバ猿に三萬囘以上のテストを行つた結果、多くの同等·不等刺戟を見出した。面積を異にする一對の方形の大なる方に反應する様に訓練されると、檢試に於て原刺戟とは面積の違ふ色々の方形、圓、六角、不正形、窓形、屋根形等の一對が提出されると必ず大なる方へ反應し、訓練が小なる方への反應であると檢試も小なる方へ反應する。其他色、音、重さ、光の點滅と常點となどの差に於ても同樣多くの同等刺戟が見出された。この結果だけについて見ると刺戟のどんな部面が反應を決定するかは、簡單に見出されさうであるが必しもさうは行かぬことを彼は彼の所謂る不等刺戟に見出して居る。此點が彼の實驗の最も大なる特異性である。動物が常に黑の方形の大なる方へ反應することから直に、より大なる方に反應する、即ち「より大」といふことが反應を決定するものと結論することは早まつた結論である。何故ならば、動物は、「より大」なることに反應するのか、黑に反應するのか、方形にするのか、これだけでは不明である。換言すれば色・形又は大きさ等が變ると、より大なる方への反應が失はるゝことが有るかも知れぬからである。そこで不等刺戟を考察しなければならぬことになる。實際彼の實驗が示す如く檢試に於て、訓練時の刺戟事情への反應が保持されぬ場合が可なり多いのである。例へば箱の前面々積大小二個の中、小なる方へ反應する樣に馴らす。次には、箱の前面の大さでなくて、その前面に貼りつけた、前と同じ形同じ色同じ大さの關係にある一對の圖形を刺戟としてテストして果して小なる方に反應するか否かを試みるに、反應せぬ。併し此の後の圖形について訓練を積んだ後には、同樣な刺戟によく同樣な反應を示す。或は又圖形の代りに、同じ色、形、大さの穴を箱の前面に作つて、之に反應するか否かを檢試するに之にも反應せぬ。又箱の前面を有色光で照して現はされた同大同色の方形にも反應しない。これ等に訓練された後はよく反應を示す。即ち箱の前面がそのまゝ方形刺戟として用ひられた場合の刺戟と(訓練)、圖形の方形、穴の方形、光の方形等は(檢試)、夫々不等刺戟である。即ち同等刺戟の存在と共に不等刺戟の存在することも亦事實である。併し訓練が成立する以上、何等か刺戟のどこかに同樣な反應を起させる機能があるものと考へなければならぬ。それがなければ一定反應を起す訓練は不可能な筈である。どこの部面が作用するかを檢定するものが檢試である。檢試によつてどれが同等刺戟どれが不等刺戟かを多くの異つた條件の下に見定めることが出來る。同等刺戟は同等な「關係」を有つものであることは以前から多くの人によつて發見され論じられた所である。刺戟の有つ特性は可なり大きな相異があつても一對の刺戟の間の「關係」が訓練時の「關係」と同樣ならば同樣な反應が起るのである。Klüver の實驗では二つのブザーの音の間に存する關係は、自動車の警笛間の關係にも移行せしめることが出來、重い方に反應する樣に訓練された猿は、重りの一部として生きた鼠を入れ、猿は之を見て居り、又之に反應を示すにも不拘、之を重い方の刺戟として反應することを止めない。Koffka によつて引かれた Révész の鷄についての實驗例は最も顯著にこのことを物語るものである(Koffka, 1935. P. 32)。即ち圓、正方形、矩形、三角形等について小なる方に反應する樣に訓練された後、檢試として、所謂る Jastrow 錯視と云はるゝ同大の二扇形が、吾々に一方が他方より小さく見ゆる樣な位置に提示されたところが、鷄は直に、吾々に小さく見ゆる方に反應したのである。これは、純心理的に、「小さく「見ゆる」ものに反應することを示すものであつて、反應を規定するものが、刺戟そのものゝ物理的特性に關せず、純心理的な「關係」であることを例證するものである。

併しながら、Klüver の不等刺戟の發見は、必しも關係のみが行動を規定する基本的素因ではなくて刺戟の有つ特性(Klüver の所謂る absolute property)も亦反應を決定する重要素因であるるとを物語るものである。關係のみが規定素因であるならば箱の前面の方形の大小關係について、大なる方への反應が訓練によつて有効性を獲得した後、檢試に於て同じ關係の構成素因を有する圖形や穴や光やが用ひられた場合、同様な反應が阻まれることはあり得ない筈である。結局Klüver の言ふごとく、關係の影響と特性の影響とが共に行動を決定する上に協力するものと見ることが穩當な見解であらう。關係を構成する心理的素因についての議論は自ら別問題であり、今の論題の範圍外に屬する。

結　語

實驗室内で調節される以外の日常生活の生體の行動に於ては、刺戟も反應も共に甚だ複雜であり、孰れの側よりもその悉くを知り盡し、組織立てゝ、斯々の刺戟と斯々の反應とが或る一定關係に在る等のことを敍述し説明することは到底不可能事に屬する。特に人間の場合には、その精神的身體的反應は、現存の刺戟のみならず未現既往の刺戟に對する順應的反應さへも甚だ多數であるに至つては、その行動は到底簡單なる刺戟と反應との方式にあてはめて考究し得べきではない。

併しながら吾々の外界認識の根本的過程をなす、簡單なる精神過程即ち感覺知覺等に於ては、刺戟と反應との關係は多く恒常であり、その一定關係にある場合から出發して始めて他に及ぶべきである。卽ちその一定關係にある場合を正常規準として始めて他の場合が論ぜられることになるのである。

行動の簡單なる場合に於ても同樣であり、物を刺戟としてそれに行動的反應を起す場合の如き、物の有する物理的特性による刺戟作用によつて、行動反應の一面が規定せらるゝ。

非常に簡單に見ゆる心的過程に於ても、行動に於ても、單に刺戟と反應との關係のみによつてその全相を敍述說明し難いことは恒常假定反對論者の云ふ通りであり、舊來の心理學と雖もそれのみを以て終始一貫するものではない。所謂る新舊心理學の學說の異る點は、恒常關係では說明の出來ない、或はその說明の範圍を超えた(必しも複雜ではないかも知れぬが)過程についての解釋の上にある。例へば刺戟の物理的特性そのものには見出し難い相互間の「關係」が刺戟機能を有つ場合、その「關係」の構成される心理的過程について意見の疎隔對立が生ずる。

Dunlap, K. Response psychology. (in Psychologies of 1930. 309-323)

Kluever, H. The equivalence of stimuli in the behavior of monkeys. J. Genet. Psychol., 1931, 39, 3-27.

Koffka, K. Principles of gestalt psychology. 1935; pp. 720.

Koehler, W. Ueber unbemerkte Empfindungen und Urteilstaeuschungen. Z. Psychol., 1913, 66, 51-80.

Köehler, W. Gestalt psychology. 1929, pp. 403.

Sherrington. C. S. The integrative action of the nervous systom. 1906, pp. 411.

Tolman. E. C. Purposive behavior in animals and men. 1932, pp. 463.

Woodworth, R. S. Psychology: A study of mental life. 1921, pp. 580.

彙報（昭和十四年九月一日より 同十五年六月卅日まで）

哲學科講義題目　昭和十五年度

【東洋哲學】
今村教授　東洋哲學史概說
同　講讀（周易）
後藤助教授　特殊講義（宋學の研究）

【西洋哲學】
岡野教授　哲學概論
同　論理學及認識論
淡野助教授　西洋哲學史概說（古代中世哲學史）

【倫理學】
世良教授　倫理學概論
同　東洋倫理學概論
同　講讀及演習（Aristoteles, Ethica Nicomachea, tr. by M. D. Ross）
柳田助教授　倫理學史（西洋）（近代倫理學）

【心理學】
飯沼教授　特殊講義（知覺の諸問題）
力丸助教授　心理學概論
同　講讀及演習（Dashiell, J. F.: Fundamentals of general psychology, 1937.）

【教育學】
伊藤教授　教育學概論
同　特殊講義（支那教育思想史）
同　演習（教育學方法論）
福島助教授　教育史概說
同　特殊講義（環境と習慣）
同　講讀（Guillaume, P.: La formation des habitudes）

【社會學】
岡田講師　社會學概論

出講　學內

【理農學部】十五年度
岡田講師　農村社會學

【醫學專門部】短期

飯沼　教授　心理學

後藤助教授
柳田助教授　修　身

學會・講演會

【哲學會春季講演會】文政學部哲學會主催

十五年四月廿日、文政學部第五番教室に於て開催。

講演者及演題は左の通り。

伊藤　教授「教授作用と辨證法」

【西田哲學連續講演會】文政學部學友會學藝部主催

柳田助教授を講師とし、同氏著「實踐哲學としての西田哲學」をテキストとして、十五年二月三日から四回、毎週土曜日、文政學部第五番教室に開かれた。

【學術公開講演會】文政學部學友會學藝部主催

十五年六月八日、文政學部北研究室階下特別教室に開催、左の講演があつた、

淡野助教授「フランス哲學について」

【心理學談話會】

（第五十回、十四年十月二十三日）

力丸助教授「文科型と理科型―その存在と豫知とについて」

（第五十二回、十五年二月十二日）

藤澤助手「テストに依る知能といふことについて」

講　習　會

【第三回南支方面進出者養成講習會】總督府主催

十五年一月八日附、後藤助教授が講師を命ぜられ、同會終了（三月末日）まで「修身公民科」を擔當された。

【第四回南支方面進出者養成講習會】總督府主催

十五年六月六日附、後藤助教授が講師を命ぜられ、同會終了（十六年三月二十日）まで修身公民科を擔當される。

【第十三回社會事業講習會】總督府主催

十五年二月六日附、岡田講師が講師を命ぜられ、五月十三、十四日、「軍事保護及社會事業」を講義され

た。

【支那語講習會】 大亞細亞協會主催
十五年二月、左の講演があつた。
今村教授「支那の慣習」

論著

（著書）

伊藤教授「教授方法學」現代教育學大系、原論篇第十五卷 成美堂 十五年五月

柳田助教授「實踐哲學としての西田哲學」弘文堂書房 十四年十二月

（講座）

後藤助教授「宋學」世界精神史講座 第二卷 理想社 十五年五月

柳田助教授「日支思想の現在及將來」世界精神史講座 第一卷 理想社 十五年四月

同 「フイヒテの實踐哲學」岩波講座、倫理學 第一册 十五年五月

（雜誌）

今村教授「東亞の道義」斯文 十五年四月

飯沼教授「加算テストの結果」心理學研究 十五年四月

伊藤教授「伊太利教育制度の大改革について」臺灣教育 十四年十一月

同 「國民教育でなく皇民教育たるべし」學校教育 十五年六月

柳田助教授「行爲的現在」誠明公論 十四年十月

同 「新日本思想建設への道」理想 十一月

同 「行爲の表現的性格（木村素衞著「表現愛」について）」哲學研究 十一月

同 「無所有生活の倫理」形成 十五年一月

同 「行爲的基體」哲學研究 十五、六

藤澤助手「テストによる民族の智能」心理學研究 十五年四月

（新聞）

柳田助教授「本年哲學界の回顧と展望」京大新聞 十四年十二月

同 「學問と學生」京大新聞 十五年一月

海外出張

伊藤教授は昭和十五年二月八日出發、教育學資料蒐集のため中華民國上海、蘇州、南京、漢口、岳州、杭州、北京、張家口、大同へ出張、三月卅日歸任した。

岡田講師は十五年二月出發、廈門島内の村落調査をなし三月歸任。